A Marca de Atena

RICK RIORDAN

A MARCA DE ATENA

OS HERÓIS DO OLIMPO – LIVRO TRÊS

Tradução de Raquel Zampil

Copyright © 2012 by Rick Riordan
Edição em português negociada por intermédio de Gallt and Zacker Literary Agency LLC e Sandra Bruna Agencia Literaria, SL.

TÍTULO ORIGINAL
The Mark of Athena

PREPARAÇÃO
Carolina Rodrigues

REVISÃO
Flora Pinheiro

DIAGRAMAÇÃO
Editoriarte

ADAPTAÇÃO DE CAPA
Julio Moreira

CIP-BRASIL. CATALOGAÇÃO-NA-FONTE
SINDICATO NACIONAL DOS EDITORES DE LIVROS, RJ

R452m

Riordan, Rick, 1964-
    A Marca de Atena / Rick Riordan ; tradução de Raquel Zampil. - Rio de Janeiro : Intrínseca, 2013.
        480p. : 23 cm. (Os heróis do Olimpo ; 3)

    Tradução de: The Mark of Athena
    ISBN 978-85-8057-310-7

    1. Literatura infantojuvenil americana. I. Zampil, Raquel. II. Título. III. Série.

13-0720.   CDD: 028.5
                              CDU: 087.5

[2013]

Todos os direitos desta edição reservados à

EDITORA INTRÍNSECA LTDA.
Av. das Américas, 500, bloco 12, sala 303
22640-904 – Barra da Tijuca
Rio de Janeiro -- RJ
Tel. / Fax.: (21) 3206-7400
www.intrinseca.com.br

AGRADECIMENTO

Muito obrigado a Seán Hemingway, curador das galerias grega e romana do Metropolitan Museum of Art, de Nova York, por me ajudar a rastrear a Marca de Atena até sua origem.

Para Speedy —
Errantes e peregrinos são com frequência enviados pelos deuses.

I

ANNABETH

Até encontrar a estátua explosiva, Annabeth achava que tinha se preparado para qualquer coisa que acontecesse.

Ela andara de um lado para o outro no convés do *Argo II*, o navio de guerra voador, conferindo e reconferindo as balistas, para ter certeza de que estavam travadas. Certificou-se de que a bandeira branca de "Viemos em paz" tremulava no mastro. Repassou o plano com o restante da tripulação — e também o plano B, e ainda o plano C.

Mais importante, puxou de lado seu supervisor fanático por guerras, o treinador Gleeson Hedge, e o encorajou a tirar a manhã de folga na cabine para assistir a reprises de MMA. A última coisa de que precisavam durante um voo em uma trirreme grega mágica indo para um campo romano potencialmente hostil era um sátiro de meia-idade com roupas de ginástica brandindo um bastão e gritando: "Morram!"

Tudo parecia em ordem. Até mesmo o calafrio misterioso que ela começara a sentir desde o lançamento do navio tinha passado, pelo menos por enquanto.

A embarcação de guerra desceu em meio às nuvens, mas Annabeth não conseguia parar de se questionar. E se aquela não fosse uma boa ideia? E se os romanos entrassem em pânico e os atacassem de imediato?

O *Argo II* definitivamente não parecia amigável. Sessenta metros de comprimento, casco revestido de bronze, bestas de repetição montadas na proa e na popa, um dragão de metal cuspidor de fogo como figura de proa e duas balistas giratórias capazes de lançar parafusos explosivos potentes o suficiente para atravessar concreto... bem, esse não era o transporte mais apropriado para um encontro amigável com os vizinhos.

Annabeth tentara mandar um aviso aos romanos. Tinha pedido a Leo que enviasse uma de suas invenções especiais — um pergaminho holográfico — para alertar seus amigos dentro do acampamento. Com sorte, a mensagem teria chegado até eles. Leo havia sugerido pintar uma mensagem gigante no fundo do casco ("*E AÍ?*" junto de uma carinha sorridente), mas Annabeth vetara a ideia. Não sabia se os romanos tinham senso de humor.

Agora era tarde demais para voltar.

As nuvens se abriram ao redor do casco, revelando abaixo deles o tapete verde e dourado das Oakland Hills. Annabeth agarrou um dos escudos de bronze alinhados ao longo da amurada a boreste.

Os outros três tripulantes tomaram seus lugares.

No tombadilho de popa, Leo corria de lá para cá como um louco, verificando indicadores e alavancas. A maioria dos timoneiros teria ficado satisfeita com um timão ou uma cana do leme. Mas Leo havia instalado também teclado, monitor, controles de navegação de um Learjet, uma mesa de som de dubstep e sensores de movimento tirados de um controle de Nintendo Wii. Ele podia virar o navio puxando o manete, disparar armas sampleando um álbum ou levantar velas balançando seus controles de Wii bem rápido. Mesmo pelos padrões dos semideuses, Leo tinha um caso sério de TDAH.

Piper andava de um lado para o outro entre o mastro principal e as balistas, praticando seu discurso.

— Abaixem as armas — murmurava ela. — Só queremos conversar.

Seu charme era tão persuasivo que as palavras fizeram Annabeth querer largar a faca e bater um longo papo.

Filha de Afrodite, Piper fazia um grande esforço para disfarçar sua beleza. Usava jeans esfarrapado, tênis surrados e uma blusinha branca com estampa cor-de-rosa da Hello Kitty. (Talvez fosse uma piada, embora Annabeth nunca tivesse certeza do que se passava na cabeça de Piper.) O cabelo castanho desfiado estava preso para o lado direito em uma trança com uma pena de águia.

11 / Annabeth

E havia ainda Jason, o namorado de Piper. Ele estava de pé na plataforma elevada da besta, na proa, onde os romanos podiam facilmente avistá-lo. Os nós de seus dedos estavam brancos no punho da espada de ouro. Exceto por isso, ele parecia calmo para alguém que se apresentava como alvo. Por cima do jeans e da camiseta laranja do Acampamento Meio-Sangue, ele vestia uma toga e um manto roxo, símbolos de seu antigo posto de pretor. Com o cabelo louro bagunçado pelo vento e os olhos azuis glaciais, parecia rusticamente bonito e no controle — como um filho de Júpiter devia ser.

Ele havia crescido no Acampamento Júpiter, portanto esperavam que seu rosto familiar evitasse que os romanos derrubassem o navio.

Annabeth tentava esconder que ainda não confiava completamente no garoto. Seu comportamento era perfeito demais: sempre seguindo as regras, sempre com atitudes honradas, até sua *aparência* era perfeita demais. Bem no fundo, um pensamento martelava: E se isso for um truque e ele nos trair? E se navegarmos até o Acampamento Júpiter e ele disser: *Ei, romanos! Olhem só estes prisioneiros e este navio bacana que eu trouxe para vocês!*

Annabeth duvidava que aquilo fosse acontecer. Ainda assim, não podia olhar para ele sem se sentir um pouco estranha. Ele fazia parte do "programa de intercâmbio" forçado que fora engendrado por Hera para que os dois acampamentos se conhecessem. Sua Mais Irritante Majestade, a Rainha do Olimpo, havia convencido os outros deuses de que seus dois grupos de filhos — romanos e gregos — tinham que unir forças para salvar o mundo da maligna deusa Gaia, que estava despertando da terra, e seus horríveis filhos, os gigantes.

Sem aviso, Hera sequestrara Percy Jackson, namorado de Annabeth, apagara sua memória e o enviara para o acampamento romano. Em troca, os gregos receberam Jason. Nada disso era culpa dele; mas, todas as vezes que Annabeth o via, lembrava-se da saudade que sentia de Percy.

Percy... que estava em algum lugar abaixo deles agora.

Oh, deuses. O pânico cresceu dentro dela. Annabeth o reprimiu. Não podia se dar ao luxo de perder o controle.

Sou uma filha de Atena, disse a si mesma. *Tenho de me ater ao meu plano e não me desviar dele.*

Ela tornou a senti-lo — aquele arrepio familiar, como se um boneco de neve psicótico houvesse se aproximado por trás e soprasse sua nuca. Ela se virou, mas não havia ninguém ali.

Devia ser o nervosismo. Mesmo em um mundo de deuses e monstros, Annabeth não acreditava que um navio de guerra novo pudesse ser assombrado. O *Argo II* estava bem protegido. Os escudos de bronze celestial ao longo da amurada haviam sido encantados para repelir monstros, e o sátiro a bordo, o treinador Hedge, teria farejado qualquer intruso.

Annabeth desejou poder rezar pedindo orientação à mãe, mas agora isso não era possível. Não depois do mês passado, daquele encontro horrível com a deusa e do pior presente de sua vida...

O frio pareceu chegar ainda mais perto. Ela pensou ter ouvido uma voz distante ao vento, rindo. Todos os músculos de seu corpo ficaram tensos. Algo estava prestes a dar muito errado.

Ela quase ordenou a Leo que mudasse o curso. Então, no vale lá embaixo, cornetas soaram. Os romanos os tinham avistado.

Annabeth pensou que sabia o que esperar. Jason tinha descrito o Acampamento Júpiter em detalhes minuciosos. Ainda assim, ela custava a acreditar no que via. Cercado pelas Oakland Hills, o vale tinha pelo menos duas vezes o tamanho do Acampamento Meio-Sangue. Um riacho serpenteava por um dos lados e descrevia uma curva na direção do centro, como um imenso *G* maiúsculo, desaguando em um reluzente lago azul.

Bem abaixo do navio, aninhada à margem do lago, a cidade de Nova Roma cintilava à luz do sol. Annabeth reconheceu os pontos de referência mencionados por Jason: o hipódromo, o coliseu, os templos e parques, o bairro das Sete Colinas com suas ruas sinuosas, vilas coloridas e jardins floridos.

Ela viu as marcas da recente batalha dos romanos contra um exército de monstros. Parte do domo de um edifício que ela supunha ser o Senado tinha desabado. Na ampla praça do fórum havia uma série de crateras. Algumas fontes e estátuas estavam em ruínas.

Dezenas de garotos vestindo togas saíam do Senado para ver melhor *Argo II*. Mais romanos deixavam lojas e cafés, olhando boquiabertos e apontando para o navio que descia.

13 / Annabeth

A pouco menos de dois quilômetros a oeste, onde as cornetas soavam, uma fortaleza romana erguia-se em uma colina. Era exatamente como as imagens que Annabeth vira em livros de história militar: uma trincheira de defesa encimada por espigões, muralhas altas e torres de vigilância armadas com balistas do tipo escorpião. Lá dentro, alojamentos brancos perfeitamente enfileirados ladeavam a estrada principal — a *Via Principalis*.

Uma coluna de semideuses surgia dos portões, as armaduras e lanças reluzindo enquanto eles corriam para a cidade. Em meio às fileiras havia um elefante de guerra de verdade.

Annabeth queria pousar o *Argo II* antes que aquelas tropas chegassem, mas o solo ainda estava centenas de metros abaixo. Ela esquadrinhou a multidão, esperando avistar Percy.

Então houve uma explosão atrás dela. *BUM!*

A explosão quase a lançou para fora do navio. Ela se virou e se viu frente a frente com uma estátua masculina furiosa.

— Inadmissível! — gritou ele.

Aparentemente ele surgira com a explosão, bem ali no convés. Uma fumaça amarela sulfurosa se levantava dos ombros. Os cabelos cacheados estavam cheios de cinzas. Da cintura para baixo, nada mais era que um pedestal quadrado de mármore. Da cintura para cima, era uma figura humana musculosa com uma toga esculpida.

— Eu *não* vou tolerar armas dentro da Linha Pomeriana! — anunciou ele em uma voz professoral e autoritária. — E *certamente* não tolerarei gregos!

Jason lançou a Annabeth um olhar que dizia: *Eu cuido disso*.

— Término — disse ele. — Sou eu, Jason Grace.

— Ah, eu me lembro de você, Jason! — grunhiu Término. — Pensei que tivesse juízo suficiente para não se associar aos inimigos de Roma!

— Mas eles não são inimigos...

— Isso mesmo — interveio Piper. — Só queremos conversar. Se pudéssemos...

— Rá! — replicou a estátua. — Não tente usar esse charme *comigo*, mocinha. E largue essa adaga antes que eu a arranque de suas mãos!

Piper olhou para sua adaga de bronze, aparentemente se dando conta de que a segurava.

— Hã... o.k. Mas como você a arrancaria de mim? Você nem tem braço.

— Impertinente! — Houve um *POP* agudo e um lampejo de luz amarela. Piper gritou e deixou cair a adaga, que agora fumegava e soltava faíscas.

— Sorte sua que acabei de sair de uma batalha — disse Término. — Se eu estivesse com minha força máxima, já teria derrubado essa monstruosidade voadora do céu!

— Espere aí. — Leo deu um passo à frente, agitando seu controle de Wii. — Você chamou meu navio de monstruosidade? *Diga* que você não fez isso.

A ideia de que Leo pudesse atacar a estátua com seu controle de videogame foi suficiente para arrancar Annabeth de seu estado de choque.

— Vamos nos acalmar. — Ela ergueu as mãos para mostrar que não estava armada. — Creio que você seja Término, o deus das fronteiras. Jason me disse que você protege a cidade de Nova Roma, certo? Eu sou Annabeth Chase, filha de...

— Ah, eu sei quem *você* é! — A estátua a encarou com os olhos brancos e vazios. — Uma filha de *Atena*, a forma grega de Minerva. Um escândalo! Vocês gregos não têm o mínimo de decência. Nós romanos sabemos o lugar adequado para *aquela* deusa.

Annabeth cerrou os dentes. Aquela estátua não estava facilitando nada seu propósito de ser diplomática.

— O que exatamente você quer dizer com *aquela* deusa? E o que tem de tão escandaloso em...

— Certo! — interrompeu-a Jason. — Seja como for, Término, estamos aqui em missão de paz. Adoraríamos ter permissão para pousar e...

— Impossível! — guinchou o deus. — Larguem suas armas e se entreguem! Deixem minha cidade imediatamente!

— É para fazermos qual dos dois? — perguntou Leo. — Nos entregarmos ou irmos embora?

— Ambos! — disse Término. — Entreguem-se, depois vão embora. Estou lhe dando uma bofetada por fazer uma pergunta tão idiota, seu garoto ridículo! Sentiu?

15 / Annabeth

— Uau. — Leo examinava Término com interesse profissional. — Você está muito tenso. Precisa afrouxar algum mecanismo aí? Posso dar uma olhada.

Ele guardou o controle do Wii, pegou uma chave de fenda em seu cinto mágico de ferramentas e bateu no pedestal da estátua.

— Pare com isso! — insistiu Término. Outra pequena explosão fez Leo largar a chave de fenda. — *Não* é permitida a presença de armas em solo romano dentro da Linha Pomeriana.

— Da o quê? — perguntou Piper.

— Limites da cidade — traduziu Jason.

— E este navio inteiro é uma arma! — disse Término. — Vocês *não* podem pousar!

No vale lá embaixo, os reforços da legião estavam a meio caminho da cidade. Havia mais de cem pessoas no fórum. Annabeth examinava os rostos e... ah, deuses. Ela o viu. Ele caminhava na direção do navio com os braços nos ombros de duas pessoas, como se fossem melhores amigos — um garoto corpulento com cabelo muito curto e uma garota usando um capacete da cavalaria romana. Percy parecia tão à vontade, tão feliz. Ele usava uma capa roxa exatamente como a de Jason: a marca de um pretor.

O coração de Annabeth executou uma acrobacia de ginástica artística.

— Leo, pare o navio — ordenou ela.

— O quê?

— Você me ouviu. Vamos ficar exatamente onde estamos.

Leo apanhou o controle e o virou para cima. Todos os noventa remos ficaram imóveis. O navio parou de descer.

— Término — disse Annabeth —, não existe nenhuma regra em relação a pairar *sobre* Nova Roma, existe?

A estátua franziu a testa.

— Bem, não...

— Podemos manter o navio no ar — disse Annabeth. — Vamos usar uma escada de corda para chegar ao fórum. Assim, o navio não estará em solo romano. Não tecnicamente.

A estátua pareceu ponderar a situação. Annabeth perguntou-se se ele estaria coçando o queixo com mãos imaginárias.

— Gosto de tecnicidades — admitiu ele. — Ainda assim...

— Todas as nossas armas ficarão a bordo — prometeu Annabeth. — Presumo que os romanos... inclusive aqueles reforços marchando em nossa direção... também terão que honrar suas regras dentro da Linha Pomeriana, se você assim ordenar.

— É claro! — disse Término. — Por acaso pareço ser do tipo que tolera infratores?

— Hã, Annabeth... — começou Leo. — Tem certeza de que essa é uma boa ideia?

Ela fechou os punhos para evitar que tremessem. Aquele calafrio persistia. Estava bem atrás dela, e agora que Término tinha parado de gritar e causar explosões, ela imaginou ouvir a presença gargalhando, como se estivesse se deliciando com as más escolhas de Annabeth.

Mas Percy estava lá embaixo... tão perto. Ela *precisava* chegar até ele.

— Vai ficar tudo bem — disse ela. — Ninguém estará armado. Poderemos conversar em paz. Término cuidará para que os dois lados obedeçam às regras. — Ela olhou para a estátua de mármore. — Temos um acordo?

Término fungou.

— Creio que sim. Por ora. Você pode descer por sua escada para Nova Roma, filha de Atena. Mas, *por favor*, tente não destruir minha cidade.

II

ANNABETH

Um mar de semideuses reunidos às pressas abriu-se para a passagem de Annabeth à medida que ela atravessava o fórum. Uns pareciam tensos, outros nervosos. Alguns exibiam ataduras por causa da recente batalha contra os gigantes, mas ninguém estava armado. Ninguém atacou.

Famílias inteiras se aglomeravam ali para ver os recém-chegados. Annabeth observou casais com bebês, crianças pequenas agarradas às pernas dos pais, até mesmo alguns idosos usando ao mesmo tempo vestes romanas e roupas modernas. Seriam todos semideuses? Annabeth suspeitava que sim, embora nunca tivesse visto um lugar como aquele. No Acampamento Meio-Sangue, quase todos os semideuses eram adolescentes. Se sobrevivessem ao ensino médio, ou eles permaneciam lá como conselheiros ou partiam para o mundo mortal a fim de levar a vida da melhor maneira possível. Aquela ali era uma comunidade inteira, com várias gerações.

Atrás da multidão, Annabeth avistou o ciclope Tyson e o cão infernal de Percy, a sra. O'Leary — eles tinham sido o primeiro grupo de reconhecimento do Acampamento Meio-Sangue a chegar ao Acampamento Júpiter. Pareciam estar muito bem-dispostos. Tyson acenou e sorriu. Usava uma bandeira com as letras SPQR como um babador gigante.

Parte da mente de Annabeth registrou como a cidade era bonita — os aromas que vinham das confeitarias, as fontes gorgolejantes, as flores desabrochando nos jardins. E a arquitetura... deuses, a arquitetura — colunas de mármore adornadas, mosaicos deslumbrantes, arcos monumentais e *villas* com pátios.

Diante dela, os semideuses abriram caminho para uma garota usando uma armadura romana completa e capa roxa. Os cabelos escuros caíam-lhe pelos ombros, os olhos eram negros como obsidiana.

Reyna.

Jason a descrevera bem. No entanto, mesmo que não tivesse, Annabeth a teria reconhecido como a líder. Medalhas decoravam sua armadura. Ela se movia com tamanha autoconfiança que os outros semideuses recuavam e evitavam seu olhar.

Annabeth percebeu algo a mais em seu rosto também — na linha dura da boca e na maneira calculada como erguia o queixo, como se estivesse pronta a aceitar qualquer desafio. Reyna exibia uma expressão forçada de coragem enquanto refreava uma mistura de esperança, preocupação e medo que não podia demonstrar em público.

Annabeth conhecia aquela expressão. Ela a via todas as vezes que se olhava no espelho.

As duas garotas se observaram. Os amigos de Annabeth postaram-se em uma formação em leque. Os romanos murmuraram o nome de Jason, olhando-o com espanto.

Então alguém surgiu do meio da multidão, e aquilo foi tudo que Annabeth passou a ver.

Percy sorriu para ela — aquele sorriso sarcástico e desafiador que durante anos a irritara, mas que no fim a conquistou. Seus olhos verde-mar continuavam tão maravilhosos quanto ela se lembrava. O cabelo escuro fora jogado para o lado, como se ele tivesse acabado de chegar de uma caminhada na praia. Estava ainda mais bonito do que seis meses antes — mais bronzeado e mais alto, mais esguio e mais musculoso.

Annabeth estava atordoada demais para se mexer. Tinha a impressão de que todas as moléculas de seu corpo entrariam em combustão se chegasse mais perto dele. Nutria secretamente uma queda por ele desde que ambos tinham doze anos. No último verão, havia se apaixonado para valer. Foram um casal feliz por quatro meses — e então ele desapareceu.

19 / Annabeth

Durante esse afastamento, algo acontecera com os sentimentos de Annabeth. Haviam se tornado dolorosamente intensos — como se ela tivesse sido forçada a se abster de um medicamento vital. Agora não tinha certeza do que era mais excruciante: viver com aquela ausência horrível ou estar com ele de novo.

A pretora Reyna empertigou-se. Voltou-se para Jason com relutância evidente:

— Jason Grace, meu antigo colega... — Ela pronunciou a palavra *colega* como se fosse algo perigoso. — Eu lhe dou as boas-vindas. E a estes seus amigos...

Embora não fosse sua intenção, Annabeth adiantou-se. Percy correu para ela ao mesmo tempo. A multidão ficou tensa. Alguns procuraram espadas que não estavam lá.

Percy a abraçou com força. Eles se beijaram, e por um momento nada mais tinha importância. Um asteroide podia atingir o planeta e eliminar todo tipo de vida que Annabeth não daria a mínima.

Percy tinha cheiro de maresia. Seus lábios estavam salgados.

Cabeça de Alga, pensou ela, atordoada.

Percy afastou-se e examinou seu rosto.

— Deuses, nunca pensei...

Annabeth agarrou-o pelo pulso e o lançou por cima do ombro. Ele caiu com força no calçamento de pedra. Os romanos gritaram. Alguns avançaram, mas Reyna gritou:

— Esperem! Não se mexam!

Annabeth pôs o joelho no peito de Percy e pressionou o pescoço dele com o braço. Não se importava com o que os romanos pensavam. Uma massa fervente de raiva expandiu-se em seu peito: o tumor de preocupação e amargura que ela carregava desde o último outono.

— Se você me deixar de novo — disse ela, os olhos ardendo —, juro por todos os deuses...

Percy teve a ousadia de rir. De repente, a massa de emoções ardentes dissolveu-se em Annabeth.

— Considere-me avisado — disse ele. — Também senti sua falta.

Annabeth se ergueu e o ajudou a se levantar. Queria *tanto* beijá-lo de novo, mas se conteve.

Jason pigarreou.

— Então, pois é... É bom estar de volta.

Ele apresentou Reyna a Piper, que parecia um pouco amuada por não ter tido a chance de fazer o discurso que vinha treinando, e em seguida a Leo, que sorriu e fez o sinal de paz e amor.

— E esta é Annabeth — disse Jason. — Hã, normalmente ela não sai por aí aplicando golpes de judô nas pessoas.

Os olhos de Reyna cintilaram.

— Tem certeza de que não é romana, Annabeth? Ou uma amazona?

Annabeth não sabia se isso era um elogio, mas estendeu a mão.

— Só ataco meu namorado desse jeito — prometeu ela. — Prazer em conhecê-la.

Reyna apertou sua mão com firmeza.

— Parece que temos muito a discutir. Centuriões!

Alguns campistas romanos adiantaram-se depressa — pareciam ser os oficiais seniores. Dois adolescentes surgiram ao lado de Percy, os mesmos com quem Annabeth o vira pouco antes. O garoto asiático corpulento com cabelo cortado rente tinha uns quinze anos. Era bonitinho, em um estilo panda-gigante-fofo. A garota era mais nova, talvez com uns treze anos, e tinha olhos cor de âmbar, pele cor de chocolate e cabelos longos e cacheados. Segurava o capacete da cavalaria debaixo do braço.

Pela linguagem corporal de ambos, Annabeth percebeu que eles eram próximos de Percy. Postaram-se ao lado dele de modo protetor, como se já tivessem compartilhado muitas aventuras. Annabeth lutou contra uma pontada de ciúme. Seria possível que Percy e essa garota... não. A química entre os três não era desse tipo. Annabeth passara a vida toda aprendendo a ler as pessoas. Era uma habilidade necessária para sobreviver. Se tivesse que chutar, diria que o grandalhão namorava a garota, embora suspeitasse que eles não estivessem juntos havia muito tempo.

Mas tinha algo que ela não entendia: o que a garota estava encarando tão fixamente? Ela franzia a testa na direção de Piper e Leo, como se reconhecesse um deles e a lembrança fosse dolorosa.

Enquanto isso, Reyna dava ordens a seus oficiais:

— ... digam à legião que descanse. Dakota, alerte os espíritos na cozinha. Peça para prepararem um banquete de boas-vindas. E, Octavian...

— Você vai permitir que esses intrusos entrem no *acampamento*? — Um sujeito alto com cabelos louros e sebosos avançou, abrindo caminho em meio à multidão. — Reyna, os riscos à segurança...

— Não vamos levá-los para o acampamento, Octavian. — Reyna dirigiu-lhe um olhar severo. — Vamos comer aqui, no fórum.

— Ah, *muito* melhor — grunhiu Octavian. Ele parecia ser o único a não respeitar Reyna como sua superiora, apesar de ser magricela e pálido e, por algum motivo, ter três ursinhos de pelúcia pendurados no cinto. — Você quer que relaxemos à sombra do navio de guerra deles.

— Eles são nossos convidados. — Reyna enfatizou cada palavra. — Vamos lhes dar as boas-vindas e conversar. Como áugure, você deveria queimar uma oferenda para agradecer aos deuses por nos trazer Jason em segurança.

— Boa ideia — interveio Percy. — Vá queimar seus ursos, Octavian.

Reyna pareceu conter um sorriso.

— Vocês têm as minhas ordens. Agora podem ir.

Os oficiais se dispersaram. Octavian olhou para Percy com ódio absoluto. Então avaliou Annabeth rapidamente e afastou-se pisando duro.

Percy segurou a mão de Annabeth.

— Não se preocupe com Octavian — disse ele. — A maioria dos romanos é gente boa... como Frank e Hazel aqui, e Reyna. Vamos ficar bem.

Annabeth teve a impressão de que alguém havia pendurado uma toalha fria em seu pescoço. Ela ouviu aquela risada sussurrada novamente, como se a presença a houvesse seguido desde o navio.

Ela ergueu os olhos para o *Argo II*. O casco de bronze maciço cintilava à luz do sol. Parte dela queria sequestrar Percy naquele exato momento, subir a bordo e dar o fora dali enquanto ainda podiam.

Não conseguia se livrar da sensação de que alguma coisa estava prestes a dar muito errado. E por nada no mundo se arriscaria a perder Percy de novo.

— Vamos ficar bem — repetiu ela, tentando acreditar nisso.

— Excelente — disse Reyna. Então se voltou para Jason, e Annabeth pensou ter visto uma espécie de brilho faminto em seus olhos: — Vamos conversar em uma reunião de verdade.

III

ANNABETH

ANNABETH QUERIA ESTAR COM FOME, pois os romanos sabiam comer bem.

Havia conjuntos de sofás e mesas baixas no fórum, e o lugar mais parecia um *showroom* de móveis. Os romanos descansavam em grupos de dez ou vinte, conversando e rindo enquanto espíritos do vento — *aurae* — rodopiavam acima de suas cabeças, trazendo uma infindável variedade de pizzas, sanduíches, batatas fritas, bebidas geladas e cookies recém-saídos do forno. Flutuando em meio à multidão viam-se fantasmas roxos — Lares — usando toga e armadura legionária. Às margens do banquete, sátiros (não, *faunos*, pensou Annabeth) trotavam de mesa em mesa, pedindo comida e alguns trocados. Nos campos próximos, o elefante de guerra se divertia com a sra. O'Leary e crianças brincavam de pique em torno das estátuas de Término que cercavam a cidade.

A cena inteira era tão familiar e ao mesmo tempo tão completamente estranha que Annabeth ficou zonza.

Tudo o que ela queria era estar com Percy — de preferência a sós. Sabia que teria que esperar. Se queriam que sua missão fosse bem-sucedida, precisavam daqueles romanos, o que significava conhecê-los e estabelecer boas relações com eles.

Reyna e alguns oficiais (inclusive o garoto louro, Octavian, que acabava de voltar depois de ter queimado um ursinho de pelúcia em honra aos deuses) sentaram-se com Annabeth e sua tripulação. Percy juntou-se a eles com os dois novos amigos, Frank e Hazel.

Enquanto um tornado de travessas de comida baixava na mesa, Percy inclinou-se e sussurrou:

— Quero lhe mostrar Nova Roma. Só nós dois. O lugar é incrível.

Annabeth deveria ter ficado animada. *Só nós dois* era exatamente o que ela queria. Em vez disso, o ressentimento formou um nó na garganta. Como Percy podia falar daquele lugar com tanto entusiasmo? E quanto ao Acampamento Meio-Sangue — o acampamento *deles*, o lar *deles*?

Ela tentou não olhar as novas marcas no antebraço de Percy: uma tatuagem SPQR, como a de Jason. No Acampamento Meio-Sangue, os semideuses recebiam colares de conta para comemorar anos de treinamento. Ali, os romanos queimavam a carne com uma tatuagem, como se dissessem: *Você nos pertence. Para sempre.*

Ela engoliu alguns comentários mordazes.

— O.k. Claro.

— Estive pensando — disse ele, nervoso. — Tive uma ideia...

Ele se interrompeu quando Reyna propôs um brinde à amizade.

Após todas as apresentações, os romanos e a tripulação de Annabeth começaram a trocar histórias. Jason explicou que havia chegado ao Acampamento Meio-Sangue sem memória e partira em uma missão com Piper e Leo para resgatar a deusa Hera (ou Juno, a critério de cada um — ela era igualmente irritante na forma grega ou romana) da prisão na Casa dos Lobos, no norte da Califórnia.

— Impossível! — interrompeu Octavian. — Esse é o nosso lugar mais sagrado. Se os gigantes houvessem aprisionado uma deusa lá...

— Eles a teriam destruído — disse Piper. — E colocado a culpa nos gregos, dando início a uma guerra entre os acampamentos. Agora, fique quieto e deixe Jason terminar.

Octavian abriu a boca, mas nenhum som saiu. Annabeth adorava o charme de Piper, de verdade. Ela percebeu que Reyna olhava de Jason para Piper e de volta a Jason, a testa franzida, como se começasse a perceber que os dois eram um casal.

— Então — continuou Jason — foi assim que descobrimos sobre a deusa da terra, Gaia. Ela ainda não está completamente acordada, mas é quem anda libertando os monstros do Tártaro e despertando os gigantes. Porfírio, o líder grandalhão que enfrentamos na Casa dos Lobos, disse que estava recuando para as terras antigas... a Grécia. Ele planeja despertar Gaia e destruir os deuses e... como foi mesmo que ele disse? *Destruir suas raízes.*

Percy assentiu, pensativo.

— Gaia tem estado ocupada por aqui também. Tivemos nosso próprio encontro com a Rainha Cara Suja.

Percy contou sua versão da história. Falou de quando acordou na Casa dos Lobos sem nenhuma lembrança, exceto por um nome: *Annabeth.*

Ao ouvir isso, ela esforçou-se muito para não chorar. Percy narrou-lhes a viagem para o Alasca com Frank e Hazel: como eles haviam derrotado o gigante Alcioneu, libertado o deus da morte Tânatos e retornado com a águia de ouro, o estandarte perdido do acampamento romano, para repelir um ataque do exército dos gigantes.

Quando Percy chegou ao fim, Jason assoviou, admirado.

— Dá para entender por que escolheram você como pretor.

Octavian bufou.

— O que significa que agora temos *três* pretores! Os regulamentos afirmam claramente que só podemos ter dois!

— Olhando pelo lado bom — observou Percy —, Jason *e* eu somos superiores a você na hierarquia, Octavian. Assim, *nós dois* podemos mandar você calar a boca.

Octavian ficou roxo, da cor da camiseta dos romanos. Jason e Percy trocaram um soquinho.

Até Reyna sorriu, embora seus olhos estivessem tempestuosos.

— Vamos resolver o problema do pretor extra mais tarde — observou ela. — Neste momento, temos questões mais sérias para tratar.

— Eu me retiro em favor de Jason — disse Percy sem hesitar. — Não é nada de mais.

— *Nada de mais?* — engasgou Octavian. — A pretoria de Roma não é *nada de mais?*

Percy o ignorou e voltou-se para Jason:

— Você é irmão de Thalia Grace, né? Uau. Vocês não são nada parecidos.

— É, eu já percebi — respondeu Jason. — De qualquer forma, obrigado por ajudar meu acampamento enquanto eu estava fora. Você fez um trabalho incrível.

— Você também — respondeu Percy.

Annabeth deu um chute na canela dele. Ela odiava interromper o nascimento de uma grande amizade, mas Reyna estava certa: eles tinham assuntos sérios a discutir.

— Precisamos falar sobre a Grande Profecia. Parece que os romanos também estão cientes disso.

Reyna assentiu.

— Nós a chamamos de Profecia dos Sete. Octavian, você sabe recitá-la de cor?

— É claro — disse ele. — Mas, Reyna...

— Recite-a, por favor. Mas não em latim.

Octavian suspirou.

— *Sete meios-sangues responderão ao chamado. Em tempestade ou fogo, o mundo terá acabado...*

— *Um juramento a manter com um alento final* — prosseguiu Annabeth —, *e inimigos com armas às Portas da Morte, afinal.*

Todos a fitaram; exceto Leo, que havia construído um cata-vento com embalagens de *taco* de papel-alumínio e o espetava nos espíritos do vento que passavam.

Annabeth não sabia muito bem por que deixara escapar os versos da profecia. Fora apenas um impulso irresistível.

O garoto grandão, Frank, sentou-se mais para a frente, fitando-a fascinado, como se houvesse surgido um terceiro olho em sua testa.

— É verdade que você é filha de Min... quer dizer, de Atena?

— Sim — disse ela, de repente sentindo-se na defensiva. — Por que tanta surpresa?

— Se você é mesmo filha da deusa da *sabedoria*... — zombou Octavian.

— Basta — cortou Reyna. — Annabeth é o que diz ser. Ela está aqui em paz. Além disso... — Ela dirigiu a Annabeth um relutante olhar de respeito. — Percy falou muito bem de você.

Annabeth levou um momento para ler nas entrelinhas do que Reyna dizia. Percy baixou os olhos, subitamente interessado em seu cheeseburger.

O rosto de Annabeth ficou quente. Ah, deuses... Reyna tinha dado em cima de Percy. Isso explicava o toque de amargura, talvez até de inveja em suas palavras. Percy preferira Annabeth.

Naquele momento, Annabeth perdoou seu ridículo namorado por tudo o que ele já fizera de errado. Queria abraçá-lo, mas se forçou a ficar calma.

— Hã, obrigada — disse para Reyna. — De qualquer forma, parte da profecia está ficando clara. Inimigos seguindo armados até as Portas da Morte... isso significa romanos e gregos. Precisamos nos unir para encontrar aquelas portas.

Hazel, a garota com o capacete da cavalaria e longos cabelos cacheados, apanhou algo ao lado do prato. Parecia um grande rubi; mas, antes que Annabeth pudesse ter certeza, Hazel o guardou no bolso da camisa de brim.

— Meu irmão, Nico, foi procurar as portas — disse ela.

— Espere — pediu Annabeth. — Nico di Angelo? Ele é seu irmão?

Hazel assentiu como se isso fosse óbvio. Mais uma dúzia de perguntas se amontoou na cabeça de Annabeth, que já estava girando como o cata-vento de Leo. Ela resolveu ignorar o assunto.

— O.k. Você estava dizendo...

— Ele desapareceu. — Hazel umedeceu os lábios. — Meu medo... não tenho certeza, mas acho que aconteceu alguma coisa com ele.

— Vamos procurá-lo — prometeu Percy. — Temos que encontrar as Portas da Morte, de qualquer modo. Tânatos disse que encontraríamos as duas respostas em Roma... a Roma *original*. Ela fica no caminho para a Grécia, certo?

— Tânatos lhe disse isso? — Annabeth tentou assimilar *essa* ideia. — O deus da morte?

Ela havia encontrado muitos deuses. Já tinha ido até mesmo ao Mundo Inferior; no entanto, a história de Percy sobre a libertação da encarnação da própria morte a deixou realmente assustada.

Percy mordeu seu sanduíche.

— Agora que a Morte está livre, os monstros vão se desintegrar e retornar ao Tártaro, onde ficavam. Mas, enquanto as Portas da Morte estiverem abertas, eles vão continuar voltando.

Piper virou a pena em seu cabelo.

— Como a água vazando por uma barragem — sugeriu ela.

— Pois é. — Percy sorriu. — E temos um baita vazamento.

— O quê? — perguntou Piper.

— Nada — respondeu ele. — Piadinha interna. Precisamos encontrar e fechar essas portas antes de irmos para a Grécia. É nossa única chance de derrotar os gigantes e garantir que eles *permaneçam* derrotados.

Reyna pegou uma maçã de uma bandeja de frutas que passava. Ela a girou entre os dedos, examinando a casca vermelho-escura.

— Vocês estão propondo uma expedição para a Grécia em seu navio de guerra. Vocês se dão conta de que as terras antigas... e todo o Mare Nostrum... são um lugar perigoso?

— Mary quem? — perguntou Leo.

— Mare Nostrum — explicou Jason. — *Nosso Mar*. É assim que os antigos romanos chamavam o Mediterrâneo.

Reyna assentiu.

— O território que no passado fez parte do Império Romano não é só o berço dos deuses. Também é o lar ancestral dos monstros, Titãs, gigantes... e coisas piores. Semideuses correm perigo ao viajar aqui na América, mas *lá* o risco é dez vezes maior.

— Você disse que o Alasca seria ruim — lembrou Percy. — Nós sobrevivemos.

Reyna balançou a cabeça. Ela rodava a maçã e furava com as unhas pequenas meias-luas na fruta.

— Percy, viajar no Mediterrâneo é um nível de perigo totalmente diferente. Há séculos lá é território proibido para semideuses romanos. Nenhum herói em seu juízo perfeito iria até lá.

— Então somos as pessoas certas! — Leo sorriu por cima do cata-vento. — Porque somos todos loucos, certo? Além disso, o *Argo II* é um navio de guerra top de linha. Ele vai nos levar até lá.

— Temos que nos apressar — acrescentou Jason. — Não sei exatamente o que os gigantes estão planejando, mas Gaia fica mais consciente a cada minuto. Está invadindo sonhos, aparecendo em lugares estranhos, convocando mais e mais monstros poderosos. Precisamos deter os gigantes antes que eles a acordem de vez.

Annabeth estremeceu. Ela ultimamente tinha seus próprios pesadelos.

— *Sete meios-sangues responderão ao chamado* — disse ela. — Precisamos unir nossos acampamentos. Jason, Piper, Leo e eu. Somos quatro.

— E eu — disse Percy. — Mais Hazel e Frank. Sete.

— O quê? — Octavian levantou-se de um salto. — Vocês esperam que nós simplesmente *aceitemos* isso? Sem uma votação do Senado? Sem um debate adequado? Sem...

— Percy! — Tyson, o ciclope, vinha na direção deles com a sra. O'Leary em seus calcanhares. Nas costas do cão infernal estava empoleirada a harpia mais esquelética que Annabeth já vira: uma garota de aparência doentia com cabelo vermelho ralo, vestido de aniagem e asas de penas rubras.

Annabeth nunca tinha visto aquela harpia, mas seu coração se aqueceu ao ver Tyson em sua camisa de flanela e jeans esfarrapado, usando a bandeira com o SPQR ao contrário em seu peito. Ela tivera experiências bem ruins com ciclopes, mas Tyson era um doce. Também era meio-irmão de Percy (longa história), e por isso ela o considerava praticamente família.

Tyson parou ao lado do sofá deles e retorceu as mãos imensas. Seu grande olho castanho estava cheio de preocupação.

— Ella está com medo — disse ele.

— N-n-nada de barcos — murmurou a harpia para si mesma, bicando furiosamente as penas. — *Titanic, Lusitania, Pax...* barcos não são para harpias.

Leo estreitou os olhos e virou-se para Hazel, que estava sentada a seu lado:

— Por acaso essa galinha acabou de comparar *meu* barco ao *Titanic*?

— Ela não é uma galinha. — Hazel desviou os olhos, como se Leo a deixasse nervosa. — Ella é uma harpia. Só está um pouquinho... tensa.

— Ella é bonita — disse Tyson. — E está assustada. Precisamos levá-la embora, mas ela não quer ir no navio.

— Nada de navios — repetiu Ella. Então olhou diretamente para Annabeth. — Azar. Aí está ela. *A filha da sabedoria caminha solitária...*

— Ella! — Frank se pôs de pé de repente. — Talvez esta não seja a melhor hora...

— *A Marca de Atena por toda a Roma é incendiária* — prosseguiu Ella, tapando os ouvidos com as mãos e elevando a voz. — *Gêmeos ceifaram do anjo a vida /*

Que detém a chave para a morte infinita. / A ruína dos gigantes se apresenta dourada e pálida, / Conquistada por meio da dor de uma prisão tecida.

Foi como se alguém tivesse jogado uma granada na mesa. Todos fitaram a harpia. Ninguém falou. O coração de Annabeth batia loucamente. *A Marca de Atena...* Ela resistiu à tentação de conferir o bolso, mas sentia a moeda de prata esquentando — o presente amaldiçoado de sua mãe. *Siga a Marca de Atena. Vingue-me.*

À volta deles, os sons do banquete continuavam, porém abafados e distantes, como se seu pequeno grupo de sofás houvesse deslizado para uma dimensão mais silenciosa.

Percy foi o primeiro a se recobrar. Ele se levantou e pegou Tyson pelo braço.

— Já sei! — disse, com fingido entusiasmo. — Que tal você levar Ella para tomar um ar fresco? Você e a sra. O'Leary...

— Espere aí. — Octavian agarrou um de seus ursinhos, estrangulando-o com mãos trêmulas. Seus olhos estavam fixos em Ella. — O que foi que ela disse? Parecia...

— Ella lê muito — disse Frank rapidamente. — Nós a encontramos em uma biblioteca.

— É! — reforçou Hazel. — Provavelmente é só alguma coisa que ela leu em um livro.

— Livros — murmurou Ella, prestativa. — Ella gosta de livros.

Agora que tinha dito o que queria, a harpia parecia estar mais relaxada. Sentou-se de pernas cruzadas nas costas da sra. O'Leary, alisando as asas.

Annabeth lançou um olhar curioso a Percy. Obviamente, ele, Frank e Hazel estavam escondendo algo. E, tão óbvio quanto isso, Ella havia recitado uma profecia — uma que dizia respeito a *Annabeth*.

A expressão de Percy dizia: *Socorro*.

— Aquilo era uma profecia — insistiu Octavian. — Parecia uma profecia.

Ninguém respondeu.

Annabeth não tinha muita certeza do que estava acontecendo, mas compreendeu que Percy estava prestes a se meter em uma grande encrenca. Ela forçou uma risada.

— É mesmo, Octavian? Talvez as harpias sejam diferentes aqui, no lado romano. As nossas têm inteligência apenas para limpar chalés e cozinhar. As de vocês costumam prever o futuro? Você as consulta para seus augúrios?

Suas palavras tiveram o efeito desejado. Os oficiais romanos riram nervosamente. Alguns avaliaram Ella, então olharam para Octavian e riram com desdém. Pelo visto a ideia de uma galinha anunciando profecias era tão ridícula para os romanos quanto para os gregos.

— Eu, hã... — Octavian deixou seu ursinho cair. — Não, mas...

— Ela só está recitando trechos de algum livro — continuou Annabeth —, como Hazel disse. Além disso, já temos uma profecia *de verdade* com que nos preocupar.

— Percy está certo. — Hazel voltou-se para Tyson. — Por que você não pega Ella e a sra. O'Leary e viaja um pouco pelas sombras? Tudo bem para você, Ella?

— "Cães grandes são bons" — disse Ella. — *Meu melhor companheiro*, 1957, roteiro cinematográfico de Fred Gipson e William Tunberg.

Annabeth não tinha certeza do que aquela resposta significava, mas Percy sorriu como se o problema estivesse solucionado.

— Ótimo! — exclamou ele. — Vamos mandar uma mensagem de Íris para vocês assim que terminarmos e mais tarde os encontramos.

Os romanos olharam para Reyna, esperando sua decisão. Annabeth prendeu a respiração.

Reyna era ótima aparentando indiferença. Ela estudou a harpia, mas Annabeth não conseguia adivinhar o que estava pensando.

— Está bem — disse a pretora por fim. — Vão.

— Oba! — Tyson percorreu os sofás, dando um grande abraço em todo mundo, até mesmo em Octavian, que não pareceu muito feliz com isso.

Em seguida ele subiu nas costas da sra. O'Leary com Ella, e o cão infernal deixou o fórum. Seguiram direto para uma sombra na parede do Senado e desapareceram.

— Muito bem. — Reyna deixou de lado sua maçã inteira. — Octavian tem razão em um ponto. Precisamos da aprovação do Senado para que qualquer legionário saia em uma busca... principalmente uma tão perigosa quanto a que vocês estão sugerindo.

— Essa história toda cheira a traição — resmungou Octavian. — Aquela trirreme não é um navio de paz!

— Suba a bordo, cara — ofereceu Leo. — Se quiser, mostro todo o navio. Você pode guiar o barco e, se for bom de verdade, eu lhe darei um chapeuzinho de papel de capitão.

As narinas de Octavian se dilataram.

— Como você ousa...

— É uma boa ideia — disse Reyna. — Octavian, vá com ele. Veja o navio. Vamos convocar uma reunião do Senado em uma hora.

— Mas... — Octavian se deteve. Aparentemente ele sabia, pela expressão de Reyna, que discutir não lhe faria bem. — Está bom.

Leo se levantou. Ele se virou para Annabeth, e seu sorriso mudou. Aconteceu tão rápido que Annabeth pensou que fosse sua imaginação; mas por um breve momento pareceu que outra pessoa estava ali parada no lugar de Leo, sorrindo friamente, com uma luz cruel nos olhos. Então Annabeth piscou, e Leo era o Leo de sempre, com seu habitual sorriso travesso.

— Volto logo — prometeu ele. — Isso vai ser épico.

Um frio horrível tomou conta de Annabeth. Enquanto Leo e Octavian seguiam para a escada de corda, ela pensou em chamá-los de volta, mas como poderia explicar aquilo? Dizer a todos que estava enloquecendo, vendo coisas e sentindo frio?

Os espíritos do vento começaram a recolher os pratos.

— Hã, Reyna — disse Jason —, se não se importar, eu gostaria de mostrar o lugar a Piper antes da reunião do Senado. Ela nunca veio a Nova Roma.

A expressão de Reyna endureceu.

Annabeth se perguntou como Jason podia ser tão obtuso. Seria possível que ele não tivesse mesmo percebido o quanto Reyna gostava dele? Era bastante óbvio para Annabeth. Pedir para mostrar à nova namorada a cidade de Reyna era esfregar sal na ferida.

— Claro — concordou Reyna com frieza.

Percy segurou a mão de Annabeth.

— É, eu também. Queria mostrar a Annabeth...

— Não — cortou-o Reyna.

Percy franziu as sobrancelhas.

— Como?

— Quero trocar algumas palavras com Annabeth — disse Reyna. — Sozinha. Se você não se importar, meu colega pretor. — Seu tom deixava claro que na verdade ela não estava pedindo permissão.

O frio espalhou-se pelas costas de Annabeth. Ela se perguntou qual era a intenção de Reyna. Talvez a pretora não gostasse da ideia de *dois* caras que a haviam rejeitado passeando pela sua cidade com as respectivas namoradas. Ou talvez ela quisesse lhe contar algo em particular. Qualquer que fosse o motivo, Annabeth sentia-se relutante em ficar sozinha e desarmada com a líder dos romanos.

— Venha, filha de Atena. — Reyna levantou-se do sofá. — Vamos dar uma volta.

IV

ANNABETH

Annabeth queria odiar Nova Roma. Mas, como aspirante a arquiteta, não podia deixar de admirar os jardins elevados, as fontes e os templos, as ruas sinuosas com calçamento de pedra e as *villas* brancas e reluzentes. Depois da Guerra dos Titãs no verão anterior, ela conseguira o emprego dos seus sonhos: redesenhar os palácios do Monte Olimpo. Agora, andando por aquela minicidade, ela ficava pensando: *Eu devia ter feito um domo como aquele. Adoro a forma como aquelas colunas conduzem até o pátio.* Quem quer que tivesse desenhado Nova Roma havia claramente dedicado muito tempo e amor ao projeto.

— Temos os melhores arquitetos e construtores do mundo — falou Reyna, como se lesse os pensamentos dela. — Sempre foi assim, desde a Antiguidade. Muitos semideuses vêm morar aqui depois de concluir seu tempo na legião. Eles vão para nossa universidade. Estabelecem-se para criar suas famílias. Percy pareceu interessado.

Annabeth se perguntou o que *aquilo* significava. Sua cara fechou-se mais do que pretendia, porque Reyna riu.

— Você é uma guerreira, de fato — disse a pretora. — Tem fogo nos olhos.

— Lamento. — Annabeth tentou suavizar sua expressão.

— Não lamente. Sou filha de Belona.

— Deusa romana da guerra?

Reyna assentiu. Ela se virou e assoviou como se estivesse chamando um táxi. Um momento depois, dois cães de metal correram até elas: galgos autômatos, um de prata e outro de ouro. Eles se esfregaram nas pernas de Reyna e fitaram Annabeth com olhos de rubi reluzentes.

— Meus bichinhos de estimação — explicou Reyna. — Aurum e Argentum. Você não se importa que eles nos acompanhem, não é?

Mais uma vez, Annabeth teve a impressão de que aquele não era um pedido. Ela percebeu que os galgos tinham dentes pontiagudos como setas de aço. O uso de armas podia ser proibido na cidade, mas os animaizinhos de estimação de Reyna ainda podiam fazê-la em pedaços se quisessem.

Reyna a conduziu para um café ao ar livre, onde o garçom claramente a conhecia. Ele sorriu, entregou-lhe um copo para viagem e então ofereceu outro a Annabeth.

— Aceita? — perguntou Reyna. — Eles fazem um chocolate quente maravilhoso. Não é uma bebida romana de fato...

— Mas chocolate é universal — observou Annabeth.

— Exatamente.

Era uma tarde quente de junho, mas Annabeth aceitou o copo, agradecida. As duas continuaram a caminhada, os cães dourado e prateado de Reyna rondando-as.

— Em nosso acampamento, Atena é Minerva — disse Reyna. — Você sabe qual é a diferença da forma romana?

Na verdade, Annabeth não havia pensado nisso até então. Lembrou que Término havia se referido a Atena como *aquela* deusa, como se ela fosse infame. Octavian havia agido como se a mera existência de Annabeth fosse um insulto.

— Suponho que Minerva não seja... hã... muito respeitada por aqui.

Reyna soprou o vapor de seu copo.

— Nós *respeitamos* Minerva. Ela é a deusa das artes e da sabedoria... mas não é de fato uma deusa da guerra. Não para os romanos. Ela também é uma deusa donzela, como Diana... a que vocês chamam de Ártemis. Você não vai encontrar nenhum filho de Minerva aqui. A ideia de que ela *tivesse* filhos... francamente, é um pouco chocante para nós.

— Ah.

Annabeth sentiu o rosto corar. Ela não queria entrar em detalhes sobre os filhos de Atena... que eles nasciam direto da mente da deusa, assim como a própria Atena havia surgido da cabeça de Zeus. Falar disso sempre constrangia Annabeth, como se ela fosse uma aberração. As pessoas lhe perguntavam se ela tinha umbigo, já que nascera de forma tão fascinante. *É claro* que tinha umbigo. Não sabia explicar como. Na verdade, não queria saber.

— Compreendo que vocês, gregos, não enxerguem as coisas da mesma maneira — continuou Reyna. — Mas os romanos levam os votos de castidade muito a sério. As Virgens Vestais, por exemplo... se quebrassem os votos e se apaixonassem por alguém, seriam enterradas vivas. Portanto, a ideia de que uma deusa donzela tivesse filhos...

— Entendi. — O chocolate quente de Annabeth de repente tinha gosto de poeira. Não era de admirar que os romanos a olhassem de modo estranho. — Eu não deveria existir. E mesmo que em seu acampamento *existissem* filhos de Minerva...

— Eles não seriam como você — completou Reyna. — Seriam artesãos, artistas, talvez conselheiros, mas não guerreiros. Não líderes de missões perigosas.

Annabeth começou a protestar, dizendo que não era a líder da missão. Não oficialmente. No entanto, ela se perguntou se seus amigos no *Argo II* concordariam. Nos últimos dias eles tinham lhe perguntado quais eram as ordens — até mesmo Jason, que poderia ter se valido de sua autoridade como filho de Júpiter; e o treinador Hedge, que não recebia ordens de ninguém.

— Tem mais. — Reyna estalou os dedos, e o cão dourado, Aurum, aproximou-se. A pretora coçou-lhe as orelhas. — A harpia Ella... aquilo que ela falou *foi* uma profecia. Nós duas sabemos disso, não é?

Annabeth engoliu em seco. Alguma coisa nos olhos de rubi de Aurum a deixava inquieta. Diziam que cães podiam farejar o medo, até mesmo detectar mudanças na respiração e no batimento cardíaco de uma pessoa. Ela não sabia se isso se aplicava a cães mágicos de metal, mas concluiu que seria melhor falar a verdade.

— Parecia uma profecia — admitiu ela. — Conheci Ella hoje, e nunca tinha ouvido aqueles versos exatamente.

— Eu sim — murmurou Reyna. — Pelo menos parte deles...

A alguns metros de distância, o cão prateado latiu. Um grupo de crianças saiu de um beco ali perto e se reuniu em torno de Argentum, acariciando o cão e rindo, sem medo dos dentes afiados.

— Vamos em frente — disse Reyna.

Elas subiram a colina pelo caminho sinuoso. Os galgos as seguiram, deixando as crianças para trás. Annabeth continuava olhando para o rosto de Reyna. Uma lembrança vaga começou a incomodá-la: a maneira como Reyna prendia o cabelo atrás da orelha, seu anel de prata com o desenho da tocha e da espada.

— Já nos encontramos antes — arriscou Annabeth. — Acho que você era pequena.

Reyna dirigiu-lhe um sorriso seco.

— Muito bem. Percy não se lembrou de mim. É claro que vocês falaram na maioria das vezes com minha irmã mais velha, Hylla, que agora é a rainha das amazonas. Ela partiu hoje de manhã, antes de vocês chegarem. De qualquer forma, quando nos vimos pela última vez, eu era uma simples criada na casa de Circe.

— Circe...

Annabeth lembrou-se da viagem à ilha da feiticeira. Na ocasião, tinha treze anos. Percy e ela haviam ido parar na praia depois de escapar do Mar de Monstros. Hylla lhes dera as boas-vindas. Ajudara Annabeth a se arrumar, dera a ela um lindo vestido novo e transformara seu visual por completo. Então Circe tinha vendido seu peixe: se Annabeth ficasse na ilha, poderia receber treinamento em magia e um poder incrível. Annabeth ficara tentada, talvez só um pouquinho, até se dar conta de que o lugar era uma armadilha e que Percy fora transformado em um roedor. (Essa última parte parecera engraçada depois; mas, na ocasião, fora aterrorizante.) Quanto a Reyna... ela era uma das criadas que penteara o cabelo de Annabeth.

— Você... — disse Annabeth, perplexa. — E Hylla é a rainha das amazonas? Como vocês duas...?

— É uma longa história — disse Reyna. — Mas eu me lembro bem de você. Uma garota corajosa. Eu nunca tinha visto alguém recusar a hospitalidade de Circe, muito menos derrotá-la. Não é de admirar que Percy goste de você.

Sua voz soava melancólica. Annabeth achou que talvez fosse mais seguro não responder.

37 / Annabeth

Elas chegaram ao topo da colina, onde um pátio tinha vista de todo o vale.

— Este é meu lugar favorito — contou Reyna. — O Jardim de Baco.

Videiras em uma treliça formavam um dossel. Abelhas zumbiam em meio a madressilvas e jasmins, que enchiam o ar da tarde com uma mistura inebriante de perfumes. No meio do pátio havia uma estátua de Baco em algo semelhante a uma pose de balé, vestindo nada mais que uma tanga, as bochechas infladas e os lábios franzidos, lançando água pela boca em um chafariz.

Apesar de suas preocupações, Annabeth quase riu. Ela conhecia o deus em sua forma grega, Dioniso — ou sr. D, como o chamavam no Acampamento Meio-Sangue. Ver o velho diretor do acampamento imortalizado em pedra, usando uma fralda e cuspindo água, a fez se sentir um pouco melhor.

Reyna parou na beirada do pátio. A vista justificava a subida. A cidade inteira estendia-se abaixo delas como um mosaico em 3-D. Ao sul, além do lago, um grupo de templos empoleirava-se em uma colina. Ao norte, um aqueduto avançava na direção das Berkeley Hills. Equipes de trabalho consertavam um segmento quebrado, provavelmente durante a batalha recente.

— Eu queria ouvir de você — disse Reyna.

Annabeth voltou-se:

— Ouvir *o quê* de mim?

— A verdade. Convença-me de que não estou cometendo um erro ao confiar em vocês. Fale sobre você. Sobre o Acampamento Meio-Sangue. Sua amiga Piper tem magia nas palavras. Passei tempo suficiente com Circe para reconhecer o charme na voz de alguém. Não posso confiar no que ela diz. E Jason... bem, ele mudou. Parece distante, não mais tão romano.

A mágoa em sua voz era tão cortante quanto vidro quebrado. Annabeth perguntou-se se *ela* soava assim durante todos os meses que esteve à procura de Percy. Pelo menos tivera a sorte de encontrar o namorado. Reyna não tinha ninguém. Era responsável por governar sozinha um acampamento inteiro. Annabeth via que Reyna desejava ter o amor de Jason. Mas ele havia desaparecido e depois retornado com uma nova namorada. Enquanto isso, Percy tinha sido eleito pretor, mas havia rejeitado Reyna também. Agora Annabeth viera para levá-lo embora. Reyna ficaria sozinha outra vez, arcando com uma tarefa que deveria ser executada por duas pessoas.

Annabeth chegara ao Acampamento Júpiter preparada para negociar com Reyna ou até mesmo lutar, se necessário. Não havia se preparado para sentir pena dela e manteve esse sentimento oculto. Reyna não lhe parecia ser alguém que apreciasse piedade.

Em vez disso, Annabeth contou sua história. Falou sobre o pai, a madrasta, os dois meios-irmãos em São Francisco e como ela se sentia uma estranha na própria família. Contou que havia fugido com apenas sete anos, quando encontrou os amigos Luke e Thalia e percorreu o longo trajeto até o Acampamento Meio-Sangue, em Long Island. Ela descreveu o acampamento e os anos em que crescera lá. Falou sobre o encontro com Percy e as aventuras que tinham vivido juntos.

Reyna era uma boa ouvinte.

Annabeth ficou tentada a lhe falar sobre problemas mais recentes: a briga com a mãe, a moeda de prata como presente e os pesadelos — sobre um medo antigo tão paralisante que ela quase decidira que não podia vir naquela missão. Mas não podia se forçar a se abrir tanto assim.

Quando Annabeth parou de falar, Reyna olhou para Nova Roma. Seus galgos de metal farejavam o jardim, tentando abocanhar abelhas nas madressilvas. Por fim, Reyna apontou para o grupo de templos na colina distante.

— O pequeno prédio vermelho ali no lado norte, está vendo? Aquele é o templo de minha mãe, Belona. — Reyna voltou-se para Annabeth: — Diferentemente de sua mãe, Belona não tem equivalente grego. Ela é total e verdadeiramente romana. É a deusa da proteção da pátria.

Annabeth não disse nada. Sabia bem pouco sobre a deusa romana. Desejou saber um pouco a respeito, mas para ela latim não era tão fácil quanto grego. Lá embaixo, reluzia o casco do *Argo II*, que flutuava acima do fórum como um balão de festa de bronze maciço.

— Antes de os romanos irem para a guerra — prosseguiu Reyna —, visitamos o Templo de Belona. O interior é um pedaço de terra que representa o solo inimigo. Cravamos uma lança nesse solo, indicando que estamos em guerra. Sabe, os romanos sempre acreditaram que o ataque é a melhor defesa. Nos tempos antigos, sempre que nossos antepassados se sentiam ameaçados pelos vizinhos, eles invadiam para se proteger.

— Eles conquistaram todos ao redor — observou Annabeth. — Cartago, Gália...

— E os gregos. — Reyna deixou o comentário pairar no ar. — O que quero dizer, Annabeth, é que não é da natureza de Roma cooperar com outras potências. Todas as vezes que semideuses gregos e romanos se encontraram, nós lutamos. Conflitos entre nossos dois lados deram início a algumas das guerras mais horríveis da história da humanidade... principalmente as guerras civis.

— Não tem que ser assim — falou Annabeth. — Temos que trabalhar juntos ou Gaia destruirá todos nós.

— Concordo. Mas a cooperação é possível? E se o plano de Juno tiver falhas? Até mesmo deusas podem errar.

Annabeth esperou ver Reyna sendo atingida por um raio ou transformada em um pavão. Nada aconteceu.

Infelizmente, Annabeth tinha as mesmas dúvidas de Reyna. Hera *de fato* cometia erros. Annabeth tivera vários problemas por conta daquela deusa arrogante e jamais perdoaria Hera por ter levado Percy, mesmo tendo sido por uma causa nobre.

— Não confio na deusa — admitiu Annabeth. — Mas confio em meus amigos. Não é uma tramoia, Reyna. Nós *podemos* trabalhar juntos.

Reyna terminou seu copo de chocolate. Então o colocou no parapeito do pátio e olhou o vale, como se imaginasse frentes de batalha.

— Acredito em sua sinceridade — disse ela. — Mas, for para as terras antigas, em especial para Roma, precisa saber uma coisa sobre sua mãe.

Os ombros de Annabeth ficaram tensos.

— Minha... minha mãe?

— Quando eu morava na ilha de Circe — falou Reyna —, recebíamos muitos visitantes. Certa vez, talvez um ano antes de você e Percy chegarem, um rapaz apareceu na praia, levado pela água. Ele estava meio ensandecido por causa da sede e do calor depois de dias à deriva. Ele não falava coisa com coisa, mas disse que era filho de Atena.

Reyna parou, como se esperasse uma reação. Annabeth não fazia a menor ideia de quem era o rapaz. Não sabia de nenhum outro filho de Atena que tivesse partido em uma missão no Mar dos Monstros, mas ainda assim sentia pavor.

A luz que passava por entre as videiras formava sombras tremendo no chão como um enxame de insetos.

— O que aconteceu com esse semideus?

Reyna acenou a mão, como se a pergunta fosse trivial.

— Circe o transformou em um porquinho-da-índia, é claro. Ele se tornou um roedorzinho bem maluco. Mas, *antes* disso, ele ficava delirando sobre a missão fracassada. Afirmava que tinha ido a Roma, atrás da Marca de Atena.

Annabeth agarrou o corrimão para manter o equilíbrio.

— Sim — disse Reyna, vendo seu desconforto. — Ele ficava falando coisas sobre filho da sabedoria, Marca de Atena e a ruína dos gigantes se apresentando dourada e pálida. Os mesmos versos que Ella recitou. Mas você diz que os ouviu pela primeira vez hoje...

— Foi... pelo menos da maneira como Ella recitou. — A voz de Annabeth soava fraca. Ela não estava mentindo. Nunca ouvira aquela profecia, mas sua mãe a incumbira de seguir a Marca de Atena; e, enquanto pensava na moeda em seu bolso, uma horrível suspeita começou a nascer em sua mente. Ela se lembrou das palavras severas de sua mãe. Pensou nos estranhos pesadelos que vinha tendo ultimamente. — Esse semideus... ele explicou a missão?

Reyna balançou a cabeça.

— Na ocasião, eu não tinha a menor ideia do que ele estava falando. Muito mais tarde, quando me tornei pretora do Acampamento Júpiter, comecei a desconfiar.

— Desconfiar... de quê?

— Há uma lenda antiga que os pretores do Acampamento Júpiter transmitem através dos séculos. Se for verdadeira, pode explicar por que nossos grupos nunca foram capazes de trabalhar juntos. Pode ser a causa de nossa animosidade. Até que essa questão antiga seja finalmente resolvida, assim diz a lenda, romanos e gregos nunca viverão em paz. E a lenda está centrada em Atena...

Um som agudo atravessou o ar. Uma luz brilhou no canto do olho de Annabeth.

Ela virou-se a tempo de ver uma explosão abrir uma cratera no fórum. Um sofá em chamas girou no ar. Semideuses dispersaram-se em pânico.

— Gigantes? — Annabeth levou a mão à faca, que logicamente não estava lá. — Pensei que o exército deles tivesse sido derrotado!

— Não são os gigantes. — Os olhos de Reyna ferviam de raiva. — Vocês traíram nossa confiança.

— O quê? Não!

Assim que ela disse essas palavras, o *Argo II* lançou uma segunda saraivada. A balista de bombordo disparou uma lança imensa envolta em fogo grego, que seguiu direto para o domo danificado do Senado, atravessou-o e explodiu lá dentro, iluminando o edifício como uma abóbora de Halloween. Se alguém estivesse lá dentro...

— Deuses, não. — Uma onda de náusea quase fez os joelhos de Annabeth se dobrarem. — Reyna, não é possível. Nós nunca faríamos isso!

Os cães de metal correram para junto de sua dona. Eles rosnaram para Annabeth, mas se mostravam hesitantes, como se relutassem em atacar.

— Você está dizendo a verdade — julgou Reyna. — Talvez não soubesse dessa traição, mas *alguém* terá que pagar.

Lá embaixo no fórum, o caos se espalhava. A multidão se empurrava e se acotovelava. Brigas irrompiam por toda a parte.

— Derramamento de sangue — disse Reyna.

— Precisamos impedir!

Annabeth teve uma horrível sensação de que aquela talvez fosse a última vez que Reyna e ela concordariam, e juntas correram colina abaixo.

Se armas fossem permitidas na cidade, os amigos de Annabeth já estariam mortos. Os semideuses romanos haviam se unido no fórum em uma multidão furiosa. Alguns atiravam pratos, comida e pedras no *Argo II*, o que era inútil, já que quase tudo caía de volta nas pessoas.

Dezenas de romanos haviam cercado Piper e Jason, que tentavam acalmá-los, sem muita sorte. O charme de Piper era inútil contra tantos semideuses gritando, furiosos. A testa de Jason sangrava. Sua capa roxa havia sido rasgada e agora não passava de farrapos.

— Eu estou do lado de vocês! — insistia ele.

Mas sua camiseta laranja do Acampamento Meio-Sangue não ajudava em nada — tampouco o navio de guerra no alto, disparando lanças de fogo contra Nova Roma. Uma delas caiu ali perto e explodiu uma loja de togas, que virou entulho.

— Pela armadura de Plutão! — praguejou Reyna. — Olhe.

Legionários armados corriam na direção do fórum. Duas equipes de artilharia haviam montado catapultas ao lado da Linha Pomeriana e se preparavam para disparar contra o *Argo II*.

— Isso só vai piorar as coisas — disse Annabeth.

— Eu odeio o meu trabalho — grunhiu Reyna e então correu na direção dos legionários, acompanhada por seus cães.

Percy, pensou Annabeth, esquadrinhando desesperadamente o fórum. *Cadê você?*

Dois romanos tentaram agarrá-la. Ela se esquivou, escapando deles, e se misturou à multidão. Além da grande confusão que eram romanos furiosos, sofás em chamas e prédios explodindo, ainda havia centenas de fantasmas roxos flutuando pelo fórum, atravessando o corpo dos semideuses e gemendo incoerentemente. Os faunos se aproveitaram do caos e se apinharam em torno das mesas, pegando comida, pratos e xícaras. Um deles passou trotando por Annabeth com os braços carregados de *tacos* e um abacaxi inteiro entre os dentes.

Em meio a uma explosão à frente de Annabeth surgiu uma estátua de Término, que gritou com ela em latim, sem dúvida chamando-a de mentirosa e infratora, mas ela empurrou a estátua e continuou correndo.

Enfim avistou Percy. Ele e os amigos Hazel e Frank estavam no meio de uma fonte enquanto Percy repelia os romanos furiosos com jatos d'água. A toga de Percy também estava em farrapos, mas ele parecia ileso.

Annabeth gritou por ele no momento em que outra explosão sacudiu o fórum. Dessa vez o clarão de luz ia para cima. Uma das catapultas romanas havia disparado, e o *Argo II* gemeu e inclinou-se para um lado, chamas formando bolhas no casco de bronze.

Annabeth avistou uma figura agarrando-se desesperadamente à escada de corda, tentando descer. Era Octavian, com a túnica fumegando e o rosto preto de fuligem.

Na fonte, Percy lançava mais água contra a multidão romana. Annabeth correu para ele, desviando-se de um punho romano e de uma travessa de sanduíches que fora arremessada.

— Annabeth! — gritou Percy. — O quê...?

— Eu não sei! — berrou ela.

— Vejam o que aconteceu! — gritou uma voz acima deles. Octavian tinha alcançado a base da escada. — Os gregos *dispararam* contra nós! O garoto Leo apontou suas armas contra Roma!

O peito de Annabeth se encheu de hidrogênio líquido. Ela teve a sensação de que iria se estilhaçar em milhões de pedaços congelados.

— Você está mentindo — rebateu ela. — Leo nunca...

— Eu estava lá! — guinchou Octavian. — Vi com meus próprios olhos!

O *Argo II* respondeu com fogo. No campo, os legionários se espalharam quando uma de suas catapultas explodiu em lascas.

— Estão vendo? — gritou Octavian. — Romanos, matem os invasores!

Annabeth grunhiu, frustrada. Não havia tempo para descobrir a verdade. A tripulação do Acampamento Meio-Sangue estava em desvantagem numérica, na proporção de cem para um, e, mesmo que Octavian tivesse conseguido executar um truque (o que, para ela, era bem provável), eles nunca conseguiriam convencer os romanos antes de serem atacados e mortos.

— Temos que ir embora — disse ela a Percy. — *Agora*.

Ele assentiu sombriamente.

— Hazel, Frank, vocês têm que escolher. Vocês vêm?

Hazel parecia aterrorizada, mas pôs o capacete de cavalaria na cabeça.

— É claro que vamos. Mas vocês nunca chegarão ao navio, a menos que a gente ganhe algum tempo para vocês.

— Como? — perguntou Annabeth.

Hazel assoviou. No mesmo instante um borrão bege atravessou o fórum em disparada. Um cavalo majestoso se materializou ao lado da fonte. Ele empinou, relinchando e dispersando a multidão. Hazel subiu em suas costas, como se tivesse nascido para cavalgar. Uma espada de cavalaria romana estava presa à sela.

Hazel desembainhou sua lâmina dourada.

— Mandem uma mensagem de Íris quando estiverem em segurança longe daqui, e irei ao encontro de vocês — disse ela. — Arion, vamos!

O cavalo disparou pelo meio da multidão com uma velocidade incrível, forçando os romanos a recuarem e causando pânico em massa.

Annabeth vislumbrou um brilho de esperança. Talvez conseguissem sair vivos dali. Então, quase do outro lado do fórum, ela ouviu Jason gritar:

— Romanos! Por favor!

Uma saraivada de pratos e pedras era atirada nele e em Piper. Ao tentar protegê-la, um tijolo atingiu Jason acima do olho. Ele se curvou e a multidão avançou.

— Recuem! — gritou Piper.

Seu charme envolveu a turba, fazendo-a hesitar, mas Annabeth sabia que o efeito não duraria. Percy e ela não conseguiriam alcançá-los a tempo de ajudar.

— Frank — disse Percy —, é com você. Pode ajudá-los?

Annabeth não entendia como Frank poderia fazer aquilo sozinho, mas ele engoliu em seco, nervoso.

— Oh, deuses — murmurou ele. — Certo, claro. Subam pela escada. Agora.

Percy e Annabeth correram para a escada. Octavian ainda estava agarrado ali na base, mas Percy o puxou e o lançou na multidão.

Eles começaram a subir no momento em que legionários armados invadiram o fórum. Flechas passavam assoviando ao lado da cabeça de Annabeth. Uma explosão quase a derrubou da escada. A meio caminho da subida, ela ouviu um rugido lá embaixo e olhou.

Os romanos gritaram e se espalharam quando um dragão em tamanho natural atacou o fórum: uma fera ainda mais assustadora que a figura de proa do *Argo II*, um dragão de bronze. Tinha a pele áspera e cinza de um dragão-de-komodo e asas com aparência de couro, como as dos morcegos. Flechas e pedras ricocheteavam inofensivas em sua couraça enquanto ele se arrastava na direção de Piper e Jason. Ele os agarrou com as patas dianteiras e saltou para o ar.

— Aquele é...? — Annabeth sequer conseguiu verbalizar o pensamento.

— Frank — confirmou Percy, alguns degraus acima dela. — Ele tem alguns talentos especiais.

— Não me diga — murmurou Annabeth. — Continue subindo!

Sem o dragão e o cavalo de Hazel para distrair os arqueiros, eles nunca teriam conseguido subir a escada; mas finalmente passaram por uma série de remos aéreos quebrados e alcançaram o convés. O cordame estava em chamas. A vela de traquete fora rasgada ao meio, e o navio adernava seriamente para boreste.

Não havia sinal do treinador Hedge, mas Leo estava no meio do navio, calmamente reabastecendo a balista. O estômago de Annabeth contorceu-se de horror.

— Leo! — gritou ela. — O que você está *fazendo*?

— Destruí-los... — Ele encarou Annabeth. Seus olhos estavam vidrados. Os movimentos pareciam os de um robô. — Destruir todos eles.

Ele virou-se para a balista de novo, mas Percy o agarrou, derrubando-o. A cabeça de Leo bateu com força no convés, e seus olhos reviraram, ficando à mostra apenas a parte branca.

O dragão cinzento veio planando. Ele circulou o navio uma vez e aterrissou na proa, colocando Jason e Piper no chão, onde ambos desabaram.

— Ande! — gritou Percy. — Tire a gente daqui!

Com um choque, Annabeth percebeu que ele estava falando com ela.

Então ela correu para o leme e cometeu o erro de olhar por cima da amurada. Viu legionários armados cerrando fileiras no fórum, preparando flechas incendiárias. Hazel esporeou Arion, e deixaram a cidade a galope, com uma turba em seu encalço. Mais catapultas estavam sendo levadas e enfileiradas. Ao longo de toda a Linha Pomeriana, as estátuas de Término reluziam roxas, como se reunissem energia para algum tipo de ataque.

Annabeth olhou para os controles. Xingou Leo por tê-los feito tão complicados. Não havia tempo para manobras sofisticadas, mas pelo menos um comando básico ela conhecia: *Para cima*.

Ela agarrou a alavanca de aceleração e a puxou para trás. O navio gemeu. A proa empinou em um ângulo assustador. Os cabos de amarração se romperam, e o *Argo II* disparou para o meio das nuvens.

V

LEO

LEO QUERIA PODER INVENTAR UMA máquina do tempo. Ele voltaria duas horas e desfaria o que tinha acontecido. Isso ou inventar uma máquina de Dar-na-Cara-do-Leo para se punir, embora ele duvidasse que fosse doer tanto quanto o olhar que Annabeth lhe lançava.

— Mais uma vez — falou ela. — *O que* aconteceu exatamente?

Leo tombou no mastro. Sua cabeça ainda latejava por causa do choque no convés. A toda a sua volta, seu navio lindo e novo estava em ruínas. As bestas na popa nada mais eram que pilhas de lenha. A vela de traquete estava em farrapos. O conjunto de satélites que alimentava a internet e a tevê de bordo fora feito em pedaços, deixando o treinador Hedge enfurecido. Sua figura de proa, o dragão de bronze Festus, tossia e soltava fumaça como se tivesse engolido uma bola de pelo, e Leo sabia pelos rangidos vindos de bombordo que alguns dos remos aéreos haviam saído do alinhamento ou se partido completamente, o que explicava por que o navio estava adernando e estremecendo enquanto voava, o motor arfando como uma locomotiva a vapor asmática.

Ele reprimiu um soluço.

— Não sei. Está tudo confuso.

Pessoas demais o olhavam: Annabeth (Leo *odiava* deixá-la com raiva; aquela garota o assustava), o treinador Hedge com suas pernas peludas de bode, a camisa polo laranja e o bastão de beisebol (ele precisava levar aquilo para todos os lugares?) e o recém-chegado Frank.

Leo não sabia bem o que pensar de Frank. Ele parecia um bebê lutador de sumô, embora Leo não fosse idiota o suficiente para dizer isso em voz alta. A memória de Leo estava nebulosa, mas tinha quase certeza de que, enquanto estava semiconsciente, vira um dragão pousar no navio — um dragão que se transformara em Frank.

Annabeth cruzou os braços.

— Está dizendo que não se lembra?

— Eu... — Leo parecia estar tentando engolir uma bola de gude. — Lembro, mas era como se eu estivesse me vendo fazer coisas. Eu não conseguia me controlar.

O treinador Hedge bateu o bastão no convés. Em suas roupas de ginástica, com o boné puxado sobre os chifres, ele tinha a mesma aparência que na Escola da Vida Selvagem, onde passara um ano disfarçado de professor de educação física de Jason, Piper e Leo. Pelo olhar furioso do velho sátiro, Leo quase se perguntava se o treinador iria ordenar que fizesse flexões de braço.

— Olhe, garoto — falou Hedge —, você provocou algumas explosões. Atacou os romanos. Incrível! Excelente! Mas *precisava* destruir os canais de satélite? Eu estava assistindo a uma luta na gaiola.

— Treinador — disse Annabeth —, que tal verificar se todos os focos de incêndio foram apagados?

— Mas eu já fiz isso.

— Faça de novo.

O sátiro se afastou, resmungando. Nem mesmo Hedge era louco o bastante para desafiar Annabeth.

Ela se ajoelhou ao lado de Leo. Os olhos cinza dela eram frios como esferas de metal. O cabelo louro caía solto pelos ombros, mas Leo não achava isso atraente. Ele não tinha a menor ideia de onde tinha surgido o estereótipo da loura burra. Desde que conhecera Annabeth no Grand Canyon, no último inverno, quando ela se aproximou dele com aquele olhar de *Me diga onde Percy Jackson está ou eu mato você*, Leo achava as louras muito inteligentes e muito perigosas.

— Leo — disse ela com calma —, Octavian usou algum truque com você? Ele armou para você ou...

— Não. — Leo podia ter mentido e colocado a culpa naquele romano estúpido, mas não queria piorar uma situação já muito ruim. — O cara era um idiota, mas ele não disparou contra o acampamento. Fui eu.

O recém-chegado Frank fechou a cara.

— De propósito?

— Não! — Leo estreitou os olhos. — Bem, sim... quer dizer, eu não queria. Mas ao mesmo tempo eu tinha a *sensação* de que queria. Alguma coisa me impeliu a fazer aquilo. Eu sentia uma espécie de frio por dentro...

— Uma espécie de frio. — O tom de Annabeth mudou. Ela parecia quase... assustada.

— É — confirmou Leo. — Por quê?

— Annabeth, precisamos de você — chamou Percy sob o convés.

Oh, deuses, Leo pensou. Por favor, tomara que Jason esteja bem.

Piper tinha levado Jason para baixo assim que subiram a bordo. O corte na cabeça dele parecia bem feio. Leo conhecia Jason havia mais tempo do que todos no Acampamento Meio-Sangue. Ele era seu melhor amigo. Se Jason não sobrevivesse...

— Ele vai ficar bem. — A expressão de Annabeth suavizou-se. — Frank, eu vou voltar. Só... fique de olho em Leo. Por favor.

Frank assentiu.

Se fosse possível Leo se sentir pior, isso aconteceu. Annabeth confiava mais em um semideus romano que ela conhecia havia uns três segundos do que em Leo.

Assim que ela se foi, Leo e Frank se encararam. O grandalhão era bem estranho em sua toga de lençol, com o agasalho cinza de capuz e jeans, e um arco e flechas do arsenal do navio pendurados no ombro. Leo lembrou-se da ocasião em que encontrara as Caçadoras de Ártemis: um bando de garotas bonitas e ágeis em roupas prateadas, todas armadas com arcos. Ele imaginou Frank brincando com elas. A ideia era tão ridícula que quase o fez se sentir melhor.

— Então — disse Frank. — Seu nome não é Sammy?

Leo franziu a testa.

— Que pergunta é essa?

— Nada — falou Frank rapidamente. — Eu só... Deixe para lá. Em relação ao bombardeio no acampamento... Octavian podia estar por trás disso, usando magia ou algo assim. Ele não queria que os romanos se dessem bem com vocês.

Leo desejava acreditar nisso. Sentia-se grato ao garoto por não odiá-lo. Mas sabia que não fora Octavian. *Leo* tinha andado até a balista e começado a disparar. Parte dele tinha consciência de que estava errado. Ele havia se perguntado: *Que diabos estou fazendo?* Mas fizera assim mesmo.

Talvez estivesse enlouquecendo. O estresse de todos aqueles meses trabalhando no *Argo II* por fim podia tê-lo feito surtar.

Mas ele não devia pensar nisso. Precisava fazer alguma coisa produtiva. Suas mãos precisavam se ocupar.

— Olhe — disse ele —, tenho que falar com Festus para ter um relatório dos danos. Você se importa...?

Frank o ajudou a se levantar.

— Quem é Festus?

— Um amigo meu — respondeu Leo. — O nome dele também não é Sammy, caso você esteja se perguntando. Venha. Vou apresentá-los.

Felizmente o dragão de bronze não estava danificado. Bem... no inverno passado ele havia perdido tudo exceto a cabeça, mas isso não contava para Leo.

Quando se aproximaram da figura de proa, ela virou-se para olhá-los. Frank recuou.

— Ele está vivo! — gritou ele.

Leo teria rido se não estivesse se sentindo tão mal.

— Sim. Frank, este é Festus. Ele era um dragão de bronze completo, mas tivemos um acidente.

— Você sofre muitos acidentes — observou Frank.

— Bem, alguns de nós não podem se transformar em dragões, então temos que construir um se quisermos. — Leo arqueou as sobrancelhas, olhando para Frank. — Enfim, eu o ressuscitei como uma figura de proa. Ele agora é tipo a interface principal do navio. Como está a situação, Festus?

Festus bufou, soltando fumaça, e emitiu uma série de rangidos e zumbidos. Nos últimos meses, Leo aprendera a interpretar a linguagem dessa máquina. Outros semideuses podiam entender latim e grego. Leo sabia falar rangido e chiado.

— Ai — disse Leo. — Podia ser pior, mas o casco está comprometido em vários pontos. Precisamos consertar os remos aéreos de bombordo para ganharmos velocidade máxima novamente. Vamos precisar de material para o conserto: bronze celestial, piche, cal...

— Para que você precisa de um fiscal?

— Cara, *cal*. Óxido de cálcio, usado em cimento e um monte de outras... Ah, deixe para lá. A questão é que este navio não vai longe a menos que a gente o conserte.

Festus emitiu outro clique que Leo não reconheceu. Parecia *Rei-zel*.

— Ah... *Hazel* — decifrou ele. — É a garota de cabelos cacheados, certo?

Frank engoliu em seco.

— Ela está bem?

— Sim, está — respondeu Leo. — Segundo Festus, o cavalo dela está galopando mais abaixo. Ela está nos seguindo.

— Precisamos pousar, então — disse Frank.

Leo o estudou.

— Ela é sua namorada?

Frank mordeu o lábio.

— É.

— Você não parece muito seguro disso.

— Estou. Estou, claro. Tenho certeza.

Leo ergueu as mãos.

— O.k., tudo bem. O problema é que só podemos pousar uma vez. Nas condições em que o casco e os remos estão, não vamos conseguir decolar de novo até fazermos os reparos, então precisamos pousar em um lugar que tenha tudo o que for necessário.

Frank coçou a cabeça.

— Onde se consegue bronze celestial? Não dá para simplesmente comprar na Home Depot, não é?

— Festus, faça uma varredura.

— Ele pode descobrir onde tem bronze mágico? — Frank maravilhou-se. — Existe alguma coisa que ele *não* possa fazer?

Leo pensou: *Você devia ter visto quando ele tinha corpo*. Mas não disse nada. Era doloroso demais lembrar-se de como Festus era.

Leo espiou sobre a proa do navio. No momento sobrevoavam o vale central da Califórnia. Leo não tinha muita esperança de que pudessem encontrar todo o material necessário em só um lugar, mas tinham que tentar. Leo também queria se afastar o máximo possível de Nova Roma. O *Argo II* podia percorrer grandes distâncias em bem pouco tempo, graças a seu motor mágico, mas Leo imaginava que os romanos também tivessem seus métodos de transporte com magia.

Atrás dele, os degraus rangeram. Percy e Annabeth subiram, os rostos sombrios. O coração de Leo falhou uma batida.

— Jason está...?

— Ele está descansando — respondeu Annabeth. — Piper está de olho nele, mas ele vai ficar bem.

Percy olhou Leo com severidade.

— Annabeth disse que você disparou *mesmo* a balista?

— Cara, eu... eu não entendo como aconteceu. Eu sinto tanto...

— *Sente?* — rosnou Percy.

Annabeth pôs a mão no peito do namorado.

— Vamos resolver isso mais tarde. Neste momento, precisamos nos reagrupar e traçar um plano. Qual é a situação do navio?

As pernas de Leo tremeram. O olhar de Percy causou nele a mesma sensação de quando Jason invocou o raio. A pele de Leo formigou e todos os seus instintos gritaram: *Fuja!*

Ele contou a Annabeth sobre os danos e os suprimentos de que precisavam. Pelo menos sentia-se melhor falando de alguma coisa que podia ser consertada.

Estava lamentando a escassez de bronze celestial quando Festus começou a zumbir e chiar.

— Perfeito.

Leo suspirou, aliviado.

— O que é perfeito? — perguntou Annabeth. — Alguma coisa *perfeita* viria a calhar agora.

Leo abriu um sorriso.

— Tudo de que precisamos em um só lugar. Frank, por que você não se transforma em pássaro ou algo assim? Voe até lá embaixo e diga à sua namorada que nos encontre no Great Salt Lake, em Utah.

* * *

Chegando lá, não fizeram uma aterrissagem muito bonita. Com os remos danificados e a vela de traquete rasgada, Leo mal conseguiu uma descida controlada. Os outros ficaram lá embaixo e apertaram os cintos — exceto o treinador Hedge, que insistiu em se agarrar à amurada de proa, gritando:

— É! Pode vir, Iago!

Leo permaneceu na popa, sozinho no leme, e mirou o melhor que pôde.

Festus rangia e zumbia sinais de aviso, transmitidos pelo intercomunicador até o tombadilho superior.

— Eu sei, eu sei — disse Leo, rangendo os dentes.

Ele não teve muito tempo para apreciar a paisagem. A sudeste, uma cidade encontrava-se aninhada no sopé de uma serra azul e púrpura nas sombras da tarde. Uma paisagem plana de deserto estendia-se para o sul. Bem abaixo deles, o Great Salt Lake cintilava como papel-alumínio, as margens recortadas por pântanos brancos de sal que lembraram a Leo fotos aéreas de Marte.

— Segure-se, treinador! — gritou ele. — Isso vai doer.

— Eu *nasci* para a dor!

CHUÁÁÁ! Uma onda de água salgada inundou a proa, encharcando o treinador Hedge. O *Argo II* inclinou-se perigosamente para boreste, então se endireitou e balançou na superfície do lago. Os motores zumbiram quando as lâminas aéreas ainda em funcionamento mudaram para a forma náutica.

Três séries de remos robóticos mergulharam na água e com isso eles começaram a avançar.

— Bom trabalho, Festus — elogiou Leo. — Nos leve na direção da margem sul.

— É! — O treinador Hedge agitava os punhos no ar. Estava encharcado dos chifres aos cascos, mas sorria feito um bode louco. — Vamos lá, de novo!

— Hã... talvez mais tarde — disse Leo. — Agora fique aqui no convés, o.k.? Pode ficar de vigia, para o caso de... você sabe, o lago decidir nos atacar ou algo assim.

— Pode deixar — prometeu Hedge.

Leo soou a campainha de *Tudo limpo* e se dirigiu para a escada. Antes de chegar lá, um ruidoso *clump-clump-clump* sacudiu o casco. Um garanhão castanho surgiu no convés, e Hazel Levesque estava montada nele.

— Como...? — A pergunta de Leo morreu na garganta. — Estamos no meio de um lago! Essa coisa pode voar?

O cavalo relinchou, zangado.

— Arion não pode voar — respondeu Hazel. — Mas ele pode galopar sobre praticamente qualquer coisa. Água, superfícies verticais, pequenas montanhas... nada disso é obstáculo para ele.

— Ah.

Hazel o olhava de forma estranha, como fizera no banquete no fórum: era como se procurasse algo em seu rosto. Ele ficou tentado a perguntar se eles já haviam se encontrado, mas tinha certeza de que não. Ele se lembraria de uma garota bonita prestando tanta atenção nele. Isso não acontecia muito.

Ela é a namorada de Frank, lembrou ele.

Frank ainda estava lá embaixo, mas Leo quase torcia para que o grandão subisse. A maneira como Hazel examinava Leo o deixava inquieto e desconfortável.

O treinador Hedge aproximou-se com seu bastão de beisebol, olhando com suspeita o cavalo mágico.

— Valdez, isso conta como invasão?

— Não! — respondeu Leo. — Hã, Hazel, é melhor você vir comigo. Construí um estábulo sob o convés, se Arion quiser...

— Ele é um espírito livre. — Hazel desceu da sela. — Vai pastar na margem do lago até eu chamá-lo. Mas quero ver o navio. Me mostre.

O *Argo II* fora projetado como uma antiga trirreme, só que duas vezes maior. O primeiro convés tinha um corredor central com cabines nas laterais para os tripulantes. Em uma trirreme normal, a maior parte do espaço seria ocupada com três fileiras de bancos para que algumas centenas de homens suados fizessem o trabalho pesado, mas os remos de Leo eram automatizados e retráteis, assim ocupavam pouquíssimo espaço dentro do casco. A potência do navio vinha da sala de máquinas no segundo e último convés, que também abrigava a enfermaria, o depósito e os estábulos.

Leo seguiu à frente no corredor. Ele havia construído o navio com oito cabines — sete para os semideuses da profecia e uma para o treinador Hedge (falando a sério: Quíron o considerava mesmo um acompanhante adulto responsável?). Na popa havia um grande refeitório/salão, para onde Leo se dirigia.

No caminho, passaram pelo quarto de Jason. A porta estava aberta. Piper encontrava-se sentada ao lado da cama, segurando a mão de Jason enquanto ele roncava com uma bolsa de gelo na cabeça.

Piper olhou para Leo. Ela levou um dedo aos lábios, pedindo silêncio, mas não parecia zangada. Isso era incrível. Leo tentou reprimir a culpa, e eles continuaram a andar. Quando chegaram ao refeitório, encontraram os outros — Percy, Annabeth e Frank — desanimados, sentados em torno da mesa de jantar.

Leo havia projetado o salão para ser o mais agradável possível, imaginando que passariam muito tempo ali. No armário havia xícaras e pratos mágicos do Acampamento Meio-Sangue, que se encheriam com a comida e a bebida que a pessoa quisesse. Também havia um cooler mágico, com latas de bebidas, perfeito para piqueniques em terra. Os assentos eram confortáveis poltronas de massagem reclináveis com fones embutidos, porta-espadas e porta-copos para todas as necessidades de relaxamento dos semideuses. Não havia janelas, mas as paredes eram encantadas e mostravam, em tempo real, imagens do Acampamento Meio-Sangue — a praia, a floresta, os campos de morangos —, embora agora Leo se perguntasse se isso não deixava as pessoas com saudade em vez de felizes.

Percy olhava com ar saudoso para um pôr do sol na Colina Meio-Sangue, onde o Velocino de Ouro cintilava nos galhos do alto pinheiro.

— Então, pousamos — disse Percy. — E agora?

Frank dedilhava a corda do arco.

— Deciframos a profecia? Quer dizer... aquilo que Ella disse *era* uma profecia, certo? Dos livros sibilinos?

— Livros o quê? — perguntou Leo.

Frank explicou como sua amiga harpia era assustadoramente boa em decorar livros. Em algum momento no passado, ela devorara uma coleção de antigas profecias que haviam supostamente sido destruídas na ocasião da queda de Roma.

— Foi por isso que vocês não contaram aos romanos — adivinhou Leo. — Não queriam que eles se apossassem dela.

Percy continuava olhando a imagem da Colina Meio-Sangue.

— Ella é sensível. Era uma prisioneira quando a encontramos. Eu só não queria... — Ele cerrou um punho. — Isso não importa agora. Mandei uma mensagem de Íris para Tyson, para que ele leve Ella para o Acampamento Meio-Sangue. Lá estarão em segurança.

Leo duvidava que *qualquer* um deles estivesse em segurança, depois de ele ter provocado um acampamento de romanos furiosos, além dos problemas que já enfrentavam com Gaia e os gigantes; mas ficou calado.

Annabeth entrelaçou os dedos.

— Vou pensar na profecia... mas agora temos problemas mais urgentes. Temos que consertar este navio. Leo, do que precisamos?

— A coisa mais fácil é piche. — Leo ficou feliz em mudar de assunto. — Podemos conseguir na cidade, em uma loja de material de construção ou algum lugar assim. Além disso, bronze celestial e cal. Segundo Festus, podemos conseguir ambos em uma ilha no lago, a oeste daqui.

— Vamos ter que ser rápidos — advertiu Hazel. — Se conheço Octavian, ele está nos procurando com seus augúrios. Os romanos vão enviar uma força de ataque atrás de nós. É uma questão de honra.

Leo sentiu todos os olhos voltados para ele.

— Pessoal... não sei o que aconteceu. Sinceramente, eu...

Annabeth ergueu a mão.

— Nós conversamos. Concordamos que não poderia ser *você*, Leo. Aquela sensação de frio que você mencionou... eu senti também. Deve ter sido algum tipo de magia ou Octavian ou Gaia ou um dos servos dela. Mas até entendermos o que houve...

Frank grunhiu.

— Como podemos ter certeza de que não vai acontecer de novo?

Os dedos de Leo esquentaram como se estivessem prestes a pegar fogo. Um de seus poderes como filho de Hefesto era evocar chamas à vontade; mas ele precisava ter cuidado para não fazer isso por acidente, principalmente em um navio cheio de explosivos e produtos inflamáveis.

— Estou bem agora — insistiu ele, embora desejasse poder ter certeza. — Talvez devêssemos usar o sistema de equipes. Ninguém vai a lugar nenhum sozinho. Podemos deixar Piper e o treinador Hedge a bordo com Jason. Mandamos um grupo buscar o piche na cidade. Outro grupo pode ir atrás do bronze e do cal.

— Nos dividir? — perguntou Percy. — Parece uma péssima ideia.

— Vai ser mais rápido — opinou Hazel. — Além disso, existe um motivo para uma missão em geral ser restrita a no máximo três semideuses, certo?

Annabeth ergueu as sobrancelhas, como se reavaliasse os méritos de Hazel.

— Você está certa. O mesmo motivo pelo qual precisamos do *Argo II*... fora do acampamento, sete semideuses em um só lugar atrai demais a atenção de monstros. O navio foi projetado para nos esconder e proteger. A bordo estaremos razoavelmente seguros; mas, se sairmos em expedições, não devemos ir em grupos com mais de três. Não tem sentido alertar mais servos de Gaia do que o necessário.

Percy ainda não parecia convencido disso, mas segurou a mão de Annabeth.

— Desde que você esteja no meu grupo, eu fico feliz.

Hazel sorriu.

— Ah, isso é fácil. Frank, você foi incrível ao se transformar em dragão! Pode fazer de novo e levar Annabeth e Percy à cidade, para buscar o piche?

Frank abriu a boca, como se quisesse protestar:

— Eu... eu acho que sim. Mas e você?

— Arion me leva com Sa... com Leo. — Ela brincou com o punho da espada, deixando Leo inquieto. Hazel tinha ainda mais energia que *ele*. — Vamos buscar o bronze e a cal. Podemos todos nos encontrar aqui ao anoitecer.

Frank franziu a testa. Obviamente não lhe agradava a ideia de Leo ir com Hazel. Por alguma razão, a desaprovação de Frank fez Leo querer ir. Ele *tinha* que provar que era digno de confiança. Não iria disparar nenhuma balista aleatoriamente de novo.

— Leo — disse Annabeth —, se conseguirmos os suprimentos, em quanto tempo você conserta o navio?

— Com sorte, apenas algumas horas.

— Ótimo — concluiu ela. — Encontramos vocês aqui de volta o mais rápido possível, mas tomem cuidado. Um pouco de sorte não seria nada mal. Mas isso não significa que vamos tê-la.

VI

LEO

Montar em Arion foi o ponto alto do dia de Leo — o que não era muito, pois o dia havia sido péssimo. Os cascos do cavalo transformavam a superfície do lago em névoa salgada. Leo pôs a mão no flanco do animal e sentiu os músculos trabalhando como uma máquina bem lubrificada. Pela primeira vez ele entendeu por que motores de automóveis tinham sua potência medida em cavalos. Arion era um Maserati de quatro patas.

À frente deles havia uma ilha — uma linha de areia tão branca que bem poderia ser feita de sal puro. Além da praia erguia-se uma extensão de dunas cobertas por mato e rochedos castigados pelo tempo.

Leo estava sentado atrás de Hazel, com o braço em volta da cintura dela. O contato próximo o deixava pouco à vontade, mas era a única maneira de se manter a bordo (ou seja lá como se chamava quando o meio de transporte era um cavalo).

Antes de partirem, Percy o havia puxado para um canto e lhe contado a história de Hazel. Ele fez parecer que estava fazendo um favor a Leo, mas havia um aviso subliminar: *Se mexer com minha amiga, eu mesmo vou servi-lo de almoço para um grande tubarão branco.*

Segundo Percy, Hazel era filha de Plutão e morrera na década de 1940, sendo trazida de volta à vida apenas poucos meses antes.

Leo achava difícil acreditar naquilo. Hazel parecia muito viva, completamente diferente dos fantasmas ou dos outros mortais renascidos com que Leo havia lidado.

Ela também parecia lidar bem com pessoas, ao contrário de Leo, que se sentia muito mais à vontade com máquinas. Coisas vivas, como cavalos e garotas? Ele não tinha a menor ideia de como funcionavam.

Hazel também era a namorada de Frank, então Leo sabia que devia manter distância. Ainda assim, o cabelo dela tinha um cheiro bom, e cavalgar com ela fazia o coração dele disparar quase contra a vontade. Devia ser a velocidade com que cavalgavam.

Arion chegou à praia com estrondo, batendo os cascos e relinchando triunfante, como o treinador Hedge soltando um grito de guerra.

Hazel e Leo desmontaram, e Arion pisoteou a areia.

— Ele quer comer — explicou Hazel. — Ele prefere ouro, mas...

— Ouro? — perguntou Leo.

— ...vai ter que se contentar com grama. Pode ir, Arion. Obrigada pela carona. Eu chamo você.

E, de repente, o cavalo sumiu — nada restou a não ser um rastro fumegante no lago.

— Que cavalo rápido — comentou Leo. — Caro de alimentar, também.

— Até que não — replicou Hazel. — É fácil para mim arrumar ouro.

Leo ergueu as sobrancelhas.

— Como é fácil arrumar ouro? Por favor, me diga que você não é parente do rei Midas. Não gosto daquele cara.

Hazel apertou os lábios, como se lamentasse ter tocado no assunto.

— Deixa para lá.

Isso despertou ainda mais a curiosidade de Leo, mas ele concluiu que talvez fosse melhor não pressioná-la, então se ajoelhou e pegou um punhado da areia branca.

— Bem... um problema resolvido, pelo menos. Com isto dá para fazer cal.

Hazel franziu a testa.

— A praia toda?

— Sim. Está vendo? Os grânulos são esferas perfeitas. Não é areia de verdade. É carbonato de cálcio.

Leo puxou um saco plástico do cinto de ferramentas e pegou um punhado da areia.

De repente, imobilizou-se. Ele se lembrou de todas as vezes em que a deusa Gaia havia aparecido para ele no solo — seu rosto adormecido feito de pó, areia ou terra. Ela adorava provocá-lo. Imaginou seus olhos fechados e o sorriso sonhador surgindo no cálcio branco.

Vá embora, heroizinho, disse Gaia. *Sem você, o navio não pode ser consertado.*

— Leo? — chamou Hazel. — Tudo bem?

Tremendo, ele respirou fundo. Gaia não estava ali. Ele só estava surtando.

— Sim — respondeu ele. — Sim, estou bem.

Ele começou a encher a sacola.

Hazel ajoelhou-se ao lado dele e ajudou.

— Devíamos ter trazido um balde e pazinhas.

A ideia animou Leo. Ele até sorriu.

— Poderíamos fazer um castelo de areia.

— Um castelo de cal.

Eles trocaram um olhar que foi um segundo longo demais.

Hazel desviou os olhos.

— Você é *tão* parecido com...

— Sammy? — adivinhou Leo.

Ela caiu para trás.

— Você sabe?

— Não faço a menor ideia de quem é Sammy. Mas Frank me perguntou se eu tinha certeza de que esse não era meu nome.

— E... não é?

— Não! Caramba.

— Você não tem um irmão gêmeo ou... — Hazel se deteve. — Sua família é de Nova Orleans?

— Não, é de Houston. Por quê? Sammy é um cara que você conhecia?

— Eu... Não é por nada. Você só parece com ele.

Leo conseguia ver que ela estava constrangida demais para ir adiante. Mas, se Hazel era uma garota do passado, isso significava que Sammy também era da década de 1940? Se fosse assim, como Frank conhecia o cara? E por que Hazel pensaria que ele era Sammy, tantas décadas depois?

Os dois terminaram de encher o saco plástico em silêncio. Leo o enfiou no cinto de ferramentas e o saco desapareceu — sem peso, sem massa, sem volume —, embora Leo soubesse que ele estaria ali assim que o procurasse. Leo podia carregar qualquer coisa que coubesse nos bolsos. Ele *adorava* o cinto de ferramentas. Só lamentava que os bolsos não fossem grandes o bastante para uma motosserra ou uma bazuca, talvez.

Ele se levantou e examinou a ilha ao redor — dunas muito brancas, mantos de grama e rochedos incrustados pelo sal que mais parecia glacê.

— Festus disse que havia bronze celestial por perto, mas não tenho certeza de onde...

— Por ali. — Hazel apontou. — A pouco menos de quinhentos metros.

— Como você...?

— Metais preciosos — disse Hazel. — É uma coisa de Plutão.

Leo lembrou-se do que ela dissera sobre o ouro ser fácil.

— Talento bem conveniente. Vá na frente, srta. Detectora de Metais.

O sol começou a se pôr, e o céu tornou-se uma mistura bizarra de roxo e amarelo. Em outras circunstâncias, Leo talvez gostasse de dar uma caminhada na praia com uma garota bonita, mas quanto mais andavam mais nervoso ele ficava. Finalmente, Hazel começou a seguir para o interior da ilha.

— Tem certeza de que isso é uma boa ideia? — perguntou ele.

— Estamos perto — garantiu ela. — Venha.

Logo acima das dunas, eles viram a mulher.

Ela estava sentada em uma pedra no meio de um campo gramado. Havia uma motocicleta preta e cromada parada ali perto, mas uma grande fatia das rodas havia sido recortada, o que fazia com que parecessem o Pac-Man. A moto com certeza não conseguia andar naquelas condições.

A mulher tinha cabelos negros encaracolados e o corpo muito magro. Usava calças de motoqueiro e botas de couro com uma jaqueta também de couro vermelho-sangue — uma mistura de Michael Jackson com Hell's Angels. O chão em torno de seus pés estava coberto do que pareciam ser conchas quebradas. Ela estava encurvada, tirando novas conchas de um saco e abrindo-as. Ostras? Leo não sabia se havia ostras no Great Salt Lake, mas achava que não.

Leo estava relutante em se aproximar. Tivera experiências ruins com mulheres estranhas. Sua antiga babá, *Tía* Callida, na realidade era Hera e tinha o terrível hábito de colocá-lo para cochilar em uma lareira acesa. A deusa da terra, Gaia, havia matado sua mãe em um incêndio em uma oficina quando Leo tinha oito anos. A deusa da neve, Quione, tentara transformá-lo em um doce de leite congelado em Sonoma.

Hazel, porém, continuou em frente, de modo que ele não teve muita escolha, exceto segui-la.

À medida que chegavam mais perto, Leo percebeu detalhes perturbadores. Preso ao cinto da mulher havia um chicote enrolado. A jaqueta de couro vermelha tinha uma estampa sutil: galhos retorcidos de uma macieira povoados por aves esqueléticas. As ostras que ela abria eram na verdade biscoitos da sorte.

Uma pilha de biscoitos quebrados amontoava-se a seu redor, chegando à altura do tornozelo. Ela continuava tirando novos biscoitos do saco, abrindo-os, e lendo o papel dentro deles. A maior parte ela jogava no chão. Alguns a faziam murmurar, infeliz. Ela passava o dedo no pedacinho de papel como se o estivesse limpando, então tornava a fechar o biscoito magicamente e o atirava em uma cesta próxima.

— O que está fazendo? — perguntou Leo, antes que pudesse se conter.

A mulher ergueu os olhos. Os pulmões de Leo se encheram de ar tão rápido que ele pensou que fossem explodir.

— Tia Rosa? — perguntou.

Não fazia sentido, mas a mulher era exatamente igual à sua tia. Tinha o mesmo nariz largo com uma verruga no lado, a mesma boca severa e os olhos duros. Mas não podia ser Rosa. Ela jamais usaria roupas como aquelas e ainda estava em Houston, até onde Leo sabia. Não estaria abrindo biscoitos da sorte no meio do Great Salt Lake.

— É isso que você vê? — perguntou a mulher. — Interessante. E você, Hazel, querida?

— Como a senhora...? — Hazel recuou, alarmada. — A senhora... a senhora parece a sra. Leer. Minha professora do terceiro ano. Eu a odiava.

A mulher soltou uma risada.

— Excelente. Você se ressentia dela, é? Ela era injusta com você?

— A senhora... Ela prendia minhas mãos à carteira por mau comportamento — disse Hazel. — Chamava minha mãe de bruxa. Ela sempre colocava a culpa em mim por tudo e... Não. Ela *tem* que estar morta. Quem é *você*?

— Ah, Leo sabe — disse a mulher. — Como se sente em relação à tia Rosa, *mi hijo*?

Mi hijo. Era assim que a mãe de Leo sempre o chamava. Depois da morte dela, Rosa havia rejeitado Leo. Ela o chamara de filho do demônio. Culpara-o pelo incêndio que tinha matado a irmã. Rosa colocara a família contra ele e o deixara — um órfão magricela de oito anos — à mercê do serviço social. Leo havia passado por diversos lares adotivos até que finalmente encontrara um lar no Acampamento Meio-Sangue. Ele não odiava muitas pessoas, mas, após todos esses anos, o rosto de tia Rosa ainda o fazia ferver de ressentimento.

Como ele se sentia? Ele queria acertar as contas. Queria vingança.

Os olhos dele desviaram-se para a motocicleta com rodas de Pac-Man. Onde foi que ele vira algo semelhante àquilo? Chalé 16, no Acampamento Meio-Sangue: o símbolo acima da porta era uma roda partida.

— Nêmesis — disse ele. — Você é a deusa da vingança.

— Está vendo? — A deusa sorriu para Hazel. — Ele me reconhece.

Nêmesis quebrou outro biscoito e franziu o nariz.

— *Você receberá uma grande fortuna quando menos esperar* — leu ela. — Esse é exatamente o tipo de bobagem que odeio. Alguém abre um biscoito e de repente encontra uma profecia dizendo que ficará rico! A culpa é daquela idiota da Tique. Sempre distribuindo boa sorte para quem não merece!

Leo olhou para o monte de biscoitos quebrados.

— Hã... você sabe que essas profecias não são de verdade, certo? Elas são colocadas dentro dos biscoitos em alguma fábrica...

— Não tente arranjar desculpas para isso! — Nêmesis o cortou. — É típico de Tique dar esperanças às pessoas. Não, não. *Preciso* fazer um contraponto a ela. — Nêmesis deu um peteleco no pedacinho de papel, e as letras ficaram vermelhas. — *Você terá uma morte dolorosa quando mais esperar*. Pronto! Muito melhor.

— Isso é horrível! — disse Hazel. — Você deixaria alguém ler essa mensagem no biscoito da sorte e isso realmente acontecer?

A deusa soltou uma risada de desdém. Era muito sinistro ver aquela expressão no rosto da tia Rosa.

— Minha querida Hazel, você nunca desejou que coisas horríveis acontecessem à sra. Leer pela maneira como ela a tratava?

— Isso não quer dizer que eu queria que acontecessem de verdade!

— Bah. — A deusa tornou a fechar o biscoito e o lançou na cesta. — Tique seria Fortuna para você, suponho, sendo romana. Como os outros, ela está em péssimas condições atualmente. Eu? Não sou afetada. Sou chamada de Nêmesis tanto pelos gregos quanto pelos romanos. Eu não mudo, pois a vingança é universal.

— Do que você está falando? — perguntou Leo. — O que está fazendo aqui?

Nêmesis abriu outro biscoito.

— Números da sorte. Ridículo! Isso nem mesmo chega a ser sorte!

Ela esmagou o biscoito e deixou as migalhas caírem aos seus pés.

— Para responder a sua pergunta, Leo Valdez, os deuses se encontram em péssimas condições. Isso sempre acontece quando uma guerra civil está fermentando entre vocês, romanos e gregos. Os olimpianos estão divididos entre suas duas naturezas, exigidos de ambos os lados. Eles estão se tornando meio esquizofrênicos, sinto dizer. Sofrem dores de cabeça lancinantes. Ficam desorientados.

— Mas não estamos em guerra — insistiu Leo.

— Hã, Leo... — Hazel estremeceu. — Na verdade você acabou de explodir um bom pedaço de Nova Roma.

Leo a fitou, perguntando-se de que lado a garota estava.

— Não foi de propósito!

— Eu sei disso — disse Hazel —, mas os romanos, não. E vão nos perseguir, em retaliação.

Nêmesis deu uma gargalhada.

— Leo, escute a garota. A guerra se aproxima. Gaia a preparou, com sua ajuda. E adivinha quem os deuses culpam por esse inconveniente?

Leo sentiu na boca o gosto de carbonato de cálcio.

— Eu.

A deusa soltou uma risada debochada.

— Ora, *você* se acha muito, hein? Você é só um peão no tabuleiro, Leo Valdez. Eu me referia à mentora que deu início a essa missão ridícula, reunindo gregos e romanos. Os deuses culpam Hera... ou Juno, se preferirem! A rainha dos céus fugiu do Olimpo para escapar à ira de sua família. Não esperem mais nenhuma ajuda de sua madrinha!

A cabeça de Leo latejava. Seus sentimentos em relação a Hera eram conflitantes. Ela havia se intrometido em sua vida desde que ele era um bebê, moldando-o para servir a seu propósito naquela grande profecia, mas pelo menos estivera do lado deles, mais ou menos. Se ela estava fora de cena agora...

— Então por que você está aqui? — perguntou ele.

— Ora, para oferecer a *minha* ajuda!

Nêmesis sorriu, maliciosa.

Leo olhou para Hazel. A expressão dela era como a de alguém que tivesse acabado de ganhar uma cobra de presente.

— Sua ajuda — disse Leo.

— Naturalmente! — afirmou a deusa. — Gosto de derrubar os orgulhosos e poderosos, e não há ninguém que mereça mais ser derrubado do que Gaia e seus gigantes. No entanto, preciso adverti-los de que não vou aceitar sucesso imerecido. A boa sorte é uma impostura. A roda da fortuna é uma fraude. O verdadeiro sucesso exige sacrifício.

— Sacrifício? — A voz de Hazel estava tensa. — Eu perdi minha mãe. Morri e voltei à vida. Agora meu irmão está desaparecido. Isso não é sacrifício suficiente para você?

Leo se identificava com ela totalmente. Ele queria gritar que havia perdido a mãe também. Sua vida inteira fora um sacrifício após o outro. Tinha perdido seu dragão, Festus. Quase morrera tentando concluir o *Argo II*. Agora havia disparado contra o acampamento romano, muito provavelmente dado início a uma guerra e talvez perdido a confiança de seus amigos.

— Neste momento — disse ele, tentando controlar sua raiva — tudo que quero é um pouco de bronze celestial.

— Ah, isso é fácil — replicou Nêmesis. — Está logo depois da subida. Vocês vão encontrá-lo com os enamorados.

— Espere — disse Hazel. — Que enamorados?

Nêmesis jogou um biscoito na boca e o engoliu, com sorte e tudo.

— Você verá. Talvez eles tenham uma lição para ensinar a você, Hazel Levesque. A maioria dos heróis não pode fugir a sua natureza, mesmo quando recebem uma segunda chance na vida. — Ela sorriu. — E, falando em seu irmão Nico, você não tem muito tempo. Vamos ver... hoje é dia vinte e cinco de junho? Sim, depois de hoje, mais seis dias. Aí ele morre, com a cidade de Roma inteira.

Os olhos de Hazel se arregalaram.

— Como... o quê...?

— E quanto a *você*, filho do fogo — Nêmesis voltou-se para Leo —, suas piores adversidades ainda estão por vir. Você sempre será o forasteiro, a sétima vela. Não encontrará um lugar entre seus irmãos. Logo enfrentará um problema que não poderá resolver, embora eu possa ajudá-lo... por um preço.

Leo sentiu o cheiro de fumaça. Percebeu que os dedos da mão esquerda estavam pegando fogo e que Hazel o olhava, apavorada.

Enfiou a mão no bolso para apagar as chamas.

— Gosto de resolver meus próprios problemas.

— Muito bem.

Nêmesis limpou o farelo de biscoito do casaco.

— Mas, hã, de que tipo de preço estamos falando?

A deusa deu de ombros.

— Um dos meus filhos recentemente trocou um olho pela capacidade de fazer uma diferença verdadeira no mundo.

O estômago de Leo se revirou.

— Você... quer um olho?

— No seu caso, talvez outro sacrifício sirva. Mas será algo igualmente doloroso. Aqui. — Ela lhe entregou um biscoito da sorte ainda intacto. — Se precisar de uma resposta, quebre isto. Resolverá seu problema.

A mão de Leo tremia quando ele pegou o biscoito.

— Qual problema?

— Você saberá quando chegar a hora.

— Não, obrigado — disse Leo com firmeza.

Sua mão, porém, como se tivesse vontade própria, enfiou o doce no cinto de ferramentas. Nêmesis pegou outro biscoito no saco e o abriu.

— *Você terá que reconsiderar suas opções em breve.* Ah, gosto deste. Não é preciso nenhuma mudança aqui.

Ela tornou a fechar o biscoito e o jogou na cesta.

— Serão poucos os deuses capazes de ajudá-los nessa missão. A maior parte deles já está incapacitada, e sua confusão só vai piorar. Apenas uma coisa poderá trazer a unidade de volta ao Olimpo: um velho erro finalmente vingado. Ah, isso seria doce de fato, a balança finalmente equilibrada! Mas não acontecerá a menos que vocês aceitem minha ajuda.

— Suponho que você não vai nos dizer do que está falando — murmurou Hazel. — Ou a razão pela qual meu irmão Nico só tem seis dias de vida. Ou por que Roma será destruída.

Nêmesis deu uma risada. Então se levantou e pendurou o saco de biscoitos no ombro.

— Ah, está tudo interligado, Hazel Levesque. Quanto à minha oferta, Leo Valdez, pense um pouco. Você é um bom menino. Trabalha duro. Poderíamos negociar. Mas eu já os detive por tempo demais. Vocês precisam visitar o poço refletor antes que a luz desapareça. Meu pobre garoto amaldiçoado fica bastante... agitado quando a escuridão vem.

Leo não gostou daquelas palavras, mas a deusa subiu na motocicleta. Aparentemente ela ainda andava, apesar das rodas em forma de Pac-Man, pois Nêmesis ligou o motor e desapareceu em uma nuvem de fumaça preta.

Hazel se abaixou. Todos os biscoitos quebrados e papéis da sorte haviam desaparecido, exceto por um. Ela o apanhou e leu.

— *Você verá o próprio reflexo e terá razão para se desesperar.*

— Fantástico — resmungou Leo. — Vamos ver o que isso significa.

VII

LEO

— Quem é tia Rosa? — perguntou Hazel.

Leo não queria falar sobre ela. As palavras de Nêmesis ainda zumbiam em seus ouvidos. Seu cinto de ferramentas parecia mais pesado desde que ele colocara o biscoito ali — o que era impossível. Seus bolsos podiam carregar qualquer coisa sem adicionar peso. Mesmo os objetos mais frágeis nunca se quebrariam. Ainda assim, Leo imaginava que podia sentir o biscoito lá dentro, puxando-o para baixo, à espera de ser aberto.

— Longa história — respondeu ele. — Ela me abandonou depois da morte de minha mãe, me entregou para adoção.

— Sinto muito.

— É, bem... — Leo estava ansioso para mudar de assunto. — E você? O que Nêmesis disse sobre seu irmão?

Hazel piscou, como se tivesse caído sal em seus olhos.

— Nico... ele me encontrou no Mundo Inferior. Ele me trouxe de volta para o mundo mortal e convenceu os romanos no Acampamento Júpiter a me aceitarem. Devo a ele minha segunda chance de viver. Se Nêmesis estiver certa, e Nico estiver em perigo... eu *tenho* que ajudá-lo.

— Claro — disse Leo, embora a ideia o deixasse inquieto. Ele duvidava de que a deusa da vingança desse algum conselho apenas por causa da bondade de seu coração. — E o que foi que Nêmesis disse sobre seu irmão ter seis dias de vida e Roma ser destruída... alguma ideia do que isso significa?

— Nenhuma — admitiu Hazel. — Mas receio...

O que quer que estivesse pensando, ela decidiu não dividir com ele. Hazel escalou um dos rochedos mais altos para ter uma visão melhor. Leo tentou segui-la e perdeu o equilíbrio. Hazel o segurou pela mão, puxou-o para cima e eles se viram no alto da rocha, de mãos dadas, cara a cara.

Os olhos de Hazel reluziam como ouro.

É fácil para mim arrumar ouro, ela dissera. Não parecia assim a Leo — não quando olhava para ela. Ele se perguntou quem seria Sammy. Leo tinha uma suspeita incômoda de que *deveria* saber, mas não conseguia identificar o nome. Quem quer que fosse, tinha sorte de Hazel gostar dele.

— Hã, obrigado. — Ele soltou a mão dela, mas os dois ainda estavam tão próximos que ele podia sentir o calor do hálito da menina. Ela *decididamente* não parecia uma pessoa morta.

— Quando estávamos conversando com Nêmesis — disse Hazel, inquieta —, suas mãos... Eu vi chamas.

— É. É um poder de Hefesto. Em geral consigo mantê-lo sob controle.

— Ah.

Ela pôs uma das mãos na camisa de brim, como se estivesse prestes a fazer o Juramento de Fidelidade. Leo teve a sensação de que ela queria se afastar dele, mas a superfície do rochedo era muito pequena.

Ótimo, pensou ele. Mais uma pessoa que me acha uma aberração.

Ele observou a ilha. A margem oposta ficava a poucas centenas de metros. Entre as duas margens havia dunas e aglomerados de rochedos, mas nada que se parecesse com um poço refletor.

Você sempre será o forasteiro, dissera-lhe Nêmesis, *a sétima vela. Não encontrará um lugar entre seus irmãos.*

Se ela tivesse despejado ácido nos ouvidos dele teria surtido o mesmo efeito. Leo não precisava que ninguém lhe dissesse que ele era um estranho no ninho. Tinha passado meses sozinho no bunker 9 no Acampamento Meio-Sangue, trabalhando em seu navio enquanto os amigos treinavam juntos, partilhavam refeições e brincavam de captura da bandeira em troca de diversão e prêmios. Mesmo seus dois melhores amigos, Piper e Jason, tratavam-no como um forasteiro. Desde que começaram a namorar, a ideia deles de "aproveitar o tempo livre" não incluía Leo. Seu único outro amigo, Festus, o dragão, fora reduzido a uma figura de proa na última aventura, quando seu disco de controle foi destruído. E Leo não tinha a habilidade técnica necessária para consertá-lo.

A sétima vela. Leo sabia que alguns carros tinham quatro, outros seis, e até oito velas — sempre números pares. Deduziu que ser a sétima não era nada bom.

Ele havia pensado que talvez aquela missão fosse um novo começo para ele. Todo o trabalho duro com o *Argo II* seria recompensado. Ele teria seis bons amigos que o admirariam e gostariam dele, e eles velejariam em direção ao nascer do sol para enfrentar gigantes. Talvez, Leo havia secretamente esperado, ele até mesmo arranjasse uma namorada.

Faça as contas, ele se censurou.

Nêmesis tinha razão. Ele podia fazer parte de um grupo de sete, mas ainda assim estava isolado. Tinha disparado contra os romanos e só causara problemas aos amigos. *Não encontrará um lugar entre seus irmãos.*

— Leo? — chamou Hazel, delicadamente. — Você não pode levar Nêmesis a sério.

Ele franziu a testa.

— E se for verdade?

— Ela é a deusa da vingança — lembrou Hazel. — Talvez esteja do nosso lado, talvez não; mas ela existe para instigar o ressentimento.

Leo desejou ser capaz de deixar seus sentimentos de lado assim tão facilmente. Não podia. No entanto, não era culpa de Hazel.

— É melhor continuarmos — disse ele. — Eu me pergunto o que Nêmesis quis dizer com *quando a escuridão vem.*

Hazel olhou para o sol, que naquele momento tocava o horizonte.

— E quem será esse *garoto amaldiçoado* que ela mencionou?

— Garoto amaldiçoado que ela mencionou — disse uma voz abaixo deles.

A princípio, Leo não viu ninguém. Então seus olhos se ajustaram. Ele percebeu que havia uma jovem a apenas três metros da base do rochedo. Ela vestia túnica em estilo grego da mesma cor das rochas. Seu cabelo fino era entre castanho, louro e cinza, de modo que se confundia com a grama seca. Ela não era exatamente invisível, mas ficava quase perfeitamente camuflada quando parada. Mesmo se movendo, Leo tinha problemas para se concentrar nela. Seu rosto era bonito, mas não memorável. Na verdade, cada vez que Leo piscava, ele não conseguia se lembrar de como ela era e tinha que se concentrar para enxergá-la de novo.

— Olá — disse Hazel. — Quem é você?

— Quem é você? — respondeu a garota. Sua voz soava exausta, como se estivesse cansada de responder a essa pergunta.

Hazel e Leo olharam um para o outro. No mundo dos semideuses, nunca se sabe o que se vai encontrar. Nove em cada dez vezes não é nada bom. Uma garota ninja camuflada em tons de terra não era algo com que Leo quisesse lidar naquele momento.

— Você é o garoto amaldiçoado de que Nêmesis falou? — perguntou Leo. — Mas você é uma garota.

— Você é uma garota — repetiu ela.

— Como? — perguntou Leo.

— Como — disse a garota, infeliz.

— Você está repetindo... — Leo se deteve. — Ah. Espere. Hazel, não há um mito sobre uma garota que repete tudo...?

— Eco — falou Hazel.

— Eco — concordou a garota.

Ela se moveu, e o vestido mudou com a paisagem. Seus olhos eram da cor da água salgada. Leo tentou concentrar-se em suas feições, mas não conseguia.

— Não me lembro do mito — admitiu ele. — Você foi amaldiçoada a repetir a última coisa que ouvir?

— Que ouvir — repetiu Eco.

— Pobrezinha — disse Hazel. — Se me lembro bem, foi uma deusa quem fez isso?

— Uma deusa quem fez isso — confirmou Eco.

Leo coçou a cabeça.

— Mas isso não foi há milhares de anos...? Ah. Você é um dos mortais que voltaram pelas Portas da Morte. Eu gostaria muito de parar de esbarrar em gente morta.

— Gente morta — disse Eco, como se o estivesse repreendendo.

Ele se deu conta de que Hazel olhava para os pés.

— Hã... desculpa — murmurou ele. — Não quis dizer nesse sentido.

— Nesse sentido. — Eco apontou na direção da margem oposta da ilha.

— Quer nos mostrar alguma coisa? — perguntou Hazel.

Ela desceu do rochedo, e Leo a seguiu.

Mesmo de perto, era difícil ver Eco. Na verdade, quanto mais ele a olhava, mais ela parecia ficar invisível.

— Tem certeza de que você é real? — perguntou ele. — Quer dizer... de carne e osso?

— Carne e osso.

Ela tocou o rosto de Leo e o fez se encolher. Seus dedos eram quentes.

— Então... você tem que repetir tudo?

— Tudo.

Leo não conteve um sorriso.

— Até que pode ser divertido.

— Divertido — disse ela, infeliz.

— Elefantes azuis.

— Elefantes azuis.

— Me beija, seu bobo.

— Seu bobo.

— Ei!

— Ei!

— Leo, não zombe dela — pediu Hazel.

— Não zombe dela — concordou Eco.

— O.k., o.k. — disse Leo, embora precisasse resistir ao ímpeto. Não era todos os dias que ele encontrava alguém com um recurso de respostas embutido. — Então, para o que você está apontando? Precisa de nossa ajuda?

— Ajuda — concordou Eco enfaticamente.

Ela fez um gesto para que a seguissem e desceu a encosta correndo. Leo só conseguia acompanhar seu avanço pelo movimento da grama e o tremeluzir do vestido à medida que mudava para se ajustar à cor das pedras.

— É melhor corrermos — falou Hazel. — Ou vamos perdê-la de vista.

* * *

Eles encontraram o problema — se é que se pode chamar de problema uma multidão de garotas bonitas. Eco os levou até uma campina gramada no formato de uma cratera com um pequeno lago no meio. Reunidas às margens da água, estavam dezenas de ninfas. Pelo menos Leo imaginava que fossem ninfas. Como as do Acampamento Meio-Sangue, elas usavam vestidos de gaze e estavam descalças. Tinham feições travessas e a pele levemente esverdeada.

Leo não entendeu o que elas estavam fazendo, mas todas se aglomeravam em um ponto, de frente para o lago, acotovelando-se em busca de uma visão melhor. Várias erguiam os celulares com câmera, tentando tirar fotos por cima da cabeça das outras. Leo nunca vira ninfas com telefones. Perguntou-se se estariam olhando um cadáver. Nesse caso, por que estavam saltitando e dando risadinhas de animação?

— O que elas estão olhando? — perguntou-se Leo.

— Olhando — suspirou Eco.

— Só há um modo de descobrir. — Hazel avançou e começou a abrir caminho entre a multidão. — Com licença. Nos desculpem.

— Ei! — queixou-se uma ninfa. — Chegamos primeiro!

— É — resmungou outra. — Ele não vai se interessar por *você*.

A segunda ninfa tinha grandes corações vermelhos pintados nas bochechas. Por cima do vestido, usava uma camiseta que dizia: OMG, I ♥ N!!!!

— Com licença, por favor. Assuntos de semideuses — disse Leo, tentando adotar um tom oficial. — Abram espaço. Obrigado.

As ninfas resmungaram, mas abriram caminho, revelando um jovem ajoelhado à margem do lago, olhando a água intensamente.

Leo em geral não prestava muita atenção à aparência de outros caras. Ele acreditava que isso se devia ao fato de andar com Jason — alto, louro, vigoroso e basicamente tudo o que Leo nunca poderia ser. Estava acostumado a não ser notado pelas garotas. Pelo menos, sabia que nunca conquistaria uma garota pela aparência. Esperava que sua personalidade e seu senso de humor um dia o ajudassem, embora isso ainda não tivesse acontecido de fato.

Mesmo assim, Leo não podia deixar de notar que o cara no lago era superbonito. Tinha os traços do rosto esculpidos, com lábios e olhos que estavam em um ponto entre o lindo feminino e o belo masculino. O cabelo escuro caía-lhe na testa. Ele podia ter dezessete ou vinte anos, era difícil dizer, mas tinha o corpo de um dançarino: braços longos e graciosos, pernas musculosas, postura perfeita e um ar majestoso e calmo. Usava camiseta branca e jeans, com um arco e flechas presos às costas. Estava óbvio que as armas não eram usadas havia algum tempo. As flechas estavam cobertas de poeira. Tinha uma teia de aranha no topo do arco.

Quando Leo se aproximou, ele percebeu que o rosto do cara estava extraordinariamente dourado. Ao pôr do sol, a luz se refletia em uma folha de bronze celestial grande e plana que jazia no fundo do lago, banhando as feições do sr. Bonito com um brilho cálido.

O cara parecia fascinado com sua imagem refletida no metal.

Hazel respirou fundo.

— Ele é maravilhoso.

À volta dela, as ninfas davam gritinhos e batiam palmas, concordando.

— Eu sou — murmurou o rapaz, sonhador, o olhar ainda fixo na água. — Sou *muito* maravilhoso.

Uma das ninfas mostrou a tela do iPhone.

— O último vídeo dele no YouTube teve um milhão de acessos em, tipo, *uma hora*. Acho que metade deles fui eu!

As outras ninfas deram risadinhas.

— Vídeo no YouTube? — perguntou Leo. — O que ele faz no vídeo, canta?

— Não, seu bobo! — censurou a ninfa. — Ele era um príncipe e um caçador maravilhoso e outras coisas. Mas isso não tem importância. Agora ele simplesmente... bem, veja!

Ela mostrou o vídeo a Leo. Era exatamente o que estavam vendo na vida real: o cara se olhando no lago.

— Ele é tãããão gato! — disse outra garota. A camiseta dela dizia: SRA. NARCISO.

— Narciso? — perguntou Leo.

— Narciso — concordou, triste, Eco.

Leo havia esquecido que Eco estava ali. Aparentemente nenhuma das ninfas havia reparado nela.

— Ah, *você* de novo não!

A sra. Narciso tentou empurrar Eco, mas calculou mal onde estava a garota camuflada e acabou empurrando várias outras ninfas.

— Você teve a sua chance, Eco! — disse a ninfa com o iPhone. — Ele a deixou há quatro mil anos! Você não é boa o suficiente para ele.

— Para ele — repetiu Eco com amargura.

— Espere. — Estava claro que Hazel também tinha dificuldade em tirar os olhos do bonitão, mas, por fim, conseguiu. — O que está acontecendo aqui? Por que Eco nos trouxe para cá?

Uma ninfa revirou os olhos. Segurava uma caneta para pegar um autógrafo e um pôster amassado de Narciso.

— Há muito tempo Eco era uma ninfa como nós, mas era totalmente tagarela! Fofocava, blá-blá-blá, o tempo todo.

— Eu sei! — gritou outra ninfa. — Tipo, quem podia aguentar aquilo? No outro dia mesmo, eu disse a Cleopeia... sabiam que ela mora no rochedo ao lado do meu?... Bem, eu disse: *Pare de fofocar ou vai acabar como Eco*. Cleopeia é tão faladeira! Vocês souberam o que ela falou sobre aquela ninfa da nuvem e o sátiro?

— Tudo! — disse a ninfa com o pôster. — Seja como for, como punição por falar demais, Hera amaldiçoou Eco a apenas repetir as coisas, o que para nós não era problema. Mas então Eco se apaixonou por nosso cara maravilhoso, Narciso... como se ele algum dia fosse olhar para ela...

— Até parece, né! — disse meia dúzia de outras.

— Agora ela tem essa ideia estranha de que ele precisa ser salvo — disse a sra. Narciso. — Ela devia simplesmente ir embora daqui.

— Ir embora daqui — grunhiu de volta Eco.

— Estou tão feliz que Narciso esteja vivo outra vez — disse uma ninfa de vestido cinza, que tinha as palavras NARCISO + LAIEA escritas nos braços com caneta hidrográfica preta. — Ele é tipo o *melhor*! E ele está no *meu* território.

— Ah, pare com isso, Laiea — disse sua amiga. — *Eu* sou a ninfa do lago. Você é só a ninfa da pedra.

— Bem, eu sou a ninfa da grama — protestou outra.

— Não, ele obviamente veio aqui porque gosta das flores silvestres! — disse outra. — E elas são minhas!

A multidão começou a discutir enquanto Narciso olhava o lago, ignorando-as.

— Esperem! — gritou Leo. — Senhoras, esperem! Preciso fazer uma pergunta a Narciso.

Lentamente as ninfas se acalmaram e voltaram a tirar fotografias.

Leo ajoelhou-se ao lado do bonitão.

— Então, Narciso. O que está havendo?

— Você pode sair daqui? — perguntou Narciso, distraído. — Está arruinando a visão.

Leo olhou a água. Sua imagem refletida ondulava ao lado do de Narciso na superfície do bronze submerso. Leo não tinha nenhuma vontade de ficar se olhando. Comparado a Narciso, ele parecia um *troll* raquítico. Mas não havia dúvida de que era uma folha de bronze celestial martelado, irregularmente circular, com cerca de um metro e meio de diâmetro.

O que ele estava fazendo no lago, Leo não sabia. Bronze celestial caía do céu em lugares estranhos. Ele ouvira dizer que a maioria eram pedaços rejeitados nas várias oficinas de seu pai. Hefesto perdia a paciência quando o objeto não saía como deveria e então jogava suas sobras no mundo mortal. Esse pedaço parecia ter sido projetado como escudo para um deus, mas não tinha dado certo. Se Leo pudesse levá-lo até o navio, seria bronze em quantidade suficiente para fazer seus consertos.

— Certo, ótima visão — disse Leo. — Ficarei feliz em sair, mas, caso você não esteja usando, posso pegar esse bronze?

— Não — disse Narciso. — Eu o amo. Ele é tão maravilhoso.

Leo olhou à volta para ver se as ninfas estavam rindo. Aquilo *tinha* que ser uma grande piada. No entanto, elas estavam maravilhadas, balançando a cabeça afirmativamente. Apenas Hazel parecia estarrecida. Ela franziu o nariz em uma expressão de desagrado, como se tivesse chegado à conclusão de que Narciso era mais maluco do que parecia.

— Cara — disse Leo a Narciso —, você sabe que está olhando para *você mesmo* na água, certo?

— Eu sou tão perfeito — suspirou Narciso. Ele estendeu uma das mãos para tocar a água, mas se refreou. — Não, não posso agitar a água. Isso estraga a imagem. Uau... eu sou *tão* perfeito.

— É — murmurou Leo. — Mas, se eu pegar o bronze, você ainda vai poder se ver na água. Ou aqui... — Ele levou a mão ao cinto de ferramentas e pegou um espelho do tamanho de um monóculo. — Vamos trocar.

Narciso segurou o espelho, relutante, e se admirou.

— Até *você* carrega uma foto minha? Não o culpo. Sou maravilhoso. Obrigado. — Ele deixou o espelho de lado e voltou a atenção para o lago. — Mas já tenho uma imagem muito melhor. A cor me favorece, você não acha?

— Oh, deuses, sim! — gritou uma ninfa. — Case-se comigo, Narciso!

— Não, comigo! — gritou outra. — Você autografa um pôster para mim?

— Não, autografe minha camisa!

— Não, autografe minha testa!

— Não, autografe minha...

— Parem! — cortou Hazel.

— Parem — concordou Eco.

Leo havia perdido Eco de vista novamente, mas agora percebia que ela estava ajoelhada do outro lado de Narciso, agitando a mão diante do rosto dele, como se tentasse chamar sua atenção. Narciso sequer piscava.

O fã-clube das ninfas tentou afastar Hazel com empurrões, mas ela sacou a espada de cavalaria e as forçou a recuar.

— Parem com isso!

— Ele não vai autografar a sua espada — queixou-se a ninfa do pôster.

— Ele não vai se casar com você — falou a garota do iPhone. — E vocês não podem pegar o espelho de bronze dele! É isso que o *mantém* aqui!

— Vocês são todas ridículas — disse Hazel. — Ele é tão *convencido*! Como podem gostar dele?

— Gostar dele — suspirou Eco, ainda agitando a mão diante do rosto de Narciso.

As outras suspiraram junto com ela.

— Eu sou tão gato — disse Narciso, concordando.

— Narciso, ouça. — Hazel mantinha a espada em punho. — Eco nos trouxe aqui para ajudar você. Não foi, Eco?

— Eco — disse Eco.

— Quem? — perguntou Narciso.

— A única garota que se importa com o que acontece com você, ao que parece — falou Hazel. — Você se lembra de ter morrido?

Narciso franziu a testa.

— Eu... não. Não pode ser. Sou muito importante para morrer.

— Você morreu se olhando — insistiu Hazel. — Agora estou me lembrando da história. Nêmesis foi a deusa que o amaldiçoou, porque você partiu muitos corações. Sua punição foi se apaixonar por seu próprio reflexo.

— Eu me amo tanto, tanto — concordou Narciso.

— Você acabou morrendo — prosseguiu Hazel. — Não sei qual versão da história é verdadeira. Você se afogou ou se transformou em uma flor que se curva sobre a água ou... Eco, qual é a verdadeira?

— Qual é a verdadeira? — repetiu ela, impotente.

Leo se levantou.

— Não importa. O que importa é que você está vivo de novo, cara. Tem uma segunda chance. Foi o que Nêmesis quis nos dizer. Você pode se levantar e seguir sua vida. Eco está tentando salvá-lo. Ou você pode ficar aqui e se olhar até morrer de novo.

— Fique aqui! — gritaram todas as ninfas.

— Case-se comigo antes de morrer! — berrou uma delas.

Narciso balançou a cabeça.

— Vocês só querem o meu reflexo. Eu não os culpo, mas não podem tê-lo. Eu pertenço a mim.

Hazel suspirou, exasperada. Ela olhou para o sol, que ia baixando rapidamente. Então gesticulou com a espada na direção da borda da cratera.

— Leo, podemos falar por um minuto?

— Com licença — disse Leo a Narciso. — Eco, quer vir também?

— Vir também — confirmou Eco.

As ninfas voltaram a se aglomerar em torno de Narciso e começaram a gravar novos vídeos e tirar mais fotos.

Hazel foi na frente até que não pudessem mais ser ouvidos por elas.

— Nêmesis estava certa — disse ela. — Alguns semideuses não podem mudar sua natureza. Narciso vai ficar lá até morrer de novo.

— Não — disse Leo.

— Não — concordou Eco.

— Precisamos daquele bronze — declarou Leo. — Se o pegarmos, Narciso talvez tenha uma razão para sair do transe. Eco poderia ter uma chance de salvá-lo.

— Uma chance de salvá-lo — repetiu Eco, agradecida.

Hazel cravou a espada na areia.

— Isso também poderia deixar dezenas de ninfas muito zangadas com a gente — disse ela. — E Narciso talvez ainda saiba como usar seu arco.

Leo ponderou. O sol estava quase se pondo. Nêmesis havia mencionado que Narciso ficava agitado com a escuridão, provavelmente porque não podia mais ver o próprio reflexo. Leo não queria esperar para ver o que a deusa queria dizer com *agitado*. Ele também tinha experiência com multidões de ninfas enlouquecidas. E não estava nada ansioso para repeti-la.

— Hazel, seu poder com metais preciosos... Você consegue apenas detectá-los ou pode também atraí-los até você?

Ela franziu a testa.

— Às vezes consigo atraí-los. Nunca tentei com um pedaço de bronze celestial tão grande. Talvez consiga trazê-lo até mim através da terra, mas eu precisaria estar muito perto. Seria preciso muita concentração, e não teria como fazer rápido.

— Fazer rápido — advertiu Eco.

Leo praguejou. Ele tinha esperança de que pudessem voltar ao navio, e Hazel teleportar o bronze celestial de uma distância segura.

— Muito bem — disse ele. — Vamos ter que tentar algo arriscado. Hazel, que tal você tentar atrair o bronze daqui? Faça-o afundar na areia e vir em um túnel até você, então pegue-o e corra até o navio.

— Mas Narciso está olhando para o ele o tempo todo — disse ela.

— O tempo todo — ecoou Eco.

— Essa vai ser a minha tarefa — explicou Leo, já odiando o próprio plano. — Eco e eu vamos distraí-lo.

— Distraí-lo? — perguntou Eco.

— Vou explicar — prometeu Leo. — Está disposta?

— Disposta — respondeu Eco.

— Ótimo — replicou Leo. — Agora vamos torcer para não morrermos.

VIII

LEO

Leo preparou-se para uma transformação radical. Tirou umas pastilhas de menta e um par de óculos de soldador do cinto de ferramentas. Não eram exatamente óculos escuros, mas teriam que servir. Ele enrolou as mangas da camisa, usou óleo de máquina para pentear o cabelo para trás, enfiou uma chave inglesa no bolso de trás (para que exatamente, ele não sabia) e pediu a Hazel que desenhasse uma tatuagem em seu bíceps com caneta hidrográfica: uma caveira, dois ossos cruzados e a palavra IRADO.

— No que você está pensando? — perguntou Hazel, parecendo confusa.

— Eu tento não pensar. Atrapalha se o que você quer é agir feito louco. Só concentre-se em mover aquele bronze celestial. Eco, pronta?

— Pronta.

Leo respirou fundo. Ele desfilou de volta para o lago, torcendo para que parecesse muito maneiro e não como se estivesse à beira de um ataque de nervos.

— Leo é o maioral! — gritou.

— Leo é o maioral! — gritou Eco de volta.

— É isso aí, gatinha, olhe para mim!

— Olhe para mim! — repetiu Eco.

— Abram alas para o rei!

— O rei!

— Narciso é fraco!

— Fraco!

As ninfas se dispersaram, surpresas. Leo as enxotou, como se o estivessem importunando.

— Nada de autógrafos, garotas. Sei que vocês querem o meu tempo, mas sou genial demais. É melhor vocês ficarem com aquele panaca feioso do Narciso. Ele é um mané!

— Mané! — reforçou Eco com entusiasmo.

As ninfas resmungaram, irritadas.

— Do que está falando? — perguntou uma delas.

— *Você* é mané — disse outra.

Leo ajustou os óculos e sorriu. Flexionou os bíceps, embora não houvesse muito o que flexionar, exibindo sua tatuagem IRADO. Tinha atraído a atenção das ninfas, mesmo que fosse só por estarem tão perplexas; Narciso, porém, ainda tinha os olhos fixos no próprio reflexo.

— Querem saber o quanto Narciso é feio? — perguntou Leo à multidão. — Ele é tão feio que, quando nasceu, a mãe dele pensou que era um centauro ao contrário... com uma bunda de cavalo no lugar da cara!

Algumas das ninfas prenderam o fôlego. Narciso franziu a testa, como se percebesse vagamente um mosquito zumbindo em volta de sua cabeça.

— Sabem por que o arco dele está cheio de teias de aranha? — continuou Leo. — Porque ele o usa para caçar namoradas, mas não consegue encontrar nenhuma!

Uma das ninfas riu. As outras rapidamente a cutucaram para que ficasse quieta.

Narciso se voltou e fez uma cara feia para Leo.

— Quem é *você*?

— Eu sou o McManeiro tamanho incrível, cara! Sou Leo Valdez, bad boy supremo. E as gatas *amam* um bad boy.

— Amam um bad boy! — repetiu Eco, com um convincente gritinho.

Leo pegou uma caneta e rabiscou um autógrafo no braço de uma das ninfas.

— Narciso é um perdedor! Ele é tão fraco que não consegue levantar um lenço de papel. É tão mané que, quando você procura a palavra *mané* na Wikipédia, a página mostra uma foto dele... só que a foto é tão *feia* que ninguém nem abre a página!

As lindas sobrancelhas de Narciso se uniram. Seu rosto estava passando do bronze a um cor-de-rosa corado. Por um momento ele havia esquecido totalmente do lago, e Leo podia ver a folha de bronze afundando na areia.

— Do que você está falando? — perguntou Narciso. — Eu sou incrível. Todo mundo sabe disso.

— Só se for incrivelmente *horrível* — provocou Leo. — Se eu fosse tão horrível quanto você, eu me afogaria. Ei, espere, você já fez isso.

Outra ninfa deu uma risadinha. Depois mais uma. Narciso soltou um grunhido, o que de fato o deixou um pouco menos bonito. Enquanto isso, Leo sorria radiante, erguia as sobrancelhas por cima dos óculos e abria os braços, pedindo aplausos.

— Isso mesmo! — disse ele. — Time Leo arrasa!

— Time Leo arrasa! — gritou Eco.

Ela havia se misturado às ninfas, e por ser tão difícil de ver, elas pareceram pensar que a voz vinha de uma delas.

— Ah, meu deus, eu sou tão incrível! — berrou Leo.

— Tão incrível! — gritou Eco de volta.

— Ele *é* engraçado — aventurou-se uma ninfa.

— E gatinho, de um jeito meio magricela — disse outra.

— Magricela? — perguntou Leo. — Gata, eu inventei o estilo magricela. Magricela é o novo *gostoso para dedéu*. Em termos de magricela, eu sou o maioral. Narciso? Ele é tão perdedor que nem o Mundo Inferior quis saber dele. Nem as fantasmas quiseram sair com ele.

— Eca — disse uma ninfa.

— Eca! — concordou Eco.

— Pare! — Narciso se levantou. — Isso não está certo! Esta pessoa certamente não é incrível, portanto deve estar... — Ele tentava encontrar as palavras certas. Provavelmente fazia muito tempo desde que falara sobre qualquer coisa que não fosse si próprio. — Deve estar nos enganando.

Ao que parecia, Narciso não era um completo idiota. A compreensão transpareceu em seu rosto, e aí ele voltou-se para o lago.

— O espelho de bronze se foi! Meu reflexo! Me devolva!

— Viva o time Leo! — gritou uma das ninfas. As outras, porém, voltaram a atenção para Narciso.

— *Eu* sou o belo! — insistiu Narciso. — Ele roubou meu espelho, e eu vou embora, a menos que o peguemos de volta!

As ninfas se assustaram. Uma delas apontou.

— Ali!

Hazel estava no topo da cratera, carregando uma grande folha de bronze e correndo o mais rápido que podia.

— Devolva isso! — gritou uma ninfa.

Provavelmente contra a própria vontade, Eco murmurou:

— Devolva isso.

— Sim! — Narciso tirou o arco do ombro e pegou uma flecha da aljava empoeirada. — A primeira que pegar aquele bronze vai ser minha segunda preferida, só depois de mim mesmo. Talvez até dê um beijo em quem pegar o espelho, depois de beijar meu reflexo!

— Ah, meus deuses! — gritaram as ninfas.

— E matem esses semideuses! — acrescentou Narciso, fuzilando Leo com aqueles olhos incríveis. — Eles *não* são tão legais quanto eu!

Leo conseguia correr bem rápido quando alguém estava tentando matá-lo. Infelizmente, ele tivera muita prática.

Logo alcançou Hazel, o que foi fácil, visto que ela carregava mais de vinte quilos de bronze celestial. Ele pegou um dos lados da folha de metal e olhou para trás. Narciso encaixava uma flecha, mas era tão velha que quebrou e virou lascas.

— Ai! — gritou ele, de forma totalmente encantadora. — Minhas unhas!

Em geral ninfas são rápidas — pelo menos as do Acampamento Meio-Sangue eram —, mas aquelas estavam sobrecarregadas com pôsteres, camisetas e outros produtos Narciso®. As ninfas também não eram muito boas em trabalho de equipe. Elas faziam as outras tropeçarem, em um empurra-empurra desajeitado. Eco piorava ainda mais as coisas ao correr entre elas, tropeçando e derrubando tantas quantas podia.

Apesar de tudo, as ninfas se aproximavam rapidamente.

— Chame Arion! — exclamou Leo, sem fôlego.

— Já chamei! — disse Hazel.

Eles correram para a praia. Ao chegarem à beira da água, conseguiam ver o *Argo II*, mas não havia como chegar lá. Era longe demais para nadar, mesmo que estivessem sem o bronze.

Leo virou-se. A multidão já chegava às dunas, com Narciso à frente, segurando o arco como uma batuta. As ninfas haviam conjurado muitas armas diferentes. Umas tinham pedras nas mãos; outras, bastões de madeira enfeitados com flores. Algumas das ninfas da água estavam com pistolas de água — o que não parecia tão aterrorizador — e lançavam olhares assassinos para os dois.

— Ah, cara — murmurou Leo, evocando o fogo com a mão livre. — Lutar não é o meu forte.

— Segure o bronze celestial. — Hazel sacou a espada. — Fique atrás de mim!

— Fique atrás de mim! — Eco repetiu.

A garota camuflada agora corria à frente da multidão. Ela parou diante de Leo e virou-se, abrindo os braços como se quisesse servir como escudo.

— Eco? — Leo mal podia falar com o nó que sentia na garganta. — Você é uma ninfa muito corajosa.

— Ninfa muito corajosa?

Seu tom era questionador.

— Estou orgulhoso de ter você no time Leo — disse ele. — Se sairmos daqui vivos, você deveria esquecer Narciso.

— Esquecer Narciso? — repetiu ela, hesitante.

— Você é boa demais para ele.

As ninfas os cercaram em um semicírculo.

— Trapaça! — disse Narciso. — Eles não me amam, garotas! *Nós* todos me amamos, não amamos?

— Sim! — gritaram as ninfas.

Uma, que usava um vestido amarelo, ficou confusa e gritou, com a voz aguda:

— Time Leo!

— Matem todos eles! — ordenou Narciso.

As ninfas avançaram, mas houve uma grande explosão de areia diante delas. Arion surgiu galopando do nada, circulando a multidão com tamanha velocidade que criou uma tempestade de areia, lançando sobre as ninfas os grãos brancos que atingiram seus olhos.

— Eu amo esse cavalo! — disse Leo.

As ninfas desabaram, tossindo e engasgando. Narciso tropeçava às cegas de um lado para o outro, brandindo o arco como se estivesse tentando acertar uma *piñata*.

Hazel subiu na cela, ergueu o bronze e estendeu a mão a Leo.

— Não podemos deixar Eco! — disse Leo.

— Deixar Eco — repetiu a ninfa.

Ela sorriu, e pela primeira vez Leo pôde ver seu rosto com clareza. Ela era mesmo bonita. Os olhos eram mais azuis do que ele havia pensado. Como ele não havia percebido como eram bonitos?

— Por quê? — perguntou Leo. — Você não acha que ainda pode salvar Narciso...

— Salvar Narciso — disse ela, confiante.

Embora fosse apenas um eco, Leo conseguiu ver que ela estava sendo sincera. Fora presenteada com uma segunda chance na vida e estava determinada a usá-la para salvar o cara que amava... mesmo que ele fosse um completo idiota imprestável (embora bem bonito).

Leo queria protestar, mas Eco inclinou-se e lhe deu um beijo no rosto, então o empurrou delicadamente.

— Leo, vamos! — chamou Hazel.

As outras ninfas começavam a se recuperar. Limpavam os olhos, que agora reluziam verdes de raiva. Leo tornou a procurar Eco, mas a garota havia sumido na confusão.

— É — disse ele, a garganta seca. — É, está bem.

Ele montou atrás de Hazel. Arion disparou pela água, com as ninfas gritando atrás deles e Narciso berrando:

— Me tragam de volta! Me tragam de volta!

Enquanto Arion corria na direção do *Argo II*, Leo lembrou-se do que Nêmesis dissera sobre Eco e Narciso: *Talvez eles tenham uma lição para ensinar a você.*

Leo havia pensado que ela se referia a Narciso, mas agora se perguntava se a verdadeira lição para ele não teria vindo de Eco — invisível a seus iguais, condenada a amar alguém que não ligava para ela. *Uma sétima vela*. Ele tentou afastar aquele pensamento e agarrou-se à folha de bronze como se fosse um escudo.

Estava determinado a nunca esquecer o rosto de Eco. Ela merecia que pelo menos uma pessoa a visse e soubesse o quanto era preciosa. Leo fechou os olhos, mas a lembrança do sorriso dela já estava se desvanecendo.

IX

PIPER

PIPER NÃO QUERIA recorrer à adaga.

Mas, sentada na cabine de Jason, esperando que ele acordasse, ela se sentia só e impotente.

O rosto de Jason estava tão pálido que ele até parecia morto. Ela lembrou-se do ruído horrível do tijolo atingindo a testa dele — um ferimento que acontecera apenas porque ele tinha tentado protegê-la dos romanos.

Mesmo com o néctar e a ambrosia que tinham conseguido forçá-lo a ingerir, Piper não tinha certeza de que ele estaria bem quando acordasse. E se ele perdesse a memória de novo — mas desta vez se esquecesse *dela*?

Seria a pior coisa que os deuses fizeram com ela, e eles já haviam feito coisas bem ruins.

Ela ouviu Gleeson Hedge na cabine ao lado, assoviando uma marcha militar — "Stars and Stripes Forever", talvez? Como a tevê via satélite não funcionava, o sátiro provavelmente estava sentado na sua cama do beliche relendo exemplares antigos da revista *Guns & Ammo*. Ele não era um acompanhante tão ruim assim, mas com certeza era o bode velho mais bélico que Piper já conhecera.

É claro que ela se sentia grata ao sátiro. Ele havia ajudado seu pai, o ator Tristan McLean, a se recuperar depois de ter sido sequestrado por gigantes no inverno passado. Algumas semanas antes, Hedge havia pedido à namorada,

Mellie, que assumisse o comando da casa dos McLean para que pudesse ajudar na missão atual.

O treinador Hedge tentara fazer parecer que o retorno ao Acampamento Meio-Sangue tinha sido ideia dele, mas Piper desconfiava que havia algo mais por trás disso. Nas últimas semanas, sempre que Piper ligava para casa, seu pai e Mellie lhe perguntavam o que havia de errado. Talvez alguma coisa em sua voz a denunciasse.

Piper não podia partilhar as visões que tivera. Eram perturbadoras demais. Além disso, seu pai havia tomado uma poção que apagara todos os segredos de Piper sobre semideuses da memória. Mas ele ainda percebia quando ela estava aborrecida, e Piper tinha certeza de que o pai havia incentivado o treinador a cuidar dela.

Ela não devia sacar a adaga. Só faria com que se sentisse pior.

Por fim, a tentação foi demais, e ela desembainhou Katoptris. A adaga não parecia nem um pouco especial, apenas uma lâmina triangular com um punho simples, mas pertencera a Helena de Troia. Seu nome significava "espelho".

Piper olhou para a lâmina de bronze. A princípio, viu apenas seu reflexo. Então a luz no metal ondulou e ela viu uma multidão de semideuses romanos reunidos no fórum. O garoto louro com cara de espantalho, Octavian, falava com a multidão, brandindo o punho. Piper não podia ouvi-lo, mas o significado era óbvio: *Temos que matar aqueles gregos!*

Reyna, a pretora, mantinha-se afastada, o rosto tenso com emoção reprimida. Amargura? Raiva? Piper não tinha certeza.

Ela estava preparada para odiar Reyna, mas não conseguia. Durante o banquete no fórum, Piper admirara a maneira como Reyna controlava seus sentimentos.

Reyna havia compreendido o relacionamento de Piper e Jason imediatamente. Como filha de Afrodite, Piper percebia esse tipo de coisa. No entanto, Reyna se mantivera educada e controlada. Ela havia colocado as necessidades do acampamento acima de seus sentimentos. Dera aos gregos uma chance... até o *Argo II* começar a destruir sua cidade.

Ela havia quase feito Piper se sentir culpada por ser a namorada de Jason, apesar de isso ser uma tolice. Jason nem chegara a *ser* namorado de Reyna, não de verdade.

Talvez Reyna não fosse tão ruim, mas agora não importava mais. Eles haviam arruinado a chance de paz. O poder de persuasão de Piper, daquela vez, não servira para nada.

Seu medo secreto? Talvez ela não tivesse se esforçado o bastante. Piper nunca quis fazer amizade com os romanos. Tivera muito medo de perder Jason para a vida antiga. Talvez, inconscientemente, não tivesse colocado o máximo de seu poder nas palavras.

Agora Jason estava ferido. O navio quase fora destruído. E, segundo sua adaga, aquele garoto louco e estrangulador de ursinhos de pelúcia, Octavian, estava envolvendo os romanos em um frenesi de guerra.

A cena na lâmina mudou. Houve uma série rápida de imagens que ela já vira antes, mas que ainda não entendia: Jason lançando-se em uma batalha montado em seu cavalo, os olhos dourados em vez de azuis; uma mulher vestindo um vestido sulista antiquado, em um parque com palmeiras à beira-mar; um touro com o rosto de um homem barbudo, saindo de um rio; e dois gigantes de togas amarelas idênticas, puxando uma corda em um sistema de polias, tirando um grande vaso de bronze de um poço.

Então veio a pior visão: ela com Jason e Percy, mergulhada até a cintura na água no fundo de uma câmara circular escura, como um poço gigante. Formas fantasmagóricas moviam-se pela água, que subia rapidamente. Piper arranhava as paredes, tentando escapar, mas não havia para onde ir. A água chegou à altura do peito. Jason foi puxado e submergiu. Percy tropeçou e desapareceu.

Como um filho do deus do mar podia se afogar? Piper não sabia, mas na visão ela ficou sozinha, debatendo-se na escuridão, até que a água subiu e cobriu sua cabeça.

Piper fechou os olhos. *Não me mostre isso de novo*, implorou. *Mostre algo útil*.

Ela se forçou a olhar mais uma vez para a lâmina.

Então viu uma rodovia que atravessava campos de trigo e girassóis. Uma placa de quilometragem dizia: Topeka 51. No acostamento da estrada havia um homem de bermuda cáqui e camiseta de acampamento roxa. Seu rosto estava escondido sob um amplo chapéu, a borda envolta por videiras folhosas. Ele ergueu uma taça de prata e fez sinal para que Piper se aproximasse. Por alguma razão ela sabia que ele estava lhe oferecendo um tipo de presente: uma cura ou um antídoto.

— Ei — disse Jason, com a voz áspera.

Piper levou um susto tão grande que deixou a adaga cair.

— Você acordou!

— Não pareça tão surpresa. — Jason tocou a testa coberta com ataduras e franziu as sobrancelhas. — O que... o que aconteceu? Eu me lembro das explosões e...

— Você lembra quem sou eu?

Jason tentou rir, mas o riso acabou se transformando em uma careta de dor.

— Da última vez que verifiquei, você era minha incrível namorada, Piper. A menos que algo tenha mudado enquanto eu estava desmaiado.

Piper estava tão aliviada que quase chorou. Ela ajudou o namorado a se sentar e lhe deu um pouco de néctar enquanto o punha a par dos últimos acontecimentos. Estava justamente explicando o plano de Leo para consertar o navio quando ouviu um cavalo trotando pelo convés acima deles.

Um pouco depois, Leo e Hazel surgiram, apressados, no vão da porta, carregando uma grande folha de bronze martelado.

— Pelos deuses do Olimpo. — Piper olhou para Leo. — O que aconteceu com *você*?

Ele estava com o cabelo penteado para trás com gel, um par de óculos de solda na testa, uma marca de batom na bochecha, tatuagens nos braços e uma camiseta que dizia IRADO, BAD BOY e TIME LEO.

— É uma longa história — disse ele. — Os outros voltaram?

— Ainda não — respondeu Piper.

Leo soltou um palavrão. Então notou que Jason estava sentado, e seu rosto se iluminou.

— Ei, cara! Que bom que você está melhor. Vou para a sala de máquinas.

Ele saiu correndo com a folha de bronze, deixando Hazel parada no lugar.

Piper ergueu uma sobrancelha para ela.

— *Time Leo?*

— Encontramos Narciso — disse Hazel, o que na verdade não explicou muita coisa. — E também Nêmesis, a deusa da vingança.

Jason suspirou.

— Eu sempre perco toda a diversão.

No convés acima deles, um ruído surdo soou, como se uma criatura pesada houvesse pousado ali. Annabeth e Percy vieram em disparada pelo corredor, ele carregando um balde de plástico de vinte litros fumegante que exalava um cheiro horrível e ela com o cabelo sujo por uma substância preta, que também cobria a camisa de Percy.

— Alcatrão de telhado? — chutou Piper.

Frank surgiu aos tropeços atrás deles, e o corredor de semideuses ficou lotado. Frank também tinha uma grande mancha preta no rosto.

— Encontramos alguns monstros de alcatrão — contou Annabeth. — Ei, Jason, que bom que está acordado. Hazel, onde está Leo?

Ela apontou para baixo.

— Na sala de máquinas.

De repente, o navio inteiro inclinou-se para bombordo. Os semideuses cambalearam e Percy quase derramou o balde de alcatrão.

— Hã, o que foi isso? — perguntou ele.

— Ah... — Hazel parecia constrangida. — Acho que enfurecemos as ninfas que vivem neste lago. Tipo... *todas* elas.

— Ótimo. — Percy entregou o balde de alcatrão a Frank e Annabeth. — Vocês dois ajudem Leo. Vou acalmar os espíritos aquáticos o máximo que puder.

— É para já! — prometeu Frank.

Os três saíram apressados, deixando Hazel na porta da cabine. O navio inclinou-se de novo, e Hazel abraçou a própria barriga como se estivesse prestes a vomitar.

— Eu vou...

Ela engoliu em seco, apontou debilmente para o fim do corredor e saiu correndo.

Jason e Piper permaneceram na cabine enquanto o navio balançava para a frente e para trás. Para uma heroína, Piper se sentia bastante inútil. As ondas estouravam no casco enquanto vozes furiosas vinham do convés: Percy gritava e o treinador Hedge berrava para o lago. Festus, a figura de proa, soprou fogo várias vezes. No final do corredor, Hazel gemia, infeliz, em sua cabine. Na sala de máquinas lá embaixo, Leo e os outros pareciam fazer uma dança irlandesa com bigornas amarradas aos pés. Depois do que pareceram horas, o motor começou a roncar. Os remos rangeram e gemeram, e Piper sentiu o navio erguer-se no ar.

O balanço cessou. O navio ficou silencioso, exceto pelo zumbido do maquinário. Finalmente Leo emergiu da sala de máquinas, coberto de suor, pó de cal e alcatrão. Sua camiseta parecia ter sido apanhada em uma escada rolante, rasgada e transformada em farrapos. O TIME LEO em seu peito agora dizia: ME LEO. Mas ele sorria como um louco e anunciou que estavam seguros e a caminho.

— Reunião no refeitório em uma hora — disse ele. — Que dia louco, hein?

Depois de todos se lavarem, o treinador Hedge assumiu o leme e os semideuses se reuniram sob o convés para o jantar. Era a primeira vez que se sentavam todos juntos — apenas os sete. Talvez a presença deles devesse ter tranquilizado Piper, mas ver todos no mesmo lugar só a fez lembrar que a Profecia dos Sete estava finalmente se tornando realidade. Nada mais de esperar que Leo terminasse o navio. Não mais de dias despreocupados no Acampamento Meio-Sangue, fingindo que o futuro era ainda algo muito distante. Estavam a caminho, com um bando de romanos furiosos atrás deles e as terras antigas à frente. Os gigantes estariam à espera. Gaia despertava. E, a menos que tivessem êxito nessa missão, o mundo seria destruído.

Os outros também deviam sentir o mesmo. A tensão no refeitório era como uma tempestade elétrica se formando, o que era totalmente possível, considerando-se os poderes de Percy e de Jason. Em um momento de constrangimento, os dois tentaram sentar-se na mesma cadeira à cabeceira da mesa. Faíscas literalmente voaram das mãos de Jason. Depois de um breve impasse silencioso, como se ambos estivessem pensando *Fala sério, cara?*, eles cederam a cadeira para Annabeth e sentaram-se em lados opostos da mesa.

A tripulação comparou impressões sobre o que havia acontecido em Salt Lake City, mas até mesmo a ridícula história de Leo sobre como enganara Narciso não foi suficiente para alegrar o grupo.

— E agora, para onde vamos? — perguntou Leo com a boca cheia de pizza. — Fiz um conserto rápido para podermos sair do lago, mas o navio ainda está muito danificado. Precisamos pousar de novo e fazer um conserto completo antes de cruzarmos o Atlântico.

Percy estava comendo um pedaço de torta, que, por alguma razão, era completamente azul: recheio, massa e até o chantili.

— Precisamos nos afastar um pouco do Acampamento Júpiter — falou ele. — Frank avistou algumas águias em Salt Lake City. Achamos que os romanos não estão muito longe.

Isso não melhorou o humor do grupo. Piper não queria dizer nada, mas se sentia obrigada... e um pouco culpada.

— Será que não devíamos voltar e tentar argumentar com os romanos? Talvez... talvez eu não tenha me esforçado o bastante com o charme.

Jason pegou sua mão.

— Não foi culpa sua, Pipes. Nem de Leo — acrescentou rapidamente. — O que aconteceu foi coisa de Gaia, para afastar os dois acampamentos.

Piper sentiu-se grata pelo apoio, mas ainda estava preocupada.

— Talvez se pudéssemos explicar...

— Sem provas? — perguntou Annabeth. — E sem a menor ideia do que aconteceu de verdade? Entendo o que está dizendo, Piper. Não quero os romanos furiosos com a gente, mas, até descobrirmos as intenções de Gaia, voltar lá é suicídio.

— Ela está certa — afirmou Hazel. Ainda parecia um pouco enjoada com o movimento do barco, mas tentava comer alguns biscoitos água e sal. A borda do prato estava incrustada de rubis, e Piper tinha quase certeza de que não estava assim no início da refeição. — Reyna talvez ouça, mas Octavian, não. Os romanos precisam defender sua honra. Foram atacados. Vão atirar primeiro e fazer perguntas *posthac*.

Piper olhou para o jantar. Os pratos mágicos podiam fazer aparecer uma grande variedade de comida vegetariana. Ela gostava principalmente do abacate com *quesadilla* de pimentão grelhado, mas naquela noite não sentia muita fome.

Ela pensou nas visões que tivera na lâmina: Jason com olhos dourados; o touro com a cabeça humana; os dois gigantes de toga amarela erguendo o jarro de bronze de um poço. E o pior: lembrou-se de si mesma se afogando na água escura.

Piper sempre gostara de água e tinha boas lembranças de ocasiões em que tinha ido surfar com o pai, mas desde que começara a ver aquela imagem na Katoptris, vinha pensando mais e mais em uma velha história Cherokee que seu avô costumava contar para mantê-la longe do rio perto da cabana. Ele lhe dizia que os Cherokees acreditavam em espíritos aquáticos do bem, como as náiades dos gregos; mas também acreditavam em espíritos malignos, os canibais aquáticos, que caçavam mortais com flechas invisíveis e gostavam principalmente de afogar criancinhas.

— Tem razão — decidiu ela. — Temos que continuar. E não só por causa dos romanos. Precisamos nos apressar.

Hazel assentiu.

— Nêmesis disse que só temos seis dias antes que Nico morra e Roma seja destruída.

Jason franziu a testa.

— Você se refere a Roma *Roma*, não a Nova Roma?

— Acho que sim — respondeu Hazel. — Mas, se é assim, não temos muito tempo.

— Por que seis dias? — perguntou-se Percy. — E como vão destruir Roma?

Ninguém respondeu. Piper não queria dar mais notícias ruins, mas achava que era necessário.

— Tem mais — disse ela. — Tenho visto algumas coisas em minha adaga.

O garoto grandão, Frank, parou a mão com uma garfada de espaguete a meio caminho da boca.

— Coisas tipo...?

— Elas não fazem muito sentido — falou Piper. — São só imagens confusas, mas vi dois gigantes, com roupas iguais. Talvez sejam gêmeos.

Annabeth olhou para o vídeo mágico do Acampamento Meio-Sangue na parede. Naquele momento ele mostrava a sala de estar da Casa Grande: havia um fogo aconchegante na lareira e Seymour, a cabeça de leopardo empalhada, roncava, satisfeito, acima do consolo da lareira.

— Gêmeos, como na profecia de Ella — disse Annabeth. — Se decifrássemos aqueles versos, talvez isso ajudasse.

— *A filha da sabedoria caminha solitária* — recitou Percy. — *A Marca de Atena por toda a Roma é incendiária.* Annabeth, essa tem que ser você. Juno me disse... bem, ela disse que você tinha uma tarefa muito difícil a sua frente em Roma. Disse que duvidava que você conseguisse. Mas sei que ela está errada.

Annabeth respirou fundo.

— Reyna estava prestes a me dizer algo quando o navio disparou contra a gente. Ela disse que havia uma antiga lenda entre os pretores romanos... alguma coisa a ver com Atena. Disse que talvez fosse essa a razão de gregos e romanos nunca terem se dado bem.

Leo e Hazel trocaram olhares nervosos.

— Nêmesis mencionou algo parecido — contou ele. — Falou sobre uma velha disputa que precisava ser resolvida...

— A única coisa que pode trazer harmonia às duas naturezas dos deuses — lembrou Hazel. — "Um erro antigo finalmente vingado."

Percy desenhou um rosto carrancudo no chantili azul.

— Fui pretor por apenas duas horas. Jason, você já ouviu alguma lenda assim?

Jason ainda segurava a mão de Piper. Seus dedos estavam pegajosos de suor.

— Eu... hã, não tenho certeza — disse ele. — Vou pensar um pouco.

Percy estreitou os olhos.

— Você não tem *certeza*?

Jason não respondeu. Piper queria lhe perguntar qual era o problema, dava para ver que ele não queria discutir a velha lenda. Seus olhares se encontraram, e ele implorou silenciosamente que conversassem depois.

Hazel rompeu o silêncio.

— E quanto aos outros versos? — Ela virou o prato incrustado de rubis. — *Gêmeos ceifaram do anjo a vida / Que detém a chave para a morte infinita.*

— *A ruína dos gigantes se apresenta dourada e pálida* — acrescentou Frank —, *Conquistada por meio da dor de uma prisão tecida.*

— Ruína dos gigantes — disse Leo. — Qualquer coisa que seja uma ruína para os gigantes é bom para nós, certo? Provavelmente é isso que precisamos descobrir. Se puder ajudar os deuses a resolverem seu problema de esquizofrenia, está bom.

Percy assentiu.

— Não podemos matar os gigantes sem a ajuda dos deuses.

Jason voltou-se para Frank e Hazel.

— Achei que vocês tinham matado aquele gigante no Alasca sem a ajuda de um deus, só vocês dois.

— Alcioneu foi um caso especial — explicou Frank. — Ele só era imortal no território onde havia renascido, o Alasca. Mas não no Canadá. Queria poder matar *todos* os gigantes arrastando-os até o outro lado da fronteira do Alasca com o Canadá, mas... — Ele deu de ombros. — Percy está certo: vamos precisar dos deuses.

Piper olhou para as paredes. Ela queria que Leo não as tivesse encantado com imagens do Acampamento Meio-Sangue. Era como um portal para o lar que ela não podia atravessar. Ficou observando a lareira de Héstia queimando no meio do verde à medida que as cabanas iam desligando as luzes depois do toque de recolher.

Ela se perguntou o que os semideuses romanos, Frank e Hazel, sentiam em relação àquelas imagens. Eles nem nunca tinham ido ao Acampamento Meio-Sangue. Será que lhes parecia estranho, ou injusto, que o Acampamento Júpiter não estivesse representado? Será que as imagens os faziam sentir saudade das próprias casas?

Os outros versos da profecia giravam na mente de Piper. O que seria uma prisão tecida? Como gêmeos podiam ceifar a vida de um anjo? A chave para a morte infinita tampouco parecia muito otimista.

— Então... — Leo afastou a cadeira da mesa. — Acho melhor começarmos do início. Vamos pousar de manhã em algum lugar para terminar os reparos.

— Um lugar perto de uma cidade — sugeriu Annabeth —, para o caso de precisarmos de suprimentos. Mas meio escondido, para que os romanos não nos encontrem facilmente. Alguma ideia?

Ninguém falou nada. Piper lembrou-se de sua visão na adaga: o estranho homem de roxo, segurando uma taça e gesticulando para que ela se aproximasse. Ele estava diante de uma placa que dizia Topeka 51.

— Bem — sugeriu ela —, o que acham do Kansas?

X

PIPER

Piper teve dificuldade em adormecer.

O treinador Hedge passou a primeira hora depois que eles se recolheram para dormir cumprindo sua obrigação noturna, andando por todo o corredor e berrando:

— Apaguem as luzes! Vão deitar! Tentem escapulir das cabines e mando vocês de volta para Long Island só com uma bofetada!

Ele batia o bastão de beisebol na porta de uma cabine sempre que ouvia um barulho, gritando para que todos fossem dormir, o que tornava impossível dormir. Piper imaginava que o sátiro não se divertia tanto assim desde que se passara por professor de educação física na Escola da Vida Selvagem.

Piper ficou olhando para as vigas de bronze no teto. Sua cabine era bastante aconchegante; Leo havia programado os cômodos para se ajustarem automaticamente à temperatura preferida do ocupante, de modo que nunca ficasse nem frio nem quente demais. O colchão e as almofadas eram estofados com penugem de pégaso (nenhum pégaso fora maltratado durante a fabricação daqueles produtos, Leo assegurou), portanto eram superconfortáveis. Uma luminária de bronze pendia do teto, brilhando com a claridade que Piper desejasse. Havia minúsculos furos nas laterais da luminária, e assim, à noite, constelações cintilantes flutuavam pelas paredes.

Eram tantas preocupações na cabeça de Piper que ela pensou que nunca conseguiria dormir, mas havia algo de tranquilizador no balanço do barco e no zumbido dos remos aéreos à medida que deslizavam pelo céu.

Finalmente suas pálpebras pesaram, e ela mergulhou no sono.

Parecia que poucos segundos haviam passado antes que ela acordasse com o sino do café da manhã.

— Ei, Piper! — Leo bateu em sua porta. — Estamos pousando!

— Pousando?

Ela sentou-se, grogue. Leo abriu a porta e enfiou a cabeça na cabine, os olhos cobertos com as mãos — o que teria sido um gesto educado se ele não estivesse espiando entre os dedos.

— Você está vestida?

— Leo!

— Desculpe. — Ele sorriu. — Ei, gostei do pijama dos Power Rangers.

— Não são os Power Rangers! São águias Cherokee!

— Ah, certo. Bem, seja como for, estamos pousando a alguns quilômetros de Topeka, como pedido. E, há... — Ele olhou para um lado e para o outro do corredor, então inclinou-se de novo para dentro da cabine. — Obrigado por não me odiar por quase explodir os romanos ontem.

Piper esfregou os olhos. O banquete em Nova Roma fora mesmo ontem?

— Está tudo bem, Leo. Você não estava controlando seu corpo.

— Sim, mas ainda assim... você não tinha a obrigação de me defender.

— Está brincando? Você é o irmãozinho irritante que eu nunca tive. É claro que vou defender você.

— Hã... obrigado?

"Lá está ela! Kansas à vista!", gritou o treinador Hedge lá de cima.

— Santo Hefesto — murmurou Leo. — Ele precisa melhorar seu dialeto de pirata. É melhor eu subir para o convés.

Depois de tomar um banho, mudar de roupa e pegar um bagel no refeitório, Piper ouviu o trem de pouso do navio sendo baixado. Então subiu para o convés e juntou-se aos outros enquanto o *Argo II* pousava no meio de um campo de girassóis. Os remos se recolheram. A prancha de desembarque foi baixada.

O ar matinal tinha cheiro de água, plantas frescas e terra adubada. Não era um cheiro ruim. Fazia Piper lembrar-se da casa do avô Tom na reserva, em Tahlequah, Oklahoma.

Percy foi o primeiro a perceber que ela havia subido. Ele a recebeu com um sorriso, o que, por alguma razão, a surpreendeu. Vestia jeans desbotado e uma camiseta laranja do Acampamento Meio-Sangue nova, como se nunca tivesse saído do lado grego. As roupas novas provavelmente haviam melhorado seu humor — assim como, é claro, o fato de estar de pé junto à amurada com um braço em torno de Annabeth.

Piper ficou feliz em ver Annabeth com um brilho nos olhos, porque nunca tinha tido melhor amiga que ela. Durante meses, Annabeth se atormentara, dedicando cada segundo de seus dias à busca por Percy. Agora, a despeito da perigosa missão que tinham à frente, pelo menos tinha o namorado de volta.

— Bem! — Annabeth tomou o bagel da mão de Piper e deu uma mordida, mas isso não a aborreceu. No acampamento, elas faziam aquela brincadeira de roubar o café da manhã uma da outra. — Aqui estamos. Qual é o plano?

— Quero verificar a estrada — falou Piper. — Encontrar a placa que diz Topeka 51.

Leo girou o controle do Wii, descrevendo um círculo, e as velas baixaram.

— Não devemos estar longe — disse ele. — Festus e eu calculamos o pouso da melhor forma possível. O que você espera encontrar na placa de quilometragem?

Piper explicou o que tinha visto na adaga: o homem de roxo com uma taça. Manteve, porém, as outras imagens em segredo, como a visão de Percy, Jason e ela se afogando. De qualquer forma, não sabia o que significava; e todos pareciam tão mais animados naquela manhã que ela não queria estragar tudo.

— Camisa roxa? — perguntou Jason. — Videiras no chapéu? Parece Baco.

— Dioniso — murmurou Percy. — Se viemos até aqui no Kansas só para ver o *sr. D*...

— Baco não é tão ruim assim — afirmou Jason. — Não gosto muito das seguidoras dele...

Piper estremeceu. Jason, Leo e ela haviam tido um encontro com as mênades alguns meses antes e quase foram estraçalhados.

— Mas o cara mesmo é tranquilo — continuou Jason. — Uma vez fiz um favor a ele na região do vinho.

Percy pareceu perplexo.

— Que seja, cara. Talvez ele seja melhor no lado romano. Mas o que ele estaria fazendo no Kansas? Zeus não ordenou aos deuses que cortassem qualquer contato com os mortais?

Frank grunhiu. O grandalhão usava um agasalho azul naquela manhã, como se estivesse prestes a sair para uma corrida em um campo de girassóis.

— Os deuses não têm se saído nada bem no cumprimento *dessa* ordem — observou ele. — Além disso, se os deuses ficaram esquizofrênicos, como Hazel disse...

— E *Leo* disse — acrescentou Leo.

Frank o olhou meio carrancudo.

— Então quem sabe o que está acontecendo com os olimpianos? A situação pode estar muito ruim por lá.

— Parece perigoso! — concordou Leo alegremente. — Bem... vocês se divirtam. Eu tenho que terminar os reparos no casco. O treinador Hedge vai tentar consertar as bestas quebradas. E, há, Annabeth... seria bom contar com sua ajuda. Você é a única outra pessoa que entende pelo menos um pouco de engenharia.

Annabeth dirigiu um olhar de desculpas a Percy.

— Ele tem razão. É melhor eu ficar e ajudar.

— Vou voltar para você. — Ele deu um beijo no rosto dela. — Prometo.

Eles ficavam tão fofos juntos que o coração de Piper chegava a doer.

Jason era maravilhoso, é claro. Mas às vezes ele agia de forma muito distante, como na noite anterior, quando se mostrara relutante em falar sobre a velha lenda romana. Com frequência ele parecia estar pensando na antiga vida no Acampamento Júpiter. Piper se perguntava se algum dia conseguiria romper aquela barreira.

Viajar até o Acampamento Júpiter e ver Reyna pessoalmente não ajudaram em nada. Tampouco o fato de que naquele dia Jason escolheu usar uma camisa roxa — a cor dos romanos.

Frank tirou o arco do ombro e o apoiou na amurada.

— Acho que eu devia me transformar em corvo ou algo assim e voar por aí, ver se encontro alguma águia romana.

— Por que um corvo? — perguntou Leo. — Cara, se você pode se transformar em um dragão, por que não se transforma sempre em dragão? É muito mais maneiro.

O rosto de Frank pareceu receber uma injeção de suco de morango.

— É como perguntar a um levantador de peso por que ele não levanta seu peso máximo todas as vezes que treina. Porque é difícil, e ele acabaria se machucando. Não é fácil me transformar em um dragão.

— Ah. — Leo assentiu com a cabeça. — Eu não sabia. Não levanto pesos.

— Certo. Bem, talvez pudesse pensar nisso, seu...

Hazel interveio.

— Eu vou ajudar você, Frank — disse ela, fazendo cara feia para Leo. — Posso chamar Arion e fazer uma busca por terra.

— Claro — concordou Frank, ainda fuzilando Leo com o olhar. — Sim, obrigado.

Piper se perguntou o que estaria se passando entre aqueles três. Os garotos se exibindo para Hazel e provocando um ao outro — *isso* ela entendia. Mas quase parecia que Hazel e Leo tinham uma história. Até onde Piper sabia, eles haviam se conhecido no dia anterior. Ela se perguntou se algo mais havia acontecido aos dois no Great Salt Lake — algo que não haviam mencionado.

Hazel virou-se para Percy.

— Tenha cuidado por aí. Muitos campos, muitas plantações. Pode haver *karpoi* à solta.

— *Karpoi?* — perguntou Piper.

— Espíritos dos grãos — explicou Hazel. — Você não vai querer conhecê-los.

Piper não imaginava como um espírito de grãos poderia ser tão ruim, mas o tom de Hazel a convenceu a não fazer perguntas.

— Então restam três de nós para verificar a placa de quilometragem — disse Percy. — Eu, Jason e Piper. Não estou superanimado para ver o sr. D novamente. Aquele cara é um saco. Mas, Jason, se você tem um relacionamento melhor com ele...

— Certo — disse Jason. — Se o encontrarmos, eu falo com ele. Piper, a visão é sua. Você deve liderar.

Piper estremeceu. Ela vira os três se afogando em um poço escuro. Será que aquilo ia acontecer no Kansas? Não era o que parecia, mas ela não tinha certeza.

— É claro — concordou ela, tentando soar animada. — Vamos encontrar a estrada.

Leo tinha dito que estavam perto. Sua ideia de "perto" precisava ser melhorada.

Depois de andarem quase um quilômetro por campos quentes, sendo picados por mosquitos e açoitados no rosto pelas folhas ásperas de girassóis, finalmente chegaram à estrada. Um antigo outdoor do Bubba's Gas'n'Grub indicava que ainda estavam a sessenta e quatro quilômetros da primeira saída para Topeka.

— Podem me corrigir se eu estiver errado — disse Percy —, mas isso não significa que temos uns treze quilômetros para andar?

Jason olhou para os dois lados da estrada deserta. Ele estava com uma aparência melhor, graças ao mágico poder de cura da ambrosia e do néctar. Sua cor voltara ao normal, e a cicatriz na testa havia quase desaparecido. O gládio novo dado por Hera no inverno pendia do cinto. A maioria dos caras pareceria bastante desajeitada andando por aí com uma bainha de espada presa ao jeans, mas em Jason isso parecia perfeitamente natural.

— Nada de carros... — disse ele. — Mas acho que não íamos querer pegar uma carona.

— Não — concordou Piper, olhando, nervosa, ao longo da estrada. — Já passamos tempo demais viajando por terra. O solo é território de Gaia.

— Humm... — Jason estalou os dedos. — Posso chamar um amigo para nos dar uma carona.

Percy ergueu as sobrancelhas.

— Ah, é? Eu também. Vamos ver qual amigo chega aqui primeiro.

Jason assoviou. Piper sabia o que ele estava fazendo, mas ele só tinha conseguido convocar Tempestade três vezes desde que haviam encontrado aquele espírito na Casa dos Lobos no inverno anterior. Hoje, o céu estava tão azul que Piper não via como aquilo podia funcionar.

Percy simplesmente fechou os olhos e se concentrou.

Piper ainda não o havia analisado de perto. Depois de tanto ouvir no Acampamento Meio-Sangue sobre Percy Jackson *isso* e Percy Jackson *aquilo*, não achou ele muito... bem, impressionante, principalmente comparado a Jason. Percy era mais magro, alguns centímetros mais baixo, com o cabelo bem mais escuro e ligeiramente mais comprido.

Não era bem o tipo de Piper. Se ela o tivesse visto em um shopping, provavelmente teria pensado que ele era um skatista: bonitinho de um jeito largado, meio rebelde, definitivamente um encrenqueiro. Ela teria se mantido longe dele. Já tinha problemas suficientes na vida. Mas podia ver por que Annabeth gostava de Percy, e decididamente podia ver por que ele precisava dela em sua vida. Se alguém seria capaz de manter um cara como aquele sob controle, essa pessoa era Annabeth.

Um trovão retumbou no céu claro.

Jason sorriu.

— Está chegando.

— Tarde demais.

Percy apontou para o leste, de onde uma sombra alada se aproximava deles. A princípio, Piper pensou que devia ser Frank como corvo. Então se deu conta de que era grande demais para ser uma ave.

— Um pégaso negro? — perguntou ela. — Nunca vi um assim.

O garanhão alado aproximou-se e pousou. Em seguida trotou até Percy e cutucou seu rosto com o focinho, então voltou a cabeça inquisitivamente na direção de Piper e Jason.

— Blackjack — disse Percy —, estes são Piper e Jason. São amigos.

O cavalo relinchou baixinho.

— Hã, talvez mais tarde — respondeu Percy.

Piper tinha ouvido dizer que Percy podia falar com cavalos, por ser filho de Poseidon, mas era a primeira vez que assistia à façanha ao vivo.

— O que Blackjack quer? — perguntou ela.

— *Donuts* — falou Percy. — Sempre *donuts*. Ele pode nos levar...

De repente o ar ficou frio e os ouvidos de Piper estalaram. A cerca de cinquenta metros de distância, um miniciclone de uns dez metros de altura passou zunindo por entre os girassóis, como em uma cena de *O mágico de Oz*. Ele tocou o solo na estrada perto de Jason e assumiu a forma de um cavalo — um corcel cinzento com relâmpagos tremeluzindo pelo corpo.

— Tempestade — falou Jason, com um sorriso largo. — Há quanto tempo, meu amigo.

O espírito da tempestade empinou e relinchou. Blackjack recuou, nervoso.

— Calma, garoto — disse Percy. — Ele também é amigo. — E dirigiu um olhar impressionado a Jason. — Gostei, Grace.

Jason deu de ombros.

— Fiz amizade com ele quando lutamos na Casa dos Lobos. É um espírito livre, literalmente, mas de vez em quando aceita me ajudar.

Percy e Jason subiram em seus respectivos cavalos. Piper nunca se sentira à vontade com Tempestade — galopar a toda em uma fera que podia se vaporizar a qualquer momento a deixava um pouco nervosa —, mas assim mesmo aceitou a mão de Jason e subiu no cavalo.

Tempestade disparou pela estrada, com Blackjack voando acima. Felizmente não passaram por nenhum carro, ou poderiam ter causado um acidente. Em um piscar de olhos chegaram à placa de 51 quilômetros, que era idêntica à da visão de Piper.

Blackjack pousou. Ambos os cavalos bateram os cascos no asfalto. Nenhum dos dois parecia satisfeito por ter parado tão subitamente, justo quando haviam entrado no ritmo.

O pégaso de Percy relinchou.

— Você tem razão — falou o garoto. — Nenhum sinal do cara do vinho.

— Com licença? — disse uma voz vinda dos campos.

Tempestade virou-se tão rápido que Piper quase caiu.

O trigo se abriu e o homem de sua visão apareceu. Ele usava um chapéu de abas largas enfeitado com videiras, camiseta roxa, bermudas cáqui e sandálias Birkenstocks com meias brancas. Parecia ter uns trinta anos, a barriga era levemente protuberante — lembrava um universitário que não se deu conta de que a faculdade terminou.

— Por acaso alguém aqui acabou de me chamar de *o cara do vinho*? — perguntou ele, com uma voz arrastada e preguiçosa. — É Baco, por favor. Ou sr. Baco. Ou lorde Baco. Ou, às vezes, Ah-Meus-Deuses-Por-Favor-Não-Me-Mate, lorde Baco.

Percy instou Blackjack a avançar, embora o pégaso não parecesse feliz com isso.

— Você está diferente — falou Percy para o deus. — Mais magro. O cabelo está mais comprido. E a camisa não é tão chamativa.

O deus do vinho olhou-o, estreitando os olhos.

— De que raios você está falando? Quem são vocês, e onde está Ceres?

— Hã... que série?

— Acho que ele está falando de Ceres — disse Jason. — A deusa da agricultura. Você a chamaria de Deméter. — Ele fez um aceno de cabeça respeitoso para o deus. — Lorde Baco, lembra-se de mim? Eu o ajudei com o leopardo desaparecido em Sonoma.

Baco coçou o queixo com a barba por fazer.

— Ah... sim. John Green?

— Não, Jason Grace.

— Que seja — disse o deus. — Ceres mandou vocês, então?

— Não, lorde Baco — respondeu Jason. — Esperava encontrá-la aqui?

O deus bufou.

— Bem, não vim ao Kansas por causa das *festas*, né, meu garoto? Ceres me chamou aqui para um conselho de guerra. Com Gaia despertando, as plantações estão murchando. As secas estão se espalhando. Os *karpoi* estão revoltados. Nem minhas uvas estão seguras. Ceres queria uma frente unida na guerra das plantas.

— A guerra das plantas — falou Percy. — Vocês vão dar riflezinhos minúsculos para todas as uvinhas?

O deus estreitou os olhos.

— Já nos conhecemos?

— No Acampamento Meio-Sangue — disse Percy. — Eu o conheço como sr. D... Dioniso.

— Ai! — Baco se encolheu e pressionou as têmporas. Por um momento, sua imagem tremeluziu. Piper viu um homem diferente: mais gordo, atarracado, com uma camisa de estampa de leopardo bem mais chamativa. E então Baco voltou a ser Baco. — Pare com isso! — ordenou. — Pare de pensar em mim em grego!

Percy olhou para ele sem entender.

— Hã, mas...

— Você tem ideia do quanto é *difícil* me manter focado? Dores de cabeça lancinantes o tempo todo! Nunca sei o que estou fazendo ou aonde estou indo! Um mau humor constante!

— Isso parece bem normal para você — comentou Percy.

As narinas do deus se dilataram e uma das folhas de parreira em seu chapéu irrompeu em chamas.

— Se nos conhecemos daquele *outro* acampamento, é de se estranhar que eu ainda não tenha transformado você em um golfinho.

— Essa possibilidade já foi levantada — garantiu Percy. — Acho que você só ficou com preguiça de colocar em prática.

Piper estivera observando a cena com uma fascinação horrorizada, da maneira como observaria um acidente de automóvel em progresso. Agora ela se dava conta de que Percy *não* estava tornando as coisas mais fáceis, e Annabeth não estava ali para contê-lo. Piper concluiu que a amiga jamais a perdoaria se ela voltasse com Percy transformado em um mamífero marinho.

— Lorde Baco! — interrompeu ela, descendo de Tempestade.

— Piper, cuidado — alertou Jason.

Ela lhe dirigiu um olhar de advertência que dizia: *Deixa comigo*.

— Desculpe incomodá-lo, meu lorde — disse ela —, mas, na verdade, viemos aqui em busca do seu conselho. Por favor, precisamos de sua sabedoria.

Ela usou o tom mais agradável possível, instilando respeito no charme de sua voz.

O deus franziu a testa, mas pelo menos o brilho arroxeado desapareceu de seus olhos.

— Você fala bem, garota. Conselho, é? Muito bem. Eu evitaria caraoquês. Na verdade, as festas temáticas em geral já estão ultrapassadas. Nestes tempos austeros, as pessoas estão em busca de eventos simples e sem ostentação, com comidinhas orgânicas de produção local e...

— Não é sobre festas — interrompeu Piper. — Embora tenham sido conselhos incrivelmente úteis, lorde Baco. Esperávamos que nos ajudasse em nossa missão.

Então explicou sobre o *Argo II* e a viagem para impedir os gigantes de acordar Gaia. Ela repetiu o que Nêmesis afirmara: que em seis dias Roma seria destruída. Descreveu a visão refletida em sua adaga, na qual Baco lhe oferecia uma taça de prata.

— Taça de prata?

O deus não pareceu muito entusiasmado. Ele pegou uma Pepsi diet no ar e abriu a lata.

— Você bebe Coca diet — disse Percy.

— Não sei do que está falando — respondeu Baco, ríspido. — Quanto à visão da taça, minha jovem, não tenho nada a lhe oferecer, a menos que você queira uma Pepsi. Júpiter me ordenou rigorosamente a não dar vinho a menores de idade. É uma chatice, mas o que se há de fazer. Quanto aos gigantes, eu os conheço bem. Lutei na primeira Guerra dos Gigantes, vocês sabem.

— Você luta? — perguntou Percy.

Piper desejou que ele não tivesse soado tão incrédulo.

O deus rangeu os dentes. Sua Pepsi diet se transformou em um cajado de um metro e meio envolto em hera e encimado por uma pinha.

— Um tirso! — exclamou Piper, torcendo para distrair o deus antes que ele acertasse Percy na cabeça. Já tinha visto armas como aquela nas mãos de ninfas enlouquecidas, e não ficou muito animada ao vê-la de novo, mas tentou parecer impressionada. — Ah, que arma poderosa!

— De fato — concordou Baco. — Fico feliz que *alguém* no seu grupo seja inteligente. A pinha é um temível instrumento de destruição! Eu era um semideus na primeira Guerra dos Gigantes, sabe... O filho de Júpiter!

Jason encolheu-se. Provavelmente não se sentia nem um pouco feliz ao ser lembrado de que o Cara do Vinho era tecnicamente seu irmão mais velho.

Baco brandiu o cajado no ar, e sua barriga protuberante quase o fez perder o equilíbrio.

— Claro que isso foi muito antes de eu inventar o vinho e me tornar imortal. Lutei lado a lado com os deuses e outro semideus... Harry Cleese, acho.

— Héracles? — sugeriu Piper educadamente.

— Que seja — disse Baco. — De qualquer forma, matei o gigante Efialtes e seu irmão Oto. Eram bárbaros horríveis, aqueles dois. Pinha na cara deles!

Piper prendeu a respiração. De repente, várias ideias surgiram em sua cabeça: as visões na adaga, os versos da profecia que o grupo havia discutido na noite anterior. Era a mesma sensação de quando mergulhava com o pai e ele limpava o visor da máscara debaixo d'água. Subitamente, tudo ficou mais claro.

— Lorde Baco — falou ela, tentando controlar o nervosismo na voz —, aqueles dois gigantes, Efialtes e Oto... por acaso eram gêmeos?

— Hein? — O deus parecia distraído com o manejo do tirso, mas assentiu. — Sim, gêmeos. Isso mesmo.

Piper virou-se para Jason e percebeu que ele estava acompanhando seu raciocínio. *Gêmeos ceifaram do anjo a vida.*

Na lâmina de Katoptris, ela vira dois gigantes em trajes amarelos, erguendo um jarro de um poço profundo.

— É por isso que estamos aqui — disse Piper ao deus. — Você é parte da nossa missão!

Baco franziu a testa.

— Lamento, mocinha. Não sou mais semideus. Não faço mais *parte* de missões.

— Mas os gigantes só podem ser mortos por heróis e deuses trabalhando juntos — insistiu ela. — Você agora é um deus, e dois dos gigantes que temos de enfrentar são Efialtes e Oto. Acho... acho que estão nos esperando em Roma. Eles vão destruir a cidade de alguma maneira. A taça de prata da minha visão... talvez seja um símbolo de sua ajuda. Você *precisa* nos ajudar a matar os gigantes!

Baco a fuzilou com o olhar, e Piper se deu conta de que havia escolhido mal as palavras.

— Mocinha — disse ele friamente —, eu não *preciso* fazer coisa nenhuma. Além disso, só ajudo aqueles que me pagam tributos adequados, o que ninguém faz há muitos e muitos séculos.

Blackjack relinchou, inquieto.

Piper não podia culpá-lo. Ela não gostava da palavra *tributo*. Lembrou-se das mênades, as seguidoras enlouquecidas de Baco, que despedaçavam com as próprias mãos os incrédulos. E isso quando estavam de *bom* humor.

Percy deu voz à pergunta que ela temia fazer.

— Que tipo de tributo?

Baco fez um gesto desdenhoso com a mão.

— Nada que *você* possa fazer, seu grego insolente. Mas vou lhes dar um conselho grátis, já que a mocinha aqui tem um *pouco* de educação. Procurem o filho de Gaia, Fórcis. Ele sempre odiou a mãe... Não que eu possa culpá-lo por isso. E os irmãos, os gêmeos, também não tinham muita utilidade para ele. Vocês o encontrarão na cidade que batizaram em homenagem àquela heroína... Atalanta.

Piper hesitou.

— Você se refere a Atlanta?

— Essa aí.

— Mas esse tal de Fórcis — falou Jason. — Ele é um gigante? Um titã?

Baco riu.

— Nem uma coisa nem outra. Procurem a água salgada.

— Água salgada... — disse Percy. — Em Atlanta?

— Sim — afirmou Baco. — Você tem um problema de audição? Se alguém pode dar uma dica sobre Gaia e os gêmeos, esse alguém é Fórcis. É só ficar de olho aberto para encontrá-lo.

— O que você quer dizer? — perguntou Jason.

O deus olhou para o sol, que estava quase a pino.

— Ceres não é de se atrasar, a menos que tenha pressentido algum perigo nesta área. Ou...

De repente o queixo de Baco caiu.

— Ou uma armadilha. Bem, preciso ir! E, se eu fosse vocês, faria o mesmo!

— Lorde Baco, espere! — protestou Jason.

O deus tremeluziu e desapareceu com o *pop* de uma lata de refrigerante sendo aberta.

O vento farfalhou em meio aos girassóis. Os cavalos andaram de um lado para o outro, agitados. Apesar do dia quente e seco, Piper estremeceu. Uma sensação de frio... Annabeth e Leo haviam falado sobre uma sensação de frio...

— Baco tem razão — disse ela. — Precisamos ir embora...

Tarde demais, disse uma voz sonolenta, assoviando pelos campos e reverberando no chão sob Piper.

Percy e Jason sacaram as espadas. Piper permaneceu entre os dois, paralisada de medo. O poder de Gaia de repente estava por toda parte. Os girassóis voltaram-se para olhá-los. O trigo curvou-se na direção deles como um milhão de foices.

Bem-vindos à minha festa, murmurou Gaia.

A voz fazia Piper pensar em milho crescendo: era o ruído crepitante, sibilante e persistente que ela costumava ouvir na casa do avô, Tom, nas noites quentes e silenciosas de Oklahoma.

O que Baco disse?, zombou a deusa. *Um evento simples, sem ostentação, com comidinhas orgânicas? Sim. Para o meu lanche só preciso de duas coisas: sangue de uma semideusa e de um semideus. Piper, minha querida, escolha que herói morrerá com você.*

— Gaia! — gritou Jason. — Pare de se esconder no meio do trigo. Mostre-se!

Quanta coragem, sibilou Gaia. *Mas o outro, Percy Jackson, também tem seu charme. Escolha, Piper McLean, ou eu o farei.*

O coração de Piper estava disparado. Gaia queria matá-la, isso não era nenhuma surpresa. Mas que história era aquela de escolher um dos garotos? Por que Gaia deixaria um deles ir embora? Só podia ser uma armadilha.

— Você é louca! — gritou ela. — Não vou escolher nada para você!

De repente Jason arquejou e empertigou-se na sela.

— Jason! — gritou Piper. — Qual o problema...?

O garoto olhou para ela, com a expressão mortalmente calma. Seus olhos já não eram azuis — cintilavam, de um dourado sólido.

— Percy, socorro!

Piper cambaleou, afastando-se de Tempestade. Percy, porém, galopou para longe deles. Parou a uns dez metros na estrada e deu meia-volta com seu pégaso. Então ergueu a espada e a apontou para Jason.

— *Um vai morrer* — disse Percy.

Mas a voz não era dele. Era grave e vazia, como um sussurro vindo de dentro do cano de um canhão.

— *Eu vou escolher* — respondeu Jason, com a mesma voz.

— Não! — gritou Piper.

Ao redor, os campos crepitavam e sibilavam, rindo na voz de Gaia à medida que Percy e Jason corriam um em direção ao outro, ambos de armas em punho.

XI

PIPER

Não fossem os cavalos, Piper teria morrido.

Jason e Percy lançaram-se um contra o outro, mas Tempestade e Blackjack empacaram por tempo suficiente para que Piper saísse do caminho com um pulo.

Ela rolou para a beira da estrada e olhou para trás, aturdida e horrorizada, enquanto os garotos cruzavam as espadas, ouro contra bronze. Faíscas saltaram no ar. Suas lâminas se misturaram — ataque e defesa —, e o pavimento estremeceu. O primeiro ataque durou apenas um segundo, mas Piper não podia acreditar na velocidade da luta de espadas. Os cavalos afastaram-se um do outro — Tempestade trovejando em protesto, Blackjack batendo as asas.

— Parem com isso! — gritou Piper.

Por um momento, Jason atentou para a voz dela. Os olhos dourados voltaram-se para Piper, e Percy atacou e o atingiu com sua lâmina. Graças aos deuses, Percy virou sua espada — talvez de propósito, talvez sem querer — de modo que a parte plana atingiu o peito de Jason; o impacto, no entanto, ainda foi suficiente para derrubar Jason da montaria.

Blackjack afastou-se a galope enquanto Tempestade empinava, confuso. O espírito-cavalo disparou para o meio dos girassóis e dissipou-se em vapor.

Percy lutava para forçar seu pégaso a dar meia-volta.

— Percy! — gritou Piper. — Jason é seu amigo. Largue a arma!

Percy baixou o braço que empunhava a espada. Talvez Piper tivesse sido capaz de controlá-lo, mas infelizmente Jason se levantou.

Jason rugiu. Um relâmpago traçou um arco no céu azul e claro, ricocheteou em seu gládio e derrubou Percy do cavalo.

Blackjack relinchou e fugiu para os campos de trigo. Jason atacou Percy, que agora estava caído de costas, as roupas fumegando com a explosão do raio.

Por um momento horrível, Piper não conseguiu falar. Gaia parecia estar sussurrando para ela: *Você precisa escolher um. Por que não deixa Jason matá-lo?*

— Não! — gritou ela. — Jason, pare!

Ele se deteve, sua espada a quinze centímetros do rosto de Percy.

Jason se virou, a luz dourada em seus olhos tremeluzindo, incerta.

— *Não posso parar. Um precisa morrer.*

Alguma coisa naquela voz... não era Gaia. Não era Jason. Quem quer que fosse hesitava, como se falasse em sua segunda língua.

— Quem é você? — perguntou Piper.

A boca de Jason se contorceu em um sorriso horripilante.

— *Somos os eidolons. Nós vamos reviver.*

— Eidolons... — A mente de Piper disparou. Ela havia estudado todos os tipos de monstros no Acampamento Meio-Sangue, mas esse nome não lhe era familiar. — Vocês são... são algum tipo de fantasma?

— *Ele deve morrer.*

Jason tornou a voltar a atenção para Percy, que havia se recuperado mais rápido do que os dois perceberam. Então Percy esticou a perna e deu uma rasteira em Jason.

A cabeça de Jason bateu no asfalto com um ruído nauseante.

Percy se levantou.

— Pare! — tornou a gritar Piper, mas não havia mais charme em sua voz. Ela gritava com puro desespero.

Percy ergueu Contracorrente acima do peito de Jason.

O pânico fechou a garganta de Piper. Ela queria atacar Percy com sua adaga, mas sabia que isso não adiantaria. O que quer que o estivesse controlando tinha todas as habilidades de Percy. Não havia a menor possibilidade de ela derrotá-lo em um combate.

Piper forçou-se a se concentrar. Jogou toda a sua raiva na voz:

— Eidolon, pare.

Percy se deteve.

— Olhe para mim — ordenou Piper.

O filho do deus do mar virou-se. Seus olhos estavam dourados, e não mais verdes, o rosto pálido e cruel, em nada parecido com o de Percy.

— *Você não escolheu* — disse ele. — *Então este morrerá.*

— Você é um espírito do Mundo Inferior — deduziu Piper. — Está possuindo Percy Jackson. Não é isso?

Percy riu com desdém.

— *Vou viver novamente neste corpo. A Mãe Terra prometeu. Irei aonde quiser, controlarei quem eu desejar.*

Uma onda de frio percorreu Piper.

— Leo... foi isso o que aconteceu com Leo. Ele estava sendo controlado por um eidolon.

A coisa na forma de Percy riu sem vontade.

— *Você se deu conta tarde demais. Não pode confiar em ninguém.*

Jason ainda estava imóvel. Piper não tinha como ajudar, como protegê-lo.

Atrás de Percy, alguma coisa farfalhou no trigo. Piper viu a ponta de uma asa negra, e Percy começou a se virar na direção do som.

— Ignore isso! — gritou ela. — Olhe para mim.

Percy obedeceu.

— *Você não pode me deter. Vou matar Jason Grace.*

Atrás dele, Blackjack surgiu do campo de trigo, movendo-se de modo surpreendentemente silencioso para um animal tão grande.

— Você não vai matá-lo — ordenou Piper. Mas não estava olhando para Percy. Seus olhos encontraram-se com os do pégaso, vertendo todo o seu poder nas palavras e torcendo para que Blackjack compreendesse: — Você vai nocauteá-lo.

O charme de sua voz dominou Percy. Ele mudou o peso de um pé para o outro, indeciso.

— *Eu... vou nocauteá-lo?*

— Ah, desculpe. — Piper sorriu. — Eu não estava falando com você.

Blackjack empinou e desceu o casco na cabeça de Percy, que desabou perto de Jason no asfalto.

— Ai, deuses! — Piper correu até os garotos. — Blackjack, você não o *matou*, não foi?

O pégaso bufou. Piper não sabia falar a língua dos cavalos, mas pensou que talvez ele tivesse dito: *Por favor. Conheço minha própria força.*

Tempestade não estava por ali. O cavalo-relâmpago aparentemente retornara para onde quer que os espíritos da tempestade viviam nos dias ensolarados.

Piper examinou Jason. Sua respiração parecia regular, mas dois golpes no crânio em dois dias não deviam fazer bem a ninguém. Então ela observou a cabeça de Percy. Não viu sangue, mas um grande galo se formava onde ele levara o coice.

— Precisamos levar os dois de volta para o navio — disse ela a Blackjack.

O pégaso moveu a cabeça, concordando, e se ajoelhou no chão para que Piper pudesse colocar Percy e Jason em seu lombo. Depois de muito trabalho (garotos inconscientes são pesados), Piper os colocou razoavelmente em segurança, montou também em Blackjack, e eles decolaram em direção ao navio.

Os outros ficaram um tanto surpresos quando Piper voltou montada em um pégaso com dois semideuses inconscientes. Enquanto Frank e Hazel cuidavam de Blackjack, Annabeth e Leo ajudaram a levar Piper e os garotos para a enfermaria.

— Deste jeito vamos esgotar nosso estoque de ambrosia — resmungou o treinador Hedge enquanto cuidava dos feridos. — Por que nunca sou convidado para essas viagens violentas?

Piper se sentou ao lado de Jason, sentindo-se melhor depois de um gole de néctar e um pouco de água, mas ainda preocupada com os garotos.

— Leo — falou Piper —, estamos prontos para navegar?

— Sim, mas...

— Vamos para Atlanta. Depois eu explico.

— Mas... o.k.

Leo saiu correndo. Annabeth também não discutiu com Piper. Estava mais preocupada em examinar a marca de ferradura na parte de trás da cabeça de Percy.

— *O que* acertou ele? — quis saber ela.

— Blackjack — contou Piper.

— *Como assim?*

Piper tentou se explicar enquanto o treinador Hedge aplicava um pouco de pomada curativa na cabeça dos garotos. Ela nunca antes ficara impressionada com as habilidades de enfermagem de Hedge, mas ele devia ter feito alguma coisa certa. Ou isso ou os espíritos que tinham possuído os garotos também lhes tinham dado uma resistência extra. Os dois gemeram e abriram os olhos.

Dali a poucos minutos Jason e Percy estavam sentados em seus beliches, capazes de falar frases completas. Ambos tinham lembranças nebulosas do que havia acontecido. Quando Piper descreveu o duelo dos dois na estrada, Jason fez uma careta.

— Nocauteado duas vezes em dois dias — murmurou ele. — Que semideus! — Olhou envergonhado para Percy. — Desculpe, cara. Não tive a intenção de atingi-lo com um raio.

A camisa de Percy estava chamuscada e com furinhos. O cabelo estava ainda mais desgrenhado que de hábito. Apesar disso, ele conseguiu dar uma risada fraca.

— Não é a primeira vez. Sua irmã mais velha me pegou de jeito uma vez no acampamento.

— É, mas... eu poderia ter matado você.

— Ou eu poderia ter matado você — disse Percy.

Jason deu de ombros.

— Se houvesse um oceano no Kansas, talvez.

— Não preciso de um oceano...

— Meninos — interrompeu Annabeth —, tenho certeza de que os dois teriam sido maravilhosos matando um ao outro. Mas agora vocês precisam descansar um pouco.

— Antes, comida — pediu Percy. — Por favor... E precisamos muito conversar. Baco disse algumas coisas que não...

— Baco? — Annabeth ergueu a mão. — O.k., tudo bem. Precisamos conversar. Refeitório em dez minutos. Vou chamar os outros. E, por favor, Percy...

troque de roupa. Você está com o cheiro de alguém que acabou de ser atropelado por um cavalo elétrico.

Leo entregou o leme ao treinador Hedge mais uma vez, depois de fazer o sátiro prometer que não os conduziria até a base militar mais próxima "só por diversão".

Então se reuniram em torno da mesa de jantar, e Piper explicou o que havia acontecido em Topeka 51: sua conversa com Baco, a armadilha preparada por Gaia, os eidolons possuindo os garotos.

— É claro! — Hazel deu um tapa na mesa, o que surpreendeu tanto Frank que ele deixou seu burrito cair. — Foi o que aconteceu com Leo também.

— Então não foi minha culpa. — Leo soltou um suspiro. — Não fui eu quem começou a Terceira Guerra Mundial. Só fui possuído por um espírito maligno. Que alívio!

— Mas os romanos não sabem disso — afirmou Annabeth. — E por que eles confiariam em nossa palavra?

— Podíamos contatar Reyna — sugeriu Jason. — Ela acreditaria em nós.

A maneira como Jason disse o nome dela, como se fosse uma corda ligando-o ao passado, fez o coração de Piper murchar.

Jason virou-se para ela com um brilho esperançoso nos olhos.

— Você poderia convencê-la, Pipes. Sei que sim.

Piper teve a impressão de que todo o sangue em seu corpo descia para os pés. Annabeth a olhou com solidariedade, como se dissesse: *Garotos são tão sem noção!* Até Hazel fez uma careta.

— Posso tentar — disse ela, sem entusiasmo. — Mas é com Octavian que precisamos nos preocupar. Na lâmina de minha adaga, eu o vi assumindo o controle dos romanos. Não sei se Reyna pode detê-lo.

Jason fechou a cara. Piper não sentia nenhum prazer em acabar com a alegria dele, mas os outros romanos — Hazel e Frank — assentiram com a cabeça.

— Ela tem razão — falou Frank. — Esta tarde, durante a ronda, vimos águias de novo. Elas estavam muito distantes, mas estão se aproximando rapidamente. Octavian está se preparando para a guerra.

Hazel fez outra careta.

— Essa é exatamente a oportunidade que Octavian sempre quis. Ele vai tentar tomar o poder. Se Reyna fizer objeção, ele vai dizer que ela está pegando leve com os gregos. Quanto a essas águias... É como se elas pudessem nos farejar.

— E podem — afirmou Jason. — As águias romanas podem caçar semideuses pelo cheiro mágico ainda melhor do que os monstros. Este navio pode nos esconder um pouco, mas não completamente... não delas.

Leo tamborilava os dedos.

— Ótimo. Eu devia ter instalado uma tela de fumaça que fizesse o navio ficar com cheiro de nugget de frango gigante. Da próxima vez me lembrem de inventar isso.

Hazel franziu a testa.

— O que é nugget de frango?

— Ah, puxa... — Leo balançou a cabeça, perplexo. — Ah, isso mesmo. Você perdeu os últimos, hã, setenta anos. Bem, minha aprendiz, um nugget de frango...

— Não importa — interrompeu Annabeth. — A questão é que vai ser muito difícil explicarmos a verdade para os romanos. Mesmo que acreditem na gente...

— Você tem razão. — Jason inclinou-se para a frente. — É melhor seguir em frente. Estaremos em segurança após cruzarmos o Atlântico... pelo menos no que se refere à legião.

Ele parecia tão deprimido que Piper não sabia se sentia pena dele ou se ficava ressentida.

— Como pode ter certeza? — perguntou ela. — Por que não nos seguiriam?

Ele balançou a cabeça.

— Você ouviu Reyna falando sobre as terras antigas. Elas são perigosas demais. Gerações de semideuses romanos foram proibidas de ir até lá. Nem Octavian poderia violar essa regra.

Frank engoliu um pedaço de burrito como se ele tivesse se transformado em papelão na boca.

— Então, se *nós* formos lá...

— Seremos ao mesmo tempo criminosos e traidores — confirmou Jason. — Qualquer semideus romano teria o direito de nos matar na mesma hora.

Mas eu não me preocuparia com isso. Se chegarmos ao outro lado do Atlântico, eles vão desistir de nos perseguir. Vão achar que morremos no Mediterrâneo... o Mare Nostrum.

Percy apontou sua fatia de pizza para Jason.

— Você, cara, é um raio de sol.

Jason não respondeu. Os outros semideuses olhavam fixamente para seus pratos, exceto Percy, que continuou saboreando a pizza. Piper não sabia onde cabia toda aquela comida. O cara comia como um sátiro.

— Então vamos planejar nossos próximos passos e tomar cuidado para não morrermos — sugeriu Percy. — O sr. D... Baco... Argh, preciso chamá-lo de sr. B agora? Bem, seja como for, ele mencionou os gêmeos da profecia de Ella. Dois gigantes. Oto e, hã, algum nome que começa com F...?

— Efialtes — completou Jason.

— Dois gigantes, como Piper viu em sua adaga... — Annabeth correu o dedo pela borda da xícara. — Eu me lembro de uma história sobre gêmeos gigantes. Eles tentaram chegar ao Monte Olimpo empilhando várias montanhas.

Frank quase engasgou.

— Bem, isso é ótimo. Gigantes que podem usar montanhas como blocos de montar. E você disse que Baco matou esses caras com uma pinha em um bastão?

— Alguma coisa assim — disse Percy. — Não acho que a gente possa contar com a ajuda dele desta vez. Ele queria um tributo e deixou bem claro que seria um tributo fora de nosso alcance.

O silêncio pairou na mesa. Piper ouviu o treinador Hedge cantando "Blow the Man Down" no convés lá em cima, só que ele não sabia a letra, então cantava apenas: "Blá-blá-rã-de-dã-dã."

Piper não conseguia se livrar da sensação de que Baco estava destinado a ajudá-los. Os gêmeos gigantes estavam em Roma. Guardavam algo necessário aos semideuses: alguma coisa naquele jarro de bronze. O que quer que fosse, Piper tinha a impressão de que era a solução para fechar as Portas da Morte — a chave para a morte definitiva. Ela também tinha certeza de que jamais conseguiriam derrotar os gigantes sem a ajuda de Baco. E, se não fizessem isso em cinco dias, Roma seria destruída e o irmão de Hazel, Nico, morreria.

Por outro lado, se a visão de Baco lhe oferecendo uma taça de prata fosse falsa, talvez as outras também não tivessem que se realizar — principalmente aquela em que ela, Percy e Jason se afogavam. Talvez aquilo fosse apenas simbólico.

O sangue de uma semideusa, Gaia tinha dito, e o sangue de um semideus. *Piper, minha querida, escolha que herói morrerá com você.*

— Ela quer dois de nós — murmurou Piper.

Todos se voltaram para ela.

Piper odiava ser o centro das atenções. Talvez isso fosse estranho para uma filha de Afrodite, mas tinha observado o pai, um astro de cinema, lidar com a fama durante anos. Ela lembrou-se de quando Afrodite a reclamara junto à fogueira, diante de todo o acampamento, aplicando-lhe uma maquiagem mágica de Miss. Aquele fora o momento mais constrangedor de sua vida. Mesmo ali, com apenas seis outros semideuses, Piper sentia-se exposta.

Eles são meus amigos, disse a si mesma. Está tudo bem.

Mas experimentava uma sensação estranha... como se mais do que seis pares de olhos a observassem.

— Hoje na rodovia — contou ela — Gaia me disse que precisava do sangue de apenas dois semideuses: um do sexo feminino e outro do masculino. Ela... ela me pediu para escolher qual dos dois morreria.

Jason apertou sua mão.

— Mas nenhum de nós morreu. Você nos salvou.

— Eu sei. É só que... Por que ela iria querer isso?

Leo assoviou baixinho.

— Pessoal, vocês se lembram da Casa dos Lobos? Nossa princesa da neve favorita, Quione? Ela falou algo sobre derramar o sangue de Jason, que isso macularia o lugar por gerações. Talvez o sangue de semideuses tenha algum tipo de poder.

— Ah...

Percy pousou no prato sua terceira fatia de pizza. Recostou-se na cadeira e olhou para o nada, como se só naquele instante houvesse entendido que levara um coice na cabeça.

— Percy? — Annabeth agarrou seu braço.

— Ah, droga — murmurou ele. — Droga. Droga. — Ele olhou para Frank e Hazel, que estavam do outro lado da mesa. — Vocês se lembram de Polibotes?

— O gigante que invadiu o Acampamento Júpiter — falou Hazel. — O antiPoseidon que você acertou na cabeça com uma estátua de Término. Sim, acho que lembro.

— Sonhei com ele durante nosso voo para o Alasca — contou Percy. — Polibotes falava com as górgonas, e ele disse... disse que queria que eu fosse capturado, mas não morto. Ele avisou: "Quero aquele lá acorrentado a meus pés, para que eu possa matá-lo quando chegar a hora certa. O sangue dele vai banhar as pedras do Monte Olimpo e acordar a Mãe Terra!"

Piper se perguntou se os termostatos da sala estavam quebrados, porque de repente não conseguia parar de tremer. Era a mesma sensação que experimentara na estrada perto de Topeka.

— Você acha que os gigantes usariam nosso sangue... o sangue de dois de nós...

— Não sei — disse Percy. — Mas, até descobrirmos, sugiro a todos nós evitar ser capturados.

Jason grunhiu.

— Com *isso* eu concordo plenamente.

— Mas como vamos descobrir? — perguntou Hazel. — A Marca de Atena, os gêmeos, a profecia de Ella... como isso tudo se encaixa?

Annabeth apertou a borda da mesa.

— Piper, você disse a Leo que seguisse para Atlanta.

— Isso mesmo — concordou Piper. — Baco nos avisou que devíamos procurar... qual era mesmo o nome dele?

— Fórcis — disse Percy.

Annabeth pareceu surpresa, como se não estivesse acostumada com o fato de seu namorado ter as respostas.

— Você o conhece?

Percy deu de ombros.

— Não reconheci o nome de cara. Até que Baco mencionou a água salgada, e a ficha caiu. Fórcis é um antigo deus do mar, de antes do tempo de meu pai. Nunca o encontrei, mas pelo visto é um dos filhos de Gaia. Ainda não entendo o que um deus do mar estaria fazendo em Atlanta.

Leo bufou.

— O que um deus do vinho está fazendo no Kansas? Os deuses são esquisitos. Seja como for, devemos chegar a Atlanta amanhã ao meio-dia, a menos que *mais* alguma coisa dê errado.

— Nem fale uma coisa dessas — murmurou Annabeth. — Está ficando tarde. É melhor dormirmos um pouco.

— Esperem — pediu Piper.

Mais uma vez, todos olharam para ela.

Ela estava quase perdendo a coragem, perguntando-se se seus instintos não teriam se enganado, mas se obrigou a falar:

— Uma última coisa. Os eidolons... os espíritos de possessão. Eles ainda estão aqui, nesta sala.

XII

PIPER

Piper não podia explicar como sabia.

Histórias de fantasmas e almas atormentadas sempre a haviam assustado. Seu pai costumava fazer piada das lendas cherokee do avô Tom na reserva, mas mesmo em casa, na grande mansão de Malibu com vista para o Pacífico, sempre que o pai recontava aquelas histórias de fantasmas, ela nunca conseguia tirá-las da cabeça.

Espíritos cherokee eram sempre inquietos. Muitas vezes se perdiam a caminho da Terra dos Mortos ou ficavam para trás, com os vivos, por pura teimosia. Às vezes nem se davam conta de que estavam mortos.

Quanto mais Piper aprendia sobre ser uma semideusa, mais se convencia de que as lendas cherokee e os mitos gregos não eram assim tão diferentes. Esses eidolons agiam de maneira muito semelhante aos espíritos das histórias de seu pai.

Piper sentia, lá no fundo, que eles ainda estavam ali apenas porque ninguém lhes dissera que fossem embora.

Quando acabou de explicar, os outros a olharam desconfortáveis. No convés, Hedge cantava alguma coisa que parecia "In the Navy" enquanto Blackjack, incomodado, batia os cascos e relinchava.

Por fim, Hazel suspirou.

— Piper está certa.

— Como você pode ter certeza? — perguntou Annabeth.

— Já encontrei eidolons — contou Hazel. — No Mundo Inferior, quando eu estava... você sabe.

Morta.

Piper tinha esquecido que Hazel estava em sua segunda vida. De sua própria maneira, Hazel também era um fantasma renascido.

— Então... — Frank esfregou as mãos nos cabelos curtos, como se algum fantasma pudesse ter invadido sua cabeça. — Você acha que essas coisas estão à espreita no navio ou...

— Possivelmente à espreita dentro de alguns de nós — falou Piper. — Não sabemos.

Jason cerrou os punhos.

— Se isso for verdade...

— Precisamos agir — disse Piper. — Acho que posso cuidar disso.

— Cuidar do quê? — perguntou Percy.

— Apenas ouça, tudo bem? — Piper respirou fundo. — Ouçam todos.

Piper olhou-os nos olhos, um de cada vez.

— Eidolons — disse ela, usando seu poder —, levantem as mãos.

Fez-se um silêncio tenso. Leo soltou uma risada nervosa.

— Você achou mesmo que isso ia...?

Sua voz morreu. Seu rosto ficou sem expressão. Ele ergueu a mão.

Jason e Percy fizeram o mesmo. Seus olhos se tornaram vidrados e dourados. Hazel prendeu a respiração. Ao lado de Leo, Frank levantou-se da cadeira às pressas e colou as costas na parede.

— Ai, deuses. — Annabeth olhou para Piper, implorando. — Pode curá-los?

Piper queria choramingar e se esconder debaixo da mesa, mas *tinha* que ajudar Jason. Não podia acreditar que tinha ficado de mãos dadas com... Não, ela se recusava a pensar nisso.

Concentrou-se em Leo, porque ele era menos intimidador.

— Tem mais de vocês neste navio?

— *Não* — disse Leo em uma voz monótona. — *A Mãe Terra enviou três. Os mais fortes, os melhores. Nós vamos reviver.*

— Aqui, não vão não — grunhiu Piper. — Vocês três, ouçam com atenção.

Jason e Percy voltaram-se para ela. Aqueles olhos dourados eram enervantes, mas ver os garotos daquele jeito alimentou a raiva de Piper.

— Vocês vão abandonar esses corpos — comandou.

— *Não* — disse Percy.

Leo deixou escapar um sibilo baixo.

— *Precisamos viver.*

Frank fez menção de pegar seu arco.

— Marte Todo-Poderoso, isso é sinistro! Caiam fora daqui, espíritos! Deixem nossos amigos em paz!

Leo voltou-se para ele.

— *Você não pode nos comandar, filho da guerra. Sua vida é frágil. Sua alma pode queimar a qualquer momento.*

Piper não sabia o que aquilo queria dizer, mas Frank cambaleou como se tivesse levado um soco na boca do estômago. Ele puxou uma flecha com as mãos trêmulas.

— Eu... eu já enfrentei coisas piores que vocês. Se querem briga...

— Frank, não.

Hazel se levantou. Perto dela, Jason sacou a espada.

— Pare! — ordenou Piper, mas sua voz falhou.

Ela ia rapidamente perdendo a fé no plano. Tinha feito os eidolons aparecerem, mas e agora? Se não conseguisse persuadi-los a ir embora, qualquer derramamento de sangue que houvesse seria culpa dela. Em sua mente, quase podia ouvir Gaia gargalhando.

— Ouçam Piper.

Hazel apontou para a espada de Jason. A lâmina de ouro pareceu ficar mais pesada na mão dele. Ela caiu com um baque na mesa e Jason afundou na cadeira.

Percy rosnou de uma forma muito pouco característica.

— *Filha de Plutão, você pode controlar pedras preciosas e metais, mas não controla os mortos.*

Annabeth estendeu as mãos para ele, como se fosse contê-lo, mas Hazel fez um sinal para que não se aproximasse dele.

— Ouçam, eidolons — disse Hazel com firmeza —, este não é o lugar de vocês. Posso não comandá-los, mas Piper, sim. Obedeçam a ela.

Ela voltou-se para a outra, e sua expressão era clara: *Tente outra vez. Você consegue.*

Piper reuniu toda a coragem que tinha. Olhou diretamente para Jason — para os olhos da coisa que o controlava.

— Vocês abandonarão esses corpos — repetiu Piper, de forma ainda mais enérgica.

O rosto de Jason se contraiu, gotas de suor surgiram em sua testa.

— *Nós... nós abandonaremos estes corpos.*

— Vocês vão jurar pelo Rio Estige nunca voltar a este navio — prosseguiu Piper — e a nunca mais possuir nenhum membro desta tripulação.

Leo e Percy sibilaram em protesto.

— Vocês vão jurar pelo Rio Estige — insistiu Piper.

Um momento de tensão — dava para sentir a força de vontade deles lutando contra a dela. Então os três eidolons falaram em uníssono:

— *Juramos pelo Rio Estige.*

— Vocês estão mortos — disse Piper.

— *Nós estamos mortos.*

— Agora vão.

Os três garotos tombaram para a frente. Percy caiu de cara na pizza.

— Percy!

Annabeth o agarrou. Piper e Hazel seguraram os braços de Jason, que ia escorregando da cadeira.

Leo não teve tanta sorte. Ele tombou na direção de Frank, que não fez nenhuma tentativa de segurá-lo, e acabou desabando no chão.

— Ai! — gemeu ele.

— Você está bem? — perguntou Hazel.

Leo se levantou. Tinha um pedaço de espaguete no formato de um 3 preso à testa.

— Deu certo?

— Deu — disse Piper com segurança. — Acho que não vão voltar.

Jason piscou.

— Isso significa que posso parar de machucar a cabeça agora?

Piper riu, liberando todo o seu nervosismo.

— Vamos, Garoto Relâmpago. Você precisa tomar um pouco de ar fresco.

Piper e Jason andavam de um lado para o outro no convés. Jason ainda caminhava com dificuldade, por isso Piper o encorajou a abraçá-la e apoiar-se nela.

Leo postou-se junto ao leme, conferenciando com Festus pelo intercomunicador; sabia, por experiência própria, que era melhor dar espaço a Jason e Piper. Como a tevê via satélite tinha voltado a funcionar, o treinador Hedge estava feliz em sua cabine, pondo-se a par das lutas de MMA. O pégaso de Percy, Blackjack, tinha partido. Os outros semideuses estavam se acomodando para a noite.

O *Argo II* seguia na direção leste, navegando a centenas de metros acima do solo. Abaixo deles cidadezinhas passavam como ilhas iluminadas em um mar escuro de planícies.

Piper lembrou-se do último inverno, quando sobrevoaram em Festus, o dragão, a cidade de Quebec. Ela nunca tinha visto nada tão lindo nem se sentido tão feliz em ter os braços de Jason ao seu redor — mas aquilo era ainda melhor.

A noite estava quente. O navio navegava mais suavemente que um dragão. O melhor de tudo: estavam se afastando do Acampamento Júpiter o mais rápido que podiam. Por mais perigosas que fossem as terras antigas, Piper mal podia esperar para chegar lá. Esperava que Jason tivesse razão ao afirmar que os romanos não os seguiriam através do Atlântico.

Jason deteve-se a meia-nau e recostou-se na amurada. O luar fazia seu cabelo parecer louro prateado.

— Obrigado, Pipes — falou ele. — Você me salvou outra vez.

Ele enlaçou a cintura dela. Piper pensou no dia em que haviam despencado no Grand Canyon — quando descobrira que Jason podia controlar o ar. Ele a abraçara tão apertado que conseguira sentir seus batimentos cardíacos. Então tinham parado de cair e passado a flutuar em pleno ar. Melhor. Namorado. Do. Mundo.

Ela queria beijá-lo agora, mas algo a deteve.

— Não sei se Percy vai confiar em mim daqui por diante — disse ela. — Não depois de eu ter deixado o cavalo dele nocauteá-lo.

Jason riu.

— Não se preocupe com isso. Ele é um cara legal, mas tenho a impressão de que precisa de uma pancada na cabeça de vez em quando.

— Você poderia ter matado Percy.

O sorriso de Jason desapareceu.

— Aquele não era eu.

— Mas quase *deixei* você fazer isso — confessou Piper. — Quando Gaia disse que eu tinha que escolher, eu hesitei e...

Ela piscou, xingando-se por chorar.

— Não seja tão dura com si mesma — disse Jason. — Você nos salvou, nós dois.

— Mas se dois de nosso grupo tiverem mesmo que morrer, um garoto e uma garota...

— Não aceito isso. Vamos conseguir deter Gaia. Nós sete voltaremos vivos. Prometo.

Piper desejou que ele não tivesse *prometido*. A palavra só serviu para lembrá-la da Profecia dos Sete: *um juramento a manter com um alento final.*

Por favor, pensou ela, perguntando-se se sua mãe, a deusa do amor, podia ouvi-la. *Não permita que seja o alento final de Jason. Se o amor significa alguma coisa, não o tire de mim.*

Assim que fez o pedido, sentiu-se culpada. Como poderia suportar ver Annabeth com aquele tipo de dor se Percy morresse? Como poderia viver em paz se algum dos sete semideuses morresse? Cada um deles já havia sofrido tanto. Mesmo os dois novos garotos romanos, Hazel e Frank, que Piper mal conhecia, já pareciam muito próximos. No Acampamento Júpiter, Percy contara sobre sua viagem ao Alasca, que parecera tão angustiante quanto qualquer outra coisa que Piper tivesse vivido. E pela maneira como Hazel e Frank haviam tentado ajudar durante o exorcismo, dava para ver que eram pessoas boas e corajosas.

— A lenda que Annabeth mencionou — disse ela —, sobre a Marca de Atena... Por que você não quis falar sobre o assunto?

Ela teve medo de Jason esquivar-se dela, mas ele apenas abaixou a cabeça, como se estivesse esperando a pergunta.

— Pipes, não sei o que é verdade e o que não é. Essa lenda... pode ser realmente perigosa.

— Para quem?

— Para todos nós — respondeu ele, sombrio. — A história diz que os romanos, nos tempos antigos, roubaram alguma coisa importante dos gregos quando conquistaram suas cidades.

Piper esperou, mas Jason parecia perdido em pensamentos.

— O que roubaram? — perguntou ela.

— Não sei — respondeu ele. — Não tenho certeza se alguém na legião já soube. Mas, segundo a história, seja lá o que era, foi levado para Roma e escondido lá. Os filhos de Atena, semideuses gregos, passaram a nos odiar e sempre incitam seus irmãos contra os romanos. Como eu disse, não sei o quanto disso é verdade...

— Mas por que não contar a Annabeth? — perguntou Piper. — Ela não vai passar a odiar você de repente.

Ele parecia ter dificuldade em se concentrar no que ela dizia.

— Espero que não. Mas a lenda diz que há milênios os filhos de Atena procuram por isso. A cada geração, alguns são escolhidos pela deusa para encontrar essa coisa. Parece que são levados a Roma por um sinal... a Marca de Atena.

— Se Annabeth é um desses filhos que a procuram... temos que ajudá-la.

Jason hesitou.

— Talvez. Quando chegarmos mais perto de Roma, contarei a ela o pouco que sei. Juro. Mas a história, pelo menos da maneira como a ouvi, afirma que, se os gregos um dia encontrassem o que foi roubado, jamais nos perdoariam. Eles destruiriam tanto a legião quanto Roma, de uma vez por todas. Depois do que Nêmesis disse a Leo, sobre Roma ser destruída daqui a cinco dias...

Piper estudou o rosto de Jason. Ele era, sem dúvida, a pessoa mais corajosa que já conhecera, mas ela percebeu que estava com medo. Aquela lenda — a ideia de que ela poderia separar o grupo e acabar com uma cidade — o aterrorizava totalmente.

O que poderia ter sido roubado dos gregos que seria assim tão importante?, Piper se perguntou. Não podia imaginar nada que fizesse Annabeth de repente tornar-se vingativa.

No entanto, também não podia imaginar escolher a vida de um semideus em vez da de outro, e naquele dia, naquela estrada deserta, por um momento, Gaia quase a havia tentado...

— Aliás, me desculpe — disse Jason.

Piper enxugou a última lágrima de seu rosto.

— Desculpe por quê? Foi o eidolon que atacou...

— Não por isso. — A pequena cicatriz no lábio superior de Jason parecia brilhar, branca, ao luar. Ela amava aquela cicatriz. A imperfeição tornava o rosto dele muito mais interessante. — Fui um idiota por pedir que você entrasse em contato com Reyna. Eu não estava pensando direito.

— Ah.

Piper olhou para cima e se perguntou se sua mãe estaria de alguma maneira o influenciando. Seu pedido de desculpas parecia bom demais para ser verdade.

Mas não pare, pensou.

— Está tudo bem, de verdade.

— É só que... nunca me senti assim em relação a Reyna — explicou Jason —, então não pensei que isso deixaria você desconfortável. Você não tem com que se preocupar, Pipes.

— Eu queria odiá-la — admitiu ela. — Fiquei com tanto medo de você voltar para o Acampamento Júpiter.

Jason pareceu surpreso.

— Isso nunca vai acontecer. A menos que você venha comigo. Prometo.

Piper segurou a mão dele. Conseguiu dar um sorriso, mas estava pensando: mais uma promessa. *Um juramento a manter com um alento final.*

Ela tentou tirar aqueles pensamentos da cabeça. Sabia que devia aproveitar o momento de tranquilidade com Jason, mas, ao olhar pela amurada do navio, não pôde deixar de pensar em como as planícies à noite pareciam águas escuras — como as da câmara onde, na lâmina de sua adaga, ela os vira se afogar.

XIII

PERCY

Esqueça a história da cortina de fumaça de nugget de frango. Percy queria mesmo era que Leo inventasse um chapéu antissonho.

Naquela noite teve pesadelos horríveis. Primeiro, sonhou que estava de volta ao Alasca em busca da águia da legião. Caminhava por uma estrada na montanha, mas assim que pôs o pé fora do acostamento foi engolido pelo terreno pantanoso — *muskeg*, fora assim que Hazel se referira àquele tipo de solo. Ele se viu sufocando na lama, incapaz de se mover, ver ou respirar. Pela primeira vez na vida, compreendeu como era se afogar.

É só um sonho, disse a si mesmo. *Vou acordar*.

Mas isso não tornou a experiência menos aterrorizante.

Percy nunca tivera medo de água na vida. Era o elemento de seu pai. Mas desde a experiência com o *muskeg*, desenvolvera uma fobia de sufocação. Não admitiria isso para ninguém, mas agora até entrar na água o deixava nervoso. Sabia que era tolice — ele não podia se afogar —, mas também suspeitava que, se não controlasse o medo, este poderia começar a controlá-lo.

Pensou na amiga Thalia, que tinha fobia de altura mesmo sendo filha do deus do céu. O irmão dela, Jason, voava invocando os ventos. Thalia não conseguia fazer isso, talvez porque tivesse medo demais para tentar. Se Percy começasse a acreditar que podia se afogar...

O *muskeg* pressionava seu peito. Ele tinha a impressão de que os pulmões iam explodir.

Não entre em pânico, disse a si mesmo. *Isto não é real.*

Justamente quando não conseguia mais prender o fôlego, o sonho mudou.

Ele estava em um lugar amplo e sombrio, semelhante a um estacionamento subterrâneo. Fileiras de colunas de pedra estendiam-se em todas as direções, sustentando o teto uns seis metros acima. Piras acesas lançavam uma luz avermelhada no piso.

Percy não conseguia enxergar muito longe, mas, pendendo do teto, viam-se sistemas de polia, sacos de areia e fileiras de refletores apagados. Empilhados por todo o espaço, havia caixotes de madeira etiquetados: ACESSÓRIOS, ARMAS e FANTASIAS. Em um deles ele leu: LANÇADORES DE FOGUETES VARIADOS.

Percy ouvia maquinário zumbindo na escuridão, imensas engrenagens girando e água correndo por canos.

Então ele viu o gigante... ou pelo menos foi o que Percy achou que era.

Tinha uns três metros e meio de altura — uma altura respeitável para um ciclope, mas apenas metade da de outros gigantes que Percy havia enfrentado. Também parecia mais humano que um gigante típico, sem as pernas reptilianas de sua espécie. No entanto, os longos cabelos roxos trançados em *dreadlocks* estavam presos em um rabo de cavalo entremeado com moedas de ouro e prata, o que pareceu a Percy um penteado de gigantes. Levava uma lança de três metros presa às costas — uma arma de gigantes.

Ele usava a maior camisa de gola alta que Percy já vira, calça preta e sapatos de couro pretos com bicos tão compridos e curvos que mais pareciam sapatos de bobo da corte. Andava de um lado para o outro diante de uma plataforma elevada, examinado um jarro de bronze mais ou menos do tamanho de Percy.

— Não, não, não — murmurava o gigante para si mesmo. — Onde está o grande efeito? Qual é o mérito?

Ele virou-se para a escuridão e gritou:

— Oto!

Percy ouviu algo movendo-se a distância. Outro gigante surgiu das sombras. Usava exatamente o mesmo traje negro, até os sapatos de bico curvo. A única diferença entre os dois era que o cabelo do segundo era verde, e não roxo.

O primeiro gigante praguejou.

— Oto, por que você faz isso comigo *todos os dias*? Eu disse que ia usar a camisa de gola alta preta hoje. Você podia usar qualquer coisa, *menos* a camisa de gola alta preta!

O gigante piscou como se tivesse acabado de acordar.

— Pensei que você fosse usar a toga amarela hoje.

— Isso foi ontem! Quando *você* também usou a toga amarela!

— Ah. Certo. Desculpe, Efi.

O irmão rosnou. Os dois só podiam mesmo ser gêmeos, pois os rostos eram identicamente feios.

— E não me chame de Efi — exigiu. — Me chame de *Efialtes*. Esse é meu nome. Ou pode usar meu nome artístico: O GRANDE F!

Oto fez uma careta.

— Ainda não estou muito convencido em relação a esse nome artístico.

— Bobagem! É perfeito. Agora, como estão os preparativos?

— Tudo certo. — Oto não parecia muito entusiasmado. — Os tigres comedores de gente, as lâminas giratórias... Mas ainda acho que seria legal ter algumas bailarinas.

— Nada de bailarinas! — falou rispidamente Efialtes. — E *esta* coisa? — Ele acenou, desgostoso, para o jarro. — O que isso faz? Não é nada interessante.

— Mas esse é o ponto principal do espetáculo. Ele vai morrer a menos que os outros o resgatem. E se chegarem na hora certa...

— Ah, acho bom eles chegarem! — exclamou Efialtes. — O dia primeiro de julho, as Calendas de Julho, é sagrado para Juno. É quando a Mãe quer destruir aqueles semideuses estúpidos, só para esfregar isso *de verdade* na cara de Juno. Além disso, não vou pagar hora extra àqueles fantasmas de gladiadores.

— Bem, aí todos eles morrem — continuou Oto —, e damos início à destruição de Roma. Exatamente como a Mãe quer. Vai ser perfeito. A multidão vai amar. Os fantasmas romanos adoram esse tipo de coisa.

Efialtes não parecia convencido.

— Mas o jarro só fica aí, *parado*? Não podemos colocá-lo no fogo ou dissolvê-lo em ácido ou coisa assim?

— Precisamos dele vivo por mais alguns dias — lembrou Oto ao irmão. — Caso contrário, os sete não vão morder a isca e vir correndo salvá-lo.

— Hum. É verdade. Mas eu ainda preferiria um pouco mais de gritos. Essa morte lenta é chata. Ah, bem, e quanto à nossa talentosa amiga? Ela está pronta para receber seu visitante?

Oto fez uma careta.

— Eu não gosto *nada* de falar com ela. Ela me deixa nervoso.

— Mas está pronta?

— Sim — respondeu Oto, relutante. — Está pronta há séculos. Ninguém vai recuperar *aquela* estátua.

— Excelente. — Efialtes esfregou as mãos em expectativa. — Essa é a nossa grande chance, meu irmão.

— Foi o que você disse em relação à nossa última proeza — resmungou Oto. — Fiquei pendurado naquele bloco de gelo suspenso sobre o Rio Lete por seis meses, e não ganhamos nenhuma atenção da mídia.

— Isso é diferente! — insistiu Efialtes. — Vamos estabelecer um novo padrão de entretenimento! Se a Mãe ficar satisfeita, essa será nossa porta de entrada para a fama e a fortuna!

— Se você diz. — Oto suspirou. — Embora eu ainda ache que aqueles trajes de bailarina do *Lago dos Cisnes* ficariam lindos...

— Nada de balé!

— Desculpe.

— Venha — chamou Efialtes. — Vamos ver os tigres. Quero ter certeza de que estão famintos!

Os gigantes afastaram-se nas sombras, e Percy voltou-se para o jarro.

Preciso olhar lá dentro, pensou.

Assim, avançou no sonho até o jarro. Então o atravessou.

O ar dentro do jarro cheirava a hálito rançoso e ferrugem. A única luz vinha do tênue brilho roxo de uma espada escura, o ferro estígio apoiado em um dos lados do recipiente. Encolhido ao seu lado estava um garoto de aparência abatida, vestindo jeans esfarrapado, camisa preta e um velho casaco de aviador. Na mão direita, um anel de caveira prateado brilhava.

— Nico — chamou Percy, mas o filho de Hades não o ouviu.

O recipiente era completamente vedado, e o ar estava ficando viciado. Os olhos de Nico estavam fechados e sua respiração era fraca. Parecia meditar. O rosto estava pálido e mais fino do que Percy se lembrava.

Na parede interna do jarro, viam-se três traços, aparentemente feitos por Nico com sua espada. Estaria preso ali havia três dias?

Não parecia possível que sobrevivesse por tanto tempo sem sufocar. Mesmo no sonho, Percy já começava a entrar em pânico, era difícil respirar.

Então ele notou algo entre os pés de Nico — pequenos objetos cintilantes do tamanho de dentes de leite.

Sementes, Percy reconheceu. Sementes de romã. Três haviam sido chupadas e cuspidas. Cinco ainda estavam encapsuladas na polpa vermelha.

— Nico — disse Percy —, que lugar é este? Nós vamos salvar você...

A imagem desapareceu, e uma voz de garota sussurrou:

— Percy.

A princípio, Percy pensou que ainda estivesse dormindo. Quando perdera a memória, passara semanas sonhando com Annabeth, a única pessoa do passado de que se lembrava. Quando seus olhos se abriram e a visão clareou, ele se deu conta de que a garota estava de fato ali, de pé ao lado do beliche, sorrindo para ele.

Os cabelos louros caíam em seus ombros. Os olhos cinzentos e tempestuosos brilhavam, divertidos. Ele lembrou-se de seu primeiro dia no Acampamento Meio-Sangue, cinco anos antes, quando despertara de um estupor e encontrara Annabeth olhando-o de cima. Ela dissera: *Você baba quando está dormindo.*

Ela era muito sentimental.

— O q... que está acontecendo? — perguntou ele. — Já chegamos?

— Não — sussurrou ela. — Ainda é madrugada.

— Quer dizer... — O coração de Percy disparou. Ele percebeu que estava de pijama, na cama. Era provável que tivesse babado ou no mínimo emitido ruídos estranhos enquanto sonhava. Sem dúvida seu cabelo estava todo desgrenhado e o hálito não devia estar nada bom. — Você entrou escondida na minha cabine?

Annabeth revirou os olhos.

— Percy, você vai fazer dezessete anos em dois meses. Não está com medo do treinador Hedge, está?

— Cara, você já viu o bastão de beisebol dele?

— Além do mais, Cabeça de Alga, só pensei que podíamos dar uma volta. Ainda não tivemos chance de ficar sozinhos. Quero mostrar uma coisa a você... É meu lugar favorito neste navio.

O coração de Percy ainda estava disparado, mas não era por medo do treinador Hedge.

— Posso, você sabe, escovar meus dentes primeiro?

— Acho bom — respondeu Annabeth. — Porque não vou beijar você antes disso. E aproveite e penteie o cabelo.

Para uma trirreme, a embarcação era enorme, mas ainda assim Percy a achava aconchegante — como o prédio de seu dormitório na Academia Yancy ou de qualquer outro dos internatos de que fora expulso. Annabeth e ele desceram furtivamente para o segundo convés, que Percy ainda não havia explorado, exceto pela enfermaria.

Ela o levou para além da casa de máquinas, que parecia um labirinto mecanizado e muito perigoso, com canos, pistões e tubos projetando-se de uma esfera de bronze central. Cabos semelhantes a gigantescos fios de espaguete de metal serpenteavam pelo chão e subiam pelas paredes.

— Como funciona essa coisa? — perguntou Percy.

— Não faço ideia — disse Annabeth. — E eu sou a única, além de Leo, que pode operá-lo.

— Isso me deixa muito tranquilo.

— Vai dar tudo certo. Ele só ameaçou explodir uma vez.

— Você está brincando, espero.

Ela sorriu.

— Venha.

Os dois abriram caminho pelos depósitos e pelo arsenal. Na popa do navio, alcançaram uma porta dupla de madeira que se abria para um grande estábulo. O lugar cheirava a feno fresco e cobertores de lã. Ao longo da parede da esquerda havia três baias vazias, como as usadas para os pégasos no acampamento. A parede da direita tinha duas gaiolas vazias, espaçosas o bastante para grandes animais de zoológico.

No meio do cômodo havia um painel transparente de seis metros quadrados. Lá embaixo, a paisagem noturna passava rapidamente — quilômetros de campos escuros atravessados por rodovias iluminadas, como os fios de uma teia.

— Um barco com fundo de vidro? — perguntou Percy.

Annabeth apanhou um cobertor no portão da baia mais próxima e o estendeu no piso de vidro.

— Sente-se aqui comigo.

Eles se acomodaram no cobertor como se estivessem fazendo um piquenique, e ficaram observando o mundo passar lá embaixo.

— Leo construiu os estábulos para que pégasos pudessem ir e vir facilmente — explicou Annabeth. — Só que ele não se deu conta de que os pégasos preferem perambular em liberdade, então os estábulos ficam sempre vazios.

Percy perguntou-se onde Blackjack estaria — esperava que vagueando pelos céus, seguindo o navio. A cabeça de Percy ainda latejava da pancada de Blackjack, mas ele não culpava o cavalo.

— O que você quer dizer com *ir e vir facilmente*? — perguntou ele. — O pégaso não teria que descer dois lances de escada?

Annabeth bateu os nós dos dedos no vidro.

— Isto é um alçapão, como em um avião de bombardeio.

Percy engoliu em seco.

— Está me dizendo que estamos sentados em um *alçapão*? E se ele abrir?

— Suponho que despencaremos para a morte. Mas ele não vai abrir. Pelo menos acho que não.

— Ótimo.

Annabeth riu.

— Sabe por que gosto daqui? Não é só por causa da vista. Este lugar faz você lembrar o quê?

Percy olhou à sua volta: as jaulas e os estábulos, a luminária de bronze celestial pendendo da viga, o cheiro de feno e, claro, Annabeth sentada perto dele, o rosto lindo e espectral na suave luz âmbar.

— Aquele caminhão do zoológico — concluiu Percy. — O que pegamos para Las Vegas.

O sorriso dela disse a ele que dera a resposta certa.

— Isso foi há tanto tempo — disse Percy. — Estávamos ferrados, tentando atravessar o país para encontrar aquele raio estúpido, presos em um caminhão com um bando de animais maltratados. Como você pode sentir saudade daquilo?

— Porque, Cabeça de Alga, foi a primeira vez que conversamos de verdade, eu e você. Falei sobre minha família e...

Ela tirou o colar do acampamento, onde estavam o anel de formatura de seu pai e várias contas de argila de cores diferentes, uma para cada ano no Acampamento Meio-Sangue. Agora havia mais uma coisa no fio de couro: o pingente de coral vermelho que Percy lhe dera quando começaram a namorar. Ele o trouxera do palácio do pai no fundo do mar.

— E — prosseguiu Annabeth — isso me lembra há quanto tempo nos conhecemos. Tínhamos *doze* anos, Percy. Dá para acreditar nisso?

— Não — admitiu ele. — Então... você soube que gostava de mim naquele momento?

Ela sorriu maliciosamente.

— De início odiei você. Você me irritava. Então eu o tolerei por alguns anos. Depois...

— Certo, tudo bem.

Ela inclinou-se e o beijou: um beijo de verdade, sem ninguém olhando — nenhum romano por perto, nenhum sátiro tomando conta deles e berrando.

Ela se afastou.

— Senti saudade, Percy.

Percy queria dizer a mesma coisa, mas parecia muito pouco. Durante o tempo em que estivera no lado romano, mantivera-se vivo quase que exclusivamente pensando em Annabeth. *Senti saudade* na verdade não era suficiente.

Ele lembrou-se daquela noite, mais cedo, quando Piper havia forçado o eidolon a deixar sua mente. Percy não tivera consciência da presença dele até que Piper usara seu charme. Depois que o eidolon se foi, Percy teve a sensação de que um prego quente fora arrancado de sua testa. Ele não tinha se dado conta de quanta dor estivera sentindo até o espírito ir embora. Então seus pensamentos se tornaram mais claros. Sua alma tornou a acomodar-se em seu corpo.

Sentar-se ali com Annabeth lhe dava a mesma sensação. Os últimos meses poderiam ter sido apenas um de seus estranhos sonhos. Os acontecimentos no Acampamento Júpiter pareciam tão vagos e irreais quanto aquela luta com Jason, quando ambos estavam sendo controlados pelos eidolons.

No entanto, ele não lamentava o tempo que passara no Acampamento Júpiter. A experiência havia aberto seus olhos de diversas maneiras.

— Annabeth — disse ele, hesitante —, em Nova Roma, os semideuses podem viver a vida toda em paz.

A expressão dela tornou-se cautelosa.

— Reyna me explicou isso. Mas, Percy, seu lugar é no Acampamento Meio-Sangue. A outra vida...

— Eu sei — falou Percy. — Mas enquanto estive lá vi tantos semideuses vivendo sem medo: jovens indo para a faculdade, se casando e formando famílias. Não tem nada assim no Acampamento Meio-Sangue. Eu ficava pensando em nós dois... e quem sabe um dia, quando essa guerra com os gigantes acabar...

Era difícil saber com a luz dourada, mas ele achou que Annabeth estava corando.

— Ah.

Percy temeu ter falado demais. Talvez a tivesse assustado com seus grandes sonhos para o futuro. Em geral era ela quem fazia os planos. Percy se xingou em silêncio.

Por mais que conhecesse Annabeth, ele ainda tinha a sensação de que a compreendia muito pouco. Mesmo depois de estarem namorando havia vários meses, o relacionamento parecia novo e frágil, como uma escultura de vidro. Ele sentia pavor de fazer algo errado e quebrá-la.

— Me desculpe — disse ele. — Eu só... eu tinha que pensar nisso para seguir em frente. Para ter esperança. Deixa para...

— Não! — falou ela. — Não, Percy. Deuses, isso é tão fofo. É só que... talvez não tenhamos mais essa oportunidade. Se não nos entendermos com os romanos... bem, os dois grupos de semideuses nunca se deram bem. Foi por isso que os deuses nos mantiveram separados. Não sei se nos adaptaríamos lá.

Percy não queria discutir, mas não podia abrir mão da esperança. Aquilo era importante — não só para Annabeth e ele, mas para todos os outros semideuses. *Tinha* que ser possível pertencer a dois mundos diferentes ao mesmo tempo. Afinal, era justamente isso que significava ser um semideus: não pertencer exatamente nem ao mundo dos mortais nem ao Olimpo, e ainda assim tentar aceitar os dois lados de sua natureza.

Infelizmente, isso o levou a pensar nos deuses, na guerra que estavam enfrentando e em seu sonho com os gêmeos Efialtes e Oto.

— Eu estava tendo um pesadelo quando você me acordou — admitiu ele, e então começou a contar o sonho para Annabeth.

Nem mesmo as partes mais perturbadoras pareceram surpreendê-la. Ela balançou a cabeça com tristeza quando Percy descreveu a prisão de Nico no jarro de bronze. Seus olhos brilharam de raiva quando ele contou sobre os gigantes estarem planejando algum tipo de espetáculo para destruir Roma, tendo como número de abertura a morte dolorosa do grupo.

— Nico é a isca — murmurou ela. — As forças de Gaia devem tê-lo capturado de alguma forma. Mas não sabemos exatamente onde ele está preso.

— Em algum lugar em Roma — disse Percy. — No subterrâneo. Eles fizeram parecer que Nico ainda tinha alguns dias de vida, mas não vejo como ele possa resistir tanto tempo sem oxigênio.

— Mais cinco dias, segundo Nêmesis — afirmou Annabeth. — As Calendas de Julho. Pelo menos o prazo faz sentido agora.

— O que é uma calendas?

Annabeth sorriu, como se estivesse feliz por voltarem a seu velho padrão habitual: Percy sem saber de nada, ela explicando as coisas.

— É só o termo romano para o primeiro dia do mês. É daí que vem a palavra *calendário*. Mas como Nico pode sobreviver tanto tempo? Temos que falar com Hazel.

— Agora?

Ela hesitou.

— Não. Isso pode esperar até amanhã de manhã. Não quero dar a ela uma notícia dessas no meio da noite.

— Os gigantes mencionaram uma estátua — lembrou-se Percy. — E algo sobre uma amiga talentosa que a estava guardando. Quem quer que seja essa amiga, Oto tem medo dela. Qualquer um capaz de assustar um gigante...

Annabeth olhou para baixo, para uma rodovia serpenteando por morros escuros.

— Percy, você tem visto Poseidon recentemente? Ou recebeu algum tipo de sinal da parte dele?

Ele balançou a cabeça.

— Não desde... Uau. Acho que não tenho pensado nisso. Não desde o fim da Guerra dos Titãs. Eu o vi no Acampamento Meio-Sangue, mas isso foi em agosto. — Uma sensação de terror abateu-se sobre ele. — Por quê? Você tem visto Atena?

Ela não o encarou.

— Há algumas semanas — admitiu ela. — Não... não foi nada bom. Não parecia ela mesma. Talvez seja a esquizofrenia greco-romana que Nêmesis descreveu. Não sei. Ela falou algumas coisas cruéis. Disse que eu tinha falhado com ela.

— Falhado com ela? — Percy não tinha certeza de ter ouvido direito. Annabeth era a filha semideusa *perfeita*. Era tudo que uma filha de Atena deveria ser. — Como você poderia...?

— Não sei — respondeu ela, infeliz. — E, para completar, venho tendo pesadelos também. Mas não fazem tanto sentido quanto o seu.

Percy esperou, mas Annabeth não lhe contou mais nenhum detalhe. Ele queria fazê-la sentir-se melhor e dizer que tudo ficaria bem, mas sabia que não podia. Queria consertar tudo para que os dois pudessem ter um final feliz. Depois de todos aqueles anos, mesmo os deuses mais cruéis teriam que reconhecer que eles mereciam.

Mas seus instintos lhe diziam que não havia nada que ele pudesse fazer para ajudar Annabeth daquela vez, exceto simplesmente *ficar* ao seu lado. *A filha da sabedoria caminha solitária.*

Ele se sentia tão aprisionado e impotente quanto se sentira quando afundara no *muskeg*.

Annabeth conseguiu dar um pequeno sorriso.

— Que noite romântica, hein? Chega de coisas ruins até de manhã. — Ela o beijou outra vez. — Vamos conseguir resolver tudo. Tenho você de volta. Por enquanto, é só o que importa.

— Certo — disse Percy. — Chega de falar na ascensão de Gaia, em Nico mantido como refém, no fim do mundo, nos gigantes...

— Cale a boca, Cabeça de Alga — ordenou ela. — Só me abrace um pouco.

Eles ficaram ali sentados juntos, abraçados, desfrutando do calor um do outro. Antes que Percy percebesse, o zumbido do motor do navio, a penumbra e a sensação reconfortante de estar com Annabeth fizeram seus olhos pesarem, e ele adormeceu.

Quando acordou, a luz do dia entrava pelo piso de vidro, e a voz de um garoto dizia:

— Ah... Vocês estão *muito* encrencados.

XIV

PERCY

Percy já vira Frank cercado por ogros canibais, enfrentar um gigante imortal e até mesmo libertar Tânatos, o deus da morte. Mas nunca vira Frank tão apavorado quanto ali, ao encontrar os dois dormindo nos estábulos.

— O quê...? — Percy esfregou os olhos. — Ah, nós caímos no sono.

Frank engoliu em seco. Estava usando tênis de corrida, calça cargo escura e uma camiseta dos Jogos Olímpicos de Vancouver com sua medalha de centurião romano presa à gola (o que a Percy parecia triste ou promissor, agora que eram desertores). Frank desviou os olhos como se a visão dos dois juntos pudesse queimá-lo.

— Estão todos achando que vocês foram sequestrados — falou ele. — Ficamos vasculhando o navio. Quando o treinador Hedge descobrir... ah, deuses, vocês passaram *a noite toda* aqui?

— Frank! — As orelhas de Annabeth estavam vermelhas como morangos. — Só viemos aqui conversar. Adormecemos. Acidentalmente. Só *isso*.

— Nos beijamos algumas vezes — falou Percy.

Annabeth o fuzilou com os olhos.

— Isso não ajuda!

— É melhor... — Frank apontou para as portas do estábulo. — Hã, vamos nos reunir para o café da manhã. Vocês podem então explicar o que fizeram...

quer dizer, não fizeram? Quer dizer... não quero que aquele faun... quer dizer sátiro... me mate.

Frank saiu correndo.

Quando todos finalmente se reuniram no refeitório, as coisas não correram tão mal quanto Frank temia. Jason e Piper ficaram muitíssimo aliviados. Leo não conseguia parar de sorrir e murmurar: "Clássico. Clássico." Somente Hazel parecia escandalizada, talvez porque vinha da década de 1940. Ela não parava de se abanar e evitava encarar Percy.

Era claro que o treinador Hedge estava furioso; Percy, porém, achava difícil levar a sério o sátiro, que mal chegava a um metro e meio.

— Nunca em minha vida! — berrou o treinador, agitando o bastão e derrubando uma travessa de maçãs. — Contra o regulamento! Que irresponsáveis!

— Treinador — disse Annabeth —, foi um acidente. Estávamos conversando e adormecemos.

— Além disso — acrescentou Percy —, você está começando a falar igual a Término.

Hedge estreitou os olhos.

— Isso é um insulto, Jackson? Por que eu vou... vou terminar com você, camarada!

Percy tentou não rir.

— Não vai acontecer de novo, treinador. Prometo. Agora temos outras questões para discutir, não temos?

Hedge bufou.

— Certo! Mas estou de olho em você, Jackson. E quanto a você, Annabeth Chase, pensei que tivesse mais juízo...

Jason pigarreou.

— Então peguem a comida, pessoal. Vamos começar.

A reunião foi como um conselho de guerra com *donuts*. Como no Acampamento Meio-Sangue as discussões mais sérias eram em torno da mesa de pingue-pongue da sala de recreação, acompanhadas por biscoitos e queijo cremoso, Percy sentia-se bem à vontade.

Ele contou seu sonho: os gigantes gêmeos planejando uma recepção para eles em um estacionamento subterrâneo com lançadores de foguetes; Nico di Angelo aprisionado em um jarro de bronze, morrendo lentamente por asfixia com sementes de romã aos pés.

Hazel sufocou um soluço.

— Nico... Ah, deuses. As sementes.

— Você sabe o que isso significa? — perguntou Annabeth.

Hazel assentiu.

— Uma vez ele as mostrou para mim. São do jardim de nossa madrasta.

— Sua madr... ah — disse Percy. — Você se refere a Perséfone.

Percy encontrara uma vez a esposa de Hades. Ela não fora exatamente simpática e calorosa. Percy também estivera em seu jardim no Mundo Inferior — um lugar sinistro, cheio de árvores de cristal e flores que desabrochavam vermelho-sangue e branco-fantasma.

— As sementes são um alimento de emergência — contou Hazel. Percy notou que ela estava nervosa, porque todos os talheres na mesa começaram a se mover em sua direção. — Somente os filhos de Hades podem comê-las. Nico sempre carregava algumas para o caso de ficar preso em algum lugar. Mas se ele estiver mesmo aprisionado...

— Os gigantes estão tentando nos atrair — disse Annabeth. — Acreditam que vamos tentar resgatá-lo.

— Bem, eles têm razão! — Hazel correu os olhos em torno da mesa, sua confiança desmoronando visivelmente. — Não vamos?

— Sim! — gritou o treinador Hedge com a boca cheia de guardanapos. — Vai ter luta, não vai?

— Hazel, é claro que vamos ajudá-lo — afirmou Frank. — Mas quanto tempo temos antes... hã, quer dizer, por quanto tempo Nico vai resistir?

— Uma semente por dia — disse Hazel, infeliz. — Isso, se ele se colocar em um transe de morte.

— Transe de morte? — Annabeth fez uma careta. — Isso não parece nada divertido.

— Para evitar que ele consuma todo o ar — explicou Hazel. — É como hibernar ou estar em coma. Cada semente pode mantê-lo vivo por apenas um dia.

— E ele tem cinco sementes — falou Percy. — Isso equivale a cinco dias, contando com hoje. Os gigantes devem ter planejado assim, para que tivéssemos tempo de chegar no primeiro dia de julho. Supondo que Nico esteja escondido em algum lugar de Roma...

— Isso não é muito tempo — resumiu Piper. Ela pôs a mão no ombro de Hazel. — Vamos encontrá-lo. Pelo menos agora sabemos o que os versos da profecia significam. "Gêmeos ceifaram do anjo a vida, que detém a chave para a morte infinita." O último nome de seu irmão: di Angelo. *Angelo* é "anjo" em italiano.

— Oh, deuses — murmurou Hazel. — Nico...

Percy olhou para seu *donut* de geleia. Ele tinha uma história conturbada com Nico di Angelo. O garoto o enganara uma vez, levando-o até o palácio de Hades, e Percy acabara em uma cela. Na maior parte do tempo, porém, Nico havia ficado do lado dos mocinhos. Ele certamente não merecia sufocar aos poucos em um jarro de bronze, e Percy não suportava ver Hazel sofrendo.

— Vamos resgatá-lo — prometeu Percy a ela. — *Temos* que resgatá-lo. A profecia diz que ele detém a chave para a morte infinita.

— Isso mesmo — concordou Piper, em tom encorajador. — Hazel, seu irmão saiu em busca das Portas da Morte no Mundo Inferior, certo? Ele deve ter encontrado.

— Ele pode nos dizer onde ficam as portas e como fechá-las — falou Percy.

Hazel respirou fundo.

— Sim. Está bem.

— Hã... — Leo remexeu-se na cadeira. — Uma coisa. Os gigantes estão esperando que a gente faça isso, certo? Então vamos seguir direto para uma armadilha?

Hazel olhou para Leo como se ele tivesse feito um gesto obsceno.

— Não temos escolha!

— Não me entenda mal, Hazel. É só que o seu irmão, Nico... ele sabia sobre os dois acampamentos, certo?

— Bem, sim — confirmou Hazel.

— Ele tem ido e vindo — disse Leo —, e não contou nada a nenhum dos lados.

Jason inclinou-se para a frente na cadeira, a expressão sombria.

— Você está se perguntando se podemos confiar no cara. Eu também.

Hazel se pôs de pé em um pulo.

— Não acredito nisso. Ele é meu *irmão*. Ele me trouxe de volta do Mundo Inferior, e vocês não querem ajudá-lo?

Frank pôs a mão no ombro dela.

— Ninguém está dizendo isso. — Ele lançou um olhar furioso para Leo. — É *melhor* que ninguém esteja dizendo isso.

Leo piscou.

— Olhe, pessoal, tudo o que estou dizendo é...

— Hazel — disse Jason. — Leo está levantando uma questão pertinente. Conheci Nico no Acampamento Júpiter. Agora descubro que ele também visitou o Acampamento Meio-Sangue. Isso de fato me parece... bem, um pouco suspeito. Você sabe de verdade a qual lado ele é leal? Só precisamos tomar cuidado.

Os braços de Hazel tremeram. Uma travessa de prata zuniu na direção dela e atingiu a parede, à esquerda da menina, espalhando ovos mexidos.

— Você... o *grande* Jason Grace... o pretor que eu admirava, que eu acreditava ser um líder justo e bom. E agora você...

Hazel bateu o pé e saiu irritada do refeitório.

— Hazel! — chamou Leo com um grito. — Ai, puxa. Eu devia...

— Você já fez o bastante — grunhiu Frank, que então se levantou para segui-la, mas Piper fez um gesto para que ele esperasse.

— Dê um tempo a ela — aconselhou Piper. Em seguida, olhou de cara feia para Leo e Jason. — Vocês foram *muito* insensíveis, rapazes.

Jason parecia chocado.

— Insensíveis? Só estou sendo cauteloso!

— O irmão dela está morrendo — disse Piper.

— Vou falar com ela — insistiu Frank.

— Não — aconselhou Piper. — Deixe que ela esfrie cabeça primeiro. Confie em mim. Vou ver como ela está daqui a pouco.

— Mas... — Frank bufou como um urso irritado. — O.k. Vou esperar.

De um nível acima veio um zumbido parecendo uma grande broca.

— É Festus — explicou Leo. — Ele ficou no piloto automático, mas devemos estar perto de Atlanta. Tenho que ir lá... hã, supondo-se que a gente saiba onde vai aterrissar.

Todos se voltaram para Percy.

Jason ergueu uma sobrancelha.

— Você é o Capitão Água Salgada. Alguma sugestão do especialista?

Aquilo em sua voz seria ressentimento? Percy ficou imaginando se Jason sentia algum rancor secreto por causa do duelo em Kansas. Jason havia feito piadas a respeito, mas Percy deduziu que ambos guardavam um leve ressentimento. Não se podia colocar dois semideuses em uma briga sem que se perguntassem quem era mais forte.

— Não tenho certeza — admitiu ele. — Algum lugar central e alto, para termos uma boa visão da cidade. Quem sabe um parque com bosque? Não vamos pousar um navio no centro da cidade. Duvido que a Névoa possa encobrir algo tão imenso.

Leo assentiu.

— É para já.

Ele correu para a escada. Frank recostou-se de novo na cadeira, inquieto. Percy sentia-se mal por ele. Na viagem para o Alasca, vira Hazel e Frank se aproximarem. Sabia o quanto Frank queria protegê-la. Também percebeu os olhares desagradáveis que Frank dirigia a Leo. Concluiu que talvez fosse uma boa ideia tirá-lo do navio por um tempo.

— Quando pousarmos, vou explorar Atlanta — disse Percy. — Frank, você poderia me ajudar.

— Quer dizer me transformar em dragão de novo? Sinceramente, Percy, não quero passar a missão toda bancando o táxi voador para todo mundo.

— Não, quero você comigo porque tem o sangue de Poseidon. Talvez possa me ajudar a encontrar água salgada. Além disso, você é bom de luta.

Isso pareceu fazer Frank se sentir um pouco melhor.

— Claro. Acho.

— Ótimo — falou Percy. — Devíamos levar mais um. Annabeth...

— Ah, não! — berrou o treinador Hedge. — Mocinha, você está *de castigo*.

Annabeth o olhou como se ele estivesse falando em outra língua.

— Como?

— Você e Jackson não vão a *lugar nenhum* juntos! — insistiu Hedge. Ele fuzilou Percy com o olhar, desafiando-o a discutir. — *Eu* vou com Frank e o sr. Furtivo Jackson. Quanto aos outros, vigiem o navio e cuidem para que Annabeth não quebre mais nenhuma regra!

Maravilha, pensou Percy. Uma excursão só de garotos, com Frank e um sátiro sedento de sangue, em busca de água salgada em uma cidade distante do litoral.

— Isso — disse ele — vai ser *tão* divertido.

XV

PERCY

— Uau!

Eles haviam pousado perto do cume de uma colina arborizada. Um complexo de edifícios brancos, como um museu ou uma universidade, aninhava-se em um bosque de pinheiros à esquerda. Abaixo deles, estendia-se o centro da cidade de Atlanta — um conjunto de arranha-céus marrons e prateados a três quilômetros dali, erguendo-se em meio ao que parecia uma expansão plana e infinita de rodovias, ferrovias, casas e faixas verdes de floresta.

— Ah, que lugar lindo. — O treinador Hedge inspirou o ar matinal. — Boa escolha, Valdez.

Leo deu de ombros.

— Só escolhi um morro alto. Aquilo ali adiante é uma biblioteca presidencial ou algo assim. Pelo menos é o que Festus diz.

— Disso eu não sei! — retrucou Hedge. — Mas vocês se dão conta do que aconteceu nesta colina? Frank Zhang, você deveria saber!

Frank se encolheu.

— Deveria?

— Um filho de Ares esteve aqui! — gritou Hedge, indignado.

— Eu sou romano... é Marte, na verdade.

— Tanto faz! É um lugar famoso na Guerra Civil americana!

— Na verdade, sou canadense.

— Tanto faz! General Sherman, líder da União. Ele parou no topo desta colina observando a cidade de Atlanta queimar. Abriu um caminho de destruição daqui até o mar. Queimando, saqueando, pilhando... aquele, sim, *era* um semideus!

Frank afastou-se do sátiro.

— Hã, o.k.

Percy não ligava muito para fatos históricos, mas se perguntou se pousar ali não seria mau agouro. Ouvira dizer que a maioria das guerras civis humanas começara como lutas entre semideuses gregos e romanos. Agora estavam no local de uma dessas batalhas. A cidade inteira abaixo deles fora destruída por ordens de um filho de Ares.

Percy podia imaginar alguns dos adolescentes do Acampamento Meio-Sangue dando uma dessas ordens. Clarisse La Rue, por exemplo, não hesitaria. Mas ele não conseguia imaginar Frank sendo tão cruel.

— De qualquer forma — disse Percy —, vamos tentar não incendiar a cidade desta vez.

O treinador pareceu desapontado.

— Está bem. Mas para onde vamos?

Percy apontou na direção do centro da cidade.

— Na dúvida, comece pelo meio.

Pegar uma carona até lá foi mais fácil do que imaginaram. Os três seguiram para a biblioteca presidencial — que vinha a ser o Carter Center — e perguntaram aos funcionários se eles podiam chamar um táxi ou lhes explicar como chegar ao ponto de ônibus mais próximo. Percy podia ter convocado Blackjack, mas relutou em pedir ajuda ao pégaso logo após seu último desastre. Frank não queria se transformar em nada. Além disso, Percy queria mesmo viajar como um mortal comum, para variar.

Uma das bibliotecárias, chamada Esther, insistiu em levá-los pessoalmente. Ela foi tão legal que Percy desconfiou que fosse um monstro disfarçado; Hedge, porém, puxou-o de lado e assegurou-lhe que Esther tinha o cheiro de um ser humano normal.

— Com um quê de *pot-pourri* — disse ele. — Cravos. Pétalas de rosa. Saboroso!

Eles se amontoaram no Cadillac preto de Esther e seguiram para o centro da cidade. Esther era tão pequena que mal conseguia ver acima do volante, mas isso não parecia incomodá-la. Ela abria caminho em meio ao trânsito enquanto os brindava com histórias sobre as famílias malucas de Atlanta: os antigos fazendeiros, os fundadores da Coca-Cola, os astros do esporte e os jornalistas da CNN. Parecia tão bem informada que Percy decidiu tentar a sorte.

— Hã, então, Esther — disse ele —, eis uma pergunta difícil para você. Água salgada em Atlanta. Qual a primeira coisa que lhe vem à mente?

A velhinha deu uma risada.

— Ah, docinho. Essa é fácil. Tubarões-baleias!

Frank e Percy trocaram olhares.

— Tubarões-baleias? — perguntou Frank, nervoso. — Existem em Atlanta?

— No aquário, docinho — disse Esther. — Muito famoso! Bem no centro da cidade. É para lá que vocês queriam ir?

Um aquário. Percy refletiu. Ele não sabia o que um antigo deus do mar grego estaria fazendo em um aquário na Geórgia, mas não tinha nenhuma ideia melhor.

— Sim — confirmou Percy. — Estamos indo para lá.

Esther os deixou na entrada principal, onde uma fila já começava a se formar. Ela insistiu em deixar com eles o número do celular para alguma emergência, dinheiro para o táxi de volta até o Carter Center e um pote de pêssego em calda caseiro, o qual, por algum motivo, ela mantinha em uma caixa no porta-malas. Frank enfiou o pote na mochila e agradeceu a Esther, que já havia passado a chamá-lo de *filho* após *docinho*.

— Será que todas as pessoas em Atlanta são legais assim? — perguntou Frank enquanto ela se afastava.

Hedge grunhiu.

— Espero que não. Não posso lutar contra elas se forem legais. Vamos acabar com alguns tubarões-baleias. Eles parecem ser perigosos!

Não passou pela cabeça de Percy que precisariam comprar o ingresso ou ficar na fila atrás de um bando de famílias e de crianças em excursão.

Olhando os alunos do ensino fundamental em suas camisetas coloridas de várias colônias de férias, Percy sentiu uma pontada de tristeza. Naquele momento ele devia estar no Acampamento Meio-Sangue, arrumando seu chalé para o verão, dando aulas de esgrima na arena, planejando peças para pregar nos outros conselheiros. Aquelas crianças não faziam ideia de como um acampamento de verão podia ser louco.

Ele suspirou.

— Bem, acho que temos que ficar na fila. Alguém tem dinheiro?

Frank verificou os bolsos.

— Três denários do Acampamento Júpiter. Cinco dólares canadenses.

Hedge apalpou seu short de ginástica e tirou o que encontrou.

— Três moedas de vinte e cinco centavos, duas de dez, um elástico e... bingo! Um pedaço de aipo.

Ele começou a mastigar o aipo, olhando os trocados e o elástico como se fossem os próximos.

— Ótimo — disse Percy.

Seus bolsos também estavam vazios, exceto por sua caneta/espada, Contracorrente. Ele ponderava se conseguiriam ou não entrar sorrateiramente quando uma mulher de blusa azul e verde do Georgia Aquarium veio até eles, sorrindo com alegria.

— Ah, visitantes VIP!

A mulher tinha bochechas rosadas com covinhas, óculos de armação grossa, aparelho nos dentes e cabelo preto e crespo preso em marias-chiquinhas: embora provavelmente tivesse vinte e muitos anos, parecia uma adolescente nerd — bonitinha, mas meio esquisita. Além da camisa polo do Georgia Aquarium, usava calça escura e tênis pretos e saltitava nos calcanhares como se simplesmente não conseguisse conter a energia. O nome em seu crachá era CINDY.

— Vejo que estão com o dinheiro da entrada — disse ela. — Excelente!

— O quê? — perguntou Percy.

Cindy pegou os três denários da mão de Frank.

— Sim, isto está bom. Por aqui!

Ela virou-se e seguiu apressada em direção à entrada principal.

Percy olhou para o treinador Hedge e para Frank.

— Uma armadilha?

— Provavelmente — disse Frank.

— Ela não é mortal — afirmou Hedge, farejando o ar. — Provavelmente é alguma espécie de inimigo devorador de bodes e destruidor de semideuses vindo do Tártaro.

— Sem dúvida — concordou Percy.

— Perfeito. — Hedge sorriu. — Vamos.

Cindy passou com eles pela fila e entrou sem problemas no aquário.

— Por aqui. — Cindy sorriu para Percy. — É uma exibição *maravilhosa*. Vocês não ficarão desapontados. É tão raro recebermos VIPs.

— Hã, você quer dizer semideuses? — perguntou Frank.

Cindy piscou para ele com ar travesso e levou um dedo aos lábios, pedindo segredo.

— Então aqui é a sessão de água fria, com pinguins, belugas e outros animais. E lá adiante... bem, aqueles são peixes, obviamente.

Para uma funcionária do aquário, ela não parecia saber muito ou se importar com os peixes menores. Eles passaram por um tanque enorme cheio de espécies tropicais, e, quando Frank apontou para um determinado peixe e perguntou qual era, Cindy respondeu:

— Ah, aqueles são os amarelos.

Passaram pela lojinha de lembranças. Frank desacelerou o passo para olhar uma mesa com roupas e brinquedos em liquidação.

— Pegue o que quiser — disse-lhe Cindy.

Frank piscou.

— Mesmo?

— É claro! Você é VIP!

Frank hesitou, mas então enfiou algumas camisetas na mochila.

— Cara — disse Percy —, o que você está fazendo?

— Ela disse que eu podia — sussurrou Frank. — E estou precisando de roupas. Não fiz a mala para uma viagem longa!

Ele pegou também um globo de neve, que para Percy não parecia ser uma roupa. Então Frank apanhou um cilindro entrançado, do tamanho aproximado de uma embalagem de Mentos, e o olhou, com a testa franzida.

— O que é...?

— Alguns chamam de algemas chinesas — disse Percy.

Frank, que era sino-canadense, pareceu ofendido.

— Como assim chinesas?

— Não sei — falou Percy. — É só um nome. É um brinquedo.

— Venham, garotos! — chamou Cindy do outro lado do salão.

— Mais tarde eu mostro como funciona — prometeu Percy.

Frank enfiou as algemas na mochila, e continuaram andando.

Eles atravessaram um túnel de acrílico. Peixes nadavam acima da cabeça deles, e Percy sentiu um pânico irracional crescendo na garganta.

Isso é idiotice, disse a si mesmo. *Estive embaixo da água um milhão de vezes. Nem estou dentro da água.*

A ameaça real era Cindy, lembrou a si mesmo. Hedge já havia detectado que ela não era humana. A qualquer minuto poderia se transformar em alguma criatura horrível e atacá-los. Infelizmente, Percy não via muita escolha a não ser fazer o jogo do *tour* VIP até que pudessem encontrar o deus do mar Fórcis, mesmo que estivessem entrando em uma armadilha.

Entraram em uma sala de observação banhada em luz azul. Do outro lado de uma parede de vidro estava o maior tanque de aquário que Percy já vira. Nadando em círculos viam-se dezenas de peixes imensos, entre os quais dois tubarões-pintados, cada um com o dobro do tamanho de Percy. Eram gordos e lentos, com a boca sem nenhum dente aberta.

— Tubarões-baleias — resmungou o treinador Hedge. — Agora vamos lutar até a morte!

Cindy deu uma risadinha.

— Sátiro tolo. Tubarões-baleias são pacíficos. Só comem plâncton.

Percy franziu a testa. Ele se perguntou como Cindy sabia que o treinador era um sátiro. Hedge usava calça comprida e sapatos especiais por cima dos cascos, como os sátiros costumavam fazer para passarem despercebidos pelos mortais. O boné de beisebol cobria-lhe os chifres. Quanto mais Cindy ria e agia amigavelmente, menos Percy gostava dela; o treinador Hedge, porém, não parecia intimidado.

— Tubarões pacíficos? — retrucou o treinador com desgosto. — Qual é o sentido disso?

Frank leu a placa ao lado do tanque:

— Os únicos tubarões-baleias em cativeiro no mundo. É bem impressionante.

— Sim, e estes são pequenos — disse Cindy. — Vocês deviam ver alguns dos meus outros bebês em liberdade.

— Seus bebês? — perguntou Frank.

A julgar pelo brilho maligno nos olhos de Cindy, Percy teve certeza de que não queria conhecer os *bebês* de Cindy. Ele concluiu que já era hora de ir direto ao assunto. Não queria ficar naquele aquário mais tempo do que o necessário.

— Então, Cindy — falou ele —, estamos procurando um cara... quer dizer, um deus, chamado Fórcis. Por acaso você o conhece?

Cindy bufou.

— Se eu o *conheço*? Ele é meu irmão. É para onde estamos indo, bobinhos. As *verdadeiras* exposições estão bem aqui.

Ela fez um gesto na direção da parede oposta. A sólida superfície negra ondulou e outro túnel surgiu, levando a um luminoso tanque roxo.

Cindy entrou ali. Percy não tinha a menor vontade de segui-la, mas, se Fórcis estivesse mesmo do outro lado, se tivesse informações que ajudassem na missão... Percy respirou fundo e entrou no túnel, seguindo os amigos.

Assim que entraram, o treinador Hedge assoviou.

— Ora, *isso* é interessante.

Deslizando acima deles viam-se águas-vivas multicoloridas do tamanho de latões de lixo, cada uma com centenas de tentáculos que se assemelhavam a arame farpado feito de seda. Um peixe-espada de três metros estava paralisado e enredado nos tentáculos de uma água-viva, que lentamente apertava cada vez mais sua presa.

Cindy virou-se radiante para o treinador Hedge:

— Está vendo? Esqueça os tubarões-baleias! E ainda há muito mais.

Cindy os levou para uma câmara maior, onde havia mais aquários. Em uma das paredes, uma placa vermelho brilhante proclamava: MORTE NOS MARES PROFUNDOS! *Patrocinado por Donuts Monstro.*

Percy precisou ler a placa duas vezes por causa da dislexia, e então mais duas para que a mensagem fizesse sentido.

— Donuts Monstro?

— Ah, sim — disse Cindy. — Um de nossos patrocinadores corporativos.

Percy engoliu em seco. Sua última experiência com Donuts Monstro não fora nada agradável. Incluíra cabeças de serpente cuspindo ácido, muitos gritos e um canhão.

Em um dos aquários, uma dúzia de hipocampos — cavalos com cauda de peixe — perambulava sem rumo. Percy encontrara muitos hipocampos em liberdade. Até montara alguns deles; mas nunca vira nenhum em um aquário. Tentou falar com eles, mas as criaturas simplesmente flutuavam de um lado para o outro e às vezes se chocavam contra o vidro. Suas mentes pareciam confusas.

— Isso não está certo — murmurou Percy.

Ele se virou e viu algo ainda pior. No fundo de um tanque menor, duas nereidas — espíritos marinhos femininos — sentavam-se de pernas cruzadas, de frente uma para a outra, jogando cartas. Pareciam incrivelmente entediadas. Os longos cabelos verdes flutuavam apaticamente em torno do rosto. Os olhos estavam semicerrados.

Percy ficou tão furioso que mal conseguia respirar. Ele fuzilou Cindy com os olhos.

— Como pode mantê-las aqui?

— Eu sei. — Cindy suspirou. — Não são muito interessantes. Tentamos ensinar alguns truques a elas, mas receio que não tenhamos tido sorte. Acho que vocês vão gostar muito mais desse tanque aqui.

Percy começou a reclamar, mas Cindy já havia seguido em frente.

— Santa mãe dos bodes! — gritou o treinador Hedge. — Olhem só essas belezuras!

Ele olhava boquiaberto para duas serpentes-do-mar — monstros de quase dez metros com escamas azuis reluzentes e mandíbulas capazes de partir ao meio um tubarão-baleia. Em outro tanque, espiando de sua caverna de cimento, havia uma lula do tamanho de uma carreta, com um bico que mais parecia um alicate gigante.

Um terceiro tanque continha uma dezena de humanoides com lustrosos corpos de foca, cara de cão e mãos humanas. Eles se sentavam na areia no fundo do tanque, construindo coisas com Legos, embora parecessem tão atordoados quanto as nereidas.

— Aqueles são...? — Percy teve dificuldade para formular a pergunta.

— Telquines? — completou Cindy. — Sim! Os únicos em cativeiro.

— Mas na última guerra eles lutaram a favor de Cronos! — falou Percy. — São perigosos!

Cindy revirou os olhos.

— Bem, não poderíamos chamar a exposição de "Morte nos Mares Profundos" se não fosse perigosa. Não se preocupe. Nós os mantemos bem sedados.

— Sedados? — perguntou Frank. — Isso é legal?

Cindy pareceu não ouvi-lo. Continuou andando, apontando outras exposições. Percy olhou para trás, para os telquines. Um deles era claramente uma criança. Tentava fazer uma espada de Legos, mas parecia grogue demais para unir as peças. Percy nunca gostara daqueles demônios do mar, mas agora sentia pena deles.

— E *estes* monstros marinhos — relatou Cindy adiante — podem crescer até cento e cinquenta metros no oceano profundo. Têm mais de mil dentes. E estes? Seu alimento preferido é semideus...

— Semideus? — gemeu Frank.

— Mas eles comem baleias ou pequenos barcos também. — Cindy voltou-se para Percy e enrubesceu. — Desculpe... Sou *tão* nerd em relação a monstros! Tenho certeza de que você sabe de tudo isso, já que é filho de Poseidon.

Os ouvidos de Percy zumbiam como campainhas de alarme. Não gostava que Cindy soubesse tanto sobre ele. Não gostava da maneira como ela casualmente deixava escapar informações sobre drogar criaturas cativas ou qual de seus *bebês* gostava de devorar semideuses.

— Quem *é* você? — perguntou ele. — O nome Cindy tem significado?

— Cindy? — Ela pareceu momentaneamente confusa. Então olhou para seu crachá. — Ah... — Ela riu. — Não, é que...

— Olá! — soou uma nova voz, ecoando pelo aquário.

Um homenzinho surgiu da escuridão. Ele andava de lado com as pernas arqueadas, igual a um caranguejo, as costas curvadas, os dois braços erguidos, como se estivesse segurando pratos invisíveis.

Usava roupa de mergulho de vários tons de verde horríveis. Letras prateadas impressas verticalmente na lateral de seu traje diziam: ESPETÁCULOS DO FÓFIS.

Um fone de ouvido com microfone estava preso ao cabelo grosso e seboso. Seus olhos eram de um azul leitoso, um maior que o outro, e, embora ele sorrisse, não parecia amistoso — era mais como se o rosto estivesse sendo puxado para trás em um túnel de vento.

— Visitantes! — exclamou o homem, a palavra trovejando pelo microfone. Tinha voz de locutor, grave e ressonante, que não combinava em nada com a aparência. — Bem-vindos ao Espetáculo do Fórcis!

Ele fez um movimento com os braços em uma direção, como se voltasse sua atenção para uma explosão. Nada aconteceu.

— Maldição — resmungou o homem. — Telquines, essa é a sua deixa! Eu agito as mãos, e vocês saltam energicamente no tanque, fazem um giro duplo sincronizado e aterrissam em formação de pirâmide. Nós treinamos isso!

Os demônios marinhos não deram a menor atenção a ele.

O treinador Hedge inclinou-se na direção do homem-caranguejo e farejou seu traje brilhante de mergulho.

— *Bela* roupa.

Hedge não parecia estar brincando. Entretanto, o sátiro usava uniformes de ginástica porque gostava.

— Obrigado! — O homem sorriu. — Eu sou Fórcis.

Frank mudou o peso de um pé para o outro.

— Por que a sua roupa diz *Fófis*?

Fórcis grunhiu.

— Estúpida fábrica de uniformes! Não conseguem fazer nada direito.

Cindy deu um tapinha no próprio crachá.

— Eu disse a eles que meu nome era Ceto. Eles escreveram Cindy. Meu irmão... bem, agora ele é Fófis.

— Não sou, não! — rebateu o homem. — Não sou nem *um pouco* fofo. O nome nem funciona com Espetáculo. Que tipo de apresentação se chamaria Espetáculo do Fófis? Mas vocês, pessoal, não vieram aqui para ouvir nossas queixas. Vejam a admirável majestade da lula-gigante assassina!

Ele gesticulou dramaticamente na direção do tanque da lula. Dessa vez, fogos de artifício explodiram diante do vidro na hora certa, disparando gêiseres de faíscas douradas. A música aumentou nos alto-falantes. As luzes ficaram mais fortes e revelaram a admirável majestade de um tanque vazio.

Aparentemente a lula havia escapulido para sua caverna.

— Maldição! — tornou a gritar Fórcis. Ele voltou-se para a irmã: — Ceto, treinar a lula era *sua* função. Malabarismo, eu disse. Talvez um pouco de processamento de carne para o encerramento. Isso é pedir muito?

— Ela é tímida — falou Ceto, na defensiva. — Além disso, cada um dos tentáculos dela tem sessenta e duas farpas que devem ser afiadas diariamente. — Ela virou-se para Frank: — Você sabia que a lula monstruosa é a única fera que come semideuses inteiros, com armadura e tudo, sem ter indigestão? É verdade!

Frank cambaleou para longe dela, abraçando a própria barriga, como se quisesse se certificar de que ainda estava inteiro.

— Ceto! — Fórcis estalou os dedos... literalmente, pois clicou os polegares, como garras de caranguejo. — Você vai entediar nossos convidados com tantas informações. Menos instrução, mais diversão! Já discutimos isso.

— Mas...

— Nada de "mas"! Estamos aqui para apresentar "Morte nos Mares Profundos!", patrocinado pela Donuts Monstro!

As últimas palavras reverberaram pelo salão com eco extra. Luzes piscavam. Nuvens de fumaça subiam em ondas do chão, criando anéis no formato de *donuts* que cheiravam a *donuts* de verdade.

— Disponível no quiosque da rede — anunciou Fórcis. — Mas vocês gastaram seu suado denário para fazer o *tour* VIP, e assim será! Venham comigo!

— Hã, espere — disse Percy.

O sorriso de Fórcis se desfez de modo estranho.

— Pois não?

— Você é um deus do mar, não é? — perguntou Percy. — Filho de Gaia?

O homem-caranguejo suspirou.

— Cinco mil anos, e ainda sou conhecido como o garotinho de Gaia. Não importa que eu seja um dos mais antigos deuses do mar. Mais velho que *seu* pai novato, aliás. Sou o deus das profundezas ocultas! Senhor dos terrores aquáticos! Pai de mil monstros! Mas não... ninguém me conhece. Cometo um pequeno erro ao apoiar os Titãs em sua guerra, e sou exilado do oceano... para Atlanta, com tanto lugar por aí.

— Achamos que os olimpianos tinham dito *Atlantis* — explicou Ceto. — Eles devem ter achado muito engraçado nos mandar para cá.

Percy estreitou os olhos.

— E você é uma deusa?

— Sim, Ceto! — Ela sorriu, feliz. — Deusa dos monstros marinhos, naturalmente! Baleias, tubarões, lulas e outros seres marinhos gigantes, mas meu coração sempre pertenceu aos monstros. Vocês sabiam que serpentes-do-mar jovens podem regurgitar a carne das vítimas e se alimentar por até seis anos com a mesma refeição? É verdade!

Frank ainda segurava a barriga, como se fosse vomitar.

O treinador Hedge assoviou.

— Seis anos? Fascinante.

— Pois é! — Ceto sorriu.

— E como exatamente uma lula assassina processa a carne das vítimas? — perguntou Hedge. — Eu *amo* a natureza.

— Ah, bem...

— Pare! — mandou Fórcis. — Você está arruinando o espetáculo! Agora, veja nossas nereidas gladiadoras lutarem até a morte!

Um globo de discoteca espelhado desceu no tanque de exposição das nereidas, fazendo a água dançar com sua luz multicolorida. Duas espadas caíram e bateram na areia do fundo. As nereidas as ignoraram e continuaram a jogar cartas.

— Maldição!

Fórcis bateu os pés de lado. Ceto fez uma careta para o treinador Hedge.

— Não ligue para Fófis. Ele é *tão* exibido. Venha comigo, meu querido sátiro. Vou lhe mostrar gráficos coloridos dos hábitos de caça dos monstros.

— Excelente!

Antes que Percy pudesse se opor, Ceto conduziu o treinador Hedge por um labirinto de aquários, deixando Percy e Frank sozinhos com o deus do mar ranzinza.

Uma gota de suor escorreu pelo pescoço de Percy. Ele trocou um olhar nervoso com Frank. Aquela parecia uma estratégia do tipo *dividir-e-conquistar*. Ele não via nenhuma possibilidade de aquele encontro terminar bem. Parte dele queria atacar Fórcis naquele momento — pelo menos isso lhes daria o elemento surpresa —, mas ainda não tinham descoberto nenhuma informação útil. Percy não sabia se encontraria o treinador Hedge. Não tinha certeza sequer de que conseguiria encontrar a saída.

Fórcis deve ter lido sua expressão.

— Ah, está tudo bem! — assegurou-lhe o deus. — Ceto pode até ser um pouco chatinha, mas vai cuidar bem de seu amigo. E, sinceramente, a melhor parte do *tour* ainda está por vir!

Percy tentou pensar, mas estava começando a sentir dor de cabeça. Não sabia se era por conta da pancada do dia anterior, dos efeitos especiais de Fórcis ou das aulas da irmã dele com fatos nauseantes sobre monstros marinhos.

— Então... — conseguiu ele dizer. — Dioniso nos mandou aqui.

— Baco — corrigiu Frank.

— Certo. — Percy tentou controlar a irritação. Ele mal conseguia lembrar um nome para cada deus. Dois era pedir demais. — O deus do vinho. Não importa. — Ele olhou para Fórcis. — Baco disse que você poderia saber o que sua mãe, Gaia, está planejando, e esses seus irmãos gêmeos gigantes, Efialtes e Oto. E se você por acaso sabe alguma coisa sobre a Marca de Atena...

— Baco pensou que eu ajudaria vocês? — perguntou Fórcis.

— Bem, sim — disse Percy. — Puxa, você é Fórcis. Todo mundo fala de você.

Fórcis inclinou a cabeça, de modo que seus olhos assimétricos quase se alinharam.

— Falam?

— É claro. Não é, Frank?

— Ah... com certeza! — concordou Frank. — As pessoas falam de você o tempo todo.

— O que elas dizem? — perguntou o deus.

Frank pareceu pouco à vontade.

— Bem, que você é ótimo em pirotecnia. E uma boa voz de locutor. E, hã, um globo de discoteca...

— É verdade! — Fórcis estalou os dedos com entusiasmo. — Também tenho a maior coleção de monstros marinhos cativos do mundo!

— E você *sabe* coisas — acrescentou Percy. — Por exemplo, sobre os gêmeos e o que eles estão aprontando.

— Os gêmeos! — A voz de Fórcis ecoou. Luzes piscaram diante do tanque da serpente-do-mar. — Sim, sei tudo sobre Efialtes e Oto. Aqueles projetos de gigantes! Eles nunca se encaixaram no grupo. Franzinos demais... e, ainda por cima, aquelas cobras como pés.

— Cobras como pés?

Percy lembrou que no sonho os gêmeos usavam sapatos compridos e enrolados.

— Sim, sim — disse Fórcis, impaciente. — Eles sabiam que não iam conseguir se dar bem só com a força, então decidiram partir para o drama... Ilusionismo, truques de palco, esse tipo de coisa. Vocês sabem, Gaia tinha em mente inimigos específicos quando *moldou* seus filhos gigantes. Cada gigante nasceu para matar um determinado deus. Efialtes e Oto... bem, juntos, eles eram meio que antiDioniso.

Percy tentou digerir aquela ideia.

— Então... eles querem substituir todo o vinho por suco de amora ou algo assim?

O deus do mar bufou.

— Nada disso! Efialtes e Oto sempre quiseram realizações melhores, mais vistosas, mais espetaculares! Ah, é claro que queriam matar Dioniso. Mas primeiro queriam humilhá-lo, fazendo as festas dele parecerem sem graça!

Frank olhou para as luzes.

— Usando coisas como fogos de artifício e bolas de discoteca?

A boca de Fórcis esticou-se naquele sorriso de túnel de vento.

— Exatamente! Ensinei aos gêmeos tudo o que eles sabem, ou pelo menos tentei. Eles nunca ouviam. Seu primeiro grande truque? Tentaram alcançar o Olimpo empilhando montanhas. Era só uma ilusão, é claro. Eu disse a eles que aquilo era ridículo. "Vocês deviam começar de baixo", falei. "Serrar um ao outro ao meio, tirar górgonas da cartola. Esse tipo de coisa. E combinar roupas de paetês. Gêmeos precisam de roupas assim!"

— Bom conselho — concordou Percy. — E agora os gêmeos estão...

— Ah, preparando-se para o espetáculo apocalíptico em Roma — contou Fórcis com desdém. — É uma das ideias tolas da mamãe. Eles estão mantendo um prisioneiro em um jarro grande de bronze. — Ele voltou-se para Frank: — Você é filho de Ares, não é? Tem aquele cheiro. Uma vez os gêmeos prenderam seu pai do mesmo modo.

— Filho de Marte — corrigiu Frank. — Espere... esses gigantes prenderam meu pai em um jarro de bronze?

— Sim, outro número estúpido — falou o deus do mar. — Como você pode exibir seu prisioneiro se ele está em um jarro de bronze? Não tem nenhum valor como entretenimento. Não é como meus adoráveis espécimes!

Ele apontou para os hipocampos, que batiam a cabeça apaticamente no vidro.

Percy tentou pensar. Tinha a sensação de que a letargia daquelas criaturas do mar aturdidas começava a afetá-lo.

— Você disse que esse... esse espetáculo apocalíptico foi ideia de Gaia?

— Bem... os planos da mamãe sempre são muito complexos. — Ele riu. — A terra é complexa! Acho que isso faz sentido!

— Hã-hã — disse Percy. — E então o plano dela...

— Ah, ela colocou a cabeça de um grupo de semideuses a prêmio — contou Fórcis. — Ela não se importa com quem os matará, contanto que morram. Bem... retiro o que disse. Ela foi bastante enfática ao dizer que *dois* devem ser poupados. Um garoto e uma garota. Só o Tártaro sabe por quê. De qualquer forma, os gêmeos têm seu pequeno espetáculo planejado, esperando que isso atraia esses semideuses para Roma. Suponho que o prisioneiro no jarro seja um amigo deles ou algo assim. Isso ou talvez eles achem que esse grupo de semideuses será suficientemente tolo para ir até o território deles em busca da Marca de Atena. — Fórcis deu uma cotovelada nas costelas de Frank. — Rá! Boa sorte nessa, hein?

Frank riu com nervosismo.

— É. Rá-rá. Isso seria mesmo uma grande burrice porque, hã...

Fórcis estreitou os olhos.

Percy enfiou a mão no bolso e fechou os dedos em torno de Contracorrente. Até mesmo aquele velho deus do mar devia ser esperto o bastante para perceber que eles eram os semideuses com a cabeça a prêmio.

Fórcis, porém, apenas riu e deu outra cotovelada em Frank.

— Rá! Boa essa, filho de Marte. Suponho que você esteja certo. Não adianta ficar falando disso. Mesmo que os semideuses encontrassem aquele mapa em Charleston, eles nunca chegariam a Roma vivos!

— É, o MAPA EM CHARLESTON — disse Frank bem alto, dirigindo a Percy um olhar arregalado para se certificar de que ele também tinha percebido; ele teria disfarçado melhor se tivesse erguido uma placa grande com a palavra *PISTA!!!!!*

— Mas chega dessa coisa educativa e chata! — falou Fórcis. — Vocês pagaram pelo tratamento VIP. Querem fazer o *favor* de me deixar terminar a visita guiada? A entrada de três denários não é reembolsável, vocês sabem.

Percy não estava nem um pouco animado com a perspectiva de mais fogos de artifício, fumaça com cheiro de *donut* ou criaturas do mar cativas e deprimentes. Mas olhou para Frank e decidiu que era melhor fazer a vontade do velho deus ranzinza, pelo menos até que encontrassem o treinador Hedge e chegassem em segurança à saída. Além disso, talvez conseguissem extrair mais informações de Fórcis.

— Depois podemos fazer perguntas? — disse Percy.

— É claro! Vou lhes dizer tudo de que precisam saber.

Fórcis bateu palmas duas vezes. Na parede sob a placa vermelho-brilhante surgiu um novo túnel, que levava a outro tanque.

— Façam como eu!

Fórcis correu de lado através do túnel. Frank coçou a cabeça e se virou de lado.

— Temos que...?

— É só o jeito de falar, cara — disse Percy. — Vamos.

XVI

PERCY

O TÚNEL SEGUIA NO NÍVEL do chão ao longo de um tanque do tamanho de um ginásio. Exceto pela água e pela decoração barata, parecia majestosamente vazio. Percy calculou que havia uns duzentos mil litros de água acima deles. Se o túnel se estilhaçasse por alguma razão...

Nada demais, pensou Percy. Já fiquei cercado por água milhares de vezes. Esse é o meu ambiente.

Mas seu coração estava disparado. Ele lembrou-se da sensação de afundar no pântano frio do Alasca — a lama preta cobrindo os olhos, a boca e o nariz.

Fórcis se deteve no meio do túnel e abriu os braços, orgulhoso.

— Linda exposição, não é?

Percy tentou se distrair concentrando-se nos detalhes. Em um dos cantos do tanque, aninhada em uma floresta de algas falsas, havia uma casa de biscoito de plástico em tamanho natural, com bolhas saindo da chaminé. No canto oposto, havia uma escultura de plástico de um cara em um traje de mergulho antiquado ajoelhado ao lado de um baú do tesouro, que se abria a cada alguns segundos, cuspia bolhas e voltava a se fechar. Espalhadas no chão de areia branca viam-se grandes bolas de gude do tamanho de bolas de boliche e uma estranha variedade de armas como tridentes e lanças. Diante de uma das paredes do tanque havia um anfiteatro com espaço para centenas de pessoas.

— O que você mantém aqui? — perguntou Frank. — Peixinhos dourados gigantes assassinos?

Fórcis ergueu as sobrancelhas.

— Ah, isso seria legal! Mas, não, Frank Zhang, descendente de Poseidon. Este tanque não é para peixinhos dourados.

Quando ele disse *descendente de Poseidon*, Frank se encolheu. Recuou alguns passos, agarrando a mochila como se ela fosse uma clava que ele estivesse pronto para arremessar.

Uma sensação de pavor tomou a garganta de Percy, pesada como xarope para tosse. Infelizmente, era uma sensação familiar.

— Como você sabe o sobrenome de Frank? — perguntou ele. — Como sabe que ele descende de Poseidon?

— Bem... — Fórcis deu de ombros, tentando parecer humilde. — Provavelmente estava nas descrições que Gaia forneceu. Você sabe, para a recompensa, Percy Jackson.

Percy destampou a caneta. Imediatamente, Contracorrente surgiu em sua mão.

— Não me traia, Fórcis. Você me prometeu respostas.

— Depois do tratamento VIP, sim — Fórcis concordou. — Prometi lhe dizer tudo que você precisa saber. A verdade, porém, é que você não precisa saber de nada. — Seu sorriso grotesco alargou-se. — Sabe, mesmo que chegasse a Roma, o que é *bastante* improvável, você nunca derrotaria meus irmãos gigantes sem um deus lutando ao seu lado. E que deus ajudaria vocês? Então, tenho um plano melhor. Vocês não vão embora. Vocês são VIPs — *Very Important* Prisioneiros!

Percy se lançou para a frente. Frank arremessou a mochila na cabeça do deus. Fórcis simplesmente desapareceu.

A voz do deus reverberou pelo sistema de som do aquário, ecoando pelo túnel:

— Isso, muito bem! Lutar é muito bom! Vocês sabem, a Mãe nunca me confiou grandes tarefas, mas concordou que eu podia manter tudo que eu pegasse. Vocês dois darão uma ótima exposição... os únicos semideuses filhos de Poseidon em cativeiro. "Semideuses Aterrorizantes"... sim, gosto disso! Já conseguimos o patrocínio de um supermercado. Vocês podem se enfrentar em uma luta todos os dias às onze da manhã e à uma da tarde, com um espetáculo noturno às sete.

— Você é louco! — gritou Frank.

— Não seja tão modesto! — disse Fórcis. — Vocês serão nossa maior atração!

Frank correu para a saída, mas tudo que conseguiu foi bater em uma parede de vidro. Percy correu para o outro lado, mas seu caminho também estava bloqueado. O túnel em que se encontravam havia se transformado em uma bolha. Ele tocou no vidro e percebeu que estava amolecendo, derretendo como gelo. Logo a água os alcançaria.

— Nós não vamos cooperar, Fórcis! — gritou ele.

— Ah, eu sou otimista — trovejou o deus. — Se não lutarem um contra o outro de início, não tem problema! Posso mandar monstros marinhos novos todos os dias. Depois que se acostumarem com a comida daqui, serão devidamente sedados e seguirão as ordens. Acreditem, vocês vão acabar amando seu novo lar.

Acima da cabeça de Percy, o domo de vidro rachou e começou a vazar.

— Sou filho de Poseidon! — Percy tentou não demonstrar medo em sua voz. — Você não pode me prender na água. É onde fico mais forte.

A risada de Fórcis pareceu vir de todos os lados.

— Que coincidência! É também onde *eu* fico mais forte. Este tanque foi especialmente projetado para conter semideuses. Agora, divirtam-se, vocês dois. Vejo vocês na hora da alimentação!

O domo de vidro se estilhaçou, e a água veio abaixo.

Percy prendeu a respiração até não aguentar mais. Quando finalmente encheu os pulmões com água, a sensação era a mesma de respirar normalmente. A pressão da água não o incomodava. Suas roupas nem mesmo ficaram molhadas. Suas habilidades subaquáticas continuavam tão boas como sempre.

É só uma fobia idiota, assegurou a si mesmo. Eu não vou me afogar.

Então lembrou-se de Frank e imediatamente sentiu uma onda de pânico e culpa. Percy ficara tão preocupado consigo mesmo que tinha esquecido que o amigo era apenas um descendente distante de Poseidon. *Frank* não podia respirar debaixo d'água.

Mas onde *ele* estava?

Percy fez uma volta completa. Nada. Então olhou para cima. Pairando acima dele, viu um peixe dourado gigante. Frank havia se transformado — roupas, mochila e tudo — em uma carpa do tamanho de um adolescente.

Cara. Percy enviou seus pensamentos pela água, da maneira como falava com outras criaturas do mar. *Um peixinho dourado?*

A voz de Frank veio até ele: *Entrei em pânico. Tínhamos falado sobre peixinhos dourados, então era o que estava na minha cabeça. Não me julgue.*

Estou tendo uma conversa telepática com uma carpa gigante, pensou Percy. *Ótimo. Você pode se transformar em algo mais... útil?*

Silêncio. Talvez Frank estivesse se concentrando, embora fosse impossível dizer, pois carpas não são muito expressivas.

Desculpe. Frank parecia constrangido. *Estou preso. Acontece às vezes quando entro em pânico.*

Tudo bem. Percy rangeu os dentes. *Vamos descobrir uma forma de fugir.*

Frank nadou pelo tanque e não encontrou saídas. O topo era coberto por uma rede de bronze celestial, como as portas de enrolar de aço que protegem as vitrines de lojas fechadas. Percy tentou atravessar o metal com Contracorrente, mas não conseguiu nem arranhar. Ele tentou rompê-lo com o punho de sua espada... Mais uma vez, nenhum resultado. Então fez o mesmo com várias armas que jaziam no piso do tanque e tudo o que conseguiu foi quebrar três tridentes, uma espada e um arpão.

Por fim, tentou controlar a água. Queria expandi-la e romper o tanque, ou lançá-la pelo alto, mas a água não obedecia. Talvez estivesse encantada ou sob o poder de Fórcis. Percy concentrou-se até seus ouvidos estalarem, mas o melhor que conseguiu fazer foi arrancar a tampa do baú do tesouro de plástico.

Bem, é isso, pensou ele, desanimado. Vou ter que viver em uma casinha de biscoito de plástico pelo resto da vida, lutando contra meu amigo peixinho dourado gigante e esperando a hora da comida.

Fórcis garantira que eles aprenderiam a amar aquele lugar. Percy pensou nos telquines atordoados, nas nereidas e nos hipocampos, todos nadando entediados em lentos círculos. A ideia de terminar daquela maneira não ajudava a reduzir seu nervosismo.

Ele se perguntou se Fórcis não estaria certo, de qualquer forma. Mesmo que conseguissem escapar, como poderiam derrotar os gigantes se todos os deuses estavam incapacitados? Baco talvez pudesse ajudar — já matara os gigantes gêmeos uma vez, mas só se juntaria à luta se recebesse um tributo impossível, e a ideia de oferecer a Baco *qualquer* tipo de tributo fazia Percy querer morrer engasgado com um *donut*.

Olhe!, exclamou Frank.

Do outro lado do vidro, Ceto conduzia o treinador Hedge pelo anfiteatro, fazendo-lhe uma preleção enquanto o treinador assentia e admirava as cadeiras destinadas à plateia.

Treinador!, gritou Percy.

Então percebeu que era inútil: o treinador não podia ouvir gritos telepáticos. Frank bateu a cabeça no vidro, mas Hedge não pareceu perceber. Ceto passou com ele rapidamente pelo anfiteatro, sem nem olhar na direção do tanque, provavelmente porque presumia que ainda estava vazio. Ela apontou para a outra extremidade do salão, como se dissesse: *Venha. Outros monstros marinhos horripilantes por aqui.*

Percy se deu conta de que tinha apenas alguns segundos antes que o treinador se fosse. Ele nadou atrás deles, mas a água não facilitava seus movimentos como de costume. Na verdade, parecia estar puxando-o para trás. Ele largou Contracorrente e usou os dois braços.

O treinador Hedge e Ceto estavam a pouco mais de um metro da saída.

Em desespero, Percy apanhou uma bola de gude gigante e a arremessou como se fosse uma bola de boliche.

Ela bateu no vidro e o som foi um *tunc* — nem de perto alto o bastante para atrair a atenção.

O coração de Percy se apertou.

O treinador Hedge, porém, tinha ouvidos de sátiro. E olhou por cima do ombro. Quando viu Percy, sua expressão mudou várias vezes em uma questão de microssegundos — incompreensão, surpresa, indignação e por fim uma máscara de calma.

Antes que Ceto percebesse, Hedge apontou para o topo do anfiteatro. Parecia estar gritando: *Deuses do Olimpo, o que é aquilo?*

Ceto virou-se. O treinador Hedge prontamente tirou o pé falso e aplicou um chute de ninja na parte de trás da cabeça da garota com seu casco de bode. Ela desabou no chão.

Percy estremeceu. Sua cabeça, recentemente atingida, latejou em solidariedade, mas ele nunca se sentiu tão feliz de ter um acompanhante que gostava de lutas de MMA.

Hedge correu para o vidro. Ergueu as mãos, como quem diz: *O que está fazendo aí, Jackson?*

Percy bateu o punho no vidro e moveu os lábios: *Quebre o aquário!*

Hedge gritou algo que devia ser: *Cadê o Frank?*

Percy apontou para a carpa gigante.

Frank acenou com a barbatana dorsal esquerda. *E aí?*

Atrás de Hedge, a deusa do mar começou a se mover. Percy apontou freneticamente para ela.

Hedge sacudiu a perna, como se estivesse aquecendo seu casco para outro chute, mas Percy acenou para impedi-lo. Eles não podiam ficar acertando a cabeça de Ceto para sempre. Como era imortal, ela não ficaria desmaiada por muito tempo, e aquilo não os tiraria do tanque. Era só uma questão de tempo antes que Fórcis voltasse para dar uma olhada neles.

No três, Percy moveu os lábios, erguendo três dedos e então apontando o vidro. *Vamos todos bater ao mesmo tempo.*

Percy nunca fora bom em mímica, mas Hedge assentiu, parecendo entender. Bater nas coisas era uma linguagem que o sátiro conhecia muito bem. Ele ergueu outra bola de gude gigante.

Frank, vamos precisar de você também. Já pode mudar de forma?

Talvez para humano.

Pode ser humano! Prenda a respiração. Se isto funcionar...

Ceto ajoelhou-se. Não havia tempo a perder.

Percy contou nos dedos. *Um, dois, três!*

Frank assumiu a forma humana e bateu no vidro com o ombro. O treinador deu um chute circular à la Chuck Norris com o casco. Percy usou toda a sua força para arremessar a bola de gude na parede de vidro, mas fez mais do que isso. Ele ordenou que a água lhe obedecesse e dessa vez recusou-se a aceitar um não como resposta. Sentiu toda a pressão confinada no interior do tanque e fez uso dela. A água gostava de liberdade. Com tempo, podia vencer qualquer barreira e *odiava* estar aprisionada, assim como Percy. Ele pensou em voltar para Annabeth. Pensou em destruir aquela prisão horrível para criaturas do mar. Pensou em enfiar o microfone na goela horrorosa de Fórcis. Quase duzentos mil litros de água responderam à sua fúria.

A parede de vidro se partiu. As rachaduras ziguezaguearam a partir do ponto de impacto, e de repente o tanque explodiu. Percy foi sugado para fora junto com uma torrente de água e rolou pelo piso do anfiteatro com Frank, algumas imensas bolas de gude e uma moita de algas de plástico. Ceto já estava quase de pé quando a escultura de mergulhador desabou sobre ela, como se quisesse um abraço.

O treinador Hedge cuspiu água salgada.

— Pelas flautas de Pã, Jackson! O que vocês estavam *fazendo* lá dentro?

— Fórcis! — exclamou Percy. — Armadilha! Corra!

Os alarmes soavam enquanto eles fugiam. Passaram correndo pelo tanque das nereidas, depois pelo dos telquines. Percy queria libertá-los, mas como? Estavam drogados e lentos e eram criaturas marinhas. Não sobreviveriam, a menos que encontrasse uma forma de transportá-los para o oceano.

Além disso, se Fórcis os apanhasse, Percy tinha certeza de que o poder do deus do mar superaria o seu. E Ceto também iria atrás deles, pronta para servi-los aos seus monstros marinhos.

Vou voltar, prometeu Percy, mas, se as criaturas nos tanques de exibição o ouviram, não deram nenhum sinal.

Pelo sistema de som, a voz de Fórcis trovejou:

— Percy Jackson!

Luzes pirotécnicas e fogos de artifício explodiram aleatoriamente. Uma fumaça com aroma de *donuts* tomou conta dos corredores. Música dramática — cinco ou seis canções diferentes — tocavam ao mesmo tempo nos alto-falantes. Lâmpadas explodiam e pegavam fogo; todos os efeitos especiais no edifício foram acionados de uma só vez.

Percy, o treinador Hedge e Frank saíram aos tropeços do túnel de vidro e se viram de volta à sala dos tubarões e baleias. A seção mortal do aquário estava tomada por uma multidão enlouquecida — famílias e grupos de colônias de férias gritando e correndo em todas as direções enquanto os funcionários disparavam para um lado e para o outro freneticamente, tentando assegurar a todos que tratava-se apenas de um defeito no sistema de alarme.

Percy sabia a verdade. Ele e os amigos juntaram-se aos mortais e correram para a saída.

XVII

ANNABETH

Annabeth tentava animar Hazel, brindando-a com os melhores momentos Cabeça de Alga de Percy quando Frank surgiu cambaleando pelo corredor e entrou com tudo na cabine.

— Cadê o Leo? — falou ele, sem fôlego. — Decolar! Decolar!

As garotas puseram-se de pé com um salto.

— Cadê o *Percy*? — perguntou Annabeth. — E o bode?

Frank apoiou as mãos nos joelhos, tentando voltar a respirar em um ritmo normal. As roupas dele estavam duras e úmidas, como se tivessem sido engomadas.

— No convés. Estão bem. Estamos sendo seguidos!

Annabeth passou por ele e subiu a escada, três degraus de cada vez, Hazel seguindo-a e Frank atrás das duas, ainda ofegante. Percy e o treinador estavam deitados no convés, parecendo exaustos. O treinador estava descalço. Ele sorria para o céu, murmurando: "Incrível. Incrível." Percy estava coberto de cortes e arranhões, como se tivesse atravessado uma janela. Ele não falou nada, mas segurou a mão de Annabeth frouxamente, como se dissesse: *Já vou falar com você, assim que o mundo parar de girar.*

Leo, Piper e Jason, que estavam lanchando no refeitório, também subiram correndo a escada.

— O que foi? O que foi? — gritou Leo, segurando um queijo-quente já pela metade. — Será que um cara não pode nem fazer uma pausa para o almoço? Qual é o problema?

— Seguidos! — gritou Frank de novo.

— Seguidos pelo *quê*? — perguntou Jason.

— Não sei! — Frank arfava. — Baleias? Monstros marinhos? Talvez Cindy e Fófis!

Annabeth teve vontade de estrangulá-lo, mas não tinha certeza de que suas mãos conseguiriam envolver o pescoço grosso dele.

— Isso não faz o menor sentido. Leo, é melhor nos tirar daqui.

Leo segurou o sanduíche com os dentes, no melhor estilo pirata, e correu para o leme. Logo o *Argo II* ascendia ao céu. Annabeth posicionou-se para manejar a besta da popa. Não via nenhum sinal de perseguição por baleias ou outra coisa, mas Percy, Frank e Hedge só começaram a se recuperar quando a cidade de Atlanta passou a ser uma indistinta mancha ao longe.

— Charleston — falou Percy, mancando pelo convés como um velho. Ele ainda parecia muito abalado. — Estabelecer curso para Charleston.

— Charleston? — Jason disse o nome da cidade como se lhe trouxesse más lembranças. — O que exatamente vocês encontraram em Atlanta?

Frank abriu a mochila e começou a tirar as lembranças.

— Um pote de pêssegos em calda. Algumas camisetas. Um globo de neve. E, hã, essas algemas chinesas que não são tão chinesas assim.

Annabeth obrigou-se a manter a calma.

— Que tal você começar pela história e não pela mochila?

Eles se reuniram no tombadilho superior para que Leo pudesse ouvir a conversa enquanto navegava. Percy e Frank se alternavam no relato do que acontecera no Georgia Aquarium, com o treinador Hedge exclamando de vez em quando: "Isso foi incrível!" ou "Aí eu chutei a cabeça dela!". Pelo menos o treinador parecia ter esquecido que Percy e Annabeth dormiram no estábulo na noite anterior. Mas, a julgar pelo relato de Percy, Annabeth tinha problemas mais graves com que se preocupar do que o fato de estar de castigo.

Quando Percy contou sobre as criaturas do mar cativas no aquário, ela compreendeu por que ele parecia tão perturbado.

— Isso é terrível — falou ela. — Precisamos ajudá-las.

— E vamos — prometeu Percy. — Em breve. Mas tenho que descobrir *como*. Eu queria... — Ele balançou a cabeça. — Deixa para lá. Primeiro precisamos lidar com essa recompensa pelas nossas cabeças.

O treinador Hedge havia perdido o interesse na conversa — provavelmente porque não o incluía mais — e seguiu para a proa do navio, praticando seus chutes *à la* Chuck Norris e parabenizando-se por sua técnica.

Annabeth apertou o cabo de sua faca.

— Uma recompensa pelas nossas cabeças... como se já não atraíssemos monstros suficientes.

— Temos cartazes de PROCURADOS? — perguntou Leo. — E eles têm o valor das recompensas, tipo, em uma lista?

Hazel franziu o nariz.

— *Do que* você está falando?

— Só estou curioso sobre quanto minha cabeça está valendo atualmente — respondeu Leo. — Quer dizer, posso entender por que não sou tão caro quanto Percy ou Jason, talvez... mas valho, tipo, dois ou três Franks?

— Ei! — queixou-se Frank.

— Parem com isso — ordenou Annabeth. — Pelo menos sabemos que nosso próximo passo é ir para Charleston e encontrar o tal mapa.

Piper recostou-se no painel de controle. Ela havia feito a trança com penas brancas, que ficavam bonitas em seu cabelo castanho-escuro. Annabeth perguntou-se como ela encontrava tempo. Ela mal conseguia se lembrar de *pentear* o cabelo.

— Um mapa — falou Piper. — Mas um mapa para encontrar *o quê*?

— A Marca de Atena. — Percy olhou com cautela para Annabeth, como se temesse ter falado demais. Ela devia estar com uma aura muito forte do tipo "não quero falar sobre isso". — *O que quer* que ela seja, sabemos que leva a algo importante em Roma, algo que pode acabar com a rixa entre os romanos e os gregos.

— *"A ruína dos gigantes"* — acrescentou Hazel, e Percy assentiu.

— E, no meu sonho, os gigantes gêmeos falaram algo sobre uma estátua.

— Hã... — Frank girava as algemas chinesas que não eram tão chinesas assim entre os dedos. — Segundo Fórcis, teríamos que ser malucos para tentar encontrá-la. Mas o que ela *é*?

Todos olharam para Annabeth. Seu couro cabeludo formigava, como se os pensamentos em seu cérebro estivessem querendo se libertar: uma estátua... Atena... gregos e romanos, seus pesadelos e sua discussão com a mãe. Ela viu como os pedaços iam se encaixando, mas não podia acreditar que fosse verdade. A resposta era pesada demais, importante e apavorante demais.

Ela percebeu que Jason a observava, como se soubesse *exatamente* o que ela estava pensando e não gostasse daquilo nem um pouco. E Annabeth não pôde deixar de se perguntar novamente: *Por que ele me deixa tão nervosa? Ele está mesmo do meu lado?* Ou talvez a desconfiança de sua mãe a estivesse contaminando...

— Eu... estou perto de uma resposta — disse ela. — Saberei com certeza quando encontrarmos esse mapa. Jason, a maneira como você reagiu ao nome *Charleston*... você já esteve lá?

Jason olhou inquieto para Piper, embora Annabeth não soubesse bem o porquê.

— Sim — admitiu ele. — Reyna e eu tivemos uma missão lá há mais ou menos um ano. Fomos recuperar armas de ouro imperial do *C.S.S. Hunley*.

— Do quê? — perguntou Piper.

— Uau! — exclamou Leo. — Esse foi o primeiro submarino militar bem-sucedido. Da Guerra de Secessão. Eu sempre quis vê-lo.

— Ele foi projetado por semideuses romanos — explicou Jason. — Tinha um arsenal secreto de torpedos de ouro imperial... até que os recuperamos e os levamos de volta para o Acampamento Júpiter.

Hazel cruzou os braços.

— Então os romanos lutaram do lado dos Confederados? Como uma garota cuja avó foi escrava, posso ao menos dizer que... não foi nada legal?

Jason ergueu as mãos em um gesto aplacador.

— Eu mesmo não estava vivo naquela época. E não eram *todos* os gregos de um lado e *todos* os romanos do outro. Mas, sim. Não foi nada legal. Às vezes semideuses fazem as escolhas erradas. — Ele olhou, envergonhado, para Hazel. — Como nas vezes em que somos desconfiados demais. E falamos sem pensar.

Hazel o encarou. Ela pareceu compreender logo depois que ele estava tentando se desculpar.

Jason deu uma cotovelada em Leo.

— Ai! — gritou Leo. — Quer dizer, sim... escolhas erradas. Como não confiar em irmãos de amigos que, você sabe, podem estar precisando de ajuda. Hipoteticamente falando.

Hazel apertou os lábios.

— Tudo bem. Voltando a Charleston. Vocês estão dizendo que devíamos dar uma olhada naquele submarino?

Jason deu de ombros.

— Bem... consigo pensar em *dois* lugares em Charleston onde podemos procurar. O primeiro deles é o museu onde guardam o *Hunley*. Lá há muitas relíquias da Guerra de Secessão. Pode ter um mapa escondido em alguma delas. Conheço o museu. Posso colocar uma equipe lá dentro.

— Eu vou — disse Leo. — Isso parece legal.

Jason assentiu. Voltou-se para Frank, que tentava soltar os dedos da algema chinesa.

— Você também deve vir, Frank. Podemos precisar de você.

Frank pareceu surpreso.

— Por quê? Não fui de grande ajuda no aquário.

— Você se saiu bem — assegurou-lhe Percy. — Não teríamos conseguido quebrar aquele vidro sem você.

— Além disso, você é filho de Marte — comentou Jason. — Os fantasmas de causas perdidas são obrigados a servi-lo. E o museu em Charleston está *cheio* de fantasmas de confederados. Vamos precisar de você para mantê-los na linha.

Frank engoliu em seco. Annabeth lembrou-se do comentário de Percy sobre ele ter se transformado em um peixinho dourado gigante e resistiu à vontade de sorrir. Ela nunca mais conseguiria olhar para aquele garoto grandão sem imaginá-lo como uma carpa.

— O.k. — Frank cedeu. — Claro. — Ele franziu a testa, ainda tentando soltar os dedos do brinquedo. — Hã, como é que se...?

Leo deu uma risadinha.

— Cara, você nunca viu um desses antes? Tem um truque simples para tirá-lo.

Frank puxou os dedos mais uma vez, sem sucesso. Até Hazel segurava o riso. Então o garoto fez uma careta, concentrando-se. De repente, ele desapareceu. No lugar onde Frank estivera havia poucos segundos uma iguana verde estava agachada perto das algemas chinesas.

— Muito bem, Frank Zhang — disse Leo secamente, imitando com perfeição o centauro Quíron. — É exatamente assim que as pessoas se livram das algemas chinesas. Elas se transformam em iguanas.

Todos explodiram em gargalhadas. Frank voltou à forma humana, pegou as algemas e as atirou na mochila. Ele deu um sorriso constrangido.

— Bem — disse Frank, visivelmente ansioso para mudar de assunto —, o museu é um dos lugares onde podemos procurar. Mas, há, Jason, você disse que eram dois?

O sorriso de Jason desapareceu. No que quer que ele estivesse pensando, Annabeth podia garantir que não era nada agradável.

— Sim — falou ele. — O outro lugar se chama Battery... é um parque perto do porto. A última vez em que estive lá... com Reyna... — Ele olhou de relance para Piper e continuou apressado: — Vimos uma coisa no parque. Um fantasma ou algum tipo de espírito, como uma beldade sulista da Guerra Civil, brilhando e flutuando pelo lugar. Tentamos nos aproximar, mas ela desaparecia sempre que chegávamos perto. Então Reyna teve uma intuição... ela disse que devia tentar sozinha. Que talvez aquele espírito só falasse com garotas. Ela foi sozinha até ele, e de fato ele falou com ela.

Todos aguardavam.

— E o que foi que o espírito disse? — perguntou Annabeth.

— Reyna não me contou — admitiu Jason. — Mas deve ter sido importante. Ela parecia... abalada. Talvez tenha ouvido uma profecia ou más notícias. Reyna nunca mais foi a mesma comigo depois disso.

Annabeth refletiu sobre aquilo. Depois de seu encontro com os eidolons, não lhe agradava a ideia de se aproximar de um fantasma, principalmente um que transformava as pessoas com más notícias ou profecias. Por outro lado, sua mãe era a deusa da sabedoria, e a sabedoria era sua arma mais poderosa. Annabeth não podia desprezar uma possível fonte de informação.

— Uma missão para as garotas, então — falou Annabeth. — Piper e Hazel podem vir comigo.

Ambas assentiram, embora Hazel parecesse nervosa. Sem dúvida o tempo que passara no Mundo Inferior lhe rendera experiências fantasmagóricas suficientes para mais de uma vida. Os olhos de Piper brilhavam, desafiadores, como se ela pudesse encarar tudo que Reyna também encarasse.

Annabeth se deu conta de que Percy ficaria sozinho no navio com o treinador Hedge se os seis saíssem para as duas missões, e aquela era uma situação em que uma namorada atenciosa provavelmente não deveria colocá-lo. Tampouco gostava da ideia de ficar longe dele de novo — não depois de tantos meses separados. Por outro lado, Percy parecia tão perturbado depois do encontro com aquelas criaturas marinhas aprisionadas, que ela achou que um descanso talvez fosse lhe cair bem. Seus olhos se encontraram, e ela fez a pergunta em silêncio. Ele assentiu, como se dissesse: *Sim. Não tem problema.*

— Então está combinado. — Annabeth voltou-se para Leo, que estudava o painel, ouvindo Festus ranger e clicar pelo intercomunicador. — Leo, quanto tempo temos antes de chegarmos a Charleston?

— Boa pergunta — murmurou ele. — Festus acaba de detectar um grande grupo de águias atrás da gente... pelo radar de longo alcance. Ainda não estão à vista.

Piper debruçou-se no painel.

— Tem certeza de que são romanas?

Leo revirou os olhos.

— Não, Pipes. Poderia ser um grupo aleatório de águias gigantes voando em perfeita formação. É claro que são romanas! Acho que poderíamos fazer meia-volta e lutar...

— O que seria uma péssima ideia — falou Jason — e acabaria com qualquer dúvida de que somos inimigos de Roma.

— Tenho outra ideia — disse Leo. — Se seguíssemos direto para Charleston, poderíamos chegar lá em poucas horas. Mas as águias nos alcançariam, e as coisas se complicariam. Em vez disso, podíamos enviar um chamariz para enganá-las. Pegamos um desvio, seguimos pelo caminho mais longo para Charleston e chegamos lá amanhã de manhã...

Hazel começou a protestar, mas Leo ergueu a mão.

— Eu sei, eu sei. Nico está em apuros e temos que nos apressar.

— Hoje é dia vinte e sete de junho — disse Hazel. — Depois de hoje, mais quatro dias. Então ele morre.

— Eu sei! Mas isso pode tirar os romanos da nossa cola. Ainda devemos ter tempo suficiente para chegar a Roma.

Hazel fez uma careta.

— Quando você diz *devemos ter tempo suficiente*...

Leo deu de ombros.

— O que você acha de *mal teremos tempo*?

Hazel pôs o rosto nas mãos e contou até três.

— Parece bem normal para a gente.

Annabeth resolveu aceitar a resposta como um sinal verde.

— Certo, Leo. De que tipo de chamariz estamos falando?

— Que bom que você perguntou! — Ele apertou alguns interruptores no painel, rodou o botão direcional e pressionou várias vezes e bem rápido o botão A no controle de Wii. Então chamou pelo intercomunicador: — Buford? Apresente-se para o serviço, por favor.

Frank deu um passo para trás.

— Tem mais alguém no navio? Quem é Buford?

Uma nuvem de vapor veio pela escada, e a mesa mágica de Leo subiu ao convés.

Annabeth não vira Buford muitas vezes durante a viagem. Ele ficava quase todo o tempo na casa de máquinas. (Leo insistia que Buford tinha uma paixonite secreta pela bateria.) Buford era uma mesa de três pernas com tampo de mogno e uma base de bronze com várias gavetas, engrenagens giratórias e uma série de saídas de vapor. Buford carregava uma bolsa carteiro amarrada a uma das pernas. Ele seguiu até o leme com um *clac-clac-clac* e emitiu um som semelhante a um apito de trem.

— Este é Buford — anunciou Leo.

— Você dá nome à sua mobília? — perguntou Frank.

Leo bufou.

— Cara, bem que você queria ter móveis tão maneiros assim. Buford, você está pronto para a Operação Mesa de Canto?

Buford soltou um jato de vapor e subiu na amurada. Seu tampo de mogno dividiu-se em quatro, que se alongaram e transformaram em hélices de madeira, que começaram a girar. Buford decolou.

— Uma mesa-helicóptero — murmurou Percy. — Tenho que admitir: isso foi bem maneiro. O que tem na bolsa?

— Roupa suja de semideuses — disse Leo. — Espero que não se importe, Frank.

Frank engasgou.

— O quê?

— Vai fazer as águias perderem nosso rastro.

— Aquela era a única outra calça que eu tinha!

Leo deu de ombros.

— Pedi a Buford que a lavasse, passasse e dobrasse enquanto está fora. Com sorte, ele fará isso. — Leo esfregou as mãos e sorriu. — Muito bem! Isso é o que eu chamo de um bom dia de trabalho. Vou calcular nossa rota de desvio. Vejo todos vocês no jantar!

Percy dormiu cedo, o que deixou Annabeth sem nada para fazer à noite, exceto ficar olhando o computador.

Ela trouxera o laptop de Dédalo, é claro. Dois anos antes, ela herdara o computador do maior inventor de todos os tempos, cheio de ideias para invenções, esquemas e diagramas, a maior parte dos quais Annabeth ainda tentava decifrar. Depois desse tempo, um laptop típico já estaria obsoleto, mas Annabeth calculava que o computador de Dédalo ainda estivesse cinquenta anos à frente do seu tempo. Ele podia ficar do tamanho de um laptop comum, pequeno como um tablet ou dobrar-se e transformar-se em retângulo metálico menor que um celular. Era mais rápido que qualquer outro computador que ela já tivera, podia acessar satélites ou as transmissões de tevê de Hefesto diretamente do Monte Olimpo e rodava programas únicos que podiam fazer praticamente tudo, exceto amarrar os cadarços. Talvez houvesse um aplicativo para isso também, mas Annabeth ainda não o encontrara.

Ela sentou-se no beliche, usando um dos programas de renderização em 3-D de Dédalo para estudar um modelo do Parthenon em Atenas. Ela sempre ansiara visitá-lo, tanto por amar arquitetura quanto por ser o mais famoso templo dedicado à sua mãe.

Agora talvez conseguisse realizar seu desejo se vivesse tempo suficiente para chegar à Grécia. No entanto, quanto mais pensava na Marca de Atena e na antiga lenda romana que Reyna mencionara, mais tensa ficava.

Embora não quisesse, lembrou-se da discussão com a mãe. Mesmo depois de tantas semanas, as palavras ainda doíam.

Annabeth estava no metrô, voltando do Upper East Side depois de uma visita à mãe de Percy. Durante os longos meses em que Percy estivera desaparecido, Annabeth fazia aquela viagem pelo menos uma vez por semana — em parte para atualizar Sally Jackson e seu marido, Paul, sobre a busca e em parte porque Annabeth e Sally precisavam levantar o ânimo uma da outra e convencer-se de que Percy estava bem.

A primavera fora especialmente difícil. Àquela altura, Annabeth tinha razões para esperar que Percy estivesse vivo, pois parecia que o plano de Hera incluía enviá-lo para o lado romano, mas Annabeth não sabia onde o namorado estava. Jason havia lembrado mais ou menos da localização de seu antigo acampamento, mas nenhuma magia grega — nem mesmo as dos campistas do chalé de Hécate — conseguia confirmar se Percy estava lá ou em qualquer outro lugar. Ele parecia ter desaparecido do planeta. Rachel, o Oráculo, tentara ler o futuro e, embora não conseguisse ver muito, tivera a certeza de que Leo precisava terminar o *Argo II* para que pudessem contatar os romanos.

Ainda assim, Annabeth havia passado cada momento livre vasculhando todos os lugares em busca de rumores sobre Percy. Falara com espíritos da natureza, lera lendas sobre Roma, escavara pistas no notebook de Dédalo e gastara centenas de dracmas de ouro em mensagens de Íris para cada espírito, semideus ou monstro amigável que encontrara, sem nenhum resultado.

Naquela tarde em particular, voltando da casa de Sally, Annabeth sentia-se ainda mais esgotada que o normal. As duas haviam chorado primeiro e em seguida tentado recuperar o controle, mas estavam nervosas demais. Finalmente Annabeth tomou o metrô na Lexington Avenue para a Grand Central.

Havia outras maneiras de voltar do Upper East Side para seu dormitório na escola, mas Annabeth gostava de ir pela Grand Central Terminal. A bela arquitetura e o espaço amplo a faziam lembrar-se do Monte Olimpo. Edifícios grandiosos melhoravam seu humor — talvez porque estar em um lugar tão permanente fizesse com que *ela* se sentisse mais permanente.

Tinha acabado de passar pela Sweet on America, a loja de doces em que a mãe de Percy trabalhara, e estava pensando em entrar e comprar algum doce azul em nome dos velhos tempos quando viu Atena estudando o mapa do metrô na parede.

— Mãe!

Annabeth não acreditou. Não encontrava a mãe havia meses, desde que Zeus fechara os portões do Olimpo e proibira qualquer comunicação com os semideuses.

Muitas vezes Annabeth havia tentado recorrer à mãe ainda assim, implorando por orientação, ofertando itens na fogueira a cada refeição no acampamento. Não obtivera resposta. Agora ali estava Atena, de jeans, botas para caminhada e uma camisa vermelha de flanela, o cabelo escuro cascateando pelos ombros. Segurava uma mochila e uma bengala, como se estivesse preparada para uma longa jornada.

— Preciso voltar para casa — murmurava Atena, estudando o mapa. — O caminho é difícil. Queria que Odisseu estivesse aqui. Ele compreenderia.

— Mãe! — chamou Annabeth. — Atena!

A deusa voltou-se. Seu olhar pareceu atravessar Annabeth sem reconhecê-la.

— Era esse o meu nome — disse a deusa, sonhadora. — Antes de saquearem minha cidade, tirarem minha identidade, me transformarem *nisto*. — Ela olhou as próprias roupas com desgosto. — Preciso voltar para casa.

Annabeth recuou um passo, chocada.

— Você é... você é Minerva?

— Não me chame assim! — Os olhos cinzentos da deusa faiscaram de raiva. — Eu costumava carregar uma lança e um escudo. Tinha a vitória na palma da mão. Era muito mais do que isso.

— Mãe. — A voz de Annabeth tremia. — Sou eu, Annabeth. Sua *filha*.

— Minha filha... — repetiu Atena. — Sim, meus filhos me vingarão. Eles precisam destruir os romanos. Aqueles horríveis, desonrados, romanos imitadores. Hera argumentou que precisávamos manter os dois acampamentos separados. Eu disse: Não, deixe-os lutar. Deixe que meus filhos destruam os usurpadores.

O coração de Annabeth pulsava em seus ouvidos.

— Você *queria* isso? Mas você é sábia. Compreende a guerra melhor do que...

— Antes! — exclamou a deusa. — Substituída. Saqueada. Pilhada como um troféu e levada para longe de minha amada pátria. Perdi tanto. Jurei que jamais perdoaria. Tampouco meus filhos. — Ela olhou Annabeth com mais atenção. — Você é minha filha?

— Sim.

A deusa pescou alguma coisa no bolso da camisa — uma ficha antiga de metrô — e a colocou na mão de Annabeth.

— Siga a Marca de Atena — falou a deusa. — Vingue-me.

Annabeth olhara para a ficha. Enquanto olhava, a ficha do metrô de Nova York se transformou em uma antiga dracma de prata, como as usadas pelos atenienses. Gravados nela havia uma coruja, o animal sagrado de Atena, com um ramo de oliveira de um lado e uma inscrição grega do outro.

A Marca de Atena.

Naquela ocasião, Annabeth não fazia a menor ideia do que aquilo significava. Ela não compreendia por que a mãe estava agindo daquela maneira. Minerva ou não, ela não devia estar tão confusa.

— Mãe... — Ela tentou dar à voz o tom mais sensato possível. — Percy está desaparecido. Preciso da sua ajuda.

Ela começara a explicar o plano de Hera para reunir os acampamentos a fim de lutarem contra Gaia e os gigantes, mas a deusa batera a bengala no piso de mármore.

— Nunca! — disse ela. — Todos que ajudarem Roma devem perecer. Se você se juntar a eles, não é minha filha. Já terá falhado comigo.

— Mãe!

— Não me importo nem um pouco com esse tal de *Percy*. Se ele passou para o lado dos romanos, deixe-o perecer. Mate-o. Mate todos os romanos. Encontre a Marca, siga-a até sua origem. Veja com seus próprios olhos como Roma me desgraçou e garanta sua vingança.

— Atena não é a deusa da vingança. — As unhas de Annabeth cravaram-se em suas palmas. A moeda de prata pareceu esquentar em sua mão. — Percy é tudo para mim.

— E a vingança é tudo para *mim* — rosnou a deusa. — Quem de nós é mais sábia?

— Algo está errado com você. O que aconteceu?

— Roma aconteceu! — disse a deusa com amargura. — Veja o que eles fizeram, me transformando em uma *romana*. Eles queriam que eu fosse sua deusa? Então deixe-os provar do próprio veneno. Mate-os, filha.

— Não!

— Então você não é nada. — A deusa voltou-se para o mapa do metrô. Sua expressão suavizou-se, ficando confusa e desfocada. — Se eu pudesse encontrar a rota... o caminho de casa, então talvez... Mas, não. Vingue-me ou deixe-me. Você não é minha filha.

Os olhos de Annabeth ardiam. Pensou em mil coisas horríveis que tinha vontade de dizer, mas não conseguiu. Só se virou e foi embora.

Annabeth tentara jogar fora a moeda de prata, mas ela simplesmente reaparecia em seu bolso, como a Contracorrente de Percy. Infelizmente, a dracma de Annabeth não tinha nenhum poder mágico — pelo menos, nada útil. Ela só lhe dava pesadelos, e, por mais que tentasse, Annabeth não conseguia se livrar dela.

Agora, sentada em sua cabine no *Argo II*, podia sentir a moeda aquecendo em seu bolso. Ela olhou o modelo do Parthenon na tela do computador e pensou na discussão com Atena. Frases que ouvira nos últimos dias turbilhonavam em sua cabeça: *Uma amiga talentosa. Pronta para receber seu visitante. Ninguém vai recuperar aquela estátua. A filha da sabedoria caminha solitária.*

Ela temia que finalmente tivesse compreendido o que tudo aquilo significava. Rezou aos deuses para que estivesse errada.

Uma batida na porta a fez dar um pulo.

Annabeth torceu para que fosse Percy, mas, em vez disso, Frank Zhang enfiou a cabeça pela porta.

— Hã, desculpe — disse ele. — Posso...?

Ela ficou tão surpresa em vê-lo que levou um momento para perceber que ele queria entrar.

— Claro — respondeu. — Entre.

Frank entrou, correndo os olhos pela cabine. Não tinha muito o que ver. Na escrivaninha havia uma pilha de livros, um diário e uma caneta, e uma foto do pai voando no biplano Sopwith Camel, sorrindo e fazendo sinal de positivo. Annabeth gostava daquela foto. Fazia-a lembrar-se do tempo em que se sentira mais próxima dele, quando ele atacara um exército de monstros com metralhadoras de bronze celestial só para protegê-la — o melhor presente que uma filha podia querer.

Pendurado em um gancho na parede estava o boné do New York Yankees, o bem mais precioso recebido da mãe. O boné já tivera o poder de tornar quem o usasse invisível, mas, desde que Annabeth discutira com Atena, ele havia perdido sua magia. Não sabia por que, mas teimosamente o levara com ela na missão. Todas as manhãs ela o experimentava, na esperança de que voltasse a funcionar. Até ali só servira para lembrá-la da ira da mãe.

Fora isso, a cabine dela era simples. Annabeth a mantinha limpa e vazia, o que a ajudava a pensar. Percy não acreditava nisso, porque ela sempre tirava excelentes notas, mas, como a maioria dos semideuses, ela sofria de transtorno do déficit de atenção e hiperatividade. Quando havia muitas distrações em seu espaço, ela não conseguia se concentrar.

— Então... Frank — disse ela. — No que posso ajudar você?

De todos os semideuses da missão, Frank era, na opinião dela, a pessoa menos provável de lhe fazer uma visita. Ela ficou ainda mais confusa quando o colega enrubesceu e tirou as algemas chinesas do bolso.

— Não gosto de não saber o que é isso — murmurou ele. — Você pode me mostrar o truque? Não me senti à vontade para perguntar a mais ninguém.

Annabeth demorou um pouco para processar suas palavras. Espere... Frank estava pedindo ajuda a *ela*? Então a ficha caiu: é claro, Frank estava constrangido. Leo vinha zombando dele impiedosamente. Ninguém gostava de ser motivo de chacota, e a expressão determinada de Frank dizia que ele nunca mais queria que aquilo acontecesse. Queria entender o enigma, sem a solução da iguana.

Annabeth sentiu-se estranhamente honrada. Frank confiava que ela não zombaria dele. Além disso, Annabeth tinha um fraco por qualquer um que estivesse buscando conhecimento — mesmo sobre algo tão simples quanto algemas chinesas.

Ela bateu no beliche ao seu lado.

— Claro. Sente-se.

Frank sentou-se na borda do colchão, como se estivesse pronto para fugir rapidamente. Annabeth pegou as algemas chinesas e as segurou perto do computador, então pressionou a tecla para acionar o escaneamento infravermelho. Alguns segundos depois um modelo 3-D das algemas chinesas surgiu na tela. Ela virou o laptop para que Frank pudesse ver.

— Como você fez isso? — perguntou ele, impressionado.

— Tecnologia de ponta da Grécia Antiga — disse ela. — Certo, olhe. A estrutura é um trançado biaxial cilíndrico, então tem ótima resiliência. — Ela manipulou a imagem de modo que ela se encolheu e se expandiu como um acordeão. — Quando você introduz os dedos, ele se abre. Mas, quando tenta removê-los, a circunferência encolhe à medida que o trançado encolhe. Não tem como se soltar fazendo força.

Frank a olhava sem compreender.

— Mas qual é a resposta?

— Bem... — Ela lhe mostrou alguns de seus cálculos, demonstrando como as algemas podiam resistir a pressões incríveis, dependendo do material usado no trançado. — Incrível para uma estrutura de tecido, não é? Os médicos a utilizam para tração, e o setor elétrico...

— Hã, legal, mas e a resposta?

Annabeth riu.

— Você não luta *contra* as algemas. Você deve empurrar os dedos, não puxá-los. Isso afrouxa a trança.

— Ah. — Frank tentou. Funcionou. — Obrigado, mas... você não podia ter me mostrado a resposta com as algemas sem o modelo 3-D e os cálculos?

Annabeth hesitou. Às vezes a sabedoria vinha de lugares estranhos, como peixinhos dourados gigantes adolescentes.

— Acho que você tem razão. Isso foi bobagem. Aprendi algo também.

Frank experimentou de novo as algemas.

— É fácil quando se sabe a resposta.

— Muitas das melhores armadilhas são simples — disse Annabeth. — Você só precisa pensar e torcer para que sua vítima não pense na solução.

Frank assentiu. Ele parecia relutante em sair.

— Sabe — falou Annabeth —, Leo não tem a intenção de ser mau. Ele só fala demais. Quando as pessoas o deixam nervoso, ele usa o humor como defesa.

Frank franziu a testa.

— Por que eu o deixaria nervoso?

— Você tem o dobro do tamanho dele e pode se transformar em um dragão.

E Hazel gosta de você, pensou Annabeth, mas não disse nada.

Frank não pareceu convencido.

— Leo pode invocar o fogo. — Ele torceu as algemas. — Annabeth... uma hora dessas, será que você poderia me ajudar com um problema que não é tão simples assim? Eu tenho... acho que você chamaria de um calcanhar de aquiles.

Annabeth teve a sensação de ter acabado de tomar um chocolate quente romano. Quentinha e feliz por dentro; era assim que Frank a fazia sentir-se. Ele era só um grande ursinho de pelúcia. Dava para ver por que Hazel gostava dele.

— Com todo prazer — disse. — Alguém mais sabe sobre esse calcanhar de aquiles?

— Percy e Hazel — respondeu ele. — Só. Percy... ele é um cara muito legal. Eu confio totalmente nele. Achei que você deveria saber disso.

Annabeth deu um tapinha no braço do garoto.

— Percy tem um talento especial para escolher bons amigos. Como você. Mas, Frank, você pode confiar em todo mundo neste navio. Até mesmo em Leo. Somos uma equipe. Temos que confiar uns nos outros.

— É... acho que sim.

— Então qual é a fraqueza que o preocupa?

O alarme do jantar soou, e Frank deu um salto.

— Talvez... talvez mais tarde — disse ele. — É difícil falar sobre isso. Mas obrigado, Annabeth. — Ele ergueu as algemas chinesas. — Não complique as coisas.

XVIII

ANNABETH

NAQUELA NOITE ANNABETH DORMIU E não teve pesadelos, o que a deixou preocupada ao acordar — como se fosse a calmaria antes da tempestade.

Leo ancorou o navio em um píer no Porto de Charleston, bem perto do quebra-mar. Ao longo da costa havia um bairro histórico com mansões altas, palmeiras e cercas de ferro forjado. Canhões que eram verdadeiras antiguidades apontavam para a água.

Quando Annabeth chegou ao convés, Jason, Frank e Leo já haviam partido para o museu. Segundo o treinador Hedge, eles haviam prometido voltar antes do pôr do sol. Piper e Hazel estavam prontas para ir, mas primeiro Annabeth voltou-se para Percy, debruçado na amurada de boreste, olhando a baía.

Annabeth pegou a mão dele.

— O que vai fazer enquanto estivermos fora?

— Mergulhar no porto — respondeu ele casualmente, como outro garoto diria: *Vou fazer um lanche.* — Quero tentar me comunicar com as nereidas locais. Talvez elas possam me dar algum conselho sobre como libertar aqueles cativos em Atlanta. Além disso, acho que o mar vai me fazer bem. Estar naquele aquário fez com que eu me sentisse... sujo.

Seu cabelo estava escuro e embaraçado como sempre, mas Annabeth pensou na mecha grisalha que ele costumava ter em um dos lados. Quando os dois tinham quatorze anos, haviam se revezado (involuntariamente) para sustentar o peso do céu. O esforço deixara alguns fios brancos em seus cabelos. No último ano, durante o sumiço de Percy, as mechas grisalhas haviam finalmente desaparecido, o que deixou Annabeth triste e um pouco preocupada. Tinha a sensação de ter perdido um elo simbólico com ele.

Annabeth o beijou.

— Boa sorte, Cabeça de Alga. Volte para mim, o.k.?

— Vou voltar — prometeu ele. — Você também.

Annabeth tentou reprimir sua crescente inquietação.

Ela voltou-se para Piper e Hazel.

— Muito bem, garotas. Vamos encontrar o fantasma do parque Battery.

Mais tarde, Annabeth desejou ter pulado nas águas do porto com Percy. Ela teria preferido até mesmo um museu cheio de fantasmas.

Não que se importasse de andar com Hazel e Piper. De início, elas se divertiram percorrendo a área. Segundo as placas, o parque litorâneo se chamava White Point Gardens. A brisa do mar afastava o calor abafado da tarde de verão, e estava agradavelmente fresco à sombra das palmeiras. Ladeando o caminho viam-se velhos canhões da Guerra de Secessão e estátuas de bronze de figuras históricas, o que fez Annabeth estremecer. Ela pensou nas estátuas na cidade de Nova York durante a Guerra dos Titãs, que tinham ganhado vida graças à sequência de comando Dédalo vinte e três. Annabeth se perguntou quantas outras estátuas pelo país seriam autômatos, à espera de alguém que as acionasse.

O Porto de Charleston reluzia ao sol. De ambos os lados, faixas de terra estendiam-se como braços cercando a baía, e, situada na boca do porto, a cerca de um quilômetro e meio da margem, havia um forte de pedra em uma ilha. Annabeth lembrava-se vagamente de aquele forte ter sido importante na Guerra Civil, mas não pensou muito no assunto.

Passou a maior parte do tempo sentindo o cheiro da maresia e pensando em Percy. Que os deuses não permitissem que ela um dia tivesse que terminar com ele. Jamais poderia ver o mar de novo sem lembrar-se de seu coração partido. Ficou aliviada quando se afastaram do quebra-mar e começaram a explorar o restante dos jardins.

O parque não estava cheio. Annabeth imaginou que a maior parte dos habitantes da cidade havia viajado de férias ou estava em casa fazendo a sesta. Elas perambularam ao longo da South Battery Street, com suas mansões coloniais de quatro andares, paredes de pedra cobertas por hera e fachadas com altas colunas brancas, como templos romanos. Nos jardins brotavam muitas roseiras, madressilvas e buganvílias carregadas de flores. Parecia que várias décadas antes Deméter havia ajustado o timer para que todas aquelas plantas crescessem e então se esquecera de voltar para conferir.

— Lembra um pouco Nova Roma — observou Hazel. — Todas essas mansões e os jardins. As colunas e os arcos.

Annabeth assentiu com a cabeça. Lembrou-se de ter lido como o Sul dos Estados Unidos antes da Guerra Civil muitas vezes se comparava a Roma. Antigamente a alta sociedade local tinha grande interesse em arquitetura grandiosa, honra e códigos de cavalheiros. E, pelo lado negativo, também apoiara a escravidão. *Roma tinha escravos*, alguns sulistas haviam argumentado, *então por que nós não podemos?*

Ela estremeceu. Adorava aquela arquitetura. As casas e jardins eram muito bonitos, muito romanos, mas ela se perguntou por que coisas bonitas tinham que ser maculadas por fatos históricos terríveis. Ou seria o contrário? Talvez a história terrível tornasse necessário construir coisas bonitas, para mascarar os aspectos mais sombrios.

Annabeth balançou a cabeça. Percy detestava quando ficava tão filosófica. Se tentasse falar com ele sobre essas coisas, o namorado acabava com os olhos vidrados.

As outras garotas não estavam muito falantes.

Piper ficava o tempo todo olhando em volta, como se esperasse uma emboscada. Dissera que tinha visto o parque na lâmina de sua adaga, mas não dera muitos detalhes. Annabeth achava que ela estava com medo. Afinal, da última vez que Piper tentara interpretar uma de suas visões, Percy e Jason haviam quase se matado no Kansas.

Hazel também parecia preocupada. Talvez estivesse examinando os arredores ou talvez estivesse preocupada com o irmão. Se não o encontrassem e libertassem em menos de quatro dias, Nico estaria morto.

Annabeth também sentia o peso daquele prazo. Sempre tivera sentimentos conflitantes em relação a Nico di Angelo. Suspeitava que ele nutria uma paixonite por ela desde que haviam resgatado sua irmã mais velha, Bianca, e ele naquela academia militar no Maine; mas Annabeth nunca sentira o mesmo por Nico. Ele era jovem e mal-humorado demais. Havia uma melancolia nele que a perturbava.

No entanto, ela sentia-se responsável por ele. No passado, quando se conheceram, nenhum dos dois sabia da existência da meio-irmã dele, Hazel. Naquela época, Bianca era o único parente vivo de Nico e, quando ela morreu, Nico se tornou um órfão sem-teto, vagando pelo mundo sozinho. Annabeth sabia o que era isso.

Ela estava tão mergulhada em seus pensamentos que poderia ter continuado andando pelo parque para sempre, mas Piper agarrou seu braço.

— Ali.

Ela apontou para o outro lado do porto. A uns cem metros da margem, uma figura branca tremeluzente flutuava sobre a água. A princípio, Annabeth pensou que pudesse ser uma boia ou um barquinho refletindo a luz do sol, mas aquilo estava decididamente reluzindo e se movendo de maneira mais suave que um barco, dirigindo-se em linha reta na direção delas. À medida que se aproximava, Annabeth pôde ver que era a figura de uma mulher.

— O fantasma — disse ela.

— Aquilo não é um fantasma — falou Hazel. — Nenhum tipo de espírito brilha tanto assim.

Annabeth decidiu acreditar nela. Não conseguia imaginar como era a vida para Hazel, tendo morrido tão jovem e voltado do Mundo Inferior, sabendo mais dos mortos que dos vivos.

Como se estivesse em um transe, Piper atravessou a rua na direção do quebra-mar, evitando por pouco um cavalo que puxava uma carruagem.

— Piper! — chamou Annabeth.

— É melhor a seguirmos — disse Hazel.

Quando Annabeth e Hazel a alcançaram, a aparição fantasmagórica estava a poucos metros.

Piper a olhava, furiosa, como se a visão a ofendesse.

— É *ela* — grunhiu.

Annabeth olhou para o fantasma, estreitando os olhos, mas a figura cintilava tanto que não dava para distinguir os detalhes. Então ela flutuou, atravessando o quebra-mar, e parou diante das garotas. Seu brilho enfraqueceu.

Annabeth ficou de boca aberta. A mulher tinha uma beleza de tirar o fôlego e era estranhamente familiar. Era difícil descrever seu rosto; as feições pareciam mudar das de uma glamorosa estrela de cinema para outra. Os olhos brilhavam alegremente — às vezes verde, azul ou âmbar. Os cabelos passavam de louro, liso e comprido a cacheado e castanho-avermelhado.

Annabeth sentiu inveja no mesmo instante. Sempre quis ter cabelos escuros. Tinha a sensação de que ninguém a levava a sério porque era loura. Precisava se esforçar duas vezes mais para ter reconhecimento como estrategista, arquiteta, conselheira sênior — qualquer coisa relacionada ao intelecto.

A mulher estava vestida como uma beldade sulista, exatamente como Jason descrevera. O vestido tinha um corpete decotado de seda cor-de-rosa e uma saia de três camadas com renda branca e anáguas. Ela usava luvas longas de seda branca e segurava junto ao peito um leque de penas cor-de-rosa e brancas.

Tudo nela parecia calculado para fazer Annabeth sentir-se inferior: a graça natural com que o vestido lhe caía, a maquiagem discreta e perfeita, a maneira como irradiava um charme feminino a que nenhum homem poderia resistir.

Annabeth percebeu que sua inveja era irracional. A mulher estava fazendo com que ela se sentisse assim *de propósito*. Ela já tivera uma experiência assim antes. Annabeth reconheceu a mulher, embora seu rosto mudasse a cada segundo, tornando-se cada vez mais lindo.

— Afrodite — falou ela.

— Vênus? — perguntou Hazel, perplexa.

— Mãe — disse Piper sem nenhum entusiasmo.

— Meninas!

A deusa abriu os braços como se quisesse dar um abraço nas três. As semideusas não aquiesceram. Hazel recuou até bater em uma palmeira.

— Que bom que vocês vieram — disse Afrodite. — A guerra está se aproximando. O derramamento de sangue é inevitável. Portanto, só resta uma coisa a fazer.

— Hã... e isso seria? — arriscou Annabeth.

— Ora, tomar um chá e bater um papo, obviamente. Venham comigo!

Afrodite sabia como oferecer um chá.

Ela levou as meninas até o pavilhão central nos jardins: um gazebo de colunas brancas, onde havia uma mesa posta com talheres de prata, xícaras de porcelana e, naturalmente, uma chaleira fumegante, cujo aroma mudava com a mesma frequência que a aparência da deusa — canela, jasmim ou hortelã. Havia travessas de biscoitos, bolos e muffins, manteiga fresca e geleia — tudo, Annabeth calculou, incrivelmente calórico; a menos, é claro, que você fosse a deusa imortal do amor.

Afrodite sentou-se — ou melhor, as recebeu — em uma cadeira rainha de vime com espaldar alto. Ela serviu chá e bolos sem deixar cair uma só migalha na roupa, com a postura sempre perfeita e o sorriso deslumbrante.

Quanto mais ficavam ali sentadas, mais Annabeth a odiava.

— Ah, minhas doces meninas — falou a deusa. — Amo Charleston! Os casamentos a que assisti neste gazebo... me trazem lágrimas aos olhos. E os bailes elegantes nos tempos do Antigo Sul. Ah, eram uma graça. Muitas dessas mansões ainda têm estátuas minhas nos jardins, embora aqui me chamem de Vênus.

— Quem é você? — perguntou Annabeth. — Vênus ou Afrodite?

A deusa bebericou o chá. Seus olhos cintilavam cheios de malícia.

— Annabeth Chase, você se tornou uma moça muito bonita, mas devia fazer alguma coisa com seu cabelo. E, Hazel Levesque, essas roupas...

— Minhas roupas?

Hazel baixou os olhos para o jeans amarrotado, não constrangida, mas perplexa, como se não conseguisse imaginar o que havia de errado com ele.

— Mãe! — repreendeu Piper. — Você está me envergonhando.

— Ora, não vejo por quê — disse a deusa. — Só porque *você* não dá importância a minhas dicas de moda, Piper, não significa que as outras não vão gostar. Eu poderia fazer uma rápida transformação em Annabeth e Hazel, quem sabe usamos vestidos de baile como o meu...

— Mãe!

— Está bem. — Afrodite suspirou. — Respondendo à sua pergunta, Annabeth, eu sou *ambas*: Afrodite e Vênus. Ao contrário de muitos dos meus colegas olimpianos, mudei muito pouco de uma era para a outra. Na verdade, gosto de pensar que o tempo não passou nadinha para mim! — Seus dedos tocaram o próprio rosto com orgulho. — Afinal, o amor é o amor, seja você grego ou romano. Essa guerra civil não vai me afetar tanto quanto aos outros.

Que maravilha, pensou Annabeth. A sua mãe, a olimpiana mais equilibrada, estava transformada em uma maluca delirante e vingativa em uma estação do metrô. E, de todos os deuses que poderiam ajudá-los, os únicos não afetados pela divisão greco-romana pareciam ser Afrodite, Nêmesis e Dioniso. Amor, vingança, vinho. Muito útil.

Hazel mordiscou um biscoito coberto de açúcar.

— Ainda não estamos em guerra, minha senhora.

— Ah, querida Hazel. — Afrodite fechou o leque. — Tanto otimismo... No entanto você tem dias angustiantes à frente. *É claro* que a guerra se aproxima. Amor e guerra sempre caminham juntos. São os pontos altos da emoção humana! O mal e o bem, a beleza e a feiura.

Ela sorriu para Annabeth, como se soubesse que a garota estivera pensando sobre o Antigo Sul.

Hazel deixou de lado o biscoito doce. Havia algumas migalhas em seu queixo, e Annabeth gostava do fato de Hazel não perceber ou não se importar com isso.

— O que você quer dizer — perguntou Hazel — com "dias angustiantes"?

A deusa riu, como se Hazel fosse um cachorrinho fofo.

— Bem, Annabeth pode lhe dar algumas pistas. Uma vez prometi a ela que ia tornar a vida amorosa dela interessante. E não foi o que fiz?

Annabeth quase quebrou a alça da xícara. Durante anos, tivera o coração partido. Primeiro, Luke Castellan, sua primeira paixão, que a via apenas como uma irmã; então ele passara para o lado do mal e decidira que gostava dela — pouco antes de morrer. Em seguida veio Percy, que era irritante, porém doce, mas que parecera estar interessado em uma garota chamada Rachel durante uma época, e ele também quase morrera várias vezes. Por fim, Annabeth conseguira ficar com Percy, só para vê-lo desaparecer por seis meses depois de perder a memória.

— Interessante é um eufemismo — observou Annabeth.

— Bem, não posso levar o crédito por *todos* os seus problemas — disse a deusa. — Mas, sim, adoro reviravoltas em uma história de amor. Ah, todas vocês são excelentes histórias... quer dizer, garotas. Vocês me enchem de orgulho!

— Mãe — cortou Piper —, existe alguma razão para você estar aqui?

— Hein? Ah, você quer dizer além do chá? Eu sempre venho aqui. Adoro a vista, a comida, a atmosfera... simplesmente dá para sentir o cheiro de romance e corações partidos no ar, não é? Séculos disso.

Ela apontou para uma mansão próxima.

— Estão vendo aquela sacada na cobertura? Fizemos uma festa ali na noite em que a Guerra de Secessão começou. A batalha de Forte Sumter.

— É isso — lembrou Annabeth. — A ilha no porto. Foi onde aconteceu a primeira batalha da Guerra de Secessão. Os confederados bombardearam as tropas da União e tomaram o forte.

— Ah, que festa! — falou Afrodite. — Um quarteto de cordas, e todos os homens em seus elegantes uniformes de oficiais novos em folha. Os vestidos... vocês deviam ter visto! Dancei com Ares... ou era Marte? Acho que eu estava um pouco tonta. E as lindas explosões de luz do outro lado do porto, o rugido dos canhões dando aos homens uma desculpa para abraçar as namoradas assustadas!

O chá de Annabeth estava frio. Ela não comera nada, mas tinha a sensação de que ia vomitar.

— Você está falando do começo da guerra mais sangrenta da história dos Estados Unidos. Mais de seiscentas mil pessoas morreram... mais americanos que na Primeira e na Segunda Guerras Mundiais juntas.

— E as bebidas! — continuou Afrodite. — Ah, eram divinas. O general Beauregard em pessoa compareceu. Ele era um canalha. Estava no segundo casamento, mas vocês deviam ter visto a maneira como olhava para Lisbeth Cooper...

— Mãe! — gritou Piper, atirando seu bolo para os pombos.

— Sim, desculpe — disse a deusa. — Para resumir, estou aqui para ajudá-las, garotas. Duvido que venham a encontrar Hera com frequência. Sua pequena missão não a tornou muito bem-vinda na sala do trono. E os outros deuses estão bastante indispostos, como vocês sabem, divididos entre seus lados romano e grego. Alguns mais do que outros. — Afrodite olhou para Annabeth. — Suponho que você tenha contado a seus amigos sobre a briga com sua mãe...

Annabeth sentiu o rosto esquentar. Hazel e Piper olharam para ela, curiosas.

— Briga? — perguntou Hazel.

— Uma discussão — disse Annabeth. — Não foi nada.

— Nada! — exclamou a deusa. — Bem, não sei, não. Atena era a mais grega de todas as deusas. Era a padroeira de Atenas, afinal. Quando os romanos tomaram o poder... ah, não foram muito hábeis ao adotar Atena. Ela se tornou Minerva, a deusa das artes e da sabedoria. Mas os romanos tinham *outros* deuses da guerra que eram mais do seu gosto, mais confiáveis para Roma, como Belona...

— A mãe de Reyna — murmurou Piper.

— Sim, de fato — concordou a deusa. — Tive uma conversa agradável com Reyna faz algum tempo, bem aqui no parque. E os romanos tinham Marte, é claro. E mais tarde, surgiu Mitra... que nem mesmo era propriamente grego ou romano, mas ainda assim os legionários ficaram loucos pelo seu culto. Pessoalmente sempre o achei grosseiro e terrivelmente *nouveau dieu*. De qualquer forma, os romanos quase esqueceram a pobre Atena. Tiraram quase toda sua importância militar. Os gregos nunca perdoaram os romanos por esse insulto. Assim como Atena.

Os ouvidos de Annabeth zumbiam.

— A Marca de Atena... — disse ela. — Leva a uma estátua, não é? Leva até... até *a* estátua.

Afrodite sorriu.

— Você é inteligente, como sua mãe. Compreenda, porém, que seus irmãos, os filhos de Atena, estão à procura dela há séculos. Ninguém conseguiu recuperar a estátua. Nesse ínterim, eles vêm mantendo viva a rixa entre gregos e romanos. Todas as guerras civis, tanto sangue derramado e corações partidos, foram orquestradas em grande parte pelos filhos de Atena.

— Isso é...

Annabeth queria dizer *impossível*, mas lembrou-se das palavras amargas de Atena na Grand Central Station, do ódio ardendo em seus olhos.

— Romântico? — sugeriu Afrodite. — Sim, acho que é.

— Mas... — Annabeth tentou se livrar da névoa que embotava seu cérebro. — A Marca de Atena; como funciona? Trata-se de uma série de pistas ou um rastro deixado por Atena...

— Hum. — Afrodite parecia entediada. — Não sei dizer. Não creio que Atena tenha criado a Marca conscientemente. Se soubesse onde se encontra sua estátua, ela simplesmente lhes diria onde encontrá-la. Não... Acho que a Marca é mais como uma trilha de migalhas espirituais. É uma conexão entre a estátua e os filhos da deusa. A estátua *quer* ser encontrada, veja bem, mas só pode ser libertada por aquele que for digno.

— E há milhares de anos ainda ninguém conseguiu — falou Annabeth.

— Espere aí — disse Piper. — De que *estátua* estamos falando?

A deusa riu.

— Ah, tenho certeza de que Annabeth pode esclarecer isso para vocês. De qualquer forma, a pista de que precisam está próxima: uma espécie de mapa, deixada pelos filhos de Atena em 1861... Uma lembrança que lhes indicará o caminho certo assim que chegarem a Roma. Mas, como você disse, Annabeth Chase, ninguém teve êxito em seguir a Marca de Atena até seu destino. Lá você enfrentará o seu pior medo... o medo de todos os filhos de Atena. E, mesmo que sobreviva, como usará sua recompensa? Para a guerra ou para a paz?

Annabeth ficou feliz pela toalha comprida, porque, debaixo da mesa, suas pernas tremiam.

— Esse mapa, onde está? — perguntou ela.

— Gente!

Hazel apontou para o céu. Sobrevoando a área em círculos, acima das palmeiras, havia duas grandes águias. Acima delas, descendo rapidamente, vinha uma carruagem voadora puxada por pégasos. Parecia que a distração de Leo com Buford, a mesa, não havia funcionado — pelo menos não por muito tempo.

Afrodite espalhou manteiga em um muffin, como se tivesse todo o tempo do mundo.

— Ah, o mapa está em Forte Sumter, é claro. — Ela apontou a faca cheia de manteiga na direção da ilha do outro lado do porto. — Parece que os romanos chegaram para impedi-los. Eu voltaria para o navio bem depressa se fosse vocês. Querem levar uns bolinhos para a viagem?

XIX

ANNABETH

Elas não conseguiram chegar ao navio.

Após atravessarem metade do cais, três águias gigantes desceram diante delas e cada uma colocou um soldado romano vestido de roxo e jeans, com armadura dourada reluzente, espada e escudo. As águias levantaram voo, e o romano do meio, que era mais esquelético que os outros, ergueu seu visor.

— Rendam-se a Roma! — gritou Octavian.

Hazel puxou sua espada de cavalaria e resmungou:

— Sem chance, Octavian.

Annabeth praguejou entre dentes. Ela não teria se preocupado se o áugure magricela estivesse sozinho, mas os outros dois sujeitos pareciam ser guerreiros experientes: muito maiores e mais fortes que Annabeth gostaria de enfrentar, principalmente porque Piper e ela estavam armadas apenas com punhais.

Piper ergueu as mãos em um gesto apaziguador.

— Octavian, o que aconteceu no acampamento foi uma armação. Podemos explicar.

— Não conseguimos ouvi-la! — gritou Octavian. — Cera nos ouvidos... procedimento padrão em batalhas contra sereias do mal. Agora larguem as armas e virem-se lentamente para que eu amarre suas mãos.

— Me deixem espetá-lo — murmurou Hazel. — Por favor.

O navio estava a apenas quinze metros delas, mas Annabeth não via nenhum sinal do treinador Hedge no convés. Devia estar embaixo, assistindo a seus programas estúpidos de artes marciais. O grupo de Jason só chegaria ao pôr do sol, e Percy devia estar debaixo d'água, alheio à invasão. Se Annabeth conseguisse subir a bordo, poderia usar uma das balistas; mas era impossível desviar daqueles três romanos.

O tempo dela estava se esgotando. As águias circulavam no alto, gritando, como se avisassem aos irmãos: *Ei, saborosos semideuses gregos aqui!* Annabeth não via mais a carruagem voadora, mas presumiu que estivesse por perto. Ela precisava bolar alguma ideia antes que mais romanos chegassem.

Precisava de ajuda... algum tipo de pedido de socorro para o treinador Hedge ou, ainda melhor, para Percy.

— Então? — perguntou Octavian.

Seus dois amigos brandiram as espadas. Muito lentamente, usando apenas dois dedos, Annabeth sacou sua faca. Em vez de deixá-la cair no chão, ela a atirou o mais longe possível na água.

Octavian emitiu um guincho.

— O que você fez? Eu não mandei *jogar*! Aquilo podia ser uma prova. Ou despojos de guerra!

Annabeth deu um sorriso do tipo loura burra, como se dissesse: *Ah, como eu sou idiota*. Quem a conhecia não teria se deixado enganar. Mas Octavian pareceu acreditar nela. Ele bufou, exasperado.

— As outras duas... — Ele apontou a lâmina para Hazel e Piper. — Ponham suas armas no chão. Nada de graci...

Ao redor dos romanos, o Porto de Charleston explodiu como um chafariz de Las Vegas em um espetáculo. Quando a parede de água do mar cedeu, os três romanos estavam nas águas da baía, cuspindo e tentando freneticamente não afundar com a armadura. Percy estava no cais, segurando a faca de Annabeth.

— Você deixou isto cair — disse ele, totalmente sem expressão.

Annabeth o abraçou.

— Eu amo você!

— Gente — interrompeu-os Hazel, com um sorrisinho no rosto. — Precisamos nos apressar.

— Me tirem daqui! Vou matar vocês! — gritou Octavian lá embaixo, na água.

— Que oferta tentadora — gritou Percy para ele.

— O quê? — berrou Octavian de volta.

Ele se segurava em um dos guardas, que tinha dificuldade em manter os dois na superfície.

— Nada! — respondeu Percy. — Vamos, pessoal!

Hazel franziu a testa.

— Não podemos deixá-los se afogarem, podemos?

— Eles não vão se afogar — prometeu Percy. — Fiz a água circular aos pés deles. Assim que estivermos fora de alcance, vou cuspi-los para a margem.

Piper sorriu.

— Legal.

Eles subiram a bordo do *Argo II*, e Annabeth correu para o leme.

— Piper, desça. Use a pia da cozinha para mandar uma mensagem de Íris. Avise Jason para voltar!

Piper assentiu e saiu correndo.

— Hazel, procure o treinador Hedge e diga a ele que venha com aquele traseiro peludo para o convés!

— Certo!

— E Percy... você e eu temos que levar este navio para o Forte Sumter.

Percy fez que sim com a cabeça e correu para o mastro. Annabeth assumiu o leme. Suas mãos voavam pelos controles. Só lhe restava torcer para que soubesse operá-los.

Annabeth já vira Percy controlar veleiros de tamanho real apenas com a força do pensamento. Dessa vez, ele não decepcionou. Cordas voavam por conta própria: soltaram as amarras do cais, içaram a âncora. As velas se desfraldaram e enfunaram. Enquanto isso, Annabeth ligou o motor. Os remos se estenderam com um ruído semelhante ao de uma metralhadora, e o *Argo II* virou e afastou-se do cais, seguindo para a ilha ao longe.

As três águias ainda circulavam no alto, mas não tentaram pousar no navio, provavelmente porque Festus, a figura de proa, cuspia fogo todas as vezes que elas se aproximavam. Mais águias voavam em formação na direção do Forte Sumter

— pelo menos uma dúzia delas. Se cada uma carregava um semideus romano... havia muitos inimigos.

O treinador Hedge subiu ruidosamente os degraus, com Hazel em seus cascos.

— Cadê eles? Quem eu mato?

— Nada de mortes! — ordenou Annabeth. — Apenas defenda o navio!

— Mas eles interromperam um filme do Chuck Norris!

Piper surgiu no convés.

— Enviei uma mensagem a Jason. A ligação estava meio nebulosa, mas ele já está a caminho. Ele deve estar... ah! Lá!

Voando sobre a cidade, seguindo em direção a eles, via-se uma águia-de-cabeça-branca gigante, diferente das aves romanas.

— Frank! — disse Hazel.

Leo estava agarrado ao pé da águia, e, mesmo do navio, Annabeth o ouviu gritando e xingando.

Atrás deles Jason vinha voando, cavalgando o vento.

— Eu nunca tinha visto Jason voar. Parece um Super-homem louro — resmungou Percy.

— Não é hora disso! — repreendeu-o Piper. — Olhe, eles estão em apuros!

De fato, a carruagem voadora romana havia descido de uma nuvem e mergulhava na direção deles. Jason e Frank desviaram, ganhando altura para evitar serem pisoteados pelos pégasos. Os romanos na carruagem dispararam flechas, que assoviaram sob os pés de Leo, o que levou a mais gritos e xingamentos. Jason e Frank foram forçados a passar direto pelo *Argo II* e voar na direção do Forte Sumter.

— Eu vou pegá-los! — berrou o treinador Hedge.

Ele então girou a balista de bombordo. Antes que Annabeth pudesse gritar "Não seja estúpido!", Hedge disparou. Uma lança em chamas voou na direção da carruagem e explodiu acima da cabeça dos pégasos, deixando-os em pânico. Infelizmente também chamuscou as asas de Frank e o fez despencar em uma espiral descontrolada. Leo escorregou. A carruagem disparou rumo ao Forte Sumter, colidindo com Jason.

Annabeth viu horrorizada quando Jason — obviamente tonto e com dor — lançou-se na direção de Leo e o agarrou, lutando em seguida para subir. Mas só conseguiu desacelerar a queda, e os dois desapareceram atrás das muralhas do forte. Frank despencou atrás deles. Então a carruagem caiu lá dentro com um *CREC!* de quebrar os ossos. Uma roda partida girou no ar.

— Treinador! — gritou Piper.

— O que é? Foi só um disparo de aviso!

Annabeth acelerou os motores. O casco estremeceu quando eles ganharam velocidade. O píer da ilha estava a apenas cem metros de distância, porém mais uma dúzia de águias planava acima de suas cabeças, cada uma carregando um semideus romano nas garras.

A tripulação do *Argo II* estaria em desvantagem de pelo menos três para um.

— Percy — disse Annabeth —, vamos atracar com violência. Preciso que você controle a água para que a gente não colida com o cais. Quando estivermos lá, você vai ter que segurar os inimigos. Pessoal, vamos ajudá-lo a proteger o navio.

— Mas... e Jason? — disse Piper.

— Frank e Leo! — acrescentou Hazel.

— Vou encontrá-los — prometeu Annabeth. — Preciso descobrir onde o mapa está. E sei que só eu posso fazer isso.

— O forte está apinhado de romanos — advertiu Percy. — Você vai ter que lutar contra eles para entrar, encontrar nossos amigos, supondo que eles estejam bem, achar o tal mapa e trazer todos de volta vivos. Tudo isso sozinha?

— É só um dia como todos os outros. — Annabeth o beijou. — O que quer que aconteça, não permita que eles tomem este navio!

XX

ANNABETH

A NOVA GUERRA CIVIL HAVIA começado.

De alguma forma, Leo escapara da queda sem ferimentos. Annabeth o viu correndo abaixado de um pórtico ao outro, lançando fogo nas águias gigantes que o atacavam. Os semideuses romanos que tentavam alcançá-lo tropeçaram em balas de canhão empilhadas e desviavam dos turistas, que gritavam e corriam em círculos.

Guias turísticos berravam: "É só uma encenação!", embora não parecessem muito seguros disso. Era o máximo que a Névoa podia fazer para mudar o que os mortais viam.

No meio do pátio, um elefante adulto — seria Frank? — corria com violência em torno dos mastros das bandeiras, dispersando guerreiros romanos. Jason, a uns cinquenta metros dali, enfrentava com a espada um centurião corpulento, cujos lábios estavam manchados de vermelho-cereja, parecendo sangue. Um aspirante a vampiro ou quem sabe um fanático por refresco?

Enquanto Annabeth olhava, Jason gritou:

— Desculpe por isso, Dakota!

Ele saltou sobre a cabeça do centurião, como um acrobata, e bateu o punho de seu gládio na parte de trás da cabeça do romano. Dakota desabou.

— Jason! — chamou Annabeth.

Ele correu os olhos pelo campo de batalha até encontrá-la.

Ela apontou para o *Argo II*, que estava ancorado.

— Faça os outros embarcarem! Batam em retirada!

— E você?

— Não esperem por mim!

Annabeth saiu correndo antes que ele pudesse protestar.

Ela teve dificuldade em se deslocar em meio à multidão de turistas. Por que tantas pessoas queriam ver o Forte Sumter em um dia escaldante de verão? Mas Annabeth logo percebeu que a multidão havia salvado a vida deles. Sem o caos criado por todos aqueles mortais em pânico, os romanos já teriam cercado sua tripulação em desvantagem numérica.

Annabeth enfiou-se em uma salinha que devia ter sido parte da guarnição. Ela tentou respirar normalmente. Imaginou como seria a vida de um soldado da União em 1861 naquela ilha. Cercado por inimigos. Os alimentos e suprimentos acabando, sem a expectativa da chegada de reforços.

Alguns dos defensores da União eram filhos de Atena. Eles haviam escondido um importante mapa ali — algo que não queriam que caísse em mãos inimigas. Se Annabeth fosse um desses semideuses, onde o teria colocado?

De repente, as paredes brilharam. O ar tornou-se quente. Annabeth se perguntou se estaria tendo uma alucinação. Estava prestes a correr para a saída quando a porta se fechou bruscamente. Bolhas surgiram na argamassa entre as pedras e estouraram, liberando milhares de minúsculas aranhas negras que avançaram em ondas.

Annabeth não conseguiu se mexer. Seu coração parecia ter parado. As aranhas cobriam as paredes, subindo umas nas outras, espalhando-se pelo chão e cercando-a aos poucos. Era impossível. Não podia ser *real*.

O terror mergulhou em suas lembranças. Tinha sete anos outra vez, sozinha em seu quarto em Richmond, na Virgínia. As aranhas vieram à noite. Rastejaram em ondas, a partir do armário, e esperaram nas sombras. Ela gritou, chamando o pai, mas ele estava fora, trabalhando. Parecia que ele *sempre* estava fora, trabalhando.

Em vez dele, veio a madrasta.

Não me importo de bancar a malvada, dissera ela uma vez ao pai de Annabeth quando achava que Annabeth não estava ouvindo.

É só sua imaginação, disse a madrasta sobre os aracnídeos. *Você está assustando seus irmãozinhos.*

Eles não são meus irmãos, argumentou Annabeth, o que fez a expressão da madrasta endurecer. Seus olhos eram quase tão assustadores quanto as aranhas.

Agora durma, insistiu a madrasta. *Chega de gritos.*

As aranhas apareceram assim que a madrasta saiu do quarto. Annabeth tentou se esconder debaixo das cobertas, mas foi inútil. Por fim, adormeceu de pura exaustão. Acordou de manhã, cheia de picadas e teias de aranha cobrindo-lhe os olhos, a boca e o nariz.

As picadas desapareceram antes mesmo que ela se vestisse, portanto Annabeth não tinha nada para mostrar à madrasta exceto teias de aranha, que a madrasta achou que fossem algum tipo de truque inteligente.

Não quero mais ouvir falar de aranhas, falou a madrasta com firmeza. *Você já é uma menina crescida.*

Na segunda noite, as aranhas voltaram. A madrasta continuou a bancar a malvada. Annabeth não tinha permissão de ligar para o pai e aborrecê-lo com aquela bobagem. Não, ele *não* chegaria em casa mais cedo.

Na terceira noite, Annabeth fugiu de casa.

Mais tarde, já no Acampamento Meio-Sangue, ela soube que todos os filhos de Atena tinham medo de aranhas. Havia muito tempo, Atena ensinara à tecelã Aracne, que era mortal, uma dura lição: ela a amaldiçoara por seu orgulho, transformando-a na primeira aranha na face da Terra. Desde então, as aranhas odiavam os filhos de Atena.

Mas saber disso não tornava mais fácil enfrentar seu medo. Uma vez ela quase matara Connor Stoll no acampamento por ter colocado uma tarântula em seu beliche. Anos depois, tivera um ataque de pânico em um parque aquático em Denver, quando ela e Percy foram atacados por aranhas mecânicas. E nas últimas semanas Annabeth havia sonhado com aranhas quase todas as noites — arrastando-se por cima dela, sufocando-a, envolvendo-a em teias.

Ali, de pé no Forte Sumter, ela estava cercada. Seus pesadelos tinham se tornado realidade.

Uma voz lenta murmurou em sua cabeça: *Em breve, minha querida. Em breve você encontrará a tecelã.*

— Gaia? — murmurou Annabeth. Ela temia a resposta, mas perguntou: — Quem... quem é a tecelã?

As aranhas ficaram agitadas, enxameando pelas paredes, girando em torno dos pés de Annabeth como um redemoinho negro reluzente. Somente a esperança de que aquilo fosse uma ilusão impediu que Annabeth desmaiasse de medo.

Espero que você sobreviva, criança, disse a voz feminina. *Eu preferiria que você fosse oferecida a mim em sacrifício. Mas precisamos deixar a tecelã ter sua vingança...*

A voz de Gaia desapareceu. Na parede oposta, no centro do enxame de aranhas, um símbolo vermelho luziu ganhando vida: a figura de uma coruja igual à que havia na dracma de prata encarava Annabeth. Então, assim como em seus pesadelos, a Marca de Atena queimou nas paredes, incinerando as aranhas até que a sala ficasse vazia, exceto pelo cheiro doce e enjoativo das cinzas.

Vá, disse outra voz — a da mãe de Annabeth. *Vingue-me. Siga a Marca.*

A imagem da coruja em chamas desapareceu. A porta da guarnição abriu-se de supetão. Annabeth continuou parada, estupefata, no meio da sala, sem saber se aquilo fora real ou se havia sido apenas uma visão.

Uma explosão sacudiu o edifício. Annabeth lembrou que seus amigos estavam em perigo. Ela passara tempo demais naquela sala.

Então forçou-se a se mexer. Ainda trêmula, saiu dali aos tropeços. O ar do oceano ajudou a clarear sua mente. Ela olhou para o outro lado do pátio — através dos turistas em pânico e do combate dos semideuses —, para a borda das ameias, onde um grande morteiro apontava para o mar.

Annabeth podia estar imaginando, mas a velha peça de artilharia parecia emitir um brilho vermelho. Ela correu até o morteiro. Uma águia mergulhou na direção dela, mas Annabeth abaixou-se e continuou correndo. Nada poderia assustá-la tanto quanto aquelas aranhas.

Os semideuses romanos estavam formados em fila e avançavam na direção do *Argo II*, mas uma minitempestade havia se acumulado acima deles. Embora o dia estivesse claro à volta, trovões ecoavam e relâmpagos cruzavam o céu acima dos romanos. A chuva e o vento os mantinham afastados.

Annabeth não parou para pensar a respeito.

Ela alcançou o morteiro e pôs a mão na abertura do tubo. Na tampa que a bloqueava, a Marca de Atena começou a luzir: o contorno vermelho de uma coruja.

— No morteiro — disse ela. — É claro.

Ela forçou a tampa com os dedos. Sem sorte. Praguejando, sacou a faca. A tampa encolheu e se afrouxou assim que o bronze celestial a tocou. Annabeth a puxou e enfiou a mão dentro do canhão.

Seus dedos tocaram algo frio, liso e metálico. Ela tirou dali um disco de bronze pequeno, do tamanho de um pires de chá, no qual havia delicadas letras e ilustrações gravadas. Annabeth resolveu examiná-lo mais tarde. Enfiou-o na mochila e virou-se.

— Está com pressa? — perguntou Reyna.

A pretora estava a três metros dela, vestindo armadura de batalha completa, armada com uma lança de ouro. Seus dois galgos de metal rosnavam ao lado.

Annabeth esquadrinhou a área. Estavam mais ou menos sozinhas. A maior parte do combate havia se deslocado na direção do cais. Com sorte, àquela altura todos os amigos já teriam embarcado, mas eles tinham que zarpar imediatamente, senão corriam o risco de serem derrotados. Annabeth precisava se apressar.

— Reyna — disse ela —, o que aconteceu no Acampamento Júpiter foi culpa de Gaia. Eidolons, espíritos que tomam posse...

— Poupe suas explicações — interrompeu Reyna. — Vai precisar delas no julgamento.

Os cães rosnaram e avançaram lentamente. Dessa vez, não parecia importar se Annabeth estava dizendo a verdade ou não. Ela tentou pensar em um plano de fuga. Achava difícil derrotar Reyna em um confronto direto. Não tinha absolutamente nenhuma chance contra aqueles cães de metal.

— Se deixar que Gaia separe nossos acampamentos — disse Annabeth —, os gigantes já terão vencido. Eles vão destruir os romanos, os gregos, os deuses, todo o mundo mortal.

— Acha que não sei disso? — A voz de Reyna era dura como ferro. — Que opções vocês me deixaram? Octavian fareja sangue. Ele lançou a legião em um frenesi, e não posso detê-los. Entregue-se a mim. Vou levá-la de volta a Nova Roma para ser julgada. Não vai ser um julgamento justo. Você será executada de forma dolorosa. Mas *talvez* seja o suficiente para evitar mais violência.

Octavian não vai ficar satisfeito, é claro, mas acho que consigo convencer os outros a recuar.

— Não fui eu!

— Não *importa*! — retrucou Reyna. — Alguém deve pagar pelo que aconteceu. Que seja você. É a melhor opção.

A pele de Annabeth arrepiou-se.

— Melhor do que o quê?

— Use sua sabedoria — falou Reyna. — Se escaparem hoje, nós não os seguiremos. Eu lhe disse: nem um louco cruzaria o mar a caminho das terras antigas. Se Octavian não puder se vingar em seu navio, ele se voltará para o Acampamento Meio-Sangue. A legião marchará sobre o seu território. Nós o arrasaremos e salgaremos a terra.

Mate os romanos, ela ouviu a mãe exortando-a. *Eles nunca poderão ser seus aliados.*

Annabeth queria chorar. O Acampamento Meio-Sangue era o único lar de verdade que conhecera, e, em uma demonstração de amizade, ela contara sua localização exata para Reyna. Não podia ir para o outro lado do mundo e deixá-lo à mercê dos romanos.

Mas a missão deles e tudo o que ela havia sofrido para ter Percy de volta... se ela não fosse para as terras antigas, tudo teria sido em vão. Além disso, a Marca de Atena não precisava levar à vingança.

Se eu pudesse encontrar a rota... o caminho de casa, dissera sua mãe. *Como usará sua recompensa?*, perguntara Afrodite. *Para a guerra ou para a paz?*

Havia, *sim*, uma resposta. A Marca de Atena podia levá-la até lá — se ela sobrevivesse.

— Eu vou — disse ela a Reyna. — Vou seguir a Marca de Atena até Roma.

A pretora balançou a cabeça.

— Você não tem ideia do que a espera.

— Sim, tenho — replicou Annabeth. — Esse rancor entre nossos acampamentos... Posso consertar isso.

— Esse rancor tem milhares de anos. Como uma única pessoa pode consertar isso?

Annabeth queria ter uma resposta convincente para dar, mostrar a Reyna um diagrama em 3-D ou um esquema brilhante, mas não tinha. Ela só sabia que precisava tentar. Lembrou-se daquele olhar perdido no rosto da mãe: *Preciso voltar para casa.*

— A missão precisa ser bem-sucedida — disse ela. — Você pode tentar me deter, e nesse caso teremos que lutar até a morte. Ou pode me deixar ir, e tentarei salvar os dois acampamentos. Se você tiver que marchar para o Acampamento Meio-Sangue, pelo menos tente retardar o ataque. Atrase Octavian.

Os olhos de Reyna se estreitaram.

— Da filha de uma deusa da guerra para outra: respeito sua audácia. Mas, se partir agora, está condenando seu acampamento à destruição.

— Não subestime o Acampamento Meio-Sangue — advertiu Annabeth.

— Você nunca viu a legião combatendo — rebateu Reyna.

Mais adiante, no cais, uma voz familiar berrou acima do vento:

— Matem-nos! Matem todos eles!

Octavian sobrevivera ao mergulho no porto. Estava agachado atrás dos guardas, gritando incentivos para os outros semideuses romanos, que seguiam na direção do navio, segurando os escudos como se isso pudesse desviar a tempestade que rugia ao redor deles.

No convés do *Argo II*, Percy e Jason estavam lado a lado, as espadas cruzadas. Annabeth sentiu um arrepio na espinha quando se deu conta de que os garotos trabalhavam como se fossem um, evocando o céu e o mar para cumprir sua função. A água e o vento agitavam-se juntos. As ondas erguiam-se contra as ameias e os raios lampejavam. Águias gigantes eram derrubadas do céu. As ruínas da carruagem voadora queimavam na água, e o treinador Hedge girava uma besta e atirava nas aves romanas que voavam acima deles.

— Está vendo? — falou Reyna com amargura. — A lança foi disparada. Nosso povo está em guerra.

— Não se eu tiver sucesso — disse Annabeth.

A expressão de Reyna era a mesma de quando se deu conta, no Acampamento Júpiter, de que Jason havia encontrado outra garota. A pretora era solitária, amarga e traída demais para acreditar que qualquer coisa pudesse dar certo para ela outra vez. Annabeth esperou o ataque.

Em vez disso, Reyna agitou a mão. Os cães de metal recuaram.

— Annabeth Chase, quando nos encontrarmos de novo, seremos inimigas no campo de batalha.

A pretora fez meia-volta e transpôs as muralhas, seguida pelos galgos.

Annabeth temeu que fosse algum tipo de truque, mas, como não tinha tempo para pensar, correu para o navio.

Os ventos que castigavam os romanos pareciam não afetá-la.

Annabeth passou correndo por eles.

— Detenham-na! — gritou Octavian.

Uma lança passou voando rente à sua orelha. O *Argo II* já se afastava do cais. Piper estava na prancha de embarque com a mão estendida.

Annabeth saltou e agarrou a mão da amiga. A tábua caiu no mar e as duas garotas tombaram no convés.

— Vamos! — gritou Annabeth. — Vamos, vamos, vamos!

Os motores roncavam abaixo dela. Os remos se agitavam. Jason alterou o curso do vento, e Percy invocou uma onda gigantesca, que ergueu o navio acima dos muros do forte e o conduziu para o mar aberto. Quando o *Argo II* alcançou velocidade máxima, o Forte Sumter era apenas um borrão ao longe, e eles corriam sobre as ondas na direção das terras antigas.

XXI

LEO

Depois de uma incursão por um museu cheio de fantasmas confederados, Leo achava que seu dia não podia piorar. Estava enganado.

Eles não haviam encontrado nada no submarino da Guerra de Secessão nem em nenhuma outra parte do museu: apenas alguns turistas idosos, um segurança cochilando e, quando tentaram inspecionar os artefatos, um batalhão inteiro de zumbis fosforescentes em uniformes cinza.

O plano de que Frank conseguiria controlar os espíritos? Bem... isso falhou por completo. Quando Piper enviou a mensagem de Íris avisando-os do ataque dos romanos, eles já estavam na metade do caminho de volta para o navio, depois de serem perseguidos pelo centro de Charleston por um monte de confederados mortos e furiosos.

Então — ai, deuses! — Leo teve que pegar uma carona com Frank, a Águia Amiga, para que fossem lutar contra um bando de romanos. A história de que fora Leo quem disparara contra sua pequena cidade devia ter se espalhado, pois aqueles romanos pareciam especialmente ansiosos para matá-lo.

Mas espere! Isso não era tudo! O treinador Hedge os derrubou do céu com um tiro, Frank o deixou cair (isso não foi acidente) e eles despencaram no Forte Sumter.

E agora, enquanto o *Argo II* disparava através das ondas, Leo tinha que usar toda a sua habilidade para manter o navio inteiro. Percy e Jason eram um pouquinho eficientes *demais* em criar tempestades.

A certa altura, Annabeth parou ao lado dele, gritando em meio ao rugido do vento:

— Percy contou que conversou com uma nereida no Porto de Charleston!

— Bom para ele! — gritou Leo de volta.

— A nereida disse que deveríamos procurar a ajuda dos irmãos de Quíron.

— O que isso quer dizer? Os Pôneis de Festa?

Leo nunca estivera com os centauros malucos parentes de Quíron, mas ouvira falar das lutas de espadas de brinquedo, dos concursos de quem bebe mais *root beer* e das pistolas de água cheias de creme chantili pressurizado.

— Não tenho certeza — respondeu Annabeth. — Mas tenho as coordenadas. Você pode inserir dados como latitude e longitude nesta coisa?

— Posso inserir cartas estelares e pedir uma vitamina se você quiser. *É claro* que posso inserir a latitude e a longitude!

Annabeth recitou os números. Leo digitou enquanto segurava o leme com a outra mão. Um ponto vermelho surgiu na tela de bronze.

— Fica no meio do Atlântico. Os Pôneis de Festa têm um iate?

Annabeth deu de ombros, impotente.

— Apenas conserve o navio intacto até nos afastarmos mais de Charleston. Jason e Percy vão manter os ventos!

— Hora da diversão!

Pareceu uma eternidade, mas finalmente o mar se acalmou e os ventos pararam.

— Valdez — disse o treinador Hedge, com surpreendente gentileza —, eu assumo o leme. Você está conduzindo este navio há duas horas.

— Duas horas?

— Sim. Me dê o leme.

— Treinador?

— Sim, garoto?

— Não consigo abrir as mãos.

Era verdade. Os dedos de Leo pareciam ter se transformado em pedra. Seus olhos queimavam depois de tanto tempo olhando fixamente para o horizonte. Seus joelhos pareciam marshmallow. O treinador Hedge conseguiu soltá-lo do leme.

Leo deu uma última olhada no painel, ouvindo Festus tagarelar e zumbir um relatório atualizado. Ele tinha a sensação de que estava esquecendo alguma coisa. Olhou os controles, pensativo, mas não adiantou. Mal conseguia ficar de olhos abertos.

— Fique de olho em monstros — disse ele ao treinador. — E tenha cuidado com o estabilizador danificado. E...

— Está tudo sob controle — garantiu o treinador Hedge. — Agora vá!

Leo assentiu, cansado. Atravessou o convés cambaleando na direção de seus amigos.

Percy e Jason estavam sentados com as costas apoiadas no mastro, as cabeças caídas de exaustão. Annabeth e Piper tentavam fazê-los beber um pouco de água.

Hazel e Frank estavam mais afastados, fora do alcance dos ouvidos, no meio de uma discussão que incluía muitos movimentos de braços e de cabeça. Leo não devia ficar feliz com isso, mas parte dele ficou. A outra sentiu-se mal por ele ficar feliz.

A discussão parou abruptamente quando Hazel viu Leo. Todos se reuniram junto ao mastro.

Frank franziu o rosto como se estivesse fazendo força para se transformar em um buldogue.

— Nenhum sinal de que estamos sendo perseguidos — falou ele.

— Nem de terra — acrescentou Hazel.

Ela parecia um pouco verde, embora Leo não soubesse se era por causa do balanço do barco ou pela discussão.

Leo observou o horizonte. Nada além do oceano em todas as direções. Isso não deveria tê-lo surpreendido. Ele havia passado seis meses construindo um navio ciente de que cruzaria o Atlântico. Mas até aquele dia, a partida para uma jornada às terras antigas não parecia real. Leo nunca saíra dos Estados Unidos — exceto para uma luta rápida com um dragão em Quebec. Estavam então em mar aberto, completamente sozinhos, navegando para o Mare Nostrum, de onde tinham saído todos os monstros assustadores e gigantes abomináveis. Podiam não estar sendo seguidos pelos romanos, mas tampouco poderiam contar com a ajuda do Acampamento Meio-Sangue.

Leo apalpou a cintura para se certificar de que seu cinto ainda estava lá. Infelizmente isso só o fez lembrar-se do biscoito da sorte de Nêmesis, enfiado em um dos bolsos.

Você sempre será um forasteiro. As palavras da deusa ainda ecoavam em sua cabeça. *A sétima vela.*

Esqueça-a, disse Leo a si mesmo. Concentre-se no que você pode resolver.

— Você encontrou o mapa que queria? — perguntou ele a Annabeth.

Ela assentiu, embora estivesse pálida. Leo perguntou-se o que a deixara tão abalada no Forte Sumter.

— Vou ter que estudá-lo — afirmou ela, como se encerrasse o assunto. — A quanto tempo estamos das coordenadas?

— À velocidade máxima dos remos, em torno de uma hora. Alguma ideia do que estamos procurando?

— Não — admitiu ela. — Percy?

Percy ergueu a cabeça. Os olhos verdes estavam injetados de sangue e caídos.

— A nereida disse que os irmãos de Quíron estavam lá e que iriam querer ouvir sobre aquele aquário em Atlanta. Não sei o que ela quis dizer, mas... — Ele fez uma pausa, como se tivesse usado toda a sua energia para pronunciar aquelas palavras. — Ela também me avisou para ter cuidado. Ceto, a deusa no aquário: ela é a mãe dos monstros marinhos. Mesmo presa em Atlanta, ainda consegue mandar os filhos atrás de nós. A nereida disse que devíamos esperar um ataque.

— Maravilha — murmurou Frank.

Jason tentou se levantar, mas não foi uma boa ideia. Piper agarrou-o para impedir que caísse, e ele deslizou mastro abaixo.

— Podemos manter o navio no ar? — perguntou ele. — Se pudéssemos voar...

— Seria ótimo — respondeu Leo. — Só que Festus me avisou que o estabilizador aéreo de bombordo foi destruído quando o navio raspou no cais do Forte Sumter.

— Estávamos com pressa — disse Annabeth. — Tentando salvar vocês.

— E me salvar é uma causa muito nobre — concordou Leo. — Só estou dizendo que vai levar algum tempo para consertar. Até lá, não vamos voar a parte alguma.

Percy deu de ombros e fez uma careta.

— Por mim, tudo bem. O mar é bom.

— Fale por você. — Hazel olhou para o sol do fim de tarde, que já quase alcançava o horizonte. — Precisamos ir rápido. Perdemos mais um dia, e só restam mais três a Nico.

— Vamos conseguir — prometeu Leo. Esperava que Hazel o tivesse perdoado por não confiar no irmão dela (puxa, aquela suspeita parecera bastante razoável). Mas ele não queria reabrir a ferida. — Podemos chegar a Roma em três dias... supondo, você sabe, que nada inesperado aconteça.

Frank grunhiu. Parecia que ele ainda estava tentando se transformar em buldogue.

— Alguma notícia *boa*?

— Na realidade, sim — disse Leo. — Segundo Festus, nossa mesa voadora, Buford, voltou em segurança enquanto estávamos em Charleston, o que significa que aquelas águias não o pegaram. Infelizmente ele perdeu a bolsa da lavanderia com sua calça.

— Porcaria! — gritou Frank, e Leo imaginou que para Frank aquilo provavelmente era um grande palavrão.

Sem dúvida Frank teria xingado mais um pouco — com as expressões que *ele* considerava insultantes —, mas Percy o interrompeu, dobrando-se para a frente e gemendo:

— O mundo virou de cabeça para baixo?

Jason apertou a cabeça.

— Sim, e está girando. Está tudo amarelo. Era mesmo para ser amarelo?

Annabeth e Piper trocaram olhares preocupados.

— Invocar aquela tempestade minou mesmo a força de vocês — disse Piper. — Vocês precisam descansar.

Annabeth assentiu, concordando.

— Frank, você pode nos ajudar a levar os dois lá para baixo?

Frank olhou para Leo, sem dúvida relutante em deixá-lo sozinho com Hazel.

— Está tudo bem, cara — disse Leo. — Só tente não deixá-los cair na escada.

Assim que os outros desceram, Hazel e Leo se encararam, constrangidos. Estavam sozinhos, exceto pelo treinador Hedge, que fora de novo para o tombadilho superior cantando a música de abertura de Pokémon. O treinador havia mudado a letra para "Temos que matar", e Leo sinceramente não queria saber por quê.

A música pareceu não ajudar no enjoo de Hazel.

— Argh...

Ela inclinou-se para a frente e abraçou a barriga. Tinha cabelos bonitos... volumosos e de um castanho-dourado como cascas de canela, que lembravam a Leo um lugar em Houston que fazia churros deliciosos. A lembrança o deixou com fome.

— Não dobre o corpo para a frente — aconselhou ele. — Não feche os olhos. Isso piora o enjoo.

— É mesmo? Você também enjoa no mar?

— No mar, não. Mas os automóveis me deixam enjoado e...

Ele se detém. Queria dizer *conversar com garotas*, mas decidiu guardar isso para si mesmo.

— Automóveis? — Hazel empertigou-se com dificuldade. — Você pode conduzir um navio ou montar um dragão, mas carros o deixam enjoado?

— Eu sei. — Leo deu de ombros. — Sou muito especial. Então, mantenha os olhos no horizonte. Em um ponto fixo. Vai ajudar.

Hazel respirou fundo e olhou a distância. Seus olhos eram de um dourado que brilhava como os discos de cobre e bronze dentro da cabeça mecânica de Festus.

— Melhorou? — perguntou ele.

— Um pouco, talvez. — Ela soava como se só estivesse sendo educada. Mantinha os olhos no horizonte, mas Leo teve a sensação de que ela avaliava o humor dele, ponderando sobre o que dizer.

— Frank não o deixou cair de propósito — falou ela. — Ele não é assim. Ele é só um pouco desajeitado às vezes.

— *Ops!* — disse Leo em sua melhor imitação de Frank Zhang. — *Deixei Leo cair no meio de um esquadrão de soldados inimigos. Porcaria!*

Hazel tentou reprimir um sorriso, e Leo pensou que sorrir era melhor que vomitar.

— Pegue leve com ele — disse Hazel. — Você e suas esferas de fogo deixam Frank nervoso.

— O cara pode se transformar em um elefante, e sou *eu* quem *o* deixa nervoso?

Hazel manteve os olhos no horizonte. Ela agora parecia estar menos enjoada, apesar de o treinador Hedge continuar cantando a música do Pokémon no leme.

— Leo, sobre o que aconteceu no Great Salt Lake...

Lá vem, pensou Leo.

Ele lembrou-se do encontro deles com a deusa da vingança, Nêmesis. O biscoito da sorte começou a pesar em seu cinto de ferramentas. Na noite anterior, enquanto partiam de Atlanta, Leo, deitado em sua cabine, pensara no quanto havia deixado Hazel zangada. E ponderava maneiras de consertar as coisas.

Logo enfrentará um problema que não poderá resolver, dissera Nêmesis, *embora eu possa ajudá-lo... por um preço.*

Leo havia tirado o biscoito da sorte do cinto e o girava entre os dedos, perguntando-se que preço teria que pagar se o quebrasse.

Talvez aquele fosse o momento.

— Eu estaria disposto... — falou ele para Hazel. — Eu poderia usar o biscoito da sorte para encontrar seu irmão.

Hazel pareceu perplexa.

— O quê? Não! Quer dizer... eu nunca lhe pediria isso. Não depois do que Nêmesis disse sobre o preço horrível que isso teria. Nós mal nos *conhecemos*!

O comentário *mal nos conhecemos* doeu um pouco, embora Leo soubesse que era verdade.

— Então... não era sobre isso que você queria falar? — perguntou ele. — Hã, então é sobre aquela hora em que ficamos de mãos dadas no rochedo? Porque...

— Não! — apressou-se ela a dizer, abanando o rosto daquele jeito bonitinho que ela fazia quando ficava nervosa. — Não, eu só estava pensando na maneira como você enganou Narciso e aquelas ninfas...

— Ah, tá. — Leo olhou constrangido para o próprio braço. A tatuagem de IRADO ainda não havia desaparecido por completo. — Pareceu uma boa ideia na hora.

— Você foi incrível — disse Hazel. — Tenho pensado no quanto você me lembra...

— Sammy — adivinhou Leo. — Queria que você me dissesse quem é ele.

— Quem ele *era* — corrigiu Hazel. O ar da noite estava morno, mas assim mesmo ela estremeceu. — Fiquei pensando... talvez eu possa lhe mostrar.

— Você está falando de uma foto?

— Não. Tem uma espécie de *flashback* que acontece comigo. Faz muito tempo que não tenho um, e nunca tentei fazer um ocorrer de propósito. Mas certa vez partilhei um com Frank, então pensei...

Os olhos de Hazel fixaram-se nos dele. Leo começou a ficar nervoso, como se lhe houvessem injetado adrenalina na veia. Se o *flashback* era algo que Frank havia partilhado com Hazel... bem, ou Leo não queria ter nada a ver com aquilo, ou ele *decididamente* queria tentar. Não tinha certeza de qual das opções.

— Quando você diz *flashback*... — Ele engoliu em seco. — Do que exatamente estamos falando? É seguro?

Hazel estendeu a mão.

— Eu não lhe pediria para fazer isso, mas tenho certeza de que é importante. *Não pode* ser uma coincidência termos nos encontrado. Se funcionar, talvez finalmente possamos entender de que forma estamos conectados.

Leo olhou para o leme. Ainda tinha uma incômoda suspeita de que havia esquecido algo, mas o treinador Hedge parecia estar se saindo bem. O céu à frente deles estava claro. Não havia o menor sinal de problema.

Além disso, um *flashback* parecia ser algo bem breve. Deixar o treinador no controle por mais alguns minutos não ia fazer mal, ia?

— O.k. — cedeu ele. — Me mostre.

Ele pegou a mão de Hazel, e o mundo se dissolveu.

XXII

LEO

Eles estavam no pátio de um antigo complexo de prédios semelhante a um mosteiro. Havia paredes de tijolos vermelhos cobertas de trepadeiras e grandes magnólias com as raízes rachando o chão. O sol ardia, inclemente, e o nível de umidade estava altíssimo; o ar era ainda mais pegajoso que em Houston. Leo sentiu o cheiro de peixe frito em algum lugar perto dali. As nuvens no céu estavam baixas e cinzentas, rajadas como um tigre.

O pátio era mais ou menos do tamanho de uma quadra de basquete. Uma bola de futebol murcha estava largada em um canto, embaixo de uma estátua da Virgem Maria.

Ao longo das paredes laterais dos edifícios, havia janelas abertas. Leo percebeu sinais de movimento nos prédios, mas tudo estava estranhamente silencioso. Ele não viu nenhum ar-condicionado, o que significava que devia estar uns mil graus lá dentro.

— Onde estamos? — perguntou ele.

— Na minha antiga escola — respondeu Hazel, parada ao seu lado. — A Academia St. Agnes para Crianças de Cor e Indígenas.

— Que tipo de nome...?

Ele virou-se para Hazel e soltou um grito. Ela era um fantasma, apenas uma silhueta vaporosa no ar úmido. Leo olhou para baixo e percebeu que o próprio corpo também havia se transformado em névoa.

Tudo ao redor parecia sólido e real, mas ele era um espírito. Depois de ter sido possuído por um eidolon três dias antes, aquela sensação não lhe agradava.

Antes que pudesse fazer perguntas, o sinal bateu lá dentro: não um som moderno e eletrônico, mas o zumbido antiquado de um martelo batendo em metal.

— Isto é uma lembrança — explicou Hazel —, portanto ninguém pode nos ver. Olhe, nós estamos vindo.

— *Nós?*

Das várias portas saíram para o pátio dezenas de crianças, gritando e se empurrando. Eram afro-descendentes em sua maioria, além de algumas crianças de aparência hispânica, cujas idades iam do jardim de infância ao ensino médio. Leo podia ver que aquilo acontecera no passado, porque todas as garotas usavam vestidos e sapatos boneca de couro. Os garotos usavam camisas brancas de colarinho e calças com suspensórios. Muitos estavam com bonés do tipo usado pelos jóqueis. Algumas crianças carregavam a merenda, mas muitas outras, não. Suas roupas eram limpas, porém surradas e desbotadas. Algumas tinham buracos nos joelhos das calças ou sapatos com as solas se soltando.

Algumas meninas começaram a pular corda com um velho barbante de varal. Os garotos mais velhos jogavam uma bola de beisebol gasta. As crianças que tinham merenda sentavam-se juntas para comer e conversar.

Ninguém prestava nenhuma atenção nos fantasmas Hazel e Leo.

Então Hazel — a Hazel do *passado* — surgiu no pátio. Leo a reconheceu sem dificuldade, embora ela parecesse uns dois anos mais nova do que era agora. O cabelo estava preso em um coque, os olhos dourados corriam pelo pátio, inquietos, e ela usava um vestido escuro, diferente das outras garotas com seus vestidos de algodão branco ou com estampas florais em tons pastel. Ela se destacava no grupo como uma carpideira em uma cerimônia de casamento.

Segurando uma lancheira de lona, ela caminhou ao longo da parede, como se tentasse não ser notada.

Não funcionou.

— Bruxinha! — chamou um menino.

Ele andou até ela, encurralando-a em um canto. O garoto podia ter tanto quatorze quanto dezenove anos — era difícil dizer porque ele era muito grande e alto, de longe o maior no pátio. Leo deduziu que ele fora reprovado algumas vezes. Usava uma camisa suja da cor de trapos engordurados, calças de lã puídas (naquele calor, não deviam ser nem um pouco confortáveis) e estava descalço. Talvez os professores ficassem com medo de insistir para que o garoto usasse sapatos ou talvez ele simplesmente não tivesse mesmo nenhum par.

— Aquele é Rufus — falou o fantasma Hazel com desprazer.

— Sério? Você está brincando que o nome dele é Rufus — replicou Leo.

— Venha — chamou o fantasma Hazel.

Ela flutuou na direção do confronto e Leo a seguiu. Não estava acostumado a flutuar, mas uma vez havia andado em um Segway e era quase a mesma coisa. Ele simplesmente se inclinava na direção que queria ir e deslizava para lá.

O grandalhão tinha as feições achatadas, como se passasse a maior parte do tempo deitado de cara na calçada. O cabelo era igualmente achatado no alto; miniaturas de aviões poderiam tê-lo usado como pista de pouso.

Rufus estendeu a mão.

— Comida.

A Hazel do passado não protestou. Entregou sua lancheira como se aquilo acontecesse sempre.

Algumas garotas mais velhas se aproximaram para se divertir com a cena. Uma deu uma risadinha para Rufus.

— Você não vai querer comer isso — advertiu ela. — Provavelmente está envenenado.

— Tem razão — concordou Rufus. — Foi a bruxa da sua mãe quem fez isso, Levesque?

— Ela não é uma bruxa — murmurou Hazel.

Rufus jogou a bolsa no chão e pisou nela, esmagando o conteúdo sob o calcanhar descalço.

— Pode ficar. Mas eu quero um diamante. Ouvi dizer que sua mãe pode fabricar. Me dá um diamante.

— Eu não tenho diamantes — disse Hazel. — Vá embora.

Rufus cerrou os punhos. Leo estivera em escolas violentas e lares provisórios suficientes para perceber quando as coisas estavam prestes a se complicar. Ele queria intervir e ajudar Hazel, mas era um fantasma. Além disso, tudo aquilo acontecera décadas antes.

Então outro garoto saiu do prédio e parou sob a luz do sol.

Leo prendeu o fôlego. O garoto era exatamente igual a ele.

— Está vendo? — perguntou o fantasma Hazel.

O Falso Leo era da mesma altura que o Leo Normal — ou seja, baixinho. Tinha a mesma energia nervosa — tamborilava os dedos nas calças, esfregava a camisa de algodão branco, ajustava o boné de jóquei nos cabelos castanhos encaracolados. (Sério, pensou Leo, pessoas baixinhas não deviam usar boné de jóquei, a menos que fossem mesmo jóqueis.) O Falso Leo tinha o mesmo sorriso malicioso que cumprimentava o Leo Normal sempre que ele se olhava no espelho — uma expressão que fazia os professores gritarem imediatamente "Nem pense nisso!" e o colocarem na fileira da frente.

Parecia que o Falso Leo acabara de ser repreendido por um professor. Estava segurando um chapéu de burro — um autêntico cone de papelão em que se lia BURRO. Leo achava que aquilo era algo que só existia em desenhos animados.

Dava para entender por que o Falso Leo não o usava. Já era ruim o bastante parecer um jóquei. Com aquele cone na cabeça, ficaria parecendo um gnomo.

Alguns garotos recuaram quando o Falso Leo surgiu. Outros se cutucaram e correram para ele como se esperassem um espetáculo.

Enquanto isso, Rufus Cara-Chata ainda tentava amedrontar Hazel para arrancar dela um diamante, sem perceber a chegada do Falso Leo.

— Anda logo, garota. — Rufus assomava sobre Hazel com os punhos cerrados. — Me dá!

Hazel colou-se à parede. De repente o chão aos seus pés emitiu um ruído seco, como um galho se partindo. Um diamante perfeito, do tamanho de um pistache, cintilou entre seus pés.

— Rá! — exclamou Rufus ao vê-lo.

Ele começou a se abaixar, mas Hazel gritou, como se estivesse genuinamente preocupada com o valentão:

— Não, por favor!

Foi quando o Falso Leo se aproximou.

É agora, pensou Leo. O Falso Leo vai dar uma de treinador Hedge, dar uns golpes de jiu-jítsu e salvar o dia.

Em vez disso, o Falso Leo levou o chapéu de burro à boca, como um megafone, e gritou:

— CORTA!

Ele falou com tanta autoridade que todas as outras crianças ficaram quietas por um segundo. Até mesmo Rufus se empertigou e recuou, confuso.

— Lá vem o Sammy — falou um dos garotos menores, com uma risadinha.

Sammy... Leo estremeceu. *Quem* era *esse garoto?*

Sammy/Falso Leo avançou até Rufus com seu chapéu de burro na mão, parecendo zangado.

— Não, não, não! — anunciou ele, agitando a mão livre freneticamente em direção às crianças que se reuniam para a diversão.

Sammy voltou-se para Hazel.

— Srta. Lamarr, sua fala é... — Sammy olhou ao redor, exasperado. — Roteiro! Qual é a fala de Hedy Lamarr?

— *"Não, por favor, seu vilão!"* — gritou um dos garotos.

— Obrigado! — disse Sammy. — Srta. Lamarr, a senhorita deve dizer: *Não, por favor, seu vilão!* E você, Clark Gable...

O pátio inteiro explodiu em uma gargalhada. Leo lembrava vagamente que Clark Gable era um ator antigo, mas não sabia muito mais que isso. Parecia, porém, que a ideia de que Rufus Cabeça-Chata pudesse ser Clark Gable era hilária para as crianças.

— Sr. Gable...

— Não! — gritou uma das garotas. — Ele é o Gary Cooper.

Mais risadas. Rufus parecia prestes a explodir. Ele cerrou os punhos como se quisesse bater em alguém, mas não podia atacar a escola inteira. Estava claro que odiava que rissem dele, mas seu cérebrozinho lento não conseguia perceber o que Sammy pretendia.

Leo assentiu, gostando do que via. Sammy era *mesmo* igual a ele. Leo havia feito o mesmo tipo de coisa com os valentões durante anos.

— Certo! — gritou Sammy, autoritário. — Sr. Cooper, você diz: *Ah, mas o diamante é meu, minha querida traidora!* E então você apanha o diamante... assim!

— Sammy, não! — protestou Hazel.

Sammy pegou a pedra mesmo assim e, com um movimento suave, colocou-a no bolso. Depois virou-se para Rufus.

— Eu quero emoção! Quero as senhoras na plateia desmaiando! Senhoras, o sr. Cooper as fez desmaiar agora?

— Não — responderam várias delas.

— Está vendo? — gritou Sammy. — Agora, do começo! — exclamou pelo chapéu de burro. — Ação!

Rufus começava a se recuperar da confusão. Ele deu um passo na direção de Sammy e disse:

— Valdez, eu vou...

Naquele momento, o sinal tocou. As crianças correram para as portas e Sammy puxou Hazel, tirando-a do caminho dos pequenos, que, como se estivessem na folha de pagamento de Sammy, levaram Rufus com eles, arrastando-o para dentro em uma maré de pré-escolares.

Logo Sammy e Hazel estavam sozinhos, exceto pelos fantasmas.

Sammy pegou o almoço esmagado de Hazel, limpou dramaticamente a bolsa de lona e estendeu para ela com uma reverência profunda, como se fosse uma coroa.

— Srta. Lamarr.

A Hazel do passado pegou o almoço estragado. Parecia prestes a chorar, mas Leo não sabia dizer se era de alívio, sofrimento ou admiração.

— Sammy... Rufus vai matar você.

— Ah, ele sabe que é melhor não se meter comigo.

Sammy colocou o chapéu de burro em cima do boné, se empertigou e estufou o peito magricela. O chapéu de burro caiu.

Hazel riu.

— Você é ridículo.

— Bem, obrigado, srta. Lamarr.

— Não há de quê, *meu querido traidor*.

O sorriso de Sammy vacilou. O ar tornou-se desconfortavelmente carregado. Hazel fitou o chão.

— Você não devia ter encostado naquele diamante. É perigoso.

— Ah, pare com isso — falou Sammy. — Não para mim!

Hazel o observou com cuidado, como se quisesse acreditar naquilo.

— Coisas ruins podem acontecer. Você não devia...

— Não vou vendê-lo — disse Sammy. — Prometo! Só vou guardá-lo como um símbolo de sua aferição.

Hazel forçou um sorriso.

— Acho que você quer dizer *símbolo de minha afeição*.

— Exatamente! Agora temos que ir. É hora da sua próxima cena: *Hedy Lamarr quase morre de tédio na aula de inglês*.

Sammy ofereceu o braço, como um cavalheiro, mas Hazel o empurrou de brincadeira.

— Obrigada por me ajudar, Sammy.

— Srta. Lamarr, eu *sempre* vou ajudá-la! — disse ele alegremente, e então os dois voltaram correndo para a escola.

Leo sentiu-se um fantasma mais do que nunca. Talvez tivesse mesmo sido um eidolon a vida toda, porque aquele garoto que acabara de ver devia ser o *verdadeiro* Leo. Era mais esperto, mais descolado e mais engraçado. Ele flertava tão bem com Hazel que havia obviamente roubado o coração dela.

Não era de espantar que Hazel houvesse olhado de forma tão estranha para Leo quando se conheceram. Tampouco que tivesse dito *Sammy* de forma tão tristonha. Leo, porém, não era Sammy, da mesma forma que Rufus Cabeça--Chata não era Clark Gable.

— Hazel — falou ele. — Eu... eu não...

O pátio da escola se dissolveu, transformando-se em outra cena.

Hazel e Leo ainda eram fantasmas, mas agora estavam diante de uma casa mal-cuidada, perto de uma vala de drenagem coberta de ervas daninhas, com algumas bananeiras curvadas no quintal. Empoleirado nos degraus, um rádio antiquado tocava música *norteña*, e, na varanda escura, sentado em uma cadeira de balanço, um velho magrinho fitava o horizonte.

— Onde *estamos*? — perguntou Hazel. Ela ainda era apenas vapor, mas parecia alarmada. — Isso não faz parte da minha vida!

Leo teve a sensação de que seu eu fantasmagórico estava se tornando mais denso, mais real. Aquele lugar lhe parecia estranhamente familiar.

— Estamos em Houston — percebeu ele. — Conheço este lugar. Aquela vala... Este é o antigo bairro da minha mãe, onde ela cresceu. O aeroporto fica naquela direção.

— Esta é a *sua* vida? — espantou-se Hazel. — Não entendo! Como...?

— Você está perguntando para mim? — respondeu Leo.

De repente, o velho murmurou:

— Ah, Hazel...

Um choque percorreu a coluna de Leo. Os olhos do velho ainda estavam fixos no horizonte. Como ele sabia que estavam aqui?

— Acho que nosso tempo se esgotou — continuou o senhor, sonhador. — Bem...

Ele não concluiu o pensamento.

Hazel e Leo permaneceram totalmente imóveis. O velho não deu mais nenhum sinal de que os via ou ouvia. Leo se deu conta de que o homem estivera falando consigo mesmo. Mas então por que dissera o nome de Hazel?

Sua pele era curtida do sol, os cabelos brancos, encaracolados e as mãos, calosas, como se tivesse passado a vida trabalhando em uma oficina mecânica. Usava uma camisa amarela-clara, limpa e impecável, com calça cinza, suspensórios e sapatos pretos engraxados.

Apesar da idade, seus olhos eram perspicazes e lúcidos. Ele se sentava com uma espécie de dignidade tranquila. Parecia em paz — até mesmo divertido, como se pensasse: *Caramba, vivi todo esse tempo? Legal!*

Leo tinha certeza de que nunca vira aquele homem. Mas então por que ele lhe parecia familiar? Então percebeu que o homem tamborilava os dedos no braço da cadeira, mas as batidas não eram aleatórias. Ele usava o código Morse, exatamente como a mãe de Leo costumava fazer com ele... e o velho estava batendo a mesma mensagem: *Eu amo você.*

A porta de tela se abriu e uma jovem saiu, usando jeans e blusa turquesa. Seu cabelo preto era curto e ela era bonita, mas não delicada. Tinha braços musculosos, mãos calosas e olhos, como os do velho, castanhos, brilhantes e divertidos. Ela trazia nos braços um bebê enrolado em uma manta azul.

— Olhe, *mi hijo* — disse ela ao bebê. — Este é o seu *bisabuelo. Bisabuelo*, quer segurá-lo?

Quando Leo ouviu a voz dela, soltou um soluço.

Aquela era a mãe dele: mais jovem do que ele se lembrava, mas com certeza viva. Isso significava que o bebê em seus braços...

O velho abriu um sorriso imenso. Tinha dentes perfeitos, tão brancos quanto os cabelos. Seu rosto enrugou-se todo com o sorriso.

— Um menino! *Mi bebito*, Leo!

— Leo? — sussurrou Hazel. — Aquele... aquele é você? O que significa *bisabuelo*?

Leo não conseguia encontrar a voz. Queria dizer *bisavô*.

O velho tomou Leo nos braços, rindo com satisfação e acariciando o queixo do bebê — e o fantasma Leo finalmente entendeu o que estava vendo.

De alguma maneira, o poder de Hazel de revisitar o passado havia encontrado o único momento que conectava a vida de ambos: onde a linha da vida de Leo cruzava com a de Hazel.

Aquele velho...

— Ah... — Hazel pareceu perceber ao mesmo tempo quem ele era. Sua voz soou muito fraca, à beira das lágrimas. — Ah, Sammy, não...

— Ah, pequeno Leo — disse Sammy Valdez, já com seus setenta e tantos anos. — Você terá que ser o meu dublê, hein? É assim que chamam, acho. Diga a ela por mim. Eu esperava ainda estar vivo, mas, *ay*, a maldição não vai deixar!

Hazel soluçou.

— Gaia... Gaia me disse que ele tinha morrido de um ataque cardíaco na década de 1960. Mas isso não é... isso não pode ser...

Sammy Valdez continuou falando com o bebê enquanto a mãe de Leo, Esperanza, observava com um sorriso sofrido — talvez um pouco preocupada com o fato de que o *bisabuelo* de Leo estivesse delirando, um pouco triste por ele estar falando coisas sem sentido.

— Aquela mulher, *Doña* Callida, ela me avisou. — Sammy balançou a cabeça com tristeza. — Ela disse que o maior perigo que Hazel correria seria depois da minha época. Mas prometi que sempre a ajudaria. Você vai ter que pedir desculpas a ela por mim, Leo. Ajudá-la se puder.

— *Bisabuelo* — falou Esperanza —, você deve estar cansado.

Ela estendeu os braços para pegar o bebê, mas o velho o acalentou um pouquinho mais. O bebê Leo parecia muito satisfeito.

— Diga a ela que lamento ter vendido o diamante, sim? — continuou Sammy. — Quebrei a promessa. Quando ela desapareceu no Alasca... ah, tanto tempo atrás, eu finalmente fiz uso daquele diamante, mudei para o Texas, como sempre sonhei. Abri minha oficina mecânica. Comecei minha família! Foi uma vida boa, mas Hazel estava certa. Aquele diamante veio com uma maldição. Nunca mais a vi.

— Ah, Sammy — disse Hazel. — Não, não foi uma maldição que me manteve longe. Eu *queria* voltar. Mas eu morri!

O velho não pareceu ouvi-la; ele sorriu para o bebê e beijou-lhe a cabeça.

— Eu o abençoo, Leo. Meu primeiro bisneto menino! Tenho a sensação de que você é especial, como Hazel era. Você não é só um bebê comum, não é? Vai seguir em frente por mim. Você a verá um dia. Dê-lhe minhas lembranças.

— *Bisabuelo* — chamou Esperanza, um pouco mais insistente.

— Sim, sim. — Sammy deu uma risadinha. — *El viejo loco* está delirando. Estou cansado, Esperanza. Você tem razão. Mas em breve vou descansar. Tive uma vida boa. Crie-o bem, *nieta*.

A cena desapareceu.

Leo viu-se no convés do *Argo II*, segurando a mão de Hazel. O sol havia se posto, e o navio estava iluminado apenas por lamparinas de bronze. Os olhos de Hazel estavam inchados de tanto chorar.

O que eles tinham visto era demais. O oceano inteiro se agitava debaixo deles, e naquele momento, pela primeira vez, Leo tinha a sensação de que estavam totalmente à deriva.

— Olá, Hazel Levesque — disse ele, com a voz rouca.

O queixo dela tremeu. Hazel deu as costas para ele e abriu a boca para responder, mas, antes que pudesse falar, o navio deu uma guinada para o lado.

— Leo! — chamou o treinador Hedge.

Festus zumbiu alarmado e cuspiu chamas para o céu noturno. O sino do navio soou.

— Sabe aqueles monstros com que você estava preocupado? — gritou Hedge. — Um deles nos encontrou!

XXIII

LEO

Leo merecia um chapéu de burro.

Se estivesse pensando direito, teria mudado o sistema de detecção do navio de radar para sonar assim que deixaram o Porto de Charleston. Era *isso* que tinha esquecido. Havia projetado o casco para vibrar a cada poucos segundos, enviando ondas através da Névoa e alertando Festus para quaisquer monstros que se estivessem por perto, mas o sistema só trabalhava em um modo por vez: água ou ar.

Ficara tão abalado pelos romanos, em seguida pela tempestade, depois por Hazel, que havia esquecido completamente. Agora um monstro estava bem debaixo deles.

O navio adernou para boreste. Hazel agarrou-se ao cordame.

— Valdez, qual botão explode monstros? — gritou Hedge. — Assuma o leme!

Leo subiu pelo convés inclinado e conseguiu agarrar a amurada de bombordo. Começou a escalar de lado na direção do leme, mas, quando viu o monstro emergir, esqueceu-se de como andar.

A coisa era do comprimento do navio. À luz da lua, parecia o cruzamento entre um camarão gigante e uma barata. Tinha uma concha quitinosa rosada, a cauda achatada de um lagostim e pernas semelhantes às de um gongolo ondulando hipnoticamente ao se arrastar contra o casco do *Argo II*.

A cabeça enfim emergiu: a cara rosada e viscosa de um imenso bagre com olhos vítreos mortos, a boca banguela escancarada e uma floresta de tentáculos brotando de cada narina, criando nariz mais cabeludo que Leo já tinha tido o desprazer de ver.

Leo lembrou-se dos jantares especiais de sexta-feira que ele e a mãe costumavam partilhar em um restaurante de frutos do mar em Houston, quando comiam camarão e bagre. A lembrança agora o fez ter vontade de vomitar.

— Rápido, Valdez! — gritou Hedge. — Assuma o leme para que eu possa pegar meu bastão de beisebol!

— Um bastão não vai ajudar — disse Leo, mas seguiu na direção do leme. Atrás dele, o restante dos amigos subiu aos tropeços a escada.

— O que está acontecendo... Ahhh! Camarãozilla! — gritou Percy.

Frank correu para Hazel. Ela estava agarrada ao cordame, ainda tonta por causa do *flashback*, mas fez um gesto dizendo que estava bem.

O monstro tornou a golpear o navio. O casco gemeu. Annabeth, Piper e Jason rolaram para boreste e quase foram lançados sobre a amurada.

Leo alcançou o leme e suas mãos voaram pelo controle. Pelo intercomunicador, Festus soltava estalos e cliques, informando sobre vazamentos nas cobertas inferiores, mas o navio não parecia correr o risco de afundar — pelo menos, por enquanto.

Leo alternou a função dos remos. Eles podiam se transformar em lanças, o que deveria ser suficiente para afastar a criatura, mas, infelizmente, estavam emperrados. O Camarãozilla devia tê-los desalinhado e estava perto demais, o que significava que Leo não podia usar as balistas sem atear fogo ao *Argo II* também.

— Como ele chegou tão perto? — gritou Annabeth, erguendo-se com a ajuda das proteções da amurada.

— Não sei! — rosnou Hedge.

Ele olhou em volta, procurando o bastão que havia rolado até o outro lado do tombadilho superior.

— Como sou burro! — censurou-se Leo. — Burro, burro, burro! Esqueci o sonar!

O navio adernou ainda mais para boreste. Ou o monstro estava tentando lhes dar um abraço ou estava prestes a emborcá-los.

— Sonar? — perguntou Hedge. — Pelas flautas de Pan, Valdez! Se você não tivesse ficado olhando nos olhos de Hazel, de mãos dadas, por tanto tempo...

— *O quê?* — gritou Frank.

— Não foi nada disso! — protestou Hazel.

— Não importa! — disse Piper. — Jason, pode invocar alguns relâmpagos?

Jason fez força para se pôr de pé.

— Eu...

Ele só conseguiu balançar a cabeça. Invocar a tempestade mais cedo o esgotara demais. Leo duvidava que o pobre garoto conseguisse acender uma vela de ignição no estado em que estava.

— Percy! — disse Annabeth. — Pode *falar* com essa coisa? Sabe o que ela é?

O filho do deus do mar balançou a cabeça, claramente confuso.

— Talvez só esteja curioso em relação ao navio. Talvez...

Os tentáculos do monstro varreram o convés tão rápido que Leo não teve nem tempo de gritar para terem cuidado.

Um deles bateu no peito de Percy e o mandou escada abaixo. Outro enroscou-se nas pernas de Piper e a arrastou, gritando, para a amurada. Dezenas de outros tentáculos cingiram os mastros, envolvendo as bestas e arrancando o cordame.

— Ataque de pelos de nariz!

Hedge agarrou o bastão e entrou em ação, mas seus golpes atingiam os tentáculos sem causar nenhum dano.

Jason sacou a espada. Tentou libertar Piper, mas ainda estava fraco. Sua lâmina de ouro decepava os tentáculos com facilidade; no entanto, antes que ele pudesse cortar todos, outros os substituíam.

Annabeth desembainhou sua adaga. Ela correu pela floresta de tentáculos, esquivando-se e apunhalando quaisquer alvos que surgissem à sua frente. Frank apanhou seu arco e disparou contra o corpo da criatura, alojando flechas nas fendas de sua concha, mas isso só pareceu irritar o monstro. Ele berrou e sacudiu o navio. O mastro rangeu como se fosse quebrar.

Eles precisavam de maior poder de fogo, mas não podiam usar as balistas. Precisavam causar uma explosão que não destruísse o navio. Mas como...?

Os olhos de Leo encontraram um caixote de suprimentos perto de Hazel.

— Hazel! — gritou ele. — Aquela caixa! Abra!

Ela hesitou, então viu a caixa a que ele se referia. A etiqueta dizia: CUIDADO. NÃO ABRA.

— Abra! — tornou a gritar Leo. — Treinador, assuma o leme! Vire o navio na direção do monstro ou emborcaremos.

Hedge dançava em meio aos tentáculos com seus ágeis cascos de bode, golpeando o que podia com prazer. Ele se dirigiu ao leme e assumiu o controle.

— Espero que você tenha um plano! — gritou ele.

— Tenho um plano ruim.

Leo correu para o mastro. O monstro empurrou o *Argo II*, e o convés deu uma guinada de quarenta e cinco graus. Apesar dos esforços de todos, os tentáculos eram numerosos demais para que lutassem contra eles. Pareciam capazes de alongar-se o quanto quisessem e logo o *Argo II* estaria completamente emaranhado. Percy não reaparecera no convés e os outros lutavam ferozmente contra os pelos de nariz.

— Frank! — chamou Leo enquanto corria na direção de Hazel. — Ganhe algum tempo para a gente! Você pode se transformar em um tubarão ou algo assim?

Frank o olhou, carrancudo; naquele momento um tentáculo o atingiu com violência, lançando-o sobre a amurada.

Hazel gritou. Ela havia aberto a caixa de suprimentos e quase largou os dois frascos de vidro que segurava.

Leo os apanhou. Cada um era do tamanho de uma maçã, e o líquido verde ali dentro tinha um brilho venenoso. O vidro estava quente e Leo tinha a sensação de que seu peito iria implodir de culpa. Tinha acabado de distrair Frank e possivelmente causara sua morte, mas não podia pensar nisso agora. Precisava salvar o navio.

— Vamos! — Ele entregou um dos frascos a Hazel. — Podemos matar o monstro... e salvar Frank!

Ele esperava que não estivesse mentindo. Chegar à amurada de bombordo era mais como escalar que andar, mas por fim conseguiram.

— Que coisa é esta? — arquejou Hazel, segurando seu frasco com todo cuidado.

— Fogo grego!

Os olhos dela arregalaram-se.

— Você está *louco*? Se eles quebrarem, queimaremos o navio inteiro!

— Na boca do monstro! — disse Leo. — Jogue dentro da...

De repente Leo se viu esmagado contra Hazel, e o mundo girou em noventa graus. Enquanto eram erguidos no ar, ele percebeu que haviam sido apanhados por um dos tentáculos. Os braços de Leo estavam livres, mas tudo que conseguia fazer era segurar com firmeza seu frasco de fogo grego. Hazel se debatia, com os braços imobilizados, o que significava que a qualquer momento o frasco preso entre eles poderia quebrar... e isso seria extremamente ruim para a saúde deles.

Eles foram erguidos a três, cinco, dez metros acima do monstro. Leo vislumbrou seus amigos em uma batalha perdida, gritando e cortando os pelos do nariz do monstro. Viu o treinador Hedge tentando evitar que o navio virasse. O mar estava escuro, mas à luz da lua ele pensou ter viso um objeto brilhante flutuando perto do monstro — talvez o corpo inconsciente de Frank Zhang.

— Leo — Hazel arquejou —, não posso... meus braços...

— Hazel, você confia em mim?

— Não!

— Nem eu — admitiu ele. — Quando esta coisa nos largar, prenda a respiração. O que quer que aconteça, tente lançar o frasco o mais *distante* possível do navio.

— Por... por que ele nos largaria?

Leo olhou a cabeça do monstro lá embaixo. Seria um tiro difícil, mas ele não tinha escolha. Ergueu o frasco na mão esquerda. Apertou o tentáculo com a direita e invocou o fogo em sua palma — uma explosão incandescente, concentrada.

Isso chamou a atenção da criatura. Um tremor percorreu todo o tentáculo enquanto sua carne queimava sob o toque de Leo. O monstro ergueu a cabeça, berrando de dor, e Leo lançou seu fogo grego goela abaixo.

Depois disso, as coisas ficaram muito confusas. Leo sentiu o tentáculo soltá-los. Eles caíram. Houve explosão abafada e um lampejo verde dentro do gigante abajur rosado que era o corpo do monstro. A água atingiu o rosto de Leo, violenta e áspera, e ele afundou na escuridão. Fechou a boca, tentando não respirar, mas sentiu que estava perdendo a consciência.

Através da ferroada da água salgada, ele pensou ter visto a silhueta nebulosa do casco do navio acima dele — uma forma escura ovalada cercada por uma coroa de fogo verde, mas não sabia dizer se o navio estava ou não em chamas.

Morto por um camarão gigante, Leo pensou com amargura. *Pelo menos deixe o* Argo II *sobreviver. Faça com que meus amigos fiquem bem.*

Sua visão começou a escurecer. Seus pulmões queimavam.

Quando estava prestes a desistir, um rosto estranho pairou acima dele: um homem que parecia Quíron, o instrutor deles no Acampamento Meio-Sangue. Tinha os mesmos cabelos encaracolados, barba desgrenhada e olhos inteligentes, uma expressão entre o hippie selvagem e o professor paternal, exceto pelo fato de que a pele daquele homem era verde-pistache. O homem ergueu um punhal sem dizer uma palavra. Sua expressão era severa e reprovadora, como se dissesse: *Agora, fique parado, senão não posso matá-lo devidamente.*

Leo desmaiou.

Quando acordou, ele se perguntou se não seria um fantasma em outro *flashback*, porque se sentia flutuar sem peso algum. Seus olhos aos poucos se ajustaram à luz tênue.

— Finalmente.

A voz de Frank reverberava demais, como se estivesse falando através de várias camadas de filme plástico.

Leo sentou-se... ou melhor, flutuou verticalmente. Estava submerso, em uma caverna do tamanho de uma garagem para dois carros. Musgo fosforescente cobria o teto, banhando o espaço em um brilho azul-esverdeado. O chão era um tapete de ouriços do mar, sobre o qual seria desconfortável andar, o que fez Leo agradecer por estar flutuando. Ele não compreendia como podia estar respirando sem ar.

Frank levitava ali perto em uma posição meditativa. Com o rosto redondo e a expressão mal-humorada, parecia um Buda que tinha alcançado a iluminação e não se sentia nem um pouco entusiasmado com isso.

A única saída da caverna estava bloqueada por uma imensa concha, cuja superfície cintilava em furta-cor, rosa e turquesa. Se a caverna era uma prisão, pelo menos tinha uma porta incrível.

— Onde estamos? — perguntou Leo. — Onde estão os outros?

— *Os outros?* — grunhiu Frank. — Não faço ideia. Até onde sei, somos apenas você, eu e Hazel aqui embaixo. Os caras cavalos-marinhos levaram Hazel há mais ou menos uma hora e me deixaram aqui com você.

O tom de Frank deixava óbvio que ele não aprovava essas providências. Ele não parecia machucado, mas Leo percebeu que ele não estava mais com o arco nem a aljava. Em pânico, Leo apalpou a cintura. Seu cinto de ferramentas também tinha desaparecido.

— Eles nos revistaram — contou Frank. — Levaram tudo que pudesse ser usado como arma.

— Quem? — perguntou Leo. — Quem são esses cavalos-marinhos...?

— Caras cavalos-marinhos — esclareceu Frank, ainda não muito claro. — Eles devem ter nos pegado quando caímos no oceano e nos arrastaram para... o que quer que seja isto.

Leo lembrou-se da última coisa que vira antes de perder a consciência: o homem barbudo de pele verde-pistache com um punhal.

— O monstro camarão. O *Argo II*... o navio está inteiro?

— Não sei — disse Frank, em tom sombrio. — Os outros podem estar em apuros ou machucados ou... ou pior. Mas acho que você se preocupa mais com seu navio do que com seus amigos.

Leo se sentiu como se tivesse caído de cara na água outra vez.

— Que idiotice...?

Então ele se deu conta de por que Frank estava tão zangado: o *flashback*. As coisas tinham acontecido tão rápido durante o ataque do monstro que Leo havia quase esquecido. O treinador Hedge fizera aquele comentário estúpido sobre Leo e Hazel ficarem de mãos dadas olhando nos olhos um do outro. Provavelmente não ajudara em nada o fato de Leo ser o responsável por Frank ter sido lançado sobre a amurada logo depois disso.

De repente Leo achou difícil sustentar o olhar do outro garoto.

— Olha, cara... desculpe ter nos metido nessa encrenca. Eu causei a maior confusão. — Ele respirou fundo, o que pareceu surpreendentemente natural, considerando-se que estava debaixo d'água. — Eu e Hazel de mãos dadas... não é o que você está pensando. Ela estava me mostrando um *flashback* do passado dela, tentando descobrir qual a minha conexão com Sammy.

A expressão de raiva de Frank começou a se desfazer, substituída pela curiosidade.

— Ela... vocês descobriram?

— Sim — falou Leo. — Bem mais ou menos. Não tivemos chance de conversar sobre o assunto depois, por causa do Camarãozilla, mas Sammy era meu bisavô.

Ele contou a Frank o que tinham visto. A ficha ainda não havia caído completamente, mas agora, tentando explicar aquilo em voz alta, Leo mal podia acreditar. Hazel fora apaixonada por seu *bisabuelo*, um cara que tinha morrido quando Leo era um bebê. Ele não havia feito a conexão antes, mas tinha uma vaga lembrança de membros mais velhos da família chamando seu avô de Sam Júnior. O que significava que o Sam sênior era Sammy, o *bisabuelo* de Leo. Em algum momento, *Tía* Callida — Hera em pessoa — havia conversado com Sammy, consolando-o e lhe dando um vislumbre do futuro, o que significava que Hera vinha moldando a vida de Leo gerações antes de ele nascer. Se Hazel tivesse ficado na década de 1940, se tivesse se casado com Sammy, Leo poderia ter sido seu bisneto.

— Ah, cara — disse Leo quando chegou ao fim da história —, estou me sentindo meio mal. Mas juro pelo Estige que foi o que vimos.

Frank tinha a mesma expressão que o bagre monstruoso: olhos vítreos arregalados e a boca aberta.

— Hazel... Hazel gostava do seu *bisavô*? É por isso que ela gosta de você?

— Frank, sei que isso é estranho. *Acredite* em mim. Mas eu não gosto de Hazel... não *desse* jeito. Não estou dando em cima da sua namorada.

As sobrancelhas de Frank se uniram.

— Não?

Leo esperava que não estivesse ficando vermelho. Sinceramente, não tinha a menor ideia de como se sentia em relação a Hazel. Ela era incrível e bonita, e Leo tinha uma fraqueza por garotas incríveis e bonitas. Mas o *flashback* havia complicado *muito* seus sentimentos.

Além disso, seu navio estava com problemas.

Acho que você se preocupa mais com seu navio do que com seus amigos, dissera Frank.

Isso não era verdade, era? O pai de Leo, Hefesto, havia admitido uma vez que não era bom com formas de vida orgânicas. E, sim, Leo sempre se sentira mais à vontade com máquinas do que com pessoas. Mas ele se importava, *sim*, com seus amigos. Piper e Jason... ele os conhecia havia mais tempo, mas os outros eram importantes para ele também. Até mesmo Frank. Eles eram como sua família.

O problema era que fazia tanto tempo que Leo *tivera* uma família que ele não conseguia se lembrar de como era a sensação. Certo, no inverno passado ele se tornara conselheiro-chefe do chalé de Hefesto, mas, a maior parte de seu tempo fora dedicada à construção do navio. Ele gostava dos companheiros de chalé. Sabia como trabalhar com eles. Mas será que os conhecia de verdade?

Se Leo tinha uma família, eram os semideuses a bordo do *Argo II* — e talvez o treinador Hedge, coisa que ele jamais admitiria em voz alta.

Você sempre será o forasteiro, advertira a voz de Nêmesis, mas Leo tentou afastar esse pensamento.

— Certo, então... — Ele olhou à sua volta. — Precisamos de um plano. Como estamos respirando? Se estamos no fundo do oceano, não devíamos ser esmagados pela pressão da água?

Frank deu de ombros.

— Magia dos cavalos-marinhos, acho. Eu me lembro do cara verde tocando minha cabeça com a ponta de um punhal. Depois disso, consegui respirar.

Leo examinou a porta de concha.

— Você pode nos tirar daqui derrubando esta porta? Pode se transformar em um tubarão-martelo ou algo assim?

Frank balançou a cabeça com tristeza.

— Não consigo me transformar. Não sei por quê. Talvez tenham me amaldiçoado ou talvez eu esteja confuso demais para me concentrar.

— Hazel pode estar em perigo — disse Leo. — Precisamos sair daqui.

Ele nadou até a porta e correu os dedos ao longo da concha. Não conseguiu encontrar nenhum tipo de trinco ou mecanismo. Ou a porta só podia ser aberta por magia ou era preciso muita força — nenhuma das duas era especialidade de Leo.

— Já tentei — falou Frank. — Mesmo que a gente consiga sair, estamos sem armas?

— Humm... — Leo ergueu as mãos. — Será?

Ele se concentrou, e o fogo surgiu em seus dedos. Por uma fração de segundo, Leo se sentiu animado, pois não esperara que seu poder funcionasse debaixo d'água. Então o plano começou a funcionar um pouco bem demais. O fogo tomou seu braço e espalhou-se pelo corpo até que ele se viu completamente envolto em um fino véu de chamas. Tentou respirar, mas estava inalando calor puro.

— Leo!

Frank caiu para trás, como se estivesse tombando de um banco de bar. Em vez de correr para ajudar Leo, ele colou-se à parede para ficar o mais longe possível dele.

Leo se forçou a manter a calma. Compreendia o que estava acontecendo: o fogo não podia feri-lo. Ele mandou as chamas morrerem e contou até cinco, então inspirou devagar. Conseguiu respirar novamente.

Frank parou de tentar atravessar a parede da caverna.

— Você... você está bem?

— Sim — grunhiu Leo. — Obrigado pela ajuda.

— Me... me desculpe. — Frank parecia tão horrorizado e envergonhado que Leo não conseguiu ficar aborrecido com ele. — Eu só... o que aconteceu?

— É uma magia inteligente — explicou Leo. — Existe uma fina camada de oxigênio em volta da gente, como uma pele extra. Deve ser autorregenerante. É por isso que conseguimos respirar e ainda estamos secos. O oxigênio deu combustível ao fogo... só que aí o fogo me sufocou.

— Eu não... — Frank engoliu em seco. — Não gosto desse negócio de invocar o fogo que você faz.

Ele começou a se colar à parede outra vez. Leo não pôde deixar de rir.

— Cara, eu não vou atacar você.

— Fogo — repetiu Frank, como se essa única palavra explicasse tudo.

Leo lembrou-se do que Hazel lhe dissera: que seu fogo deixava Frank nervoso. Leo vira o desconforto no rosto de Frank antes, mas não o levara a sério. Frank parecia *muito* mais poderoso e assustador que Leo.

Então lhe ocorreu que Frank devia ter tido uma experiência ruim com o fogo. A própria mãe de Leo havia morrido em um incêndio em uma oficina e o garoto fora responsabilizado por isso. Crescera sendo chamado de louco e incendiário, porque, sempre que ficava com raiva, coisas pegavam fogo.

— Me desculpe por ter rido — falou ele, com sinceridade. — Minha mãe morreu em um incêndio. Eu entendo o medo do fogo. Hã... alguma coisa assim aconteceu com você?

Frank parecia estar considerando o quanto revelar.

— Minha casa... a casa da minha avó. Pegou fogo. Mas é mais do que isso... — Ele olhou para os ouriços do mar no chão. — Annabeth disse que eu podia confiar na tripulação. Inclusive em você.

— Inclusive em mim, é? — Leo perguntou-se como *isso* surgira na conversa. — Uau, que elogio.

— Meu ponto fraco... — começou Frank, como se as palavras machucassem sua boca. — Existe um graveto...

A porta de concha se abriu.

Leo virou e se viu cara a cara com o homem verde-pistache, que, na verdade, não era um homem. Agora que Leo podia vê-lo com clareza, o cara era de longe a criatura mais estranha que ele já encontrara, e isso não era pouca coisa.

Da cintura para cima, era mais ou menos humano — um cara magro, de peito nu, com um punhal preso ao cinto e uma faixa de conchas cruzadas no peito. Sua pele era verde e a barba, desgrenhada e castanha, e os cabelos compridos estavam presos para trás com uma bandana de algas marinhas. Um par de garras de lagosta se projetava de sua cabeça como chifres, movendo-se, abrindo e fechando.

Leo concluiu que ele não se parecia tanto com Quíron. Parecia mais com o pôster que a mãe de Leo costumava ter no local de trabalho — aquele velho bandoleiro mexicano, Pancho Villa, tirando as conchas e os chifres de lagosta.

Da cintura para baixo, as coisas ficavam mais complicadas. Tinha as patas dianteiras de um cavalo verde-azulado, parecido com um centauro, mas na parte de trás seu corpo de cavalo se metamorfoseava em uma longa cauda de peixe furta-cor de uns três metros de comprimento.

Agora Leo entendia o que Frank queria dizer com homem cavalo-marinho.

— Eu sou Bitos — disse o homem verde. — Vou interrogar Frank Zhang.

Sua voz era calma e firme, não permitindo discussão.

— Por que nos prendeu? — perguntou Leo. — Onde está Hazel?

Bitos estreitou os olhos. Sua expressão parecia dizer: *Por acaso essa criatura minúscula acabou de falar comigo?*

— Você, Leo Valdez, irá com meu irmão.

— Seu irmão?

Leo percebeu que uma figura muito maior surgia atrás de Bitos, com uma sombra tão grande que preenchia toda a entrada da caverna.

— Sim — disse Bitos, com um sorriso irônico. — Tente não irritar Afros.

XXIV

LEO

Afros parecia com o irmão, exceto por ter a pele azul em vez de verde e ser muito, mas muito maior. Tinha músculos abdominais e braços como os do Exterminador do Futuro e uma cabeça quadrada e bruta. Uma imensa espada digna do Conan estava presa às suas costas. Até seu cabelo era maior — um globo de fios crespos preto-azulados tão volumoso que os chifres de garras de lagosta pareciam estar se afogando ao tentar abrir caminho até a superfície.

— É por isso que você se chama Afros? — perguntou Leo enquanto seguiam pelo caminho que saía da caverna. — Por causa do penteado afro?

Afros franziu o cenho.

— Como assim?

— Deixa para lá — disse Leo rapidamente. Pelo menos ele não teria dificuldade em distinguir quem era quem com aqueles homens-peixes. — Então, o que vocês *são* exatamente?

— Ictiocentauros — falou Afro, como se aquela fosse uma pergunta que ele já estava cansado de responder.

— Hã, icti o quê?

— Peixes-centauros. Somos meios-irmãos de Quíron.

— Ah, ele é meu amigo!

Afros o olhou com suspeita.

— A que se chama Hazel nos disse isso, mas vamos averiguar a verdade. Venha.

Leo não gostou de como aquele *averiguar a verdade* soou. Aquilo o fez pensar em instrumentos de tortura e atiçadores incandescentes.

Ele seguiu o peixe-centauro através de uma densa floresta de algas marinhas. Leo podia ter disparado para um dos lados e se escondido em meio às plantas com facilidade, mas não tentou. No mínimo, deduziu ele, Afros podia se locomover com muito mais facilidade na água e talvez tivesse o poder de interromper a magia que permitia a Leo se mover e respirar. Dentro ou fora da caverna, ele ainda era um prisioneiro.

Além disso, Leo não tinha a menor ideia de onde estava.

Eles atravessaram fileiras de algas altas como prédios. As plantas verdes e amarelas oscilavam, sem peso, como balões de gás. Lá no alto, Leo avistou uma mancha branca que poderia ser o sol.

Ele supôs que isso significava que haviam passado a noite ali. Será que estava tudo bem com o *Argo II*? Seus amigos ainda estavam procurando por eles ou teriam seguido viagem?

Leo não sabia nem a que profundidade eles estavam. Plantas cresciam ali — então não deviam estar *tão* fundo, certo? Ainda assim, não podia simplesmente nadar até a superfície. Ele ouvira falar de mergulhadores que emergiam muito rápido e acabavam formando bolhas de nitrogênio no sangue. Leo não queria que seu sangue ficasse gaseificado.

Eles seguiram flutuando por cerca de um quilômetro e meio. Leo ficou tentado a perguntar para onde Afros o estava levando, mas a grande espada presa nas costas do centauro não estimulava muito a conversa.

Finalmente a floresta de algas marinhas terminou. Leo perdeu o fôlego. Eles se encontravam de pé (nadando, que seja) no topo de uma alta colina. Abaixo deles estendia-se uma cidade submarina com construções em estilo grego.

Os telhados eram de madrepérola. Os jardins estavam repletos de corais e anêmonas-do-mar. Hipocampos pastavam em um campo de algas. Um grupo de ciclopes colocava o domo em um templo recém-construído, usando uma baleia-azul como guindaste. E nadando pelas ruas, passando o tempo nos pátios, praticando combate com tridentes e espadas na arena, viam-se dezenas de tritões e sereias — pessoas-peixes de verdade.

Leo já vira muitas coisas malucas, mas sempre pensara que sereias e tritões eram criaturas fictícias bobinhas, como os Smurfs ou os Muppets.

No entanto, não havia nada de bobo ou fofinho naquelas criaturas. Mesmo a distância, elas pareciam ferozes e, nem um pouco parecidas com os humanos. Seus olhos possuíam um brilho amarelado. Tinham dentes afiados como os de um tubarão e pele semelhante a couro, em cores que iam do vermelho coral ao negro.

— É um campo de treinamento — murmurou Leo. Ele olhou para Afros com certo receio. — Você treina heróis, assim como Quíron?

Afros assentiu, com um brilho de orgulho nos olhos.

— Fomos nós quem treinamos todos os heróis do mar famosos! Pense em um tritão ou sereia conhecidos... Foi treinado por nós!

— Ah, claro — falou Leo. — Tipo... hã, a Pequena Sereia?

Afros franziu a testa.

— Quem? Não! Tipo Tritão, Glauco, Weissmuller e Bill!

— Ah. — Leo não fazia ideia de quem eram aquelas pessoas. — Você treinou Bill? Fascinante.

— De fato! — Afros bateu no peito. — Eu mesmo treinei Bill. Um grande tritão.

— Suponho que você ensine combate.

Afros ergueu as mãos, exasperado.

— Por que todo mundo acha isso?

Leo olhou para a imensa espada nas costas do homem-peixe.

— Hã, não sei.

— Ensino música e poesia! — falou Afros. — Competências domésticas! Elas também são importantes para a formação de um herói.

— Certamente. — Leo tentava manter-se sério. — Costurar? Assar cookies?

— Isso. Que bom que você entende. Talvez mais tarde, se não precisar matá-lo, eu possa lhe mostrar minha receita de brownie. — Afros fez um gesto desdenhoso para trás. — Meu irmão Bitos... *ele* ensina combate.

Leo não sabia ao certo se se sentia aliviado ou insultado pelo treinador de combate estar interrogando Frank enquanto ele ficava com o professor de economia doméstica.

— Ah, ótimo. Este é o Acampamento... como vocês o chamam? Acampamento Sangue-de-Peixe?

Afros franziu o cenho.

— Espero que tenha sido uma piada. Este é o Acampamento _____. — Ele emitiu uma série de sibilos e assovios parecidos com os dos golfinhos.

— Que idiota que eu sou — disse Leo. — E, sabe, eu iria gostar muito desses brownies! Então, o que temos que fazer para chegar ao estágio de *não precisar me matar*?

— Me conte sua história — falou Afros.

Leo hesitou, mas não por muito tempo. De alguma forma ele pressentiu que devia contar a verdade. Então começou pelo início: de quando Hera fora sua babá e o colocara nas chamas; da morte de sua mãe por culpa de Gaia, que identificara Leo como um futuro inimigo. Ele contou como passara a infância indo de lar adotivo para lar adotivo, até que ele, Jason e Piper foram levados para o Acampamento Meio-Sangue. Explicou a Profecia dos Sete, a construção do *Argo II* e sua missão de ir à Grécia e derrotar os gigantes antes que Gaia despertasse.

Enquanto ele falava, Afros tirou do cinto algumas agulhas compridas de metal de aspecto perverso. Leo receou ter dito algo errado, mas Afros pegou também um pouco de fios de alga de sua bolsa e começou a tricotar.

— Continue — instou ele. — Não pare.

Quando Leo terminou de explicar os eidolons, a rixa com os romanos e todos os problemas com que o *Argo II* havia se deparado tentando cruzar os Estados Unidos desde que embarcaram em Charleston, Afros já havia tricotado um capuz de bebê.

Leo esperou enquanto o peixe-centauro guardava suas coisas. Os chifres de garras de lagosta continuavam a nadar em meio à sua cabeleira, e Leo precisou resistir ao impulso de tentar resgatá-los.

— Muito bem — disse Afros. — Acredito em você.

— Simples assim?

— Sou muito bom em identificar mentiras. Não percebi nenhuma na história que você narrou. E ela também combina com o que Hazel Levesque nos contou.

— Ela está...?

— É claro — disse Afros. — Ela está bem. — Ele levou os dedos à boca e assoviou, o que soava bastante estranho debaixo d'água. — Meus companheiros vão trazê-la para cá em breve. Você precisa entender... nossa localização é um segredo muito bem guardado. Você e seus amigos apareceram em um navio de guerra, perseguidos por um dos monstros marinhos de Ceto. Não sabíamos de que lado vocês estavam.

— Está tudo certo com o navio?

— Avariado — disse Afros —, mas não terrivelmente. A escolopendra fugiu depois de engolir um bocado de fogo. Belo truque.

— Obrigado. Escolopendra? Nunca ouvi falar.

— Considere-se uma pessoa de sorte. São criaturas abomináveis. Ceto deve odiar vocês de verdade. Seja como for, resgatamos você e os outros dois dos tentáculos da criatura quando ela se retirava para as profundezas. Seus amigos ainda estão lá em cima, procurando vocês, mas nós obscurecemos a visão deles. Precisávamos ter certeza de que vocês não eram uma ameaça. Caso contrário, teríamos que... tomar algumas providências.

Leo engoliu em seco. Ele estava mais do que certo de que *tomar algumas providências* não significava assar um tabuleiro extra de brownies. E, se esses caras eram tão poderosos que podiam manter o acampamento oculto aos olhos de Percy, que tinha todos aqueles poderes aquáticos concedidos por Poseidon, no que lhes dizia respeito, aquele mar não estava para peixes.

— Então... podemos ir?

— Em breve — prometeu Afros. — Preciso verificar com Bitos. Quando ele tiver terminado de falar com seu amigo Gank...

— Frank.

— Frank. Quando tiverem terminado, vamos mandar vocês de volta ao navio. E talvez tenhamos alguns avisos para vocês.

— Avisos?

— Ah. — Afros apontou. Hazel emergiu da floresta de algas, escoltada por duas sereias de aspecto cruel, que arreganhavam as presas e sibilavam. Leo pensou que Hazel talvez estivesse em perigo. Mas logo viu que ela parecia completamente à vontade, sorrindo e conversando com suas escoltas, e Leo se deu conta de que as sereias estavam rindo.

— Leo! — Hazel nadou em sua direção. — Este lugar não é incrível?

* * *

Eles foram deixados sozinhos na colina, o que devia significar que Afros realmente confiava neles. Enquanto o centauro e as sereias foram buscar Frank, Leo e Hazel ficaram flutuando pelo lugar, observando o acampamento submarino.

Hazel contou a ele como as sereias haviam sido bem amigáveis. Afros e Bitos ficaram fascinados com sua história, pois nunca tinham conhecido um descendente de Plutão. Além disso, ouviram muitas lendas sobre o cavalo Arion e ficaram impressionados por Hazel ser amiga dele.

Hazel havia prometido visitá-los novamente com Arion. As sereias tinham escrito os números de seus telefones com tinta à prova d'água no braço de Hazel, para que ela pudesse manter contato. Leo não queria nem perguntar como elas tinham sinal de celular no meio do Atlântico.

Enquanto a garota falava, seu cabelo flutuava em torno do rosto em uma nuvem — como terra misturada a pó de ouro na bateia de um garimpeiro. Ela parecia muito segura de si e muito bonita — em nada lembrava a menina tímida e nervosa no pátio daquela escola em Nova Orleans com a lancheira esmagada aos seus pés.

— Não tivemos chance de conversar — disse Leo. Ele relutava em tocar no assunto, mas sabia que essa podia ser a única chance de ficarem sozinhos. — Sobre Sammy.

O sorriso dela desapareceu.

— Eu sei... Só preciso de um tempo para me acostumar. É estranho pensar que você e ele...

Ela não precisava concluir o pensamento. Leo sabia exatamente o quanto era estranho.

— Não tenho certeza de que posso explicar isso a Frank — acrescentou ela. — Sobre nós estarmos de mãos dadas.

Ela evitava encarar Leo. Lá embaixo, no vale, a equipe de trabalhadores ciclopes comemorou quando conseguiu colocar o domo no lugar.

— Já conversei com ele — contou Leo. — Disse que não estava tentando... você sabe. Criar problemas entre vocês dois.

— Ah. Ótimo.

Teria ela soado desapontada? Leo não tinha certeza, e também não sabia ao certo se queria saber.

— Frank, hum, pareceu muito apavorado quando invoquei o fogo. — Leo explicou o que havia acontecido na caverna.

Hazel pareceu atordoada.

— Ah, não. Isso deve tê-lo deixado aterrorizado.

Ela levou a mão à jaqueta jeans, como se estivesse conferindo alguma coisa no bolso interno. Hazel sempre usava aquela jaqueta ou uma camiseta por cima da roupa, mesmo quando estava quente. Leo presumira que o motivo era recato ou talvez porque fosse melhor para cavalgar, como uma jaqueta de motoqueiro. Agora ele se perguntava qual era o real motivo.

Seu cérebro começou a trabalhar em alta velocidade. Ele lembrou-se do que Frank dissera sobre seu ponto fraco... um graveto. Pensou em por que esse garoto teria medo de fogo e por que Hazel compreenderia tanto esses sentimentos. Leo pensou em algumas das histórias que ouvira no Acampamento Meio-Sangue. Por razões óbvias, ele tendia a prestar atenção em lendas sobre fogo. Então lembrou-se de uma na qual não pensava havia meses.

— Existe uma antiga lenda sobre um herói — recordou ele. — cuja vida estava atada a um pedaço de madeira em uma lareira, e quando aquele graveto queimasse...

A expressão de Hazel tornou-se sombria. Leo sabia que havia descoberto a verdade.

— Frank tem esse mesmo problema — adivinhou ele. — E o graveto... — Ele apontou para a jaqueta de Hazel. — Ele o deu a você para que o guardasse em segurança?

— Leo, por favor, não... Eu não posso falar sobre isso.

Os instintos de Leo como mecânico entraram em ação. Ele começou a pensar nas propriedades da madeira e na corrosividade da água salgada.

— A madeira não estraga se ficar no oceano assim? A camada de ar à sua volta o protege?

— Está tudo bem — disse Hazel. — O graveto nem se molhou. Além disso, está enrolado em várias camadas de tecido, plástico e... — Ela mordeu o lábio, frustrada. — E eu não devo *falar* sobre isso! Leo, a questão é que se Frank parece ter medo de você ou fica apreensivo na sua presença, você tem que entender...

Leo ficou feliz por estar flutuando, porque provavelmente sentiria-se tonto demais para se manter de pé. Imaginou-se no lugar de Frank, sua vida tão frágil que literalmente poderia se consumir a qualquer momento. Imaginou a confiança que seria necessária para entregar sua vida — todo o seu futuro — a outra pessoa.

Frank obviamente escolhera Hazel. Assim, quando vira Leo — um cara que podia invocar fogo quando quisesse — dando em cima da sua namorada...

Leo estremeceu. Não era de admirar que Frank não gostasse dele. E de repente a habilidade de Frank de se transformar em vários animais diferentes não parecia tão incrível assim, não se viesse com esse tipo de desvantagem.

Leo pensou no verso que menos gostava da Profecia dos Sete: *Em tempestade ou fogo o mundo terá acabado.* Por muito tempo, imaginara que Jason ou Percy representavam a tempestade — talvez os dois juntos. Leo era o cara do fogo. Ninguém disse isso, mas estava bastante claro. Leo era um dos curingas. Se fizesse a coisa errada, o mundo poderia acabar. Não... o mundo *iria* acabar. Leo se perguntou se Frank e seu graveto teriam algo a ver com aquele verso. Leo já cometera alguns erros épicos. Seria tão fácil para ele acidentalmente atear fogo em Frank Zhang.

— Aí estão vocês!

A voz de Bitos fez Leo se encolher. Ele e Afros aproximaram-se com Frank entre os dois, pálido, mas bem. Frank observou Hazel e Leo com atenção, como se tentasse descobrir sobre o que estiveram conversando.

— Vocês estão livres — disse Bitos. Então abriu seu alforje e devolveu os objetos confiscados. Leo nunca se sentira tão feliz em prender o cinto de ferramentas na cintura.

— Diga a Percy Jackson para não se preocupar — afirmou Afros. — Compreendemos sua história sobre as criaturas marinhas aprisionadas em Atlanta. Ceto e Fórcis precisam ser detidos. Vamos mandar um de nossos heróis em uma missão para derrotá-los e libertar os prisioneiros. Talvez Cyrus?

— Ou Bill — sugeriu Bitos.

— Isso! Bill seria perfeito — concordou Afros. — De qualquer forma, estamos gratos por Percy ter nos informado sobre isso.

— Vocês deviam agradecê-lo pessoalmente — sugeriu Leo. — Quer dizer, ele é filho de Poseidon, e tudo mais.

Ambos os peixes-centauros balançaram a cabeça solenemente.

— Às vezes é melhor não interagir com a prole de Poseidon — falou Afros. — Somos amigos do deus do mar, é claro, mas a política das deidades submarinas é... complicada. E nós valorizamos nossa independência. No entanto, agradeça a Percy. Faremos o possível para acelerar sua travessia pelo Atlântico e impedir mais interferências dos monstros de Ceto, mas fiquem avisados: no mar antigo, o Mare Nostrum, outros perigos os aguardam.

Frank suspirou.

— Como sempre.

Bitos deu um tapinha no ombro do grandalhão.

— Você vai ficar bem, Frank Zhang. Continue praticando se transformar em criaturas marinhas. A forma de carpa está boa, mas tente uma caravela-portuguesa. Lembre-se do que lhe mostrei. O segredo está na respiração.

Frank pareceu muito constrangido. Leo mordeu o lábio, tentando segurar o riso.

— E você, Hazel — disse Afros —, venha nos visitar de novo e traga aquele seu cavalo! Sei que está apreensiva com o tempo que perderam em nossos domínios. Você está preocupada com seu irmão, Nico...

Hazel agarrou sua espada de cavalaria.

— Ele está... vocês sabem onde ele está?

Afros balançou a cabeça.

— Não exatamente. Mas, quando estiver próxima, você deverá ser capaz de sentir a presença dele. Não tema! Vocês têm até depois de amanhã para chegar a Roma se quiserem salvá-lo, mas ainda há tempo. E vocês *precisam* salvá-lo.

— Sim — concordou Bitos. — Ele será essencial para sua jornada. Não sei como, mas pressinto que seja assim.

Afros pousou a mão no ombro de Leo.

— Quanto a você, Leo Valdez, fique perto de Hazel e Frank quando chegarem a Roma. Pressinto que eles enfrentarão... hã, dificuldades *técnicas* que só você poderá superar.

— Dificuldades técnicas? — perguntou Leo.

Afros sorriu, como se isso fosse uma ótima notícia.

— E tenho alguns presentes para você, o bravo navegador do *Argo II*!

— Gosto de pensar em mim como capitão — admitiu Leo. — Ou comandante supremo.

— Brownies! — disse Afros, orgulhoso, enfiando uma cesta de piquenique antiga nos braços de Leo. Ela estava cercada por uma bolha de ar, a qual Leo esperava que evitasse que os brownies se transformassem em lama salgada. — Também coloquei a receita aí dentro. Não ponha manteiga demais! Esse é o truque. E estou lhe entregando uma carta de apresentação para Tiberino, o deus do Rio Tibre. Assim que chegar a Roma, sua amiga, a filha de Atena, vai precisar disso.

— Annabeth... — falou Leo. — O.k., mas por quê?

Bitos riu.

— Ela está buscando a Marca de Atena, não é? Tiberino pode guiá-la nessa missão. Ele é um deus antigo e orgulhoso, que pode ser... difícil, mas espíritos romanos adoram cartas de recomendação. Isso convencerá Tiberino a ajudá-la. Espero.

— Também espero — replicou Leo.

Bitos tirou três pequenas pérolas cor-de-rosa de seu alforje.

— Adeus, semideuses! Boa viagem!

Ele atirou uma pérola em cada um deles, e bolhas cintilantes de energia cor-de-rosa formaram-se em torno dos três.

Eles começaram a subir na água. Leo só teve tempo de pensar: *Um elevador de bola para hamster?* Então ganhou velocidade e disparou como um foguete na direção do brilho distante do sol lá no alto.

XXV

PIPER

Piper tinha um novo registro na sua lista de *Ocasiões em que Piper se sentiu inútil.*

Lutar contra Camarãozilla com uma adaga e uma voz bonita? Nada eficaz. Então o monstro havia mergulhado nas profundezas e desaparecido com três de seus amigos, e ela não pôde fazer nada para ajudá-los.

Depois, Annabeth, o treinador Hedge e Buford, a mesa, puseram-se a ir de um lado ao outro do navio consertando coisas, para evitar que o *Argo II* afundasse. Percy, apesar de estar exausto, procurava no oceano por nossos amigos desaparecidos. Jason, também exausto, voava em torno do cordame como um Peter Pan louro, apagando focos de incêndio causados pela segunda explosão verde que havia iluminado o céu logo acima do mastro principal.

Quanto a Piper, tudo que podia fazer era observar a adaga Katoptris, tentando localizar Leo, Hazel e Frank. Mas as imagens que ela mostrava eram as que a garota não queria ver: três utilitários pretos cheios de semideuses romanos saindo de Charleston a caminho do norte, Reyna ao volante do primeiro carro. Águias gigantes os escoltavam do alto. De vez em quando, espíritos roxos translúcidos em carruagens fantasmagóricas apareciam vindas do campo e passavam a segui-los, trovejando pela estrada a caminho de Nova York e do Acampamento Meio-Sangue.

Piper concentrou-se mais. Viu as imagens apavorantes que já tinha visto antes: o touro com o rosto humano erguendo-se da água, depois a câmara circular escura enchendo-se com a água negra enquanto Jason, Percy e ela lutavam para não afundar.

Ela guardou Katoptris na bainha, perguntando-se como Helena de Troia não havia ficado louca durante a Guerra de Troia se essa lâmina fora sua única fonte de notícias. Então lembrou-se de que todos à volta de Helena haviam sido massacrados pelo exército grego. Talvez ela *tivesse* ficado louca.

Quando o sol nasceu, nenhum deles ainda havia dormido. Percy tinha vasculhado o fundo do mar e não encontrara nada. O *Argo II* não corria mais o risco de afundar, embora sem Leo eles não pudessem fazer todos os reparos. O navio estava apto a prosseguir, mas ninguém sugeriu deixar o local — não sem os amigos desaparecidos.

Piper e Annabeth mandaram uma mensagem de Íris ao Acampamento Meio-Sangue, avisando Quíron sobre o que havia acontecido com os romanos no Forte Sumter. Annabeth relatou sua conversa com Reyna. Piper contou sobre a visão em sua adaga dos utilitários seguindo para o norte. O rosto gentil do centauro pareceu envelhecer trinta anos durante a conversa, mas ele lhes assegurou que reforçaria as defesas do acampamento. Tyson, a sra. O'Leary e Ella tinham chegado lá em segurança. Se fosse necessário, Tyson poderia invocar um exército de ciclopes para defender o acampamento, e Ella e Rachel Dare já estavam comparando profecias, tentando desvendar com mais precisão o que o futuro reservava. O trabalho dos sete semideuses a bordo do *Argo II*, Quíron lembrou-lhes, era concluir a missão e retornar sãos e salvos.

Após o relatório, os semideuses ficaram andando de um lado para o outro no convés, fitando a água à espera de um milagre. Quando ele finalmente aconteceu — três bolhas gigantes cor-de-rosa explodindo na superfície a boreste e ejetando Frank, Hazel e Leo —, Piper ficou meio enlouquecida. Deu um grito de alívio e mergulhou na água.

O que ela estava pensando? Não pegou corda nem colete salva-vidas nem nada. Mas naquele momento estava tão feliz que nadou até Leo e deu um beijo em sua bochecha, o que o surpreendeu um pouco. Ele soltou uma risada.

— Sentiu minha falta?

Piper de repente ficou furiosa.

— Onde vocês *estavam*? Como estão vivos?

— É uma longa história — respondeu Leo. Uma cesta de piquenique emergiu perto dele. — Quer um brownie?

Assim que subiram a bordo e trocaram a roupa molhada (o coitado do Frank teve que usar um jeans muito apertado de Jason), toda a tripulação se reuniu no tombadilho superior para um café da manhã de comemoração, exceto o treinador Hedge, que resmungou que a atmosfera estava ficando melosa demais para seu gosto e desceu para consertar algumas mossas no casco. Enquanto Leo mexia nos controles do leme, Hazel e Frank contaram sobre os peixes-centauros e seu acampamento de treino.

— Incrível — disse Jason. — Estes brownies são *mesmo* bons.

— Esse é seu único comentário? — questionou Piper.

Ele pareceu surpreso.

— O quê? Eu ouvi a história. Peixes-centauros. Sereias e tritões. Carta de apresentação para o deus do Rio Tibre. Entendi. Mas estes brownies...

— Eu sei — concordou Frank, de boca cheia. — Experimente com os pêssegos em calda de Esther.

— Isso — interveio Hazel — é *incrivelmente* nojento.

— Me passe o pote, cara — pediu Jason.

Hazel e Piper trocaram um olhar de total exasperação. *Garotos*.

Percy, por sua vez, queria ouvir todos os detalhes sobre o acampamento submarino. E ficava batendo na mesma tecla:

— Eles não quiseram me conhecer?

— Não é isso — falou Hazel. — É só... política submarina, eu acho. Eles são muito territoriais. A boa notícia é que vão cuidar daquele aquário em Atlanta. E vão ajudar a proteger o *Argo II* durante nossa travessia pelo Atlântico.

Percy assentiu, distraído.

— Mas eles não quiseram me conhecer?

Annabeth bateu em seu braço.

— Vamos lá, Cabeça de Alga! Temos outras preocupações no momento.

— Ela tem razão — disse Hazel. — Depois de hoje, Nico tem menos de dois dias. Os peixes-centauros disseram que *temos* que resgatá-lo. De alguma maneira, ele é essencial à missão.

Ela olhou à sua volta na defensiva, como se esperasse que alguém fosse iniciar uma discussão. Ninguém o fez. Piper tentou imaginar o que Nico di Angelo estava sentindo, preso em um jarro e com apenas duas sementes de romã para se alimentar, sem fazer ideia se seria resgatado ou não. Isso deixou Piper ansiosa para chegar a Roma, embora tivesse a sensação horrível de que estava seguindo na direção de sua própria prisão — uma sala escura cheia de água.

— Nico deve ter alguma informação sobre as Portas da Morte — sugeriu Piper. — Vamos salvá-lo, Hazel. Podemos chegar a tempo. Certo, Leo?

— O quê? — Leo desviou os olhos dos controles. — Ah, sim. Devemos chegar ao mar Mediterrâneo amanhã de manhã. Então passaremos o resto do dia navegando para Roma, ou *voando*, se até lá eu puder consertar o estabilizador...

Pela expressão de Jason, parecia que seu brownie com pêssego em calda de repente não tinha um gosto assim tão bom.

— O que nos levará a Roma no último dia possível para salvar Nico. Vinte e quatro horas para encontrá-lo... no máximo.

Percy cruzou as pernas.

— E isso é só uma parte do problema. Ainda tem a Marca de Atena.

Annabeth não pareceu feliz com a mudança de assunto. Ela pousou a mão na mochila, que parecia estar sempre com ela desde que haviam deixado Charleston.

Ela abriu o zíper e tirou um disco fino de bronze do tamanho de um *donut*.

— Este é o mapa que encontrei no Forte Sumter. É...

Ela calou-se abruptamente, olhando a superfície lisa de bronze.

— Está em branco!

Percy o pegou e examinou os dois lados.

— Não estava assim antes?

— Não! Eu estava olhando para ele agora mesmo na minha cabine e... — Annabeth pensou por alguns instantes e murmurou: — Deve ser como a Marca de Atena. Só posso vê-la quando estou sozinha. Ela não se mostra a outros semideuses.

Frank recuou como se o disco pudesse explodir. Ele tinha um bigode de suco de laranja e uma barba de migalhas de brownie que faziam Piper querer lhe estender um guardanapo.

— O que havia nele? — perguntou Frank, nervoso. — E *o que* é a Marca de Atena? Ainda não entendi.

Annabeth pegou o disco das mãos de Percy. Ela o virou para a luz do sol, mas ele continuava em branco.

— O mapa era difícil de ler, mas indicava um ponto no Rio Tibre, em Roma. Acho que é lá que devo começar minha busca... o caminho que tenho que seguir para achar a Marca.

— Talvez seja onde você vai encontrar o deus do rio, Tiberino — disse Piper. — Mas *o que* é a Marca?

— A moeda — murmurou Annabeth.

Percy franziu a testa.

— Que moeda?

Annabeth enfiou a mão no bolso e tirou uma dracma de prata.

— Estou carregando isto desde que encontrei minha mãe na Grand Central. É uma moeda da cidade de Atenas.

Ela a passou adiante. Enquanto cada um dos semideuses a examinava, Piper teve uma lembrança ridícula das aulas do ensino fundamental em que as crianças levavam um objeto e falavam dele enquanto ele passava de mão em mão.

— Uma coruja — observou Leo. — Bem, faz sentido. Acredito que esse galho seja de oliveira, não é? Mas o que é essa inscrição: AΘE?

— São alfa, teta e épsilon — explicou Annabeth. — Em grego, significa *dos atenienses*... ou você pode ler como *os filhos de Atena*. É como se fosse o lema da cidade.

— Como SPQR para os romanos — adivinhou Piper.

Annabeth assentiu.

— Seja como for, a Marca de Atena é uma coruja exatamente como essa. Ela aparece em vermelho incandescente. Já a vi nos meus sonhos. Depois duas vezes no Forte Sumter.

Ela descreveu o que acontecera no forte: a voz de Gaia, as aranhas na guarnição, a Marca ateando fogo nelas. Piper podia ver que não era fácil para ela falar sobre aquilo.

Percy segurou a mão de Annabeth.

— Eu deveria estar lá com você.

— Mas a questão é exatamente essa — disse Annabeth. — *Ninguém* pode me ajudar. Quando chegarmos a Roma, vou ter que me aventurar sozinha. Caso contrário, a Marca não vai aparecer. Vou ter que rastreá-la até... até a origem.

Frank pegou a moeda de Leo. Ele olhou para a coruja.

— *A ruína dos gigantes se apresenta dourada e pálida/ Conquistada por meio da dor de uma prisão tecida.* — Ele ergueu os olhos para Annabeth. — O que você acha que vai encontrar... nessa origem?

Antes que Annabeth pudesse responder, Jason se manifestou.

— Uma estátua — disse ele. — Uma estátua de Atena. Pelo menos... é o meu palpite.

Piper franziu a testa.

— Você disse que não sabia.

— Eu *não* sei. Mas quanto mais penso sobre isso... Só existe um artefato que poderia se encaixar na lenda. — Ele voltou-se para Annabeth. — Me desculpe. Eu já devia ter contado a você tudo o que sei. Mas, sinceramente, fiquei com medo. Se essa lenda for verdade...

— Eu sei — disse Annabeth. — Eu deduzi, Jason. E não o culpo. Mas se conseguirmos salvar a estátua, gregos e romanos juntos... Você não vê? Isso poderia resolver a rixa.

— Esperem. — Percy fez um gesto de pedido de tempo. — *Que* estátua?

Annabeth pegou de volta a moeda de prata e a guardou no bolso.

— A Atena Partenos — respondeu ela. — A estátua grega mais famosa de todos os tempos. Tinha doze metros de altura e era coberta de ouro e marfim. Ficava no meio do Partenon, em Atenas.

Fez-se silêncio no navio, exceto pelo som das ondas no casco.

— O.k., desisto — disse Leo, afinal. — O que aconteceu com ela?

— Desapareceu — respondeu Annabeth.

Leo franziu a testa.

— Como uma estátua de doze metros no meio do Partenon pode simplesmente *desaparecer*?

— Essa é uma ótima pergunta — disse Annabeth. — É um dos maiores mistérios da história. Algumas pessoas acham que a estátua foi derretida por causa do ouro ou destruída por invasores. Atenas foi saqueada várias vezes. Outros acreditam que ela foi levada...

— Pelos romanos — concluiu Jason. — Pelo menos, essa é uma das teorias e combina com a lenda que ouvi no Acampamento Júpiter. Para destruir o espírito dos gregos, os romanos tomaram a Atena Partenos quando invadiram a cidade de Atenas. Eles a esconderam em um santuário subterrâneo em Roma. Os semideuses romanos juraram que ela jamais veria a luz do dia. Eles literalmente *roubaram* Atena, para que ela não pudesse mais ser o símbolo do poder militar grego. Ela se tornou Minerva, uma deusa muito mais inofensiva.

— E os filhos de Atena vêm procurando a estátua desde então — continuou Annabeth. — A maioria nem conhece a lenda, mas a cada geração alguns são escolhidos pela deusa. Recebem uma moeda como a minha. Seguem a Marca de Atena... uma espécie de trilha mágica que os conecta à estátua... esperando encontrar o lugar de descanso da Atena Partenos e recuperá-la.

Piper observava os dois — Annabeth e Jason — em silencioso espanto. Eles falavam como uma equipe, sem nenhuma hostilidade ou acusação. Os dois nunca chegaram a confiar de verdade um no outro. Piper conhecia ambos bem o suficiente para saber disso. Mas agora... se podiam discutir um problema tão grande com tanta calma — a fonte original do ódio greco-romano — então talvez houvesse esperança para os dois acampamentos, afinal.

A julgar pela expressão de surpresa, Percy parecia estar pensando a mesma coisa.

— Então, se a gente... quer dizer, *você*... encontrasse a estátua... o que faríamos com ela? Será que conseguiríamos *movê*-la?

— Não tenho certeza — admitiu Annabeth. — Mas, se pudéssemos salvá-la de alguma maneira, isso poderia unir os dois acampamentos e curar minha mãe desse ódio que separa seus dois lados. E talvez... talvez a estátua tenha algum tipo de poder que nos ajude a derrotar os gigantes.

Piper olhava espantada para Annabeth, apenas começando a compreender a imensa responsabilidade que a amiga assumira. E Annabeth pretendia fazer tudo aquilo sozinha.

— Isso poderia mudar tudo — observou Piper. — Poderia pôr fim a milhares de anos de hostilidade. Essa pode ser a chave para derrotar Gaia. Mas, se não podemos ajudá-la...

Ela não concluiu a frase, mas a pergunta parecia pairar no ar: *Será que recuperar a estátua era possível?*

Annabeth endireitou os ombros. Piper sabia que ela devia estar apavorada por dentro, mas escondeu aquilo muito bem.

— Preciso conseguir — falou Annabeth com simplicidade. — O resultado vale o risco.

Hazel enrolava o cabelo nos dedos, pensativa.

— Não gosto da ideia de você arriscar sua vida sozinha, mas você tem razão. Vimos o que recuperar o estandarte da águia de ouro fez pela legião romana. Se essa estátua é o símbolo mais poderoso de Atena...

— Ela poderia tocar o terror — sugeriu Leo.

Hazel franziu a testa.

— Não é exatamente assim que *eu* diria, mas, sim, é isso.

— Mas... — Percy tornou a segurar a mão de Annabeth. — Nenhuma criança de Atena *jamais* a encontrou. Annabeth, o que *tem* lá embaixo? O que a está guardando? Se tiver a ver com aranhas...

— *Conquistada por meio da dor de uma prisão tecida* — lembrou Frank. — Tecida, como teias?

O rosto de Annabeth ficou branco feito papel. Piper suspeitava que ela sabia o que a aguardava... ou pelo menos tinha uma boa ideia do que seria. Annabeth estava tentando conter seu pânico e terror.

— Vamos lidar com isso quando chegarmos a Roma — sugeriu Piper, usando um pouco de charme em sua voz para acalmar a amiga. — Vai dar certo. Annabeth também vai tocar o terror. Vocês vão ver.

— Sim — concordou Percy. — Há muito tempo que aprendi: *Nunca* aposte contra Annabeth.

Annabeth olhou para os dois, agradecida.

A julgar pelos pratos do café da manhã deixados pela metade, todos ainda estavam inquietos, mas Leo conseguiu fazê-los esquecer temporariamente o assunto. Ele apertou um botão e um estrondoso jato de vapor saiu da boca de Festus, fazendo todos darem um pulo.

— Muito bem! — falou ele. — A reunião está muito boa, mas ainda há uma tonelada de coisas para consertar neste navio antes de chegarmos ao Mediterrâneo. Por favor, reportem-se ao Supremo Comandante Leo para receber sua lista de tarefas superdivertida!

* * *

Piper e Jason assumiram a responsabilidade de limpar o convés inferior, que ficara um caos durante o ataque do monstro. Organizar a enfermaria e arrumar o depósito ocupou a maior parte do seu dia, mas Piper não se importou. Uma das razões é que ela podia passar algum tempo com Jason. A outra é que as explosões da noite anterior tinham dado a Piper um certo respeito pelo fogo grego. Ela não queria nenhum frasco daquela substância rolando pelos corredores no meio da noite.

Quando estavam consertando os estábulos, Piper pensou na noite que Annabeth e Percy haviam passado ali embaixo por acidente. Piper bem que gostaria de poder conversar com Jason a noite toda — simplesmente se aconchegar no chão do estábulo e desfrutar do prazer de sua companhia. Por que *eles* não quebravam as regras?

Mas Jason não era assim. Ele estava programado para ser um líder e dar o exemplo. Quebrar as regras não era algo natural para ele.

Não havia dúvida de que Reyna admirava isso nele. Piper também... quase sempre.

A única vez em que ela o convencera a ser rebelde fora na Escola da Vida Selvagem, quando haviam se esgueirado até o telhado para observar uma chuva de meteoros. Fora ali que deram o primeiro beijo.

Infelizmente, aquela lembrança era um truque da Névoa, uma mentira mágica implantada em sua mente por Hera. Piper e Jason estavam juntos *agora*, na vida real, mas seu relacionamento fora fundado em uma ilusão. Se Piper tentasse fazer o *verdadeiro* Jason escapulir à noite, será que ele concordaria?

Ela varreu o feno, reunindo-o em montinhos. Jason consertou a porta de um dos estábulos. A escotilha de vidro no chão brilhava com o oceano lá embaixo: uma vastidão verde de luz e sombra que parecia estender-se infinitamente. Piper olhava o tempo todo para aquele ponto, temendo que um monstro aparecesse ou os canibais aquáticos das antigas histórias de seu avô, mas tudo que via era um esporádico cardume de arenques.

Enquanto observava Jason trabalhando, Piper admirava a facilidade com que ele executava cada uma das tarefas, fosse consertar uma porta ou hidratar as selas com óleo. Não eram apenas os braços fortes e as mãos habilidosas, embora Piper gostasse muito deles, mas a maneira como agia tão otimista e confiante. Ele fazia o que precisava ser feito sem reclamar. Conservava o bom humor, apesar de provavelmente estar exausto por não ter dormido na noite anterior. Piper não podia culpar Reyna por ter uma queda por ele. Quando o assunto era trabalho e dever, Jason era completamente romano.

Piper pensou no chá que sua mãe oferecera em Charleston. Ela se perguntou o que a deusa dissera a Reyna um ano antes e por que aquilo mudara a maneira como ela tratava Jason. Teria Afrodite encorajado ou desencorajado Reyna a ter um romance com ele?

Piper não sabia o motivo, mas desejou que a mãe não tivesse aparecido em Charleston. Mães comuns já eram bastante constrangedoras. Mas deusas glamorosas que convidavam suas amigas para tomar chá e falar de garotos — aquilo era simplesmente humilhante.

Afrodite dera tanta atenção a Annabeth e Hazel que deixara Piper apreensiva. Costumava ser um mau sinal quando sua mãe demonstrava interesse na vida amorosa de alguém. Significava que havia problemas a caminho. Ou, como Afrodite diria, *reviravoltas*.

Mas, além disso, Piper sentia-se secretamente magoada por não ter recebido a atenção da mãe. Afrodite mal olhara para ela. Não dissera uma só palavra sobre Jason. Nem se dera ao trabalho de contar como fora a conversa com Reyna.

Era quase como se Afrodite não achasse mais Piper interessante. Piper tinha seu namorado. Agora cabia a ela fazer com que as coisas dessem certo, e Afrodite a descartara tão facilmente quanto a uma revista de fofocas velha.

Todas vocês são excelentes histórias, dissera Afrodite. *Quer dizer, garotas.*

Piper não gostara daquilo, mas parte dela havia pensado: *Tudo bem. Não quero ser uma história. Quero uma vida legal e estável com um namorado legal e estável.*

Se pelo menos ela soubesse um pouco mais sobre como fazer um relacionamento dar certo. Ela devia ser uma *expert* no assunto, sendo a conselheira-chefe do chalé de Afrodite. Outros campistas do Acampamento Meio-Sangue a procuravam o tempo todo em busca de conselhos. Piper havia tentado fazer seu melhor, mas com o próprio namorado não tinha ideia de como agir. Vivia duvidando de si mesma, vendo coisas demais nas expressões de Jason, em suas variações de humor e em seus comentários. Por que tinha que ser tão difícil? Por que não podia sentir o tempo todo aquela sensação de felizes-para-sempre?

— O que você está pensando? — perguntou Jason.

Piper percebeu que estava com uma expressão azeda no rosto. Pelo reflexo no vidro, ela parecia ter acabado de engolir uma colher cheia de sal.

— Nada — disse ela. — Quer dizer... um monte de coisas. Assim, tudo de uma vez.

Jason riu. A cicatriz em seu lábio quase desaparecia quando ele sorria. Considerando-se tudo pelo que passara, era impressionante que ele pudesse estar tão bem-humorado.

— Vai dar tudo certo — garantiu. — Você mesma disse isso.

— Sim — concordou Piper. — Mas só disse isso para que Annabeth se sentisse melhor.

Jason deu de ombros.

— Ainda assim, é verdade. Estamos quase chegando às terras antigas. Deixamos os romanos para trás.

— E agora eles estão a caminho do Acampamento Meio-Sangue para atacar nossos amigos.

Jason hesitou, como se fosse difícil para ele ver o lado positivo daquilo.

— Quíron pensará em uma forma de detê-los. Os romanos podem levar semanas para encontrar o acampamento e planejar o ataque. Além disso, Reyna fará tudo o que puder para desacelerar as coisas. Ela ainda está do nosso lado. Sei que está.

— Você confia nela. — A voz de Piper soou vazia, mesmo aos próprios ouvidos.

— Olhe, Pipes. Eu disse a você que não há motivos para ter ciúme.

— Ela é linda. Ela é poderosa. Ela é tão... romana.

Jason largou o martelo. Ele pegou a mão de Piper, o que fez um arrepio subir pelo braço dela. Seu pai uma vez a levara ao Aquário do Pacífico e lhe mostrara uma enguia-elétrica. Ele explicara que a enguia enviava impulsos elétricos que paralisavam sua presa. Todas as vezes que Jason olhava para ela ou tocava sua mão, Piper tinha essa sensação.

— *Você* é linda e poderosa — disse ele. — E não quero que seja romana. Quero que você seja Piper. Além disso, nós somos uma equipe.

Ela queria acreditar nele. Na verdade, fazia meses que estavam juntos. Ainda assim, ela não conseguia se livrar de suas dúvidas, não mais do que Jason conseguia se livrar da tatuagem SPQR marcada a ferro em seu braço.

Eles ouviram o aviso para o jantar, e Jason lhe lançou um sorriso travesso.

— É melhor subirmos. Não queremos que o treinador Hedge amarre sinos em nossos pescoços.

Piper estremeceu. O treinador Hedge ameaçara fazer isso depois do escândalo Percy/Annabeth, para que soubesse se alguém desse uma escapulida à noite.

— É — disse ela em tom lamentoso, olhando para a escotilha de vidro sob seus pés. — Acho que precisamos jantar... e de uma boa noite de sono.

XXVI

PIPER

Na manhã seguinte Piper acordou com uma buzina de navio diferente — um estrondo tão alto que literalmente a fez cair da cama.

Ela se perguntou se Leo estaria fazendo outra brincadeira. Então a buzina soou de novo. Parecia estar vindo de centenas de metros de distância — de outra embarcação.

Piper vestiu-se correndo. Quando chegou ao convés, os outros já estavam reunidos — todos tinham se vestido às pressas, exceto o treinador Hedge, que estava cobrindo o turno da noite.

A camisa dos Jogos Olímpicos de Inverno de Vancouver de Frank estava do avesso. Percy usava a calça de pijama e um peitoral de bronze, o que tornava o *look* no mínimo interessante. O cabelo de Hazel estava todo amassado para o lado, como se ela tivesse atravessado um ciclone, e Leo havia acidentalmente ateado fogo em si mesmo. Sua camiseta estava em farrapos carbonizados e seus braços soltavam fumaça.

Cerca de cem metros a bombordo, um imenso navio de cruzeiro deslizava pelo *Argo II*. Turistas em quinze ou dezesseis fileiras de sacadas acenavam para eles. Alguns sorriam e tiravam fotos, e ninguém parecia surpreso em ver uma antiga trirreme grega. Talvez a Névoa a fizesse parecer um barco de pesca ou talvez os passageiros do cruzeiro pensassem que o *Argo II* fosse uma atração turística.

O cruzeiro soou a buzina de novo, e o *Argo II* estremeceu.

O treinador Hedge tampou os ouvidos.

— Eles precisam ser tão barulhentos?

— Só estão dizendo olá — explicou Frank.

— O QUÊ? — gritou Hedge de volta.

O navio passou por eles, seguindo para alto-mar. Os turistas continuavam acenando; se acharam estranho o fato de o *Argo II* ser tripulado por adolescentes semiadormecidos de armadura e pijama e um homem com pernas de bode, não demonstraram.

— Tchau! — gritou Leo, erguendo a mão fumegante.

— Posso disparar a balista? — perguntou Hedge.

— Não — respondeu Leo através de um sorriso forçado.

Hazel esfregou os olhos e afastou o olhar da água verde cintilante.

— Onde nós... ah... Uau.

Piper seguiu o olhar dela e perdeu o fôlego. Sem o cruzeiro bloqueando a vista, ela viu uma montanha que se erguia do mar a menos de um quilômetro ao norte. Piper tinha visto rochedos impressionantes antes: percorrera a Rodovia 1 ao longo da costa da Califórnia e até despencara do Grand Canyon com Jason (e voltara voando). Mas nada era tão incrível quanto aquela imensa e ofuscante formação de rocha branca projetando-se para o céu. De um lado, as falésias calcárias eram quase verticais, mergulhando no mar mais de trezentos metros abaixo, pelo que Piper podia calcular. Do outro lado, a montanha descia em camadas cobertas pela vegetação, de modo que o conjunto lembrava a Piper uma esfinge colossal, desgastada ao longo de milênios, com uma cabeça e um peito brancos imensos e um manto verde nas costas.

— O rochedo de Gibraltar — falou Annabeth, com admiração. — Na extremidade da Espanha. E lá adiante... — Ela apontou para o sul, para uma área com colinas vermelhas e ocres a distância. — Ali deve ser a África. Estamos na boca do Mediterrâneo.

A manhã estava quente, mas Piper estremeceu. Apesar da amplidão do mar diante deles, a sensação era a de estar diante de uma barreira intransponível. Assim que entrassem no Mediterrâneo — no Mare Nostrum —, estariam em terras antigas. Se as lendas fossem verdadeiras, sua missão iria se tornar dez vezes mais perigosa.

— E agora? — perguntou ela. — Vamos simplesmente em frente?

— Por que não? — replicou Leo. — É um grande canal de navegação. Barcos entram e saem o tempo todo.

Não trirremes cheias de semideuses, pensou Piper.

Annabeth olhou para o rochedo de Gibraltar. Piper reconheceu aquela expressão meditativa no rosto da amiga. Quase sempre significava que ela estava prevendo problemas.

— Nos tempos antigos — disse Annabeth —, essa área era chamada de Pilares de Hércules. O rochedo teoricamente era um dos pilares. O outro era uma montanha africana; ninguém tem certeza de qual delas.

— Hércules, é? — Percy franziu a testa. — Aquele cara parece o Starbucks da Grécia Antiga. Para onde quer que você olhe, lá está ele.

Um *bum* trovejante sacudiu o *Argo II*, embora Piper não soubesse de onde viera daquela vez. Não via nenhum outro navio, e o céu estava limpo.

De repente, sua boca ficou seca.

— Então... esses Pilares de Hércules. Eles são perigosos?

Annabeth manteve-se concentrada nos penhascos brancos, como se esperasse que a Marca de Atena surgisse ali.

— Para os gregos, os Pilares assinalavam o fim do mundo conhecido. Os romanos diziam que nos pilares havia a inscrição de uma advertência em latim...

— *Non plus ultra* — disse Percy.

Annabeth pareceu perplexa.

— Sim. *Nada mais além*. Como você sabe disso?

Percy apontou.

— Porque estou olhando para ela.

Diretamente à frente deles, no meio do estreito, uma ilha havia surgido. Piper tinha certeza de que não havia ilha nenhuma ali antes. Tratava-se de uma pequena massa de terra montanhosa, coberta com florestas e cercada de praias brancas. Nada muito impressionante comparada a Gibraltar, mas, diante da ilha, projetando-se em meio às ondas a cerca de cem metros da costa, viam-se duas colunas gregas tão altas quanto o mastro do *Argo*. Entre elas, imensas letras prateadas brilhavam debaixo d'água — talvez fossem uma ilusão, ou talvez estivessem incrustadas na areia: NON PLUS ULTRA.

— Pessoal, dou meia-volta? — perguntou Leo, nervoso. — Ou...

Ninguém respondeu — talvez porque, como Piper, tivessem notado a figura parada de pé na praia. À medida que o navio se aproximava das colunas, ela viu um homem de cabelos escuros e túnica roxa, braços cruzados, olhando intensamente para o navio como se o esperasse. Piper não tinha muita certeza àquela distância, mas, a julgar por sua postura, o homem não estava nada feliz.

Frank respirou fundo.

— Será que aquele é...?

— Hércules — falou Jason. — O semideus mais poderoso de todos os tempos.

O *Argo II* estava a apenas algumas centenas de metros das colunas agora.

— Preciso de uma resposta — disse Leo com urgência. — Posso dar meia-volta ou podemos decolar. Os estabilizadores voltaram a funcionar. Mas preciso saber rápido...

— Temos que seguir em frente — afirmou Annabeth. — Acho que ele está guardando o estreito. Se for mesmo Hércules, voltar ou voar não ia adiantar nada. Ele vai querer falar com a gente.

Piper resistiu à urgência de usar seu charme. Ela queria gritar para Leo: *Decole! Tire a gente daqui!* Infelizmente, sentia que Annabeth estava certa. Se eles queriam entrar no Mediterrâneo, não podiam evitar aquele encontro.

— Hércules não estaria do nosso lado? — perguntou ela, esperançosa. — Quer dizer... ele é um de nós, certo?

Jason grunhiu.

— Ele era um filho de Zeus, mas, quando morreu, tornou-se um deus. Nunca se pode ter certeza com os deuses.

Piper lembrou-se de seu encontro com Baco no Kansas: outro deus que já fora um semideus. E ele não fora exatamente prestativo.

— Ótimo — disse Percy. — Sete semideuses contra Hércules.

— E um sátiro! — acrescentou Hedge. — Podemos abatê-lo.

— Tenho uma ideia melhor — falou Annabeth. — Enviamos embaixadores a terra firme. Um grupo pequeno... um ou dois, no máximo. Tentamos falar com ele.

— Eu vou — disse Jason. — Ele é filho de Zeus. Eu sou filho de Júpiter. Talvez ele seja cordial comigo.

— Ou talvez odeie você — sugeriu Percy. — Meios-irmãos nem sempre se dão bem.

Jason franziu a testa.

— Obrigado, sr. Otimismo.

— Vale a pena tentar — opinou Annabeth. — Pelo menos Jason e Hércules têm alguma coisa em comum. E precisamos de nosso melhor diplomata. Alguém que seja bom com as palavras.

Todos os olhos se voltaram para Piper.

Ela tentou não gritar nem saltar pela amurada. Um mau pressentimento a corroía por dentro. Mas, se Jason ia para terra firme, ela queria que estivessem juntos. Talvez aquele deus tão poderoso viesse a lhes ser útil. Eles tinham que ter sorte de vez em quando, não?

— Muito bem — concordou ela. — Só me deixem trocar de roupa.

Assim que Leo ancorou o *Argo II* entre os pilares, Jason invocou os ventos para levá-lo com Piper até a praia.

O homem de roxo esperava por eles.

Piper ouvira muitas histórias sobre Hércules. Vira vários filmes bregas e desenhos animados. Antes, se pensasse nele, ela simplesmente reviraria os olhos e imaginaria um cara cabeludo e idiota, com uns trinta anos, o peito estufado e uma barba hippie nojenta, uma pele de leão na cabeça e armado com uma grande clava, como um homem das cavernas. Imaginava que ele seria fedorento, arrotaria e se coçaria muito e falaria principalmente por meio de grunhidos.

Ela não esperava *aquilo*.

Os pés dele estavam descalços, cobertos de areia branca. A túnica o fazia parecer um sacerdote embora Piper não conseguisse lembrar que grau de hierarquia religiosa usava roxo. Seriam os cardeais? Bispos? E será que a cor significava que ele era a versão romana de Hércules e não a grega? Sua barba era cuidadosamente descuidada, como o pai de Piper e seus amigos atores usavam, do tipo *não faço a barba há dois dias e ainda assim estou incrível*.

Ele era forte, mas não corpulento. O cabelo preto era cortado rente, no estilo romano. Tinha surpreendentes olhos azuis, como os de Jason, mas sua pele era acobreada, como se tivesse passado a vida toda fazendo bronzeamento artificial. O mais surpreendente era que parecia ter uns vinte anos. Com certeza não mais do que isso. Era bonito de uma maneira rústica, mas nem um pouco homem das cavernas.

De fato, havia uma clava, que estava na areia perto dele, mas a arma se assemelhava mais a um imenso bastão de beisebol — um cilindro de mogno polido de um metro e meio, com um cabo forrado de couro pregado com tachas de bronze. O treinador Hedge ficaria com inveja.

Jason e Piper pousaram na área da arrebentação e aproximaram-se lentamente, tomando o cuidado de não fazer nenhum movimento brusco. Hércules os observava sem nenhuma emoção em especial, como se fossem uma espécie de ave marinha que ele nunca tivesse visto.

— Olá — disse Piper.

Sempre um bom começo.

— E aí? — replicou Hércules.

Sua voz era profunda, porém muito casual e moderna. Ele poderia estar cumprimentando-os no vestiário da escola.

— Hã, tudo bem. — Piper se encolheu. — Bem, na verdade, mais ou menos. Eu sou Piper. Este é Jason. Nós...

— Cadê sua pele de leão? — interrompeu Jason.

Piper queria dar uma cotovelada nele, mas Hércules parecia ter achado mais divertido que irritante.

— Está fazendo mais de trinta graus aqui — respondeu ele. — Por que eu usaria uma pele de leão? Você usa casaco de peles para ir à praia?

— Acho que faz sentido. — Jason parecia desapontado. — É que os quadros sempre retratam você com uma pele de leão.

Hércules olhou para o céu com uma expressão feroz e acusadora, como se quisesse trocar umas palavras com seu pai, Zeus.

— Não acreditem em tudo que ouvem sobre mim. Ser famoso não é tão divertido quanto podem pensar.

— Você diz isso para mim? — suspirou Piper.

Hércules fixou aqueles olhos azuis brilhantes nela.

— Você é famosa?

— Meu pai... ele é ator.

Hércules soltou um grunhido.

— Não me faça falar de filmes. Deuses do Olimpo, eles nunca fazem *nada* certo. Vocês viram algum filme sobre mim em que eu pareça comigo?

Piper precisou admitir que ele tinha razão.

— Estou surpresa por você ser tão jovem.

— Ah! Ser imortal ajuda. Mas, sim, eu não era muito velho quando morri. Não pelos padrões modernos. Fiz muita coisa durante meus anos como herói... coisas demais, na verdade. — Seu olhar recaiu sobre Jason. — Filho de Zeus, não é?

— Júpiter — falou Jason.

— Não faz muita diferença — resmungou Hércules. — Papai é irritante em qualquer forma. Eu? Meu nome era Héracles. Então vieram os romanos e me chamaram de Hércules. Na verdade, não mudei muito, embora nos últimos tempos eu tenha dores de cabeça lancinantes só de pensar nisso...

Um tremor passou pelo lado esquerdo de seu rosto. Sua túnica tremeluziu, tornando-se branca por um momento, então voltou ao roxo.

— De qualquer forma — continuou Hércules —, se você é filho de Júpiter, deve compreender. É muita pressão. O suficiente nunca é bastante. Isso pode fazer um cara surtar.

Então ele se voltou para Piper, que teve a sensação de que mil formigas subiam por suas costas. Havia uma mistura de tristeza e trevas em seus olhos que não parecia muito sã e decididamente nada confiável.

— Quanto a você, minha querida — disse Hércules —, tenha cuidado. Filhos de Zeus podem ser... bem, deixa para lá.

Piper não sabia o que ele quisera dizer com aquilo. De repente teve vontade de se afastar o máximo possível daquele deus, mas tentou manter uma expressão calma e educada.

— Então, lorde Hércules — começou ela —, estamos em uma missão. Gostaríamos de sua permissão para entrar no Mediterrâneo.

Hércules deu de ombros.

— É por isso que estou aqui. Depois que morri, papai me nomeou o porteiro do Olimpo. Eu disse: *Ótimo! Deveres palacianos! Festa o tempo todo!* O que ele não mencionou é que eu ficaria aqui, guardando a passagem que leva às terras antigas, preso nesta ilha pelo resto da eternidade. Divertido à beça.

Ele apontou para os pilares que se erguiam das ondas.

— Colunas idiotas. Algumas pessoas afirmam que criei o Estreito de Gibraltar separando montanhas pela força. Outras dizem que as montanhas *são* os pilares. Que monte de estrume de Augias. Os pilares são *pilares*.

— Certo — disse Piper. — É claro. Então... podemos passar?

O deus coçou a barba maneira.

— Bem, tenho que dar o aviso padrão sobre o quanto as terras antigas são perigosas. Não é qualquer semideus que pode sobreviver ao Mare Nostrum. Por essa razão, preciso lhes dar uma missão para cumprirem. Provar seu valor, blá-blá-blá. Sinceramente, não dou muita importância a isso. Em geral dou aos semideuses uma tarefa simples, como fazer uma viagem de compras, cantar uma música engraçada, esse tipo de coisa. Depois de todos aqueles trabalhos que precisei fazer para meu primo malvado, Euristeu, bem... Não quero ser *aquele cara*, sabem?

— A gente agradece — disse Jason.

— Imagina.

Hércules parecia relaxado e descontraído, mas mesmo assim deixava Piper nervosa. Aquele brilho sombrio em seus olhos fazia com que ela se lembrasse de carvão embebido em querosene, pronto a pegar fogo de um momento para o outro.

— Bem, seja como for — disse Hércules —, qual é a sua missão?

— Gigantes — disse Jason. — Estamos a caminho da Grécia para impedi-los de acordar Gaia.

— Gigantes — murmurou Hércules. — Odeio aqueles caras. No tempo em que eu era um herói semideus... ah, deixa para lá. Então, que deus colocou vocês nessa furada? Papai? Atena? Quem sabe Afrodite? — Ele ergueu uma sobrancelha para Piper. — Bonita como você é, aposto que é filha dela.

Piper devia ter pensado mais rápido, mas Hércules a havia deixado perturbada. Já era tarde demais quando ela percebeu que a conversa entrara em terreno perigoso.

— Hera nos enviou — respondeu Jason. — Ela nos reuniu para...

— Hera.

De repente a expressão de Hércules passou a ser como os penhascos de Gibraltar, uma fachada de pedra sólida e implacável.

— Nós a odiamos também — acrescentou Piper rapidamente. Deuses, por que isso não lhe ocorrera? Hera havia sido a inimiga mortal de Hércules. — Não queríamos ajudá-la. Ela não nos deu muita escolha, mas...

— Mas aqui estão vocês — disse Hércules, sem a cordialidade anterior. — Sinto muito, pessoal. Não me importo com o quanto sua missão é importante. Não faço *nada* que Hera queira. Jamais.

Jason parecia confuso.

— Mas pensei que você tivesse feito as pazes com ela quando se tornou deus.

— Como eu disse — grunhiu Hércules —, não acredite em tudo que você ouve. Se querem mesmo entrar no Mediterrâneo, receio que terei que lhes dar uma prova especialmente difícil.

— Mas nós somos tipo irmãos — protestou Jason. — Hera estragou a minha vida também. Eu entendo...

— Você não entende nada — rebateu Hércules com frieza. — Minha primeira família: morta. Minha vida, desperdiçada em missões ridículas. Minha segunda mulher, morta, depois de ser enganada e obrigada a me envenenar e a me deixar para uma morte dolorosa. E a minha recompensa? Acabei me tornando um deus *menor*. Imortal, de forma que nunca possa esquecer meu sofrimento. Empacado aqui como porteiro, como um... um mordomo para os olimpianos. Não, você não entende. O único deus que me compreende um pouquinho é Dioniso. E pelo menos *ele* inventou alguma coisa útil. Não tenho nada a não ser péssimas adaptações cinematográficas da minha vida.

Piper começou a usar seu charme.

— Isso é muitíssimo triste, lorde Hércules. Mas, por favor, pegue leve com a gente. Somos pessoas boas.

Ela pensou que tivesse funcionado. Hércules hesitou. Então seu maxilar se retesou, e ele balançou a cabeça.

— No lado oposto desta ilha, além daquelas colinas, vocês vão encontrar um rio. No meio dele vive o velho deus Aqueloo.

Hércules esperou, como se aquela informação bastasse para fazer com que saíssem correndo, apavorados.

— E...? — perguntou Jason.

— *E* — continuou Hércules — quero que vocês quebrem o outro chifre dele e o tragam para mim.

— Ele tem chifres — disse Jason. — Espere... o *outro* chifre dele? O que...?

— Descubram — falou o deus bruscamente. — Tomem, isso deve ajudar.

Hércules disse a palavra *ajudar* como se quisesse dizer *machucar*. De sob a túnica, tirou um livrinho e o jogou para Piper, que mal conseguiu pegá-lo.

A capa brilhosa do livro mostrava uma montagem fotográfica de templos gregos e monstros sorridentes. O Minotauro fazia o sinal positivo com o polegar. O título dizia: *O guia de Hércules para o Mare Nostrum*.

— Tragam-me aquele chifre ao pôr do sol — disse Hércules. — Só vocês dois. Nada de entrar em contato com seus amigos. O navio permanecerá onde está. Se conseguirem, podem entrar no Mediterrâneo.

— E se não? — perguntou Piper, embora tivesse certeza de que não queria ouvir a resposta.

— Bem, Aqueloo vai matá-los, obviamente — respondeu Hércules. — E eu quebrarei o navio ao meio com minhas próprias mãos e seus amigos sofrerão uma morte precoce.

Jason mudou o peso de um pé para o outro.

— Não podíamos só cantar uma música engraçada?

— Se eu fosse vocês, iria logo — respondeu Hércules com frieza. — Pôr do sol. Ou seus amigos morrem.

XXVII

PIPER

O GUIA DE HÉRCULES PARA o Mare Nostrum não ajudava muito com as cobras e os mosquitos.

— Se esta é uma ilha mágica — resmungou Piper —, por que não podia ser uma ilha mágica *agradável*?

Eles subiram uma colina e desceram até um vale com bosques cerrados, tomando cuidado para evitar as cobras de listras pretas e vermelhas que tomavam sol nas pedras. Nuvens de mosquitos pairavam sobre poças de água parada nas áreas mais baixas. As árvores eram em sua maioria pequenos pinheiros, oliveiras e ciprestes. O estrilar de cigarras e o calor opressivo lembravam a Piper o verão na reserva indígena em Oklahoma.

Até ali não tinham encontrado nenhum rio.

— Podíamos voar — tornou a sugerir Jason.

— Podemos deixar alguma coisa passar — disse Piper. — Além disso, não sei se quero despencar em cima de um deus hostil. Qual é mesmo o nome dele? Aquele o quê?

— Aqueloo. — Jason tentava ler o guia enquanto caminhavam, de forma que a todo instante dava de cara com árvores e tropeçava em pedras. — Aqui diz que ele é um *potamus*.

— Ele é um hipopótamo?

— Não. *Potamus*. Um deus-rio. Segundo isto aqui, ele é o espírito de algum rio da Grécia.

— Como não estamos na Grécia, vamos presumir que ele tenha se mudado — falou Piper. — Não parece que este livro vai ser muito útil. Algo mais?

— Diz aqui que Hércules lutou contra ele uma vez — relatou Jason.

— Hércules lutou contra noventa e nove por cento de tudo na Grécia Antiga.

— É. Vamos ver. Pilares de Hércules... — Jason passou uma página. — Diz aqui também que a ilha não tem hotéis, restaurantes, ou meios de transporte. Atrações: Hércules e dois pilares. Hã, isso é interessante. Acredita-se que o símbolo do dólar... sabe, o cifrão?... tenha vindo do brasão espanhol, que mostrava os Pilares de Hércules com uma bandeira ondulando entre eles.

Ótimo, pensou Piper. Jason finalmente se entendeu com Annabeth, e as tendências CDFs dela começam a contagiá-lo.

— Alguma coisa útil? — perguntou ela.

— Espere. Eis uma minúscula referência a Aqueloo: *O deus-rio lutou contra Hércules pela mão da bela Dejanira. Durante a luta, Hércules quebrou um de seus chifres, que se tornou a primeira cornucópia.*

— Corno o quê?

— Aquele enfeite que se usa no dia de Ação de Graças — explicou Jason. — Sabe aquele chifre cheio de frutos e flores? Temos alguns no refeitório do Acampamento Júpiter. Eu não sabia que o original era o chifre de um cara.

— E nós temos que arrancar o outro — afirmou Piper. — Estou sentindo que isso não vai ser muito fácil. Quem foi Dejanira?

— Hércules se casou com ela — falou Jason. — Acho... aqui não diz, mas acho que algo ruim aconteceu com ela.

Piper lembrou-se do que Hércules dissera: sua primeira família, morta, a segunda mulher, também morta, depois de ser enganada e levada a envenená-lo. Piper estava gostando cada vez menos daquele desafio.

Eles percorriam uma crista entre duas colinas, tentando permanecer na sombra, mas Piper já estava encharcada de suor. Os mosquitos deixavam marcas vermelhas em seus tornozelos, braços e pescoço; ela devia estar parecendo uma vítima de varíola.

Finalmente Piper conseguia passar algum tempo sozinha com Jason e era *isso* o que acontecia.

Piper estava irritada com Jason por ter mencionado Hera, mas sabia que não devia culpá-lo. Talvez só estivesse irritada com ele. Desde o Acampamento Júpiter, ela vinha guardando muitas preocupações e ressentimentos.

Ela se perguntou o que Hércules quisera lhe dizer sobre os filhos de Zeus. Não eram dignos de confiança? Estavam sob pressão demais? Piper tentou imaginar Jason tornando-se um deus ao morrer, de pé em alguma praia guardando os portões para um oceano muito depois de Piper e todo mundo que ele conhecia em sua vida mortal terem morrido.

Ficou imaginando se Hércules algum dia fora tão positivo quanto Jason: mais otimista, confiante, pronto para ajudar. Era difícil imaginá-lo assim.

Enquanto desciam em direção ao vale seguinte, Piper se perguntou o que estaria acontecendo no *Argo II*. Ficou tentada a mandar uma mensagem de Íris, mas Hércules os advertira a não entrar em contato com os amigos. Ela esperava que Annabeth adivinhasse o que estava acontecendo e não tentasse mandar outro grupo para terra firme. Piper não sabia o que Hércules faria se fosse importunado de novo. Ela imaginou o treinador Hedge ficando impaciente e apontando uma balista para o homem de roxo, ou eidolons possuindo a tripulação e forçando-os a cometer suicídio jogando-se na frente de Hércules.

Piper estremeceu. Não sabia as horas, mas o sol já começava a baixar. Como o dia passara tão rápido? Ela teria ficado feliz com a proximidade do pôr do sol por causa da temperatura mais fresca, exceto pelo fato de que isso significava que seu tempo acabara. Uma brisa noturna não serviria para muita coisa se estivessem mortos. Além disso, o dia seguinte era primeiro de julho, as Calendas de Julho. Se a informação que tinham estivesse correta, seria o último dia de vida de Nico di Angelo, e o dia em que Roma seria destruída.

— Pare — disse Jason.

Piper não sabia o que havia de errado. Então ouviu o barulho de água corrente adiante. Eles seguiram com cuidado por entre as árvores e acabaram na margem de um rio. Talvez tivesse mais de dez metros de largura, mas poucos centímetros de profundidade, uma faixa de água prateada correndo sobre um leito liso de pedras. Alguns metros rio abaixo, corredeiras mergulhavam em um poço azul-escuro.

Alguma coisa naquele rio a perturbava. As cigarras nas árvores tinham ficado quietas. Nenhum pássaro gorjeava. Era como se a água estivesse falando e só permitisse a própria voz.

No entanto, quanto mais Piper ouvia, mais convidativo o rio parecia. Ela queria beber um gole daquela água. Talvez devesse tirar os sapatos; faria bem molhar os pés. E aquele poço... seria tão bom mergulhar ali com Jason e relaxar à sombra das árvores, flutuando na água fresca e agradável. Tão romântico.

Piper se sacudiu. Aqueles pensamentos não eram seus. Algo estava errado. Era quase como se o rio estivesse usando charme para convencê-la.

Jason sentou-se em uma pedra e começou a tirar os sapatos. Ele sorriu ao olhar para o poço, como se mal pudesse esperar para entrar ali.

— Pare com isso! — gritou Piper para o rio.

Jason pareceu se assustar.

— Parar com o quê?

— Não estou falando com você — disse Piper. — Estou falando com ele.

Ela sentiu-se tola apontando para a água, mas tinha certeza de que o rio estava exercendo algum tipo de magia, mexendo com suas emoções.

No exato momento em que pensou que havia enlouquecido e que Jason lhe diria isso, o rio falou:

Perdoem-me. Cantar é um dos únicos prazeres que me restam.

Uma figura emergiu do poço, como se subisse em um elevador.

Os ombros de Piper ficaram tensos. Tratava-se da criatura que ela vira na lâmina da adaga, o touro com o rosto humano. Sua pele era tão azul quanto a água. Os cascos levitavam sobre a superfície do rio. Em cima do pescoço bovino havia a cabeça de um homem, com cabelos pretos encaracolados, barba cacheada no estilo grego, olhos tristes e profundos atrás de óculos bifocais e uma boca que parecia congelada em um biquinho permanente. Brotando do lado esquerdo da cabeça havia um único chifre de touro — preto e branco e curvo, do tipo que guerreiros transformavam em copos. A assimetria levava sua cabeça a inclinar-se para a esquerda, fazendo parecer que ele queria tirar água do ouvido.

— Olá — cumprimentou ele, tristonho. — Vieram me matar, suponho.

Jason, depois de calçar os sapatos, levantou-se devagar.

— Hã, bem...

— Não! — interveio Piper. — Sinto muito. Isto é constrangedor. Não queríamos importuná-lo, mas Hércules nos mandou aqui.

— Hércules! — O homem-touro suspirou. Seus cascos rasparam a água, como se estivesse prestes a atacar. — Para mim, ele será sempre Héracles. É o nome grego dele, vocês sabem: *a glória de Hera*.

— Um nome engraçado — observou Jason. — Considerando que ele a odeia.

— De fato — concordou o homem-touro. — Talvez seja por isso que ele não protestou quando os romanos o rebatizaram de Hércules. Naturalmente, esse é o nome pelo qual a maioria das pessoas o conhece... sua *marca*, se preferirem. Hércules é extremamente preocupado com a própria imagem.

O homem-touro falava ao mesmo tempo com amargura e familiaridade, como se Hércules fosse um velho amigo que perdera a razão.

— Você é Aqueloo?

O homem-touro dobrou as patas dianteiras e baixou a cabeça em uma mesura, o que Piper achou doce, mas um tanto triste.

— Ao seu dispor. Notável deus-rio. No passado, fui o espírito do rio mais poderoso da Grécia. Hoje, condenado a viver aqui, nesta ilha, lado a lado com meu velho inimigo. Ah, os deuses são cruéis! Mas, se nos colocaram tão próximos com o propósito de punir a mim ou a Hércules, nunca tive certeza.

Piper não tinha ideia do que ele quisera dizer com aquilo, mas o ruído do rio começava a invadir sua mente outra vez — lembrando-lhe do calor e da sede, do quanto um mergulho seria agradável. Ela tentou se concentrar.

— Eu sou Piper — falou ela. — Este é Jason. Não queremos lutar. É só que Héracles... Hércules... quem que quer que seja. Ele ficou furioso com a gente e nos mandou aqui.

Ela explicou sobre a expedição às terras antigas para impedir que os gigantes acordassem Gaia. Descreveu como sua equipe de gregos e romanos havia se reunido e como Hércules tivera um ataque ao descobrir que Hera estava por trás daquilo.

Aqueloo ficava inclinando a cabeça para a esquerda, e Piper não sabia se ele estava cochilando ou sofrendo uma crise muscular por ter um chifre só.

Quando ela terminou, Aqueloo a olhou como se ela estivesse desenvolvendo uma terrível alergia.

— Ah, minha querida... as lendas são verdadeiras, sabe. Os espíritos, os canibais aquáticos.

Piper teve que reprimir um gemido. Ela não dissera *nada* sobre aquilo a Aqueloo.

— C-como...?

— Deuses-rios sabem muitas coisas — falou ele. — Aliás, você está se concentrando na história errada. Se tivesse chegado a Roma, a história da enchente teria lhe servido melhor.

— Piper? — disse Jason. — Do que ele está falando?

De repente os pensamentos dela estavam tão confusos quanto a imagem em um caleidoscópio. *A história da enchente... Se tivesse chegado a Roma.*

— Eu... eu não sei — respondeu ela, embora houvesse uma vaga lembrança sobre uma história de uma enchente. — Aqueloo, não estou entendendo...

— Não, você não entende. — O deus-rio parecia sentir pena dela. — Coitadinha. Outra garota presa a um filho de Zeus.

— Espere aí — disse Jason. — Na verdade, é Júpiter. E por que isso faz dela uma *coitadinha*?

Aqueloo o ignorou.

— Minha menina, você sabe o motivo da minha luta com Hércules?

— Foi por causa de uma mulher — lembrou Piper. — Dejanira?

— Sim. — Aqueloo deixou escapar um suspiro. — E você sabe o que aconteceu com ela?

— Hã...

Piper olhou para Jason. Ele pegou o guia e começou a folhear as páginas.

— Na verdade, aqui não...

Aqueloo bufou, indignado.

— O que é *isso*?

Jason piscou.

— É só... *O guia de Hércules para o Mare Nostrum*. Ele nos deu o livro para...

— Isso *não* é um livro — insistiu Aqueloo. — Ele deu isso a vocês para me irritar, não foi? Ele sabe que eu odeio essas coisas.

— Você odeia... livros? — perguntou Piper.

— Bah! — O rosto de Aqueloo ficou afogueado, fazendo com que sua pele azul ficasse cor de berinjela. — Isso *não* é um livro.

Ele passou o pé na água. Um pergaminho enrolado saiu a toda velocidade do rio como um minifoguete e pousou diante dele. Aqueloo o abriu com os cascos. O pergaminho amarelo curtido se abriu, mostrando o texto desbotado em latim e elaboradas ilustrações feitas à mão.

— *Isto* é um livro! — falou Aqueloo. — Ah, o cheiro da pele de cordeiro! A fina sensação do pergaminho se desenrolando sob meus cascos. Não se pode simplesmente copiar essas sensações em uma coisa *assim*.

Com a cabeça, indicou, indignado, o guia na mão de Jason.

— Vocês, jovens de hoje, e suas engenhocas ultramodernas. Páginas encadernadas. Pequenos blocos compactos de texto que não são favoráveis a quem tem casco. Isso é um livro *encadernado*, mas não um livro tradicional. Nunca substituirá o bom e velho rolo!

— Hã, vou guardar isso agora.

Jason guardou o guia no bolso de trás, como se pusesse uma arma perigosa no coldre. Aqueloo pareceu acalmar-se um pouco, o que foi um alívio para Piper. Ela não precisava ser atropelada por um touro de um só chifre obcecado por pergaminhos.

— Bem — disse Aqueloo, batendo em uma imagem de seu rolo de pergaminho. — Esta é Dejanira.

Piper ajoelhou-se para olhar. O retrato pintado à mão era pequeno, mas dava para ver que a mulher tinha sido muito bonita, com olhos e longos cabelos escuros e um sorriso brincalhão que provavelmente enlouquecia os homens.

— Princesa de Calidão — falou o deus-rio, pesaroso. — Ela estava prometida para mim, até Hércules aparecer. Ele insistiu no combate.

— E quebrou o seu chifre? — deduziu Jason.

— Sim — respondeu Aqueloo. — Jamais o perdoarei por isso. É horrivelmente incômodo ter apenas um chifre. Mas a situação foi pior para a pobre Dejanira. Ela poderia ter tido uma vida longa e feliz se fosse casada comigo.

— Um homem com cabeça de touro — disse Piper —, que mora em um rio.

— Exatamente — concordou Aqueloo. — Parece impossível que ela tenha recusado, não é? No entanto, ela foi embora com Hércules. Preferiu o herói bonito e vistoso ao marido bom e fiel que a teria tratado bem. O que aconteceu? Bem, ela deveria saber. Hércules estava envolvido demais nos próprios problemas para ser um bom marido. Ele já havia matado a primeira esposa, vocês sabem. Hera o amaldiçoou, então ele teve um acesso de loucura e matou a família inteira. Uma coisa horrível. Foi por isso que teve que realizar os doze trabalhos, como penitência.

Piper estava horrorizada.

— Espere... Hera o *enlouqueceu* e *Hércules* teve que pagar a penitência?

Aqueloo deu de ombros.

— Parece que os olimpianos nunca pagam por seus crimes. E Hera sempre odiou os filhos de Zeus... ou Júpiter. — Ele olhou com desconfiança para Jason. — Seja como for, minha pobre Dejanira teve um fim trágico. Ela começou a ter ciúme dos muitos casos de Hércules. Ele passeava pelo mundo todo, vocês sabem, exatamente como o pai, Zeus, flertando com todas as mulheres que encontrava. Por fim, Dejanira ficou tão desesperada que deu ouvidos a um péssimo conselho. Um centauro astuto chamado Nesso lhe disse que, se quisesse que Hércules fosse fiel para sempre, ela devia espalhar um pouco de sangue de centauro na camisa favorita de Hércules. Infelizmente, Nesso estava mentindo, porque queria vingar-se de Hércules. Dejanira seguiu suas instruções, mas, em vez de tornar Hércules um marido fiel...

— Sangue de centauro é como ácido — falou Jason.

— Sim — confirmou Aqueloo. — Hércules teve uma morte dolorosa. Quando Dejanira percebeu o que tinha feito, ela...

O deus-rio traçou uma linha de um lado ao outro do pescoço.

— Isso é horrível.

— E a moral, qual é, minha querida? — perguntou Aqueloo. — Tome cuidado com os filhos de Zeus.

Piper não conseguiu encarar o namorado; não sabia se seria capaz de esconder o desconforto em seu olhar. Jason nunca seria como Hércules, mas a história mexeu com seus medos. Hera havia manipulado o relacionamento deles, da mesma maneira que manipulara Hércules, e Piper queria acreditar que Jason jamais entraria em um frenesi assassino como o meio-irmão. No entanto, havia apenas quatro dias, ele fora controlado por um eidolon e quase matara Percy Jackson.

— Hércules é um deus agora — continuou Aqueloo. — Ele se casou com Hebe, a deusa da juventude, mas ainda assim raramente está em casa. Ele mora aqui, nesta ilha, guardando aquelas colunas tolas. Diz que Zeus o obriga a fazer isso, mas acho que ele prefere estar aqui a ficar no Monte Olimpo, alimentando sua amargura e lamentando a perda de sua vida mortal. Minha presença o faz lembrar seus fracassos... principalmente com a mulher que por fim o matou. E a presença dele me faz lembrar a pobre Dejanira, que poderia ter sido minha esposa. — O homem-touro tocou o pergaminho, que se enrolou e mergulhou na água. — Hércules quer meu outro chifre para me humilhar. Talvez saber que estou infeliz também o faça se sentir melhor em relação a si mesmo. Além disso, o chifre se tornaria uma cornucópia. Boa comida e bebida sairiam dele, assim como meu poder faz o rio fluir. Sem dúvida Hércules ficaria com a cornucópia para si. Seria uma tragédia e um desperdício.

Piper suspeitava que o ruído do rio e o tom sonolento da voz de Aqueloo ainda afetavam sua mente, mas não podia deixar de concordar com o deus-rio. Começava a odiar Hércules. Aquele pobre homem-touro parecia tão triste e solitário.

Jason se mexeu, desconfortável.

— Sinto muito, Aqueloo. Sinceramente, você não está em uma situação muito invejável. Mas talvez... bem, sem o outro chifre, talvez sua cabeça não ficasse mais torta. Talvez você se sentisse melhor.

— Jason! — protestou Piper.

O garoto ergueu as mãos.

— Foi só uma ideia. Além disso, acho que não temos outra opção. Se não dermos esse chifre para Hércules, ele vai nos matar e a nossos amigos.

— Ele tem razão — disse Aqueloo. — Vocês não têm escolha. E por isso espero que me perdoem.

Piper franziu a testa. O deus-rio parecia tão inconsolável que ela teve vontade de lhe dar um abraço.

— Perdoá-lo por quê?

— Também não tenho escolha — respondeu Aqueloo. — Sou obrigado a detê-los.

O rio explodiu, e uma parede de água atingiu Piper.

XXVIII

PIPER

A ÁGUA A AGARROU COMO um punho e a arrastou para o fundo. Lutar era inútil. Ela fechou a boca, obrigando-se a prender a respiração, mas mal conseguia conter o pânico. Não via nada além de uma torrente de bolhas. Ouvia apenas os próprios movimentos desesperados e o rugido das corredeiras.

Tinha acabado de concluir que era assim que morreria: afogada em um poço em uma ilha que não existia. Até que, tão subitamente quanto fora puxada para baixo, foi impulsionada para a superfície. E se viu no centro de um redemoinho, respirando, mas incapaz de se libertar.

A alguns metros de distância, Jason rompeu a superfície e arfou em busca de ar, a espada em punho. Ele a brandia violentamente, mas não havia nada para atacar.

A uns cinco metros à direita de Piper, Aqueloo ergueu-se da água.

— Sinto muito por isso, de verdade — disse ele.

Jason lançou-se na direção dele, invocando os ventos para erguê-lo do rio, mas Aqueloo era mais rápido e mais poderoso. Uma onda quebrou em Jason e o empurrou para o fundo mais uma vez.

— Pare! — gritou Piper.

Usar o charme não era fácil quando ela estava se debatendo em um redemoinho, mas pelo menos Piper conseguiu atrair a atenção do deus.

— Receio não poder parar — lamentou ele. — Não posso permitir que Hércules fique com meu outro chifre. Seria humilhante.

— Existe outra maneira! — exclamou Piper. — Não precisa matar a gente!

Jason lutava para voltar à superfície. Uma nuvem de tempestade em miniatura formou-se acima dele. Trovões rugiram.

— Nada disso, filho de Júpiter — repreendeu Aqueloo. — Se evocar raios, vai acabar eletrocutando sua namorada.

A água puxou Jason para baixo mais uma vez.

— Deixe-o em paz! — Piper colocou na voz toda a persuasão que conseguiu reunir. — Prometo que não vou deixar Hércules pegar seu chifre!

Aqueloo hesitou. Ele foi até ela, a cabeça inclinada para a esquerda.

— Acredito que esteja falando a verdade.

— E estou! — garantiu Piper. — Hércules é desprezível. Mas, por favor, primeiro liberte meu amigo.

A água se agitou no ponto em que Jason havia submergido. Piper queria gritar. Por quanto tempo mais ele conseguiria prender a respiração?

Aqueloo a observou através dos óculos bifocais. Sua expressão suavizou-se.

— Entendo. Você seria a minha Dejanira. Casaria comigo para compensar minha perda.

— O quê? — Piper não tinha certeza de que ouvira bem. O redemoinho fazia sua cabeça rodar, literalmente. — Há, na verdade, eu estava pensando...

— Ah, compreendo — disse Aqueloo. — Você está com vergonha de sugerir isso na frente do seu namorado. Está certa, é claro. Eu a trataria muito melhor do que um filho de Zeus. Poderia consertar as coisas depois de todos esses séculos. Não consegui salvar Dejanira, mas conseguiria salvar você.

Quanto tempo havia se passado? Trinta segundos? Um minuto? Jason não aguentaria muito mais.

— Você teria que deixar seus amigos morrerem — continuou Aqueloo. — Hércules ficaria furioso, mas eu a protegeria dele. Seríamos muito felizes juntos. Vamos começar deixando esse camarada Jason se afogar, que tal?

Piper mal conseguia manter a calma, mas *precisava* se concentrar. Escondeu o medo e a raiva. Era filha de Afrodite. Tinha que usar as ferramentas que herdara.

Então sorriu o mais docemente que pôde e ergueu os braços.

— Me levante, por favor.

O rosto de Aqueloo se iluminou. Ele segurou as mãos de Piper e a puxou, tirando-a do redemoinho.

Ela nunca montara um touro antes, mas praticara cavalgar sem sela nos pégasos do Acampamento Meio-Sangue e lembrava-se do que tinha de fazer. Tomou impulso, passou uma perna pelas costas de Aqueloo, depois prendeu os tornozelos em torno do pescoço dele e um braço em volta da garganta, ao mesmo tempo em que sacava a adaga com a outra mão. Então pressionou a lâmina sob o queixo do deus-rio.

— Liberte... Jason. — Ela ordenou com o máximo de seu poder. — Agora!

Piper tinha consciência de que havia muitas falhas em seu plano. O deus-rio poderia simplesmente transformar-se em água. Ou podia submergir com ela e esperar até que ela se afogasse. Mas aparentemente o charme de Piper funcionou, ou talvez Aqueloo estivesse apenas surpreso demais para pensar. Ele não devia estar acostumado a garotas bonitas ameaçando cortar sua garganta.

Jason foi ejetado da água como uma bala de canhão. Ele passou por entre os galhos de uma oliveira e desabou na grama. Aquilo não devia ter sido nada agradável, mas ele conseguiu se pôr de pé com esforço, arfando e tossindo. Ergueu a espada, e as nuvens escuras se tornaram mais densas sobre o rio.

Piper lançou-lhe um olhar de advertência: *Ainda não*. Ela ainda precisava sair daquele rio sem se afogar ou ser eletrocutada.

Aqueloo arqueou as costas como se preparasse um golpe. Piper pressionou a adaga com mais força em sua garganta.

— Seja um bom touro — advertiu ela.

— Você prometeu — falou Aqueloo por entre os dentes. — Prometeu que Hércules não pegaria o meu chifre.

— E ele não vai pegar — afirmou Piper. — Eu vou.

Ela ergueu a adaga e decepou o chifre do deus com o bronze celestial, que o cortou como se fosse argila molhada. Aqueloo berrou de fúria. Antes que pudesse se recobrar, Piper se ergueu em suas costas e, com o chifre em uma das mãos e a adaga na outra, saltou para a margem.

— Jason!

Graças aos deuses, ele entendeu. Uma rajada de vento a arrebatou e a levou em segurança para a outra margem. Piper caiu no chão e rolou para longe, com os cabelos da nuca eriçados. Um cheiro metálico encheu o ar. Ela voltou-se na direção do rio e imediatamente um clarão a cegou.

BUUUM! Um raio agitou a água, transformando-a em um caldeirão fervente, fumegando e sibilando com a eletricidade. Piper piscou, tentando livrar-se dos pontos amarelos em sua visão enquanto Aqueloo uivava e se dissolvia sob a superfície. A expressão horrorizada do deus parecia perguntar: *Como você pôde?*

— Jason, corra!

Ela ainda estava tonta e nauseada pelo medo, mas enfiou-se na floresta com Jason. Enquanto subia a colina, apertando o chifre de touro junto ao peito, Piper percebeu que estava soluçando — embora não soubesse se era de medo, de alívio ou de vergonha pelo que fizera com o velho deus-rio.

Eles não diminuíram a velocidade até alcançar a crista da colina.

Piper sentia-se uma boba, mas não conseguiu se controlar e chorou várias vezes enquanto contava para Jason o que acontecera durante o tempo em que ele se debatera debaixo d'água.

— Piper, você não tinha escolha. — Ele pôs a mão no ombro dela. — Você salvou a minha vida.

Ela secou as lágrimas e tentou se controlar. O sol se aproximava do horizonte. Eles precisavam encontrar Hércules logo ou seus amigos morreriam.

— Aqueloo obrigou você a fazer isso — continuou Jason. — E duvido que aquele raio tenha matado o cara. Ele é um deus antigo, você teria que destruir o rio para destruí-lo. E ele pode viver sem o chifre. Se você precisou mentir sobre não o entregar a Hércules, bem...

— Eu não estava mentindo.

Jason a encarou.

— Pipes... não temos escolha. Hércules vai matar...

— Hércules não merece ficar com o chifre.

Piper não sabia de onde vinha aquela fúria, mas nunca estivera tão certa de algo em sua vida. Hércules era um idiota amargo e egoísta, machucara gente demais e queria continuar fazendo isso. Talvez tivesse passado por alguns maus bocados, talvez os deuses o tivessem maltratado, mas não era desculpa. Um herói não podia controlar os deuses, mas devia ser capaz de controlar a si mesmo.

Jason nunca seria assim. Ele nunca culparia outros por seus problemas ou permitiria que um ressentimento fosse mais importante que fazer a coisa certa.

Piper não repetiria a história de Dejanira. Não iria obedecê-lo só porque ele era bonito, forte e assustador. Dessa vez, ele não ia receber o que queria — não depois de ameaçar a vida deles e de mandá-los fazer Aqueloo sofrer ainda mais só para irritar Hera. Hércules não merecia uma cornucópia. Piper ia colocá-lo em seu devido lugar.

— Eu tenho um plano.

E explicou a Jason o que fazer. Ela só se deu conta de que estava usando o charme quando os olhos dele ficaram vidrados.

— Como você quiser — prometeu ele. Então piscou algumas vezes. — Nós vamos morrer, mas estou dentro.

Hércules aguardava exatamente no lugar em que o tinham deixado. Ele olhava fixamente para o *Argo II*, ancorado entre as colunas, e o sol ia se pondo às suas costas. Parecia estar tudo bem com o navio, mas o plano de Piper começava a parecer insano até mesmo para ela.

Era tarde demais para voltar atrás. Ela já enviara uma mensagem de Íris para Leo. Jason estava preparado. E, ao rever Hércules, teve mais certeza do que nunca de que não podia lhe dar o que ele queria. O rosto do herói não chegou a se iluminar quando viu Piper com o chifre do touro, mas sua carranca suavizou.

— Muito bem — disse ele. — Vocês conseguiram. Sendo assim, estão livres para prosseguir.

Piper olhou para Jason.

— Você o ouviu. Ele nos deu permissão. — Ela voltou-se para o deus. — Isso significa que nosso navio pode entrar no Mediterrâneo?

— Sim, sim. — Hércules estalou os dedos. — Agora me dê o chifre.

— Não — disse Piper.

O deus franziu a testa.

— Como?

Ela ergueu a cornucópia. Desde que o havia decepado da cabeça de Aqueloo, o chifre se tornara oco, liso e escuro por dentro. Não parecia mágico, mas Piper contava com seu poder.

— Aqueloo tinha razão — falou ela. — Você é a maldição *dele* tanto quanto ele é a sua. Você é uma vergonha como herói.

Hércules a olhava como se a garota estivesse falando japonês.

— Você se dá conta de que posso matá-los com um simples peteleco? — disse ele. — Posso lançar minha clava no seu navio e cortar o casco ao meio. Posso...

— Você pode calar a boca — falou Jason. Ele sacou a espada. — Talvez Zeus *seja* mesmo diferente de Júpiter, porque eu não ia aturar um irmão agindo como você.

As veias no pescoço de Hércules ficaram tão roxas quanto sua túnica.

— Você não seria o primeiro semideus a morrer nas minhas mãos.

— Jason é melhor que você — disse Piper. — Mas não se preocupe. Não vamos lutar. Vamos embora desta ilha com o chifre. Você não merece este prêmio. Vou ficar com ele, para me lembrar de como *não* agir como semideusa e para me lembrar dos pobres Aqueloo e Dejanira.

As narinas do deus tremeram.

— *Não* mencione esse nome! Você não pode realmente estar pensando que eu esteja com medo do seu namorado franzino. Ninguém é mais forte que eu.

— Eu não disse que ele é mais forte — corrigiu Piper. — Disse que ele é *melhor*.

Piper apontou a abertura do chifre para Hércules e deu vazão ao ressentimento, à dúvida e à raiva que vinha alimentando desde o Acampamento Júpiter. Concentrou-se em todos os bons momentos que havia partilhado com Jason Grace: voar sobre o Grand Canyon, caminhar pela praia no Acampamento Meio--Sangue, cantar e olhar as estrelas, de mãos dadas, sentar-se perto do campo de morangos nas tardes livres, ouvindo os sátiros tocarem flauta.

Ela pensou em um futuro com os gigantes derrotados, Gaia ainda dormindo e eles felizes para sempre — sem ciúmes e sem monstros a enfrentar. Encheu o coração com esses pensamentos e sentiu a cornucópia aquecer.

O chifre lançou uma enxurrada de comida tão poderosa quanto o rio de Aqueloo. Uma torrente de frutas frescas, assados e presuntos defumados enterraram Hércules completamente. Piper não compreendia como toda aquela comida podia passar pela abertura do chifre.

Depois de despejar guloseimas suficientes para encher uma casa, o chifre se desligou. Piper ouviu Hércules gritando e se debatendo debaixo de tudo aquilo. Aparentemente, mesmo o deus mais forte do mundo podia ser pego de surpresa quando enterrado sob produtos alimentícios frescos.

— Agora! — disse ela a Jason, que esquecera sua parte do plano e olhava, boquiaberto, a pilha de frutas. — Agora!

Ele agarrou a cintura de Piper e invocou o vento. Os dois saíram voando da ilha em tamanha velocidade que Piper quase caiu, mas a fuga foi na hora certa.

Quando a ilha começava a desaparecer de vista, a cabeça de Hércules surgiu acima do monte de comida. Metade de um coco cobria sua cabeça, como um capacete de guerra.

— Morram! — berrou ele como se tivesse muita prática em dizer isso.

Jason aterrissou no convés do *Argo II*. Felizmente, Leo fizera sua parte: os remos do navio já se encontravam no modo aéreo e a âncora tinha sido recolhida. Jason invocou uma ventania tão forte que os lançou para o céu enquanto Percy enviava uma onda de três metros para a praia, derrubando Hércules mais uma vez com uma cascata de água salgada e abacaxis.

Quando o deus se pôs de pé novamente e começou a arremessar cocos neles lá de baixo, o *Argo II* já navegava em meio às nuvens sobre o Mediterrâneo.

XXIX

PERCY

PERCY ESTAVA MEIO PARA BAIXO.

Já tinha sido bastante ruim ter que sair correndo de Atlanta por causa de deuses marinhos do mal. Em seguida, ele não conseguiu impedir um camarão gigante de atacar o *Argo II*. E depois, os ictiocentauros, irmãos de Quíron, nem quiseram conhecê-lo.

Depois de tudo isso, eles chegaram aos Pilares de Hércules e Percy foi obrigado a ficar no navio enquanto Jason, o Figurão, visitava o meio-irmão, o semideus mais famoso de todos os tempos. Percy também não pôde conhecê-lo.

Tudo bem que, pelo que Piper dissera depois, Hércules era um idiota, mas ainda assim... Percy estava ficando meio cansado de permanecer a bordo, andando de um lado para o outro do convés.

O mar aberto teoricamente era território *dele*. Percy deveria tomar a frente, assumir o controle e manter todos em segurança. Em vez disso, durante toda a travessia do Atlântico, ele não fizera praticamente nada, exceto ficar de conversa fiada com tubarões e ouvir o treinador Hedge cantando músicas de séries de tevê.

Para piorar, desde que saíram de Charleston Annabeth estava distante. Ela passava a maior parte do tempo em sua cabine, estudando o mapa de bronze que apanhara no Forte Sumter ou procurando informações no laptop de Dédalo.

Sempre que Percy ia até lá para ver a namorada, ela estava tão perdida em pensamentos que a conversa se desenrolava mais ou menos assim:

Percy: "Ei, como está indo?"

Annabeth: "Hã, não, obrigada."

Percy: "Certo... você já comeu alguma coisa hoje?"

Annabeth: "Acho que Leo está de plantão. Pergunte a ele."

Percy: "Então, meu cabelo está pegando fogo."

Annabeth: "Tudo bem. Daqui a pouco."

Ela ficava assim às vezes. Era um dos desafios de namorar uma filha de Atena. Ainda assim, Percy se perguntava o que precisava fazer para chamar a atenção dela. Estava preocupado com Annabeth depois do episódio com as aranhas no Forte Sumter e não sabia como ajudá-la, principalmente quando ela não conversava com ele.

Depois de deixar os Pilares de Hércules — ileso, exceto por alguns cocos alojados no revestimento de bronze do casco —, o navio seguiu pelo ar por algumas centenas de quilômetros.

Percy tinha esperado que as terras antigas não fossem tão ruins quanto tinha ouvido falar, mas quase parecia um comercial: *Você vai ver a diferença!*

No intervalo de uma hora, o navio foi atacado várias vezes. Um bando de pássaros carnívoros da Estinfália surgiu do céu noturno e mergulhou contra eles, e Festus colocou fogo neles. Espíritos da tempestade rodopiaram em torno do mastro, e Jason os atacou com relâmpagos. Enquanto o treinador Hedge jantava no convés de proa, um pégaso selvagem surgiu do nada, pisoteou as *enchiladas* do treinador e foi embora, deixando pedaços de queijo por todo o convés.

— O que foi *isso*? — perguntou o treinador.

A visão do pégaso fez Percy desejar que Blackjack estivesse ali. Fazia dias que não via o amigo. Tempestade e Arion também não tinham aparecido. Talvez não quisessem se aventurar no Mediterrâneo. Se fosse o caso, Percy não podia culpá-los.

Finalmente, por volta da meia-noite, depois do nono ou décimo ataque aéreo, Jason voltou-se para ele:

— Que tal você dormir um pouco? Vou continuar derrubando coisas do céu enquanto puder. Depois seguimos um pouco por mar, e você assume a frente.

Percy não tinha muita certeza de que conseguiria dormir com o barco balançando em meio às nuvens como se estivesse sendo sacudido por espíritos do vento furiosos, mas a sugestão de Jason fazia sentido. Ele desceu a escada e desabou no beliche.

Seus pesadelos, é claro, foram tudo, menos sossegados.

Ele sonhou que estava em uma caverna escura. Só conseguia ver poucos metros à frente, mas o espaço parecia ser amplo. Água gotejava em algum lugar ali perto, e o som ecoava nas paredes distantes. As correntes de ar que sopravam faziam Percy suspeitar que o teto da caverna era muito, muito alto.

Ele ouviu passos pesados, e os gigantes gêmeos, Efialtes e Oto, saíram da escuridão. Percy só conseguia distingui-los pelo cabelo: Efialtes tinha tranças verdes entremeadas com moedas de ouro e prata; Oto tinha o rabo de cavalo roxo, trançado com... aquilo eram fogos de artifício?

De resto, vestiam-se de maneira idêntica, e o traje deles decididamente tinha que ser um pesadelo. Usavam calças brancas e camisas de corsário douradas com um decote V que exibia um grande tufo de pelos no peito. Uma dúzia de punhais embainhados se alinhavam nos cintos cravejados de diamantes falsos. Suas sandálias eram abertas nos dedos, provando que — sim, de fato — eles tinham cobras no lugar dos pés. As tiras das sandálias se prendiam no pescoço das cobras, e as cabeças se enroscavam onde deviam ser os dedos. As cobras estalavam a língua, agitadas, e voltavam os olhos dourados em todas as direções, como cães olhando pela janela do carro. Talvez fizesse muito tempo que elas não ficavam em sapatos com vista.

Os gigantes pararam diante de Percy, mas não prestaram nenhuma atenção a ele. Em vez disso, olharam a escuridão acima.

— Estamos aqui — anunciou Efialtes.

Apesar de sua voz de trovão, as palavras se dissiparam na caverna, ecoando até soarem fracas e insignificantes. Lá do alto, alguma coisa respondeu:

— Sim, estou vendo. É difícil não notar essas roupas.

A voz fez o estômago de Percy se revirar. Soava vagamente feminina, mas nem um pouco humana. Cada palavra era um sibilo truncado e em muitos tons, como se um enxame de abelhas-africanas assassinas houvesse aprendido a falar em uníssono.

Não era Gaia, Percy tinha certeza disso. Mas, o que quer que fosse, deixou os gigantes gêmeos nervosos. Eles mudaram o peso de uma cobra para outra e balançaram a cabeça respeitosamente.

— É claro, Vossa Senhoria — disse Efialtes. — Trazemos notícias de...

— Por que estão vestidos assim?

A coisa na escuridão não parecia estar se aproximando, o que para Percy era bom. Efialtes lançou um olhar irritado ao irmão.

— Meu irmão deveria ter vestido algo diferente. Infelizmente...

— Você disse que *eu* era o atirador de facas hoje — protestou Oto.

— Eu disse que *eu* era o atirador de facas! Você deveria ser o mágico! Ah, me perdoe, Vossa Senhoria. Não está aqui para nos ouvir discutir. Viemos como pediu, para trazer notícias. O navio está se aproximando.

Sua Senhoria, o que quer que fosse, emitiu uma série de sibilos violentos, como um pneu sendo repetidamente esfaqueado. Estremecendo, Percy percebeu que ela estava rindo.

— Quanto tempo? — perguntou ela.

— Devem atracar em Roma logo depois do nascer do dia, acho — falou Efialtes. — Naturalmente, vão ter que passar pelo garoto de ouro.

Ele fez uma careta de desprezo, como se não gostasse muito do *garoto de ouro*.

— Espero que cheguem em segurança — disse Sua Senhoria. — Estragaria nossa diversão tê-los capturados tão cedo. Seus preparativos estão prontos?

— Sim, Vossa Senhoria.

Oto deu um passo à frente, e a caverna tremeu. Uma rachadura surgiu sob a cobra esquerda de Oto.

— Cuidado, seu pateta! — rosnou Sua Senhoria. — Quer voltar para o Tártaro da maneira mais difícil?

Oto recuou depressa, o rosto tomado pelo terror. Percy percebeu que o chão, que parecia pedra sólida, era mais como a geleira em que ele andara no Alasca: em alguns pontos sólido, em outros... nem tanto. Ficou feliz por não pesar nada nos sonhos.

— Há pouco sustentando este lugar — advertiu Sua Senhoria. — Exceto, é claro, a minha habilidade. Séculos de fúria de Atena não são fáceis de conter, e a grande Mãe Terra se agita sob nós em seu sono. Entre essas duas forças, bem... meu ninho se desfez quase completamente. Temos que torcer para que essa filha de Atena prove ser uma vítima digna. Ela pode ser meu último brinquedo.

Efialtes engoliu em seco, com os olhos ainda na fenda no chão.

— Logo isso não vai ter mais importância, Vossa Senhoria. Gaia se erguerá, e todos nós seremos recompensados. Vossa Senhoria não terá mais que guardar este lugar ou manter suas atividades ocultas.

— Talvez — disse a voz na escuridão. — Mas vou sentir falta da minha doce vingança. Trabalhamos bem juntos ao longo desses séculos, não foi?

Os gêmeos fizeram uma reverência. As moedas cintilaram no cabelo de Efialtes, e Percy percebeu com nauseante certeza que algumas delas eram dracmas de prata, exatamente como a que Annabeth recebera da mãe.

Ela lhe dissera que a cada geração alguns filhos de Atena eram enviados em missão para recuperar a estátua desaparecida do Partenon. Nenhum jamais tivera êxito.

Trabalhamos bem juntos ao longo desses séculos...

O gigante Efialtes tinha um tesouro de séculos em moedas em suas tranças — centenas de troféus. Percy visualizou Annabeth naquele lugar escuro, sozinha. Imaginou o gigante pegando a moeda que ela carregava e acrescentando-a à sua coleção. Percy queria sacar a espada e fazer um corte de cabelo no gigante, começando pelo pescoço, mas ele não tinha como agir. Só podia observar.

— Hum, Vossa Senhoria — disse Efialtes, nervoso. — Gostaria de lhe lembrar que Gaia quer que a garota seja capturada viva. Vossa Senhoria pode atormentá-la, enlouquecê-la, o que desejar, é claro. Mas o sangue dela deve ser derramado nas pedras antigas.

Sua Senhoria sibilou.

— Outros poderiam ser usados para esse fim.

— S-sim — falou Efialtes. — Mas *essa* garota é a preferida. E o garoto... o filho de Poseidon. Dá para ver por que aqueles dois são mais indicados para a tarefa.

Percy não sabia o que isso queria dizer, mas teve vontade de rachar o chão e mandar aqueles dois gêmeos estúpidos de camisa dourada para o esquecimento no fundo da Terra. Ele nunca deixaria Gaia derramar o sangue dele por nenhum motivo — e *de jeito nenhum* deixaria alguém machucar Annabeth.

— Vamos ver — resmungou Sua Senhoria. — Deixem-me agora. Cuidem de seus preparativos. Vocês terão seu espetáculo. E eu... eu vou trabalhar na escuridão.

O sonho desbotou, e Percy acordou com um sobressalto.

Jason batia em sua porta aberta.

— Estamos na água — disse ele, parecendo completamente exausto. — Sua vez.

Percy não queria, mas acordou Annabeth. Ele calculou que nem o treinador Hedge se importaria de eles conversarem após a hora de dormir já que o assunto eram informações que poderiam salvar sua vida.

Eles ficaram sozinhos no convés, exceto por Leo, que ainda manejava o leme. O cara devia estar destruído, mas se recusava a ir dormir.

— Não quero ter mais nenhuma surpresa do tipo Camarãozilla — insistiu.

Todos tinham tentado convencê-lo de que o ataque da escolopendra não fora inteiramente culpa sua, mas ele não acreditava. Percy sabia como ele se sentia. Não se perdoar pelos seus erros era um dos maiores talentos de Percy.

Eram mais ou menos quatro da manhã. O tempo estava horrível. A neblina era tão densa que Percy não conseguia ver Festus na extremidade da proa, e um chuvisco quente pairava no ar como uma cortina de contas. Enquanto atravessam ondas de seis metros, o mar subindo e descendo abaixo deles, Percy podia ouvir a pobre Hazel em sua cabine... O estômago dela também subia e descia.

Apesar de tudo, Percy sentia-se grato por estar de volta à água. Preferia isso a voar em meio a nuvens de tempestade, sendo atacados por aves carnívoras e pégasos que destruíam as *enchiladas* dos outros.

Ele parou com Annabeth junto à amurada da proa enquanto lhe contava o sonho. Percy não sabia como ela receberia a notícia, mas a reação dela foi ainda mais perturbadora do que ele antecipara: Annabeth não pareceu surpresa. Ficou só fitando a neblina.

— Percy, você tem que me prometer uma coisa. Não conte nada aos outros sobre esse sonho.

— *O quê?* Annabeth...

— O que você viu está relacionado à Marca de Atena. Não vai ajudar os outros saberem disso. Só vai servir para deixá-los preocupados e tornar mais difícil que eu vá sozinha.

— Annabeth, você não pode estar falando sério. Aquela coisa na escuridão, a grande câmara com o piso desmoronando...

— Eu sei. — O rosto dela parecia anormalmente pálido, e Percy suspeitava que o motivo não era apenas a neblina. — Mas tenho que fazer isso sozinha.

Percy engoliu a raiva. Não sabia ao certo se estava zangado com Annabeth, com seu sonho ou com toda a sociedade greco-romana que havia permitido e dado forma à história humana durante cinco mil anos com um único objetivo em mente: tornar a vida de Percy Jackson a mais miserável possível.

— Você sabe o que tem naquela caverna — adivinhou ele. — Tem alguma coisa a ver com aranhas?

— Sim — confirmou ela, a voz fraca.

— Então como você pode sequer...?

Ele se obrigou a parar. Quando Annabeth tomava uma decisão, discutir não ajudava em nada. Lembrou-se da noite, três anos e meio antes, em que salvaram Nico e Bianca di Angelo no Maine. Annabeth fora capturada pelo titã Atlas. Durante algum tempo Percy não sabia se ela estava viva ou morta e atravessara o país para salvá-la do titã. Foram os dias mais difíceis de sua vida — não só pelos monstros e as lutas, mas pela preocupação.

Como ele poderia deixá-la sozinha *intencionalmente*, sabendo que ela ia em direção a algo ainda mais perigoso?

De repente ele compreendeu: o que sentira naqueles poucos dias era provavelmente o mesmo que Annabeth sentira durante os seis meses em que ele ficara desaparecido, com amnésia.

Aquilo o fez sentir-se culpado e um pouquinho egoísta por ficar ali discutindo com ela. Annabeth *precisava* fazer essa missão. O destino do mundo talvez dependesse disso. Mas parte dele queria dizer: *esqueça o mundo*. Ele não queria ficar sem ela.

Percy fitou a neblina. Não podia ver nada ao redor, mas seu senso de orientação era perfeito no mar. Sabia exatamente a latitude e a longitude de onde se encontravam. Sabia a profundidade do oceano e em que sentido as correntes marítimas fluíam. Ele sabia a velocidade do navio, e não percebia nenhuma pedra, banco de areia nem outros perigos naturais em seu caminho. Ainda assim, estar cego era inquietante.

Eles não tinham sido atacados desde que tocaram a água, mas o mar parecia diferente. Percy estivera no Atlântico, no Pacífico e até no Golfo do Alasca, mas aquele mar parecia muito mais antigo e poderoso. Percy pressentia suas camadas se agitando abaixo dele. Cada herói grego ou romano havia navegado naquelas águas, de Hércules a Enéas. Monstros ainda habitavam as profundezas, tão envoltos na Névoa que dormiam a maior parte do tempo, mas Percy podia senti-los se remexendo, reagindo ao casco de bronze celestial de uma trirreme grega e à presença de sangue de semideus.

Eles estão de volta, os monstros pareciam dizer. *Finalmente, sangue fresco.*

— Não estamos longe da costa italiana — falou Percy, mais para quebrar o silêncio. — Talvez a cem milhas náuticas da foz do Tibre.

— Isso é bom — disse Annabeth. — Até o amanhecer devemos...

— Pare. — A pele de Percy de repente ficou gelada. — Temos que parar.

— Por quê? — perguntou Annabeth.

— Leo, pare! — gritou ele.

Tarde demais. O outro barco surgiu do meio da neblina e os atingiu de frente. Naquela fração de segundo, Percy registrou detalhes aleatórios: outra trirreme; velas negras pintadas com uma cabeça de górgona; guerreiros fortes, não exatamente humanos, aglomerados na proa do barco com armaduras gregas, com espadas e lanças preparadas; e um aríete de bronze, no nível da água, batendo no casco do *Argo II*.

Annabeth e Percy quase foram lançados por cima da amurada.

Festus cuspiu fogo, fazendo uma dúzia de guerreiros, muito surpresos, mergulharem aos gritos no mar. No entanto, uma quantidade ainda maior deles enxameou a bordo do *Argo II*. Cordas engancharam-se nas amuradas e no mastro, enterrando garras de ferro nas tábuas do casco.

Quando Percy se recuperou, o inimigo já estava por toda parte. Ele não enxergava bem em meio à neblina e à escuridão, mas os invasores eram como golfinhos que pareciam humanos ou homens que pareciam golfinhos. Alguns tinham focinho cinza. Outros seguravam a espada com nadadeiras atrofiadas. Alguns gingavam em pernas parcialmente fundidas enquanto outros ainda tinham nadadeiras em vez de pés, o que fazia lembrar sapatos de palhaço.

Leo fez soar o alarme e disparou na direção da balista mais próxima, mas desapareceu sob uma pilha de guerreiros golfinhos barulhentos.

Annabeth e Percy ficaram ali, um de costas para o outro, como haviam feito muitas vezes antes, com as armas em punho. Percy tentou convocar as ondas, esperando poder separar os navios ou mesmo emborcar a embarcação inimiga, mas nada aconteceu. Era quase como se algo estivesse agindo contra sua vontade, arrancando o mar de seu controle.

Ele ergueu Contracorrente, pronto para lutar, mas estavam em uma desvantagem numérica insuperável. Várias dezenas de guerreiros baixaram suas lanças e fizeram um círculo em torno deles, mantendo-se sabiamente fora do alcance da espada de Percy. Os homens-golfinhos abriam a boca e emitiam assobios e estalos. Percy nunca havia pensado em quanto os dentes de um golfinho pareciam ferozes.

Ele tentou pensar. Talvez pudesse romper o cerco e destruir alguns invasores, mas não sem que ele e Annabeth fossem espetados pelos outros.

Pelo menos os guerreiros não pareciam interessados em matá-los imediatamente. Contiveram Percy e Annabeth enquanto outros invadiam o interior do navio e dominavam o resto da tripulação. Percy podia ouvi-los quebrando as portas das cabines, lutando com seus amigos. Mesmo que os outros semideuses não estivessem dormindo profundamente, não teriam tido chance contra tantos.

Leo foi arrastado pelo convés, semiconsciente e gemendo, e largado em uma pilha de cordas. Lá embaixo, os ruídos de luta diminuíram. Ou os outros haviam sido dominados ou... ou Percy se recusava a pensar na alternativa.

Em um dos lados do círculo de lanças, os golfinhos guerreiros se afastaram para deixar alguém passar. Parecia alguém totalmente humano, mas, pela forma como os golfinhos recuavam diante dele, era claramente o líder. Vestia uma armadura de combate grega — sandálias, túnica, grevas e um peitoral decorado com elaborados desenhos de monstros — completamente de ouro. Até sua espada, uma lâmina grega como Contracorrente, era de ouro e não de bronze.

O garoto de ouro, pensou Percy, lembrando-se de seu sonho. *Eles terão que passar pelo garoto de ouro.*

O que deixou Percy nervoso de verdade foi o capacete do cara. O visor era uma máscara completa, modelada como uma cabeça de górgona: presas curvas, feições horríveis franzidas em uma careta e cobras douradas como cabelo, enroscando-se em torno do rosto. Percy havia encontrado górgonas antes. A semelhança era grande — um pouco grande demais para seu gosto.

Annabeth virou-se, ficando ao lado de Percy. Ele queria abraçá-la em um gesto protetor, mas duvidava que ela fosse apreciar, e ele não queria dar a esse garoto de ouro nenhuma indicação de que Annabeth era sua namorada. Não havia sentido em dar ao inimigo mais vantagem do que ele já possuía.

— Quem é você? — perguntou Percy. — O que você quer?

O guerreiro de ouro deu uma risadinha. Com um breve movimento da espada, mais rápido que Percy pôde acompanhar, ele arrancou Contracorrente da mão do semideus e a mandou voando para o mar.

Daria no mesmo se ele tivesse arrancado os pulmões do garoto e os lançado ao mar, porque, de repente, Percy não conseguia respirar. Nunca fora desarmado tão facilmente.

— Olá, irmão. — A voz do garoto de ouro era profunda e aveludada, com um sotaque exótico, do Oriente Médio talvez, que parecia vagamente familiar. — É sempre um prazer roubar de um filho de Poseidon. Sou Crisaor, o Espada de Ouro. Quanto ao que eu quero... — Ele voltou sua máscara de metal para Annabeth. — Bem, isso é fácil. Quero tudo o que vocês têm.

XXX

PERCY

O coração de Percy fazia polichinelo enquanto Crisaor andava de um lado para o outro, examinando-os como se faz com gado premiado. Uma dúzia de seus guerreiros homens-golfinhos permaneceu em um círculo em torno deles, as lanças apontadas para o peito de Percy, enquanto mais dezenas vasculhavam o navio, revirando e destruindo tudo sob o convés. Um carregava uma caixa de ambrosia escadas acima. Outro carregava nos braços muitos dardos de balistas e um caixote de fogo grego.

— Cuidado com isso! — advertiu Annabeth. — Vai explodir os dois navios.

— Ah! — disse Crisaor. — Sabemos tudo sobre fogo grego, garota. Não se preocupe. Há éons saqueamos e pilhamos navios no Mare Nostrum.

— Seu sotaque é familiar — observou Percy. — Já nos conhecemos?

— Não tive o prazer. — A máscara dourada de górgona de Crisaor rosnou para Percy, embora fosse impossível dizer qual seria sua verdadeira expressão ali debaixo. — Mas já ouvi tudo sobre você, Percy Jackson. Ah, sim, o jovem que salvou o Olimpo. E sua fiel assistente, Annabeth Chase.

— Não sou assistente de ninguém — grunhiu Annabeth. — E, Percy, o sotaque é familiar porque ele fala como a mãe dele. Nós a matamos em Nova Jersey.

Percy franziu a testa.

— Tenho certeza de que esse sotaque não é de Nova Jersey. Quem é a...? Ah.

Tudo se encaixou. O Empório de Anões de Jardim da Tia Eme, o covil da Medusa. Ela falava com aquele mesmo sotaque, pelo menos até Percy decepar sua cabeça.

— A *Medusa* é sua mãe? Cara, que coisa horrível para você.

A julgar pelo som que vinha da garganta de Crisaor, ele agora também rosnava sob a máscara.

— Você é tão arrogante quanto o *primeiro* Perseu — afirmou Crisaor. — Mas, sim, Percy Jackson. Poseidon era meu pai, e Medusa, minha mãe. Depois que ela foi transformada em um monstro por aquela chamada de deusa da sabedoria... — A máscara dourada voltou-se para Annabeth. — Essa é a *sua* mãe, creio... Os dois filhos da Medusa ficaram aprisionados dentro dela, incapazes de nascer. Quando o Perseu original cortou a cabeça dela...

— Duas crianças saltaram lá de dentro — lembrou Annabeth. — Pégaso e você.

Percy piscou.

— Então seu irmão é um cavalo alado. Mas você também é meu meio-irmão, o que significa que todos os cavalos voadores do mundo são meus... Quer saber? Vamos deixar isso para lá.

Anos antes ele aprendera que era melhor não ficar pensando muito em quem tinha parentesco divino com quem. Depois que Tyson, o ciclope, o adotara como irmão, Percy decidira que aquele era o máximo que ele queria estender a família.

— Mas, se você é filho da Medusa — observou —, por que nunca ouvi falar de você?

Crisaor suspirou, exasperado.

— Quando você tem Pégaso como irmão, acaba se acostumando a ser esquecido. Ah, olhe, um cavalo alado! Alguém presta atenção em mim? Não! — Ele ergueu a ponta da espada até os olhos de Percy. — Mas não me subestime. Meu nome significa Espada Dourada por uma razão.

— Ouro imperial? — arriscou Percy.

— Bah! Ouro *encantado*, sim. Mais tarde os romanos passaram a chamá-lo de ouro imperial, mas fui o primeiro a empunhar uma lâmina dessas. Eu devia ter sido o herói mais famoso de todos os tempos! Como os contadores de lenda decidiram me ignorar, eu me tornei um vilão. Resolvi fazer uso de minha herança. Como filho da Medusa, passei a inspirar terror. Como filho de Poseidon, a governar os mares!

— Você se tornou um pirata — resumiu Annabeth.

Crisaor abriu os braços, o que para Percy estava ótimo, pois afastava a ponta da espada de seus olhos.

— O *melhor* pirata — acrescentou Crisaor. — Navego nestas águas há séculos, atacando de surpresa quaisquer semideuses tolos o bastante para explorar o Mare Nostrum. Este é meu território agora. E tudo que vocês têm é meu.

Um dos guerreiros-golfinhos subiu arrastando o treinador Hedge.

— Me solte, seu atum! — berrou Hedge.

Ele tentava chutar o guerreiro, mas seu casco retinia na armadura. A julgar pelas marcas no formato de cascos na couraça e no capacete do golfinho, o treinador já havia feito várias tentativas.

— Ah, um sátiro — observou Crisaor. — Um pouco velho e fibroso, mas os ciclopes vão pagar bem por um petisco como ele. Acorrente-o.

— Não sou carne de bode para ninguém! — protestou Hedge.

— Amordace-o também — decidiu Crisaor.

— Ora, seu pedaço dourado de...

O insulto de Hedge foi interrompido quando o golfinho pôs-lhe um chumaço seboso de lona na boca. Logo o treinador foi amarrado como um bezerro de rodeio e jogado com o restante do saque: caixotes de comida, armas extras e até mesmo o cooler mágico do refeitório.

— Vocês não podem fazer isso! — gritou Annabeth.

A risada de Crisaor reverberou dentro da máscara dourada em seu rosto. Percy se perguntou se ele seria horrivelmente desfigurado ou se seu olhar podia petrificar as pessoas, como o da sua mãe.

— Posso fazer tudo o que eu quiser — falou Crisaor. — Meus guerreiros foram treinados à perfeição. Eles são cruéis, impiedosos...

— Golfinhos — observou Percy.

Crisaor deu de ombros.

— Sim. E daí? Eles tiveram azar há alguns milênios, sequestraram a pessoa errada. Alguns de seus tripulantes foram *completamente* transformados em golfinhos. Outros ficaram malucos. Mas esses... esses sobreviveram como criaturas híbridas. Quando os encontrei no fundo do mar e lhes ofereci uma vida nova, tornaram-se meus leais tripulantes. Eles não temem nada!

Um dos guerreiros falou nervosamente com ele.

— Sim, sim — grunhiu Crisaor. — Eles temem *uma* coisa, mas isso não tem importância. Ele não está aqui.

Uma ideia começou a fazer cócegas na mente de Percy. Antes que ele pudesse pensar melhor no assunto, mais guerreiros-golfinhos subiram a escada, arrastando seus outros amigos. Jason estava inconsciente. A julgar pelas novas contusões em seu rosto, ele tentara lutar. Hazel e Piper tinham pés e mãos atados. Piper estava amordaçada, então aparentemente os golfinhos haviam descoberto que ela podia usar o charme nas palavras. Só faltava Frank, embora dois golfinhos estivessem com o rosto coberto de picadas de abelha.

Será que Frank podia de fato se transformar em um enxame de abelhas? Percy esperava que sim. Se ele estivesse livre em algum lugar a bordo do navio, isso poderia ser uma vantagem, supondo que Percy conseguisse descobrir como se comunicar com ele.

— Excelente! — regozijou-se Crisaor.

Ele orientou seus guerreiros a largarem Jason perto das bestas. Em seguida examinou as garotas como se fossem presentes de Natal, o que fez Percy ranger os dentes.

— O garoto não tem nenhuma utilidade para mim — afirmou Crisaor. — Mas temos um acordo com a feiticeira Circe. Ela vai comprar as mulheres... como escravas ou aprendizes, dependendo da habilidade de cada uma. Mas não você, adorável Annabeth.

Annabeth encolheu-se.

— Você *não* vai me levar a lugar nenhum.

A mão de Percy deslizou para o bolso. Sua caneta havia reaparecido na calça jeans. Ele só precisava de uma breve distração para sacar a espada. Talvez, se conseguisse derrubar Crisaor rapidamente, sua tripulação entrasse em pânico.

Percy desejou saber alguma coisa sobre as fraquezas de Crisaor. Em geral era Annabeth quem lhe dava informações desse tipo, mas aparentemente Crisaor não possuía *nenhuma* lenda, então ambos continuavam sem informações.

O guerreiro de ouro estalou a língua.

— Ah, infelizmente, Annabeth, você não ficará comigo. Eu adoraria. Mas você e seu amigo Percy estão reservados. Certa deusa está pagando uma recompensa alta por sua captura... vivos, se possível, embora ela não tenha especificado que deveriam estar ilesos.

Naquele momento, Piper causou a distração de que necessitavam. Ela começou a choramingar tão alto que podia ser ouvida através da mordaça. Em seguida, desmaiou sob o guarda mais próximo, derrubando-o. Hazel captou a ideia e caiu no convés, chutando e se debatendo como se estivesse tendo um ataque.

Percy sacou Contracorrente e atacou. A lâmina deveria ter atravessado o pescoço de Crisaor, mas o guerreiro de ouro era incrivelmente rápido. Ele desviou e se defendeu enquanto os guerreiros-golfinhos recuaram, guardando os outros cativos ao mesmo tempo em que davam espaço ao capitão para lutar. Eles tagarelavam e guinchavam, incentivando-o, e Percy começou a suspeitar que a tripulação estava acostumada àquele tipo de diversão. Eles não achavam que o líder corresse nenhum perigo.

Percy não havia cruzado espadas com um adversário como esse desde... bem, desde que lutara com o deus da guerra, Ares. Crisaor era *tão* bom quanto ele. Muitas habilidades de Percy haviam se aprimorado com o passar dos anos, mas agora, tarde demais, Percy se dava conta de que a esgrima não era uma delas.

Ele estava enferrujado — pelo menos contra um adversário como Crisaor.

Os dois lutavam, avançando e recuando, atacando e defendendo. Sem querer, Percy ouvia a voz de Luke Castellan, seu primeiro mentor em esgrima no Acampamento Meio-Sangue, dando sugestões. Mas isso não o ajudou.

A máscara de ouro de górgona era enervante demais. A neblina quente, as tábuas escorregadias do convés, a tagarelice dos guerreiros: nada ajudava. E, olhando de esguelha, Percy viu um dos homens-golfinhos segurando uma faca junto à garganta de Annabeth, para o caso de ela tentar algum truque.

Ele fintou e atacou a barriga de Crisaor, mas o pirata antecipou o movimento e desarmou Percy novamente. Mais uma vez, Contracorrente voou em direção ao mar.

Crisaor ria com facilidade. Não estava sequer sem fôlego. Ele apertou a ponta da espada dourada no esterno de Percy.

— Boa tentativa — disse o pirata. — Mas agora vocês serão acorrentados e transportados para os servos de Gaia. Eles mal podem esperar para derramar seu sangue e acordar a deusa.

XXXI

PERCY

Nada como o fracasso total para gerar grandes ideias.

Enquanto Percy se encontrava ali, desarmado e derrotado, o plano foi se formando em sua cabeça. Estava tão acostumado a ter Annabeth informando-o sobre as lendas gregas que ficou meio atônito ao se lembrar de algo útil, mas *precisava* agir rápido. Não podia deixar que nada acontecesse a seus amigos. Ele não ia perder Annabeth — não de novo.

Crisaor não podia ser derrotado. Pelo menos não no combate mano a mano. Mas sem sua tripulação... talvez pudesse ser vencido se um número suficiente de semideuses o atacasse de uma só vez.

Como lidar com a tripulação de Crisaor? Percy juntou as peças: os piratas haviam sido transformados em homens-golfinhos milênios antes, quando haviam sequestrado a pessoa errada. Percy *conhecia* essa história. Diabos, a pessoa errada em questão havia ameaçado transformar o próprio *Percy* em um golfinho. E, quando Crisaor dissera que a tripulação não tinha medo de nada, um dos golfinhos, nervoso, o havia corrigido. *Sim*, Crisaor tinha dito. *Mas ele não está aqui.*

Percy olhou na direção da popa e avistou Frank, na forma humana, espiando de trás de uma balista, à espera. Percy resistiu ao impulso de sorrir. O grandalhão dizia ser desajeitado e inútil, mas parecia sempre estar exatamente no lugar certo quando Percy precisava dele.

As garotas... Frank... o cooler.

Era uma ideia louca. Mas, como de costume, era tudo que Percy tinha.

— Está bem! — gritou Percy, tão alto que atraiu a atenção de todos. — Podem nos levar se nosso capitão permitir.

Crisaor voltou a máscara dourada para ele.

— Que capitão? Meus homens vasculharam o navio. Não tem mais ninguém aqui.

Percy ergueu as mãos dramaticamente.

— O deus aparece apenas quando quer. Mas é o nosso líder. Ele dirige nosso acampamento de semideuses. Não é, Annabeth?

Annabeth foi rápida.

— Sim! — Ela balançou a cabeça com entusiasmo. — O sr. D! O grande Dioniso!

Uma onda de mal-estar percorreu os homens-golfinhos. Um deles deixou a espada cair.

— Fiquem firmes! — berrou Crisaor. — Não tem nenhum deus neste navio. Eles estão tentando assustar vocês.

— Vocês deviam mesmo ficar assustados! — Percy lançou um olhar solidário à tripulação de piratas. — Dioniso vai ficar muitíssimo irritado com vocês por retardarem nossa viagem. Ele punirá todos nós. Vocês não perceberam as garotas sucumbindo à loucura do deus do vinho?

Hazel e Piper haviam cessado os ataques de tremedeira. Estavam sentadas no convés, olhando para Percy, mas, quando ele as fitou incisivamente, elas recomeçaram a fazer cena, tremendo e se debatendo como peixes. Os homens-golfinhos, atrapalhados, fugiram de seus prisioneiros.

— Mentirosos! — rugiu Crisaor. — Cale a boca, Percy Jackson. O diretor de seu acampamento não está aqui. Ele foi reconvocado ao Olimpo. Todo mundo sabe disso.

— Então você admite que Dioniso é nosso diretor! — disse Percy.

— Ele *era* — corrigiu Crisaor. — Todos sabem.

Percy gesticulou na direção do guerreiro dourado como se ele tivesse acabado de se trair.

— Estão vendo? Estamos condenados. Se não acreditam em mim, vamos olhar no cooler!

Percy correu para o cooler mágico. Ninguém tentou detê-lo. Ele abriu bruscamente a tampa e revirou o gelo. Tinha que haver uma. Por favor. Foi recompensado com uma lata de refrigerante prata e vermelha. Ele a brandiu na direção dos guerreiros-golfinhos, como se borrifasse repelente contra insetos em cima deles.

— Vejam! — gritou Percy. — A bebida escolhida pelo deus. Tremam diante do horror da Coca-cola diet!

Os homens-golfinhos entraram em pânico. Estavam prestes a bater em retirada. Percy podia sentir.

— O deus tomará seu navio — advertiu Percy. — Ele vai completar sua transformação em golfinhos ou enlouquecê-los ou transformá-los em golfinhos loucos! Sua única esperança é fugir nadando agora, rápido!

— Ridículo!

A voz de Crisaor tornou-se estridente. Ele parecia não saber para onde apontar sua espada: na direção de Percy ou da própria tripulação.

— Salvem-se! — avisou Percy. — É tarde demais para nós!

Então ele arquejou e apontou para o ponto onde Frank estava escondido.

— Oh, não! Frank está se transformando em um golfinho louco!

Nada aconteceu.

— Eu *disse* — repetiu Percy — que Frank está se transformando em um golfinho louco!

Frank surgiu do nada, cambaleando, agarrando dramaticamente a garganta.

— Oh, não — disse ele, como se lesse em um teleprompter. — Estou me transformando em um golfinho louco.

Ele começou a mudar, seu nariz se alongando e assumindo o formato de um focinho, a pele tornando-se cinza e lisa. Então caiu no convés, na forma de golfinho, a cauda batendo nas tábuas do piso.

A tripulação de piratas debandou aterrorizada, gritando e emitindo cliques ao mesmo tempo em que largava as armas, esquecia os prisioneiros, ignorava as ordens de Crisaor e se lançava por cima da amurada. Na confusão, Annabeth correu para cortar as cordas que prendiam Hazel, Piper e o treinador Hedge.

Em questão de segundos, Crisaor estava sozinho e cercado. Percy e os amigos não tinham armas, exceto a faca de Annabeth e os cascos de Hedge, mas as expressões assassinas em seus rostos evidentemente convenceram o guerreiro de ouro de que ele estava liquidado.

Ele recuou até a extremidade da amurada.

— Isso ainda não acabou, Jackson — grunhiu Crisaor. — Eu vou me vingar...

Suas palavras foram interrompidas por Frank, que mais uma vez mudou de forma. Um urso-pardo de quatrocentos quilos pode decididamente encerrar uma conversa. Ele golpeou Crisaor de lado e com as garras arrancou a máscara de ouro do capacete. Crisaor gritou, cobrindo o rosto imediatamente com os braços, e tombou na água.

Eles correram para a amurada. Crisaor havia desaparecido. Percy pensou em persegui-lo, mas não conhecia aquelas águas e não queria confrontar o cara sozinho de novo.

— Isso foi brilhante!

Annabeth o beijou, e ele se sentiu um pouco melhor.

— Foi desespero — corrigiu-a Percy. — E precisamos nos livrar dessa trirreme pirata.

— Queimá-la? — perguntou Annabeth.

Percy olhou para a Coca diet em sua mão.

— Não. Tenho outra ideia.

Eles levaram mais tempo do que Percy pretendia. Enquanto se preparavam, ele observava o mar de tempos em tempos, na expectativa de que Crisaor e seus golfinhos-piratas voltassem, mas isso não aconteceu.

Leo logo se recuperou, graças a um pouco de néctar. Piper cuidou dos ferimentos de Jason, mas ele não estava tão machucado quanto parecia. Sentia era uma enorme vergonha por ter sido vencido outra vez, e Percy o entendia.

Eles colocaram todos os suprimentos nos respectivos lugares e arrumaram a bagunça da invasão enquanto o treinador Hedge se divertia no navio inimigo, quebrando com seu bastão de beisebol tudo o que encontrava.

Quando o treinador terminou, Percy devolveu as armas inimigas para o navio pirata. O depósito estava repleto de tesouros, mas Percy insistiu para que não tocassem em nada daquilo.

— Sinto que há seis milhões de dólares em ouro a bordo — falou Hazel. — Mais diamantes, rubis...

— Seis mi-milhões — gaguejou Frank. — Dólares canadenses ou americanos?

— Deixa para lá — disse Percy. — É parte do tributo.

— Tributo? — perguntou Hazel.

— Ah. — Piper assentiu. — Kansas.

Jason sorriu. Ele também estava lá quando encontraram o deus do vinho.

— Loucura. Mas eu gosto.

Por fim, Percy subiu a bordo do navio pirata e abriu as válvulas de inundação. Pediu a Leo que abrisse alguns buracos extras no fundo do casco com suas ferramentas poderosas, e o garoto atendeu ao pedido de bom grado.

A tripulação do *Argo II* reuniu-se na amurada e cortou os cabos que seguravam o navio. Piper apanhou sua cornucópia e, voltando-a para Percy, desejou Coca-cola diet, que jorrou com a força de uma mangueira de incêndio e inundou o convés inimigo. Percy pensou que aquilo levaria horas, mas o navio afundou incrivelmente rápido, enchendo-se com Coca-cola e água salgada.

— Dioniso — chamou Percy, levantando a máscara dourada de Crisaor. — Ou Baco, como quiser. Você tornou possível essa vitória, mesmo sem estar aqui. Seus inimigos tremeram diante de seu nome... ou da Coca diet ou de qualquer outra coisa. Então, é, obrigado. — As palavras saíram com dificuldade, mas Percy conseguiu não engasgar: — Nós lhe oferecemos esse navio como um tributo. Esperamos que goste.

— Seis milhões em ouro — murmurou Leo. — É *melhor* que ele goste.

— Psiu — repreendeu Hazel. — Metais preciosos não são assim tão bons. Acredite em mim.

Percy lançou a máscara dourada na outra embarcação, que no momento afundava mais depressa, um líquido marrom efervescente jorrando das aberturas dos remos e borbulhando ao vazar do porão de carga, tornando o mar marrom e espumante.

Percy evocou uma onda, e o navio inimigo foi inundado. Leo conduziu o *Argo II* para longe enquanto a embarcação pirata desaparecia debaixo d'água.

— Isso não é poluir? — perguntou Piper.

— Eu não me preocuparia — respondeu Jason. — Se Baco gostar, o navio vai desaparecer.

Percy não sabia se isso ia acontecer, mas tinha a sensação de que fizera tudo o que podia. Ele não tinha nenhuma fé que Dioniso fosse ouvi-los ou se preocupar com eles, muito menos ajudá-los em sua batalha contra os gigantes gêmeos, mas precisava tentar.

Enquanto o *Argo II* seguia para leste em meio à neblina, Percy concluiu que pelo menos uma coisa boa havia resultado de sua luta de espadas contra Crisaor: ele estava se sentindo humilde — humilde o suficiente até para dedicar um tributo ao cara do vinho.

Após o ataque dos piratas, eles decidiram percorrer o restante do caminho até Roma voando. Jason insistiu que se sentia bem o suficiente para assumir a função de sentinela ao lado do treinador Hedge, que ainda estava tão dominado pela adrenalina que todas as vezes que havia uma turbulência ele brandia o bastão e gritava: "Morram!"

Eles ainda tinham algumas horas antes de o dia nascer, então Jason sugeriu que Percy tentasse dormir mais um pouco.

— Está tudo bem, cara — falou Jason. — Dê a outra pessoa a oportunidade de salvar o navio, está bem?

Percy concordou, embora ao chegar à cabine sentisse dificuldade em dormir.

Ele fitou a lanterna de bronze balançando do teto e ficou pensando na facilidade com que Crisaor o derrotara na esgrima. O guerreiro dourado poderia tê-lo matado sem nenhum esforço. Só mantivera Percy vivo porque alguém ia pagar pelo privilégio de matá-lo mais tarde.

Percy teve a sensação de que uma flecha havia penetrado por uma fenda em sua armadura — como se ele ainda tivesse a maldição de Aquiles e alguém houvesse encontrado seu ponto fraco. Quanto mais velho ele ficava, quanto mais sobrevivia como meio-sangue, mais seus amigos o respeitavam. Eles dependiam dele e confiavam em seus poderes. Até mesmo os romanos o haviam erguido em um escudo e feito dele o pretor mesmo conhecendo-o havia apenas poucas semanas.

Mas Percy não se *sentia* poderoso. Quanto mais feitos heroicos realizava, mais se dava conta de suas limitações. Ele se sentia uma fraude. *Não sou tão bom quanto vocês pensam*, ele queria advertir os amigos. Seus fracassos, como o daquela noite, pareciam provar isso. Talvez fosse esse o motivo de ele ter começado a ter fobia de asfixia. O problema não era tanto sufocar na terra ou no mar, mas a sensação de que estava afundando em expectativas demais, muito além do que era capaz.

Uau... quando começava a ter pensamentos assim, ele *sabia* que estava passando muito tempo com Annabeth.

Atena uma vez dissera a Percy qual era seu defeito mortal: ele era leal demais a seus amigos. Não conseguia ver o todo. Salvaria um amigo mesmo que isso destruísse o mundo.

Naquela ocasião, Percy dera de ombros. De que maneira a lealdade poderia ser ruim? Além disso, as coisas tinham funcionado bem contra os titãs. Ele havia salvado os amigos *e* derrotado Cronos.

Agora, porém, começava a se questionar. Ele se lançaria sobre qualquer monstro, deus ou gigante para evitar que seus amigos se machucassem. Mas e se não estivesse à altura da tarefa? E se *outra* pessoa tivesse que fazer isso? Era *muito* difícil para ele admitir tal ideia. Tinha dificuldade em encarar essa possibilidade até em situações simples, como deixar Jason assumir um turno de vigilância. Ele não queria confiar em outra pessoa para protegê-lo, alguém que pudesse se machucar por sua causa.

A mãe de Percy tinha feito isso por ele. Ela havia mantido um relacionamento ruim com um mortal asqueroso porque achava que assim deixaria Percy a salvo de monstros. Grover, seu melhor amigo, o protegera por quase um ano sem que Percy sequer soubesse que era um semideus, e Grover quase fora morto pelo Minotauro.

Percy não era mais criança. Não queria ninguém que amava se arriscando por ele. Ele *tinha* que ser forte o bastante para ser o protetor. Mas agora esperavam que ele deixasse Annabeth seguir a Marca de Atena sozinha, mesmo sabendo que ela poderia morrer. Se tivesse que fazer uma escolha — salvar Annabeth ou permitir que a missão tivesse sucesso —, será que Percy optaria pela missão?

A exaustão finalmente o venceu. Ele adormeceu, e em seu pesadelo o ronco do trovão transformou-se no riso da deusa da terra, Gaia.

Percy sonhou que estava parado na varanda diante da Casa Grande, no Acampamento Meio-Sangue. O rosto adormecido de Gaia surgiu na face da Colina Meio-Sangue: as feições imensas desenhadas pelas sombras na encosta com grama. Os lábios dela não se moviam, mas a voz ecoava por todo o vale.

Então esta é a sua casa, murmurou Gaia. *Dê uma última olhada, Percy Jackson. Você devia ter voltado para cá. Pelo menos assim poderia morrer com seus companheiros durante a invasão romana. Agora seu sangue será derramado longe de casa, sobre as pedras antigas, e eu me erguerei.*

O chão tremeu. No alto da Colina Meio-Sangue, o pinheiro de Thalia pegou fogo. O caos espalhou-se pelo vale — a grama virou areia, a floresta se desfez em pó. O rio e o lago de canoagem secaram. Os chalés e a Casa Grande viraram cinzas. Quando o tremor parou, o Acampamento Meio-Sangue parecia uma terra árida após uma explosão atômica. A única coisa que restou foi a varanda em que estava Percy.

Perto dele, a poeira agitou-se em um redemoinho e se solidificou na figura de uma mulher. Os olhos estavam fechados, como se ela fosse sonâmbula. Suas vestes eram verde-floresta, salpicadas de dourado e branco, como o sol atravessando os galhos. O cabelo era negro como terra fértil. O rosto era bonito, mas ela parecia fria e distante mesmo com um sorriso sonhador nos lábios. Percy teve a sensação de que se ela visse semideuses morrendo ou cidades queimando, aquele sorriso permaneceria imóvel.

— Quando eu retomar a terra — disse Gaia —, deixarei este local estéril para sempre, para me lembrar de sua espécie e de sua absoluta impotência para me deter. Não importa *quando* você vai cair, meu doce peãozinho: se será diante de Fórcis, de Crisaor ou de meus queridos gêmeos. Você *vai* cair, e eu estarei lá para devorá-lo. Sua única escolha agora... você cairá sozinho? Venha para mim voluntariamente; traga a garota. Talvez eu poupe este lugar que você ama. Caso contrário...

Gaia abriu os olhos. Eles rodopiavam em verde e preto, tão profundos quanto a crosta da terra. Gaia via tudo. Sua paciência era infinita; o despertar, lento, mas, uma vez que tivesse se erguido, seu poder seria irrefreável.

A pele de Percy formigou. As mãos ficaram dormentes. Ele olhou para baixo e percebeu que estava se desintegrando, como todos os monstros que já derrotara.

— Divirta-se no Tártaro, meu peãozinho — ronronou Gaia.

Um *CLENG-CLENG-CLENG* metálico arrancou Percy do sonho. Os olhos dele se abriram de súbito. Ele percebeu que acabara de ouvir o trem de pouso sendo baixado.

Alguém bateu à porta, e Jason enfiou a cabeça na cabine. Os hematomas no rosto haviam desbotado. Os olhos azuis cintilavam de entusiasmo.

— Ei, cara — disse ele. — Estamos descendo em Roma. Você devia ver isso.

O céu era de um azul brilhante, como se o tempo jamais tivesse ficado ruim. O sol se erguia acima das colinas distantes, de modo que tudo abaixo deles reluzia e cintilava, como se toda a cidade de Roma tivesse acabado de sair do lava a jato.

Percy tinha visto cidades grandes antes. Afinal ele era de Nova York. Mas a absoluta vastidão de Roma tomou-o de assalto, tirando-lhe o fôlego. A cidade parecia não ter a menor consideração pelos limites geográficos. Ela se espalhava por colinas e vales, saltava sobre o Tibre com dezenas de pontes e continuava estendendo-se para o horizonte. Ruas e vielas ziguezagueavam ao acaso por uma colcha de retalhos de bairros. Prédios comerciais envidraçados erguiam-se ao lado de sítios arqueológicos. Uma catedral elevava-se ao lado de uma fileira de colunas romanas, que ficavam ao lado de um estádio moderno de futebol. Em alguns bairros, antigas *villas* de estuque com telhas vermelhas cobriam as ruas de pedra, de modo que, se Percy se concentrasse apenas naquelas áreas, podia imaginar que estava de volta aos tempos antigos. Para toda parte que olhava, havia amplas *piazzas* e ruas de tráfego intenso. Parques cortavam a cidade com uma louca coleção de palmeiras, pinheiros, juníperos e oliveiras, como se Roma não pudesse decidir a qual parte do mundo pertencia — ou talvez ela acreditasse que o mundo todo ainda pertencia a *Roma*.

Era como se a cidade conhecesse o sonho de Percy com Gaia. Como se soubesse que a deusa da terra pretendia destruir toda a civilização humana, e aquela cidade, que resistiu por milhares de anos, respondesse: *Quer dissolver esta cidade, Cara Suja? Experimente só.*

Em outras palavras, era o equivalente ao treinador Hedge das cidades mortais — só que mais alta.

— Vamos pousar naquele parque — anunciou Leo, apontando para um amplo espaço verde pontilhado com palmeiras. — E torcer para que a Névoa nos faça parecer um pombo grande ou algo assim.

Percy desejou que a irmã de Jason, Thalia, estivesse ali. Ela sempre dava um jeito de manipular a Névoa para que as pessoas vissem o que ela queria. Percy nunca fora muito bom nisso. Ele simplesmente ficou pensando "Não olhem para mim" e torceu para que os romanos lá embaixo não notassem a gigante trirreme de bronze descendo sobre sua cidade no meio da hora do rush matutino.

Pareceu funcionar. Percy não viu nenhum carro saindo da estrada nem romanos apontando para o céu e gritando: "Alienígenas!" O *Argo II* aterrissou no campo gramado e os remos se retraíram.

Ouvia-se o barulho do trânsito a toda volta deles, mas o parque propriamente dito estava tranquilo e deserto. À esquerda, um gramado verde alastrava-se na direção de um bosque. Uma *villa* antiga se aninhava na sombra de uns pinheiros de aparência estranha com troncos finos e sinuosos que subiam de dez a doze metros e então desabrochavam em copas frondosas. Elas faziam Percy se lembrar das árvores naqueles livros do dr. Seuss que sua mãe lia para ele quando era pequeno.

À direita, ao longo do topo de uma colina, via-se um longo muro de tijolos com lugares no topo para arqueiros — talvez uma linha defensiva medieval, talvez da Roma Antiga. Percy não sabia.

Ao norte, a quase dois metros dali, através das curvas da cidade, o topo do Coliseu se erguia acima dos telhados, exatamente como nas fotos de viagem. Foi quando as pernas de Percy começaram a tremer. Ele estava mesmo ali. Tinha pensado que a viagem para o Alasca fora bem exótica, mas agora estava no coração do antigo Império Romano, território inimigo para um semideus grego. De certa forma, aquele lugar moldara sua vida tanto quanto Nova York.

Jason apontou para a base do muro dos arqueiros, onde alguns degraus desciam até uma espécie de túnel.

— Acho que sei onde estamos — disse ele. — Aquela é a Tumba dos Cipiões.

Percy franziu a testa.

— Cipião... O pégaso de Reyna?

— Não — interveio Annabeth. — Era uma família romana nobre e... Uau, este lugar é incrível.

Jason assentiu.

— Já estudei mapas de Roma. Sempre quis vir aqui, mas...

Ninguém se deu o trabalho de terminar a frase. Olhando para o rosto dos amigos, Percy podia ver que estavam tão admirados quanto ele. Tinham conseguido. Haviam pousado em Roma — *a* Roma.

— Planos? — perguntou Hazel. — Nico tem até o pôr do sol... na melhor das hipóteses. E esta cidade inteira supostamente será destruída hoje.

Percy se obrigou a sair de seu deslumbramento.

— Você tem razão. Annabeth... você se concentrou naquele ponto de seu mapa de bronze?

Os olhos cinzentos dela adquiriram um tom extraescuro de tempestade, que Percy interpretou muito bem: *Lembre-se do que eu disse, amigo. Guarde aquele sonho para você.*

— Sim — disse ela, com cautela. — Fica no Rio Tibre. Acho que posso encontrá-lo, mas eu deveria...

— Me levar com você — concluiu Percy. — É, você está certa.

Annabeth fuzilou-o com os olhos.

— Isso não é...

— Seguro — completou ele. — Uma semideusa andando por Roma sozinha. Vou com você até o Tibre. Podemos usar aquela carta de apresentação, para o caso de termos sorte de encontrar o deus-rio Tiberino. Talvez ele possa dar alguma ajuda ou conselho. Então você pode seguir sozinha a partir de lá.

Eles travaram uma disputa silenciosa de olhares, mas Percy não recuou. Quando ele e Annabeth começaram a namorar, a mãe havia martelado em sua cabeça: *É sinal de boas maneiras acompanhar sua namorada até a porta.* Se isso era verdade, *tinha* que ser sinal de boas maneiras acompanhá-la até o começo da épica missão mortal solitária dela.

— Está bem — murmurou Annabeth. — Hazel, agora que estamos em Roma, você acha que consegue descobrir a localização de Nico?

Hazel piscou, como se saísse de um transe em que entrara ao assistir ao *Percy/Annabeth Show*.

— Hã... espero que sim, se eu chegar perto o bastante. Vou ter que andar pela cidade. Frank, você viria comigo?

Frank ficou radiante.

— Claro.

— E, hã... Leo — acrescentou Hazel. — Talvez seja uma boa ideia você vir também. Os peixes-centauros disseram que teríamos dificuldades técnicas.

— Sim — disse Leo —, sem problemas.

O sorriso de Frank se transformou em algo parecido com a máscara de Crisaor. Percy não era nenhum gênio quando o assunto era relacionamentos, mas até ele podia sentir a tensão entre aqueles três. Desde que haviam sido jogados no Atlântico, não estavam mais agindo da mesma maneira. Não eram mais dois caras competindo por Hazel. Era como se os três estivessem presos juntos, encenando uma espécie de suspense de assassinato, mas ainda não tivessem descoberto qual deles era a vítima.

Piper pegou sua adaga e a colocou na amurada.

— Jason e eu podemos vigiar o navio por ora. Vou ver o que Katoptris pode me mostrar. Mas, Hazel, se descobrirem a localização de Nico, não vão sozinhos. Voltem para nos buscar. Todos nós seremos necessários na luta contra os gigantes.

Ela não disse o óbvio: nem mesmo todos eles seriam suficientes, a menos que tivessem um deus do lado deles. Percy preferiu não mencionar esse detalhe.

— Boa ideia — disse Percy. — Que tal nos encontrarmos aqui às...?

— Três da tarde? — sugeriu Jason. — Isso provavelmente é o mais tarde que poderíamos nos encontrar ainda com esperança de lutar contra os gigantes e salvar Nico. Se algum desses planos mudar, tentem enviar uma mensagem de Íris.

Os outros assentiram, concordando, mas Percy percebeu que vários olhavam para Annabeth. Outra coisa que ninguém queria dizer: Annabeth teria uma programação diferente. Ela poderia estar de volta às três ou bem mais tarde ou nunca. Mas estaria sozinha, procurando a Atena Partenos.

O treinador Hedge resmungou.

— Isso vai me dar tempo para comer os cocos... quer dizer, tirar os cocos do casco. Percy, Annabeth... não gosto de vocês dois saindo sozinhos. Lembrem-se de uma coisa: *comportem-se*. Se eu ouvir falar de alguma gracinha, vou deixá-los de castigo até o Estige congelar.

A ideia de ficar de castigo quando estavam prestes a arriscar suas vidas era tão ridícula que Percy não conteve um sorriso.

— Voltaremos logo — prometeu ele e olhou os amigos à volta, tentando não achar que aquela era a última vez que se reuniam. — Boa sorte a todos.

Leo baixou a prancha de desembarque, e Percy e Annabeth foram os primeiros a deixar o navio.

XXXII

PERCY

Em outras circunstâncias, perambular por Roma com Annabeth teria sido incrível. Eles andavam de mãos dadas pelas ruas sinuosas, desviando-se de carros e pilotos de Vespa enlouquecidos, espremendo-se entre multidões de turistas e abrindo caminho através de um mar de pombos. O dia tinha esquentado rapidamente. Assim que deixaram para trás a fumaça dos automóveis nas ruas principais, o ar passou a ter cheiro de pão assando e flores recém-colhidas.

Eles seguiram para o Coliseu porque aquele era um ponto de referência conhecido, mas chegar lá mostrou-se mais difícil do que Percy imaginara. Por maior e mais confusa que a cidade parecesse do céu, ela era ainda pior do chão. Várias vezes eles foram parar em ruas sem saída e acabaram encontrando lindas fontes e monumentos imensos por acaso.

Annabeth fazia comentários sobre a arquitetura, mas Percy prestava atenção em outras coisas. Em uma ocasião ele avistou um fantasma roxo-fosforescente — um Lar —, observando-os pela janela de um apartamento. Em outra, viu uma mulher de túnica branca — talvez uma ninfa ou deusa — empunhando uma faca de aspecto sinistro, caminhando sorrateiramente entre colunas antigas em um parque. Nada os atacou, mas Percy tinha a sensação de que estavam sendo vigiados, e que os vigias não eram nada amistosos.

Finalmente chegaram ao Coliseu, onde uma dúzia de sujeitos em fantasias baratas de gladiador brigava com a polícia — espadas de plástico *versus* cassetetes. Percy não sabia do que se tratava, mas ele e Annabeth resolveram continuar andando. Às vezes os mortais eram ainda mais estranhos que os monstros.

Seguiram para o oeste, parando de vez em quando para pedir informação de como chegar ao rio. Percy não havia lembrado — dã — que as pessoas na Itália falavam italiano, e ele não. Mas aquilo acabou não sendo um problema. As poucas vezes em que alguém se aproximou deles para perguntar alguma coisa, bastava Percy lhes dirigir um olhar confuso que eles passavam a falar inglês.

Outra descoberta: os italianos usavam euros, e Percy não tinha nenhum. Ele lamentou o fato assim que passaram por uma loja de lembranças para turistas que vendia refrigerante. Àquela altura, era quase meio-dia, estava ficando quente de verdade, e Percy começava a sonhar com uma trirreme cheia de Coca-cola diet.

Annabeth resolveu o problema. Ela vasculhou a mochila, tirou o laptop de Dédalo e digitou alguns comandos. Um cartão de plástico foi ejetado por uma abertura na lateral do computador. A garota o agitou no ar, triunfante:

— Cartão de crédito internacional. Para emergências.

Percy a olhou, impressionado.

— Como você...? Não. Deixa para lá. Não quero saber. Só continue sendo incrível.

Os refrigerantes ajudaram, mas eles ainda estavam com calor e cansados quando chegaram ao Rio Tibre. Suas margens eram pavimentadas, e uma grande aglomeração de armazéns, prédios, lojas e cafés se espalhava ao longo de seu curso.

O Tibre era largo, calmo e lamacento. Altos ciprestes pendiam sobre as margens. A ponte mais próxima parecia nova, feita de vigas de ferro, mas bem próxima a ela erguia-se uma série de arcos de pedra antigos que cessava no meio do rio — ruínas que talvez datassem dos tempos dos Césares.

— É aqui. — Annabeth apontou para a velha ponte de pedra. — Reconheço do mapa. Mas o que nós vamos fazer agora?

Percy ficou feliz por ela ter dito *nós*. Ele não queria deixá-la ainda. Na verdade, não tinha certeza de que poderia fazer isso quando chegasse a hora. Percy lembrou-se das palavras de Gaia: *Você cairá sozinho?*

Ele olhou para o rio, perguntando-se como poderiam contatar o deus Tiberino. Não queria mergulhar. O Tibre não parecia muito mais limpo que o Rio East em Nova York, onde já tivera muitos encontros com espíritos do rio rabugentos.

Ele apontou para um café ali perto que tinha vista para o Tibre.

— Está na hora do almoço. Que tal usarmos seu cartão de crédito de novo?

Embora fosse meio-dia, o lugar estava vazio. Eles escolheram uma mesa na calçada, e um garçom aproximou-se na mesma hora. Pareceu um pouco surpreso ao vê-los, principalmente quando disseram que iam almoçar.

— Americanos? — perguntou ele, com um sorriso sofrido.

— Sim — disse Annabeth.

— Eu gostaria de uma pizza — pediu Percy.

A expressão do garçom era a de alguém que estivesse tentando engolir uma moeda de euro.

— É claro que gostaria, *signor*. E deixe-me adivinhar: uma Coca-cola? Com gelo?

— Exatamente — falou Percy.

Ele não entendia por que o homem o olhava com a cara tão azeda. Percy nem pedira uma Coca *azul*.

Annabeth pediu um *panini* e água com gás. Depois que o garçom se afastou, ela sorriu para Percy.

— Acho que os italianos comem bem mais tarde e não põem gelo na bebida. E só fazem pizza para os turistas.

— Ah. — Percy deu de ombros. — A melhor comida italiana, e eles não a comem?

— Eu não diria isso na frente do garçom.

Eles se deram as mãos por cima da mesa. Percy estava feliz só de olhar Annabeth sob a luz do sol. O cabelo dela sempre ficava mais brilhante e aquecido assim. Seus olhos adquiriam as cores do céu e das pedras do calçamento, alternando entre o castanho e o azul.

Ele cogitou contar a Annabeth seu sonho em que Gaia destruía o Acampamento Meio-Sangue. Mas optou por não dizer nada. Ela não precisava de mais motivos para se preocupar — não com o que tinha pela frente.

Mas aquilo o fez pensar... O que teria acontecido se não houvessem espantado os piratas de Crisaor? Percy e Annabeth teriam sido acorrentados e levados para os capangas de Gaia. O sangue deles seria derramado em pedras antigas. Percy imaginou que aquilo significava que eles seriam levados até a Grécia para algum grande e horrível ritual de sacrifício. Mas Annabeth e ele já haviam passado por muitas situações complicadas. Eles poderiam ter elaborado um plano de fuga, salvado o dia... e Annabeth não estaria enfrentando sua missão solitária em Roma.

Não importa quando *você vai cair*, dissera Gaia.

Percy sabia que era um desejo horrível, mas quase lamentava não terem sido capturados no mar. Pelo menos eles estariam juntos.

— Você não devia sentir vergonha — falou Annabeth. — Está pensando em Crisaor, não está? Espadas não podem resolver todos os problemas. Você nos salvou no fim.

A contragosto, Percy sorriu.

— Como você *faz* isso? Sempre sabe o que estou pensando.

— Eu conheço você.

E gosta de mim mesmo assim?, Percy queria perguntar, mas se conteve.

— Percy — disse Annabeth —, você não pode carregar o peso dessa missão sozinho. É impossível. É por isso que somos sete. E você terá que me deixar procurar a Atena Partenos sozinha.

— Senti sua falta — confessou ele. — Durante meses. Um grande pedaço de nossas vidas nos foi tirado. Se eu perder você de novo...

O almoço chegou. O garçom parecia muito mais calmo. Tendo aceitado o fato de que eles eram americanos ignorantes, o homem aparentemente decidira perdoá-los e tratá-los com educação.

— É uma linda vista — falou, gesticulando com a cabeça na direção do rio. — Aproveitem.

Assim que ele se foi, eles comeram em silêncio. A pizza era um quadrado massudo, sem gosto e com pouco queijo. Talvez, pensou Percy, fosse por isso que os romanos não a comessem. Pobres romanos.

— Você vai ter que confiar em mim — disse Annabeth. Percy quase pensou que ela estivesse falando com o sanduíche, porque não o olhava nos olhos. — Tem que acreditar que eu vou voltar.

Ele engoliu outro pedaço de pizza.

— Eu acredito em *você*. Não é esse o problema. Mas voltar de *onde*?

O ruído de uma Vespa os interrompeu. Percy olhou ao longo da margem do Tibre e ficou surpreso. A *scooter* era de um modelo antigo: grande e azul-bebê. O piloto era um cara com um terno de seda cinza. Na garupa sentava-se uma jovem com os cabelos envoltos por um lenço, as mãos em torno da cintura do homem. Eles ziguezaguearam entre as mesas na calçada e pararam perto de Percy e Annabeth.

— Olá — cumprimentou o homem.

Tinha uma voz grave, quase rouca, como a de um ator de cinema. O cabelo era curto e penteado para trás com gel, deixando à mostra o rosto forte. Ele era bonito como um ator de comercial de margarina dos anos cinquenta. Até suas roupas pareciam antiquadas. Quando ele desmontou da moto, deu para ver que usava calça de cintura alta, mas de alguma forma ele ainda conseguia parecer másculo e elegante, não completamente ridículo. Percy teve dificuldade em calcular sua idade — talvez trinta e poucos, embora a aparência e os modos do homem parecessem típicos de um avô.

A mulher desceu da moto.

— Tivemos uma manhã *adorável* — disse ela, sem fôlego.

Parecia ter vinte e um anos e também se vestia de modo antiquado. A saia amarela na altura da canela e a blusa branca eram unidas por um largo cinto de couro, dando a ela a cintura mais fina que Percy já vira. Quando tirou o lenço, nem um fio de seu cabelo preto, curto e ondulado estava fora do lugar. Seus olhos eram escuros e brincalhões, e o sorriso, radiante. Percy tinha visto náiades que se pareciam menos com uma fada que essa jovem.

Annabeth deixou seu sanduíche cair.

— Ah, deuses. Como... como...?

Ela parecia tão atônita que Percy deduziu que devia conhecer esses dois.

— Vocês parecem *mesmo* familiares — concluiu ele. Pensou que talvez tivesse visto seus rostos na tevê. Pareciam ser de um programa antigo, mas não poderiam ser. Não haviam envelhecido nada. Ainda assim, ele apontou para o homem e arriscou um palpite. — Você é aquele cara de *Mad Men*?

— Percy! — Annabeth parecia horrorizada.

— O que foi? Eu não assisto muito à tevê.

— Este é Gregory Peck! — Os olhos de Annabeth estavam arregalados, e a boca, escancarada. — E... ah, *deuses*! Audrey Hepburn! Eu *conheço* esse filme. *A princesa e o plebeu*. Mas ele é da década de cinquenta. Como...?

— Ah, minha querida! — A mulher rodopiou como um espírito do ar e sentou-se à mesa deles. — Receio que estejam me confundindo com outra pessoa! Meu nome é Reia Sílvia. Fui a mãe de Rômulo e Remo, *milhares* de anos atrás. Mas vocês são tão gentis em pensar que pareço tão jovem quanto alguém dos anos cinquenta. E este é meu marido...

— Tiberino — disse Gregory Peck, estendendo a mão para Percy de modo bem viril. — Deus do Rio Tibre.

Percy apertou a mão dele. O cara cheirava a loção pós-barba. É claro que, se Percy fosse o Rio Tibre, provavelmente também ia querer mascarar o cheiro com colônia.

— Hã, oi — disse Percy. — Vocês dois sempre parecem com astros do cinema americano?

— Parecemos? — Tiberino franziu a testa e examinou as próprias roupas. — Não sei, para falar a verdade. A migração da civilização ocidental é uma via de mão dupla, sabem? Roma influenciou o mundo, mas o mundo também influencia Roma. Parece, *de fato*, haver muito da cultura americana por aqui ultimamente. Tenho ficado um pouco perdido ao longo dos séculos.

— O.k. — falou Percy. — Mas... vocês estão aqui para nos ajudar?

— Minhas náiades me disseram que vocês dois estavam aqui. — Tiberino dirigiu os olhos escuros para Annabeth. — Você tem o mapa, minha querida? E sua carta de apresentação?

— Hã...

Annabeth entregou a ele a carta e o disco de bronze. Ela olhava para o deus do rio com tanta atenção que Percy começou a sentir ciúme.

— E-então... — gaguejou ela —, você ajudou outros filhos de Atena nessa busca?

— Ah, minha querida! — A bela Reia Sílvia pôs a mão no ombro de Annabeth. — Tiberino é *sempre* muito prestativo. Ele salvou meus filhos, Rômulo e Remo, e os levou para a deusa-loba Lupa. Mais tarde, quando aquele velho rei Numitor tentou me matar, Tiberino se apiedou de mim e me fez sua esposa. Venho governando o reino do rio ao lado dele desde então. Ele é simplesmente maravilhoso!

— Obrigado, minha querida — disse Tiberino com um meio-sorriso. — E, sim, Annabeth Chase, ajudei muitos de seus irmãos... pelo menos a começar a jornada em segurança. Uma pena que depois todos eles tenham morrido de forma dolorosa. Bem, seus documentos parecem em ordem. É melhor irmos logo. A Marca de Atena espera!

Percy apertou a mão de Annabeth — provavelmente um pouquinho demais.

— Tiberino, deixe-me ir com ela. Só mais um pouco.

Reia Sílvia riu docemente.

— Mas você não pode, bobinho. Você precisa voltar para o navio e juntar-se aos seus outros amigos. Enfrentar os gigantes! O caminho vai aparecer na adaga de sua amiga Piper. Annabeth tem um caminho diferente. Ela deve segui-lo sozinha.

— De fato — concordou Tiberino. — Annabeth deve enfrentar sozinha a guardiã do santuário. É a única maneira. E, Percy Jackson, você tem menos tempo do que imagina para resgatar seu amigo no jarro. Precisa se apressar.

A pizza parecia um bloco de cimento no estômago de Percy.

— Mas...

— Está tudo bem, Percy. — Annabeth apertou sua mão. — Preciso fazer isso.

Ele começou a protestar, mas algo no rosto de Annabeth o deteve. Ela estava apavorada, no entanto fazia o possível para esconder isso pelo bem dele. Se tentasse discutir, Percy só dificultaria as coisas para ela. Ou pior: talvez a convencesse a ficar. Então ela teria que viver sabendo que havia recuado diante de seu maior desafio... supondo-se que eles sobrevivessem, é claro, com Roma prestes a ser arrasada e Gaia prestes a se erguer e destruir o mundo. A estátua de Atena guardava a chave para derrotar os gigantes. Percy não sabia por que ou como, mas Annabeth era a única que podia encontrá-la.

— Você está certa — disse ele, forçando as palavras a saírem. — Fique em segurança.

Reia Sílvia deu uma risadinha, como se aquele comentário fosse ridículo.

— Segurança? Não mesmo! Mas é necessário. Venha, Annabeth, querida. Vamos lhe mostrar onde seu caminho começa. Depois disso, você estará por conta própria.

Annabeth beijou Percy. Ela hesitou, como quisesse dizer mais alguma coisa. Então colocou a mochila e subiu na garupa da *scooter*.

Percy odiou aquilo. Teria preferido enfrentar qualquer monstro no mundo. Ou então uma revanche com Crisaor. Mas forçou-se a permanecer em sua cadeira e observar Annabeth cruzar as ruas de Roma em uma Vespa com Gregory Peck e Audrey Hepburn.

XXXIII

ANNABETH

Annabeth pensou que poderia ter sido pior. Se precisava partir em uma apavorante missão solitária, pelo menos pudera primeiro almoçar com Percy às margens do Tibre. Agora pegava uma carona com Gregory Peck na garupa de uma Vespa.

Ela só conhecia aquele filme antigo por causa do pai. Nos últimos anos, desde que haviam feito as pazes, eles tinham passado mais tempo juntos, e ela descobrira que o pai tinha um lado sentimental. Claro, ele gostava de história militar, armas e biplanos, mas também adorava filmes antigos, especialmente comédias românticas das décadas de quarenta e cinquenta. *A princesa e o plebeu* era um de seus favoritos, e ele fizera Annabeth assistir.

Ela achou a trama boba — uma princesa escapa de seus guardiões e se apaixona por um jornalista americano em Roma —, mas suspeitava que o pai gostava daquele filme porque o fazia se lembrar de seu próprio romance com a deusa Atena: outro casal impossível que não podia ter um final feliz. Seu pai não era nada parecido com Gregory Peck. E Atena certamente não tinha nada de Audrey Hepburn. Mas Annabeth sabia que as pessoas viam o que queriam. Elas não precisavam da Névoa para confundir seus sentidos.

Enquanto a Vespa azul-bebê zunia pelas ruas de Roma, Reia Sílvia não parava de falar sobre como a cidade havia mudado ao longo dos séculos.

— A Ponte Sublícia ficava ali — falou a deusa, apontando para uma curva no Tibre. — Foi onde Horácio e seus dois amigos defenderam a cidade de um exército invasor, sabia? Bem, *aquele* era um romano de coragem!

— E olhe, querida — acrescentou Tiberino —, aquele foi o local em que Rômulo e Remo chegaram à margem.

Ele parecia estar se referindo a um ponto na beira do rio onde alguns patos faziam um ninho com sacolas plásticas rasgadas e papéis de balas.

— Ah, sim. — Reia Sílvia suspirou, feliz. — Você foi tão generoso em transbordar e lançar meus bebês na margem para que os lobos os encontrassem.

— Não foi nada — disse Tiberino.

Annabeth sentiu-se tonta. O deus-rio estava falando sobre algo que acontecera milhares de anos atrás, quando essa área não possuía nada além de pântanos e talvez algumas cabanas. Tiberino salvou dois bebês, um dos quais acabou fundando o maior império do mundo. *Não foi nada.*

Reia Sílvia apontou para um edifício grande e moderno.

— Ali costumava ser um templo dedicado a Vênus. Depois foi uma igreja. Em seguida, um palácio. Então um prédio, que pegou fogo três vezes. Agora construíram outro prédio. E logo ali adiante...

— Por favor — falou Annabeth. — Vocês estão me deixando tonta.

Reia Sílvia riu.

— Desculpe, querida. Há camadas e mais camadas de história aqui, mas nada comparado à Grécia. Atenas já era antiga quando Roma não passava de umas poucas cabanas de barro. Você verá se sobreviver.

— Não está ajudando — murmurou Annabeth.

— Aqui estamos — anunciou Tiberino.

Ele parou na frente de uma grande construção de mármore, a fachada bonita apesar de suja. Entalhes de deuses romanos decoravam o friso. A imensa entrada estava obstruída por portões de ferro, que eram protegidos por muitos cadeados.

— Vou entrar aí?

Annabeth desejou ter trazido Leo ou pelo menos pegado emprestado alguns alicates de seu cinto de ferramentas.

Reia Sílvia cobriu a boca e soltou uma risadinha.

— Não, minha querida. *Aí*, não. *Debaixo.*

Tiberino apontou para uma série de degraus na lateral da construção — o tipo que levaria a um apartamento no subsolo se estivessem em Manhattan.

— Roma é caótica na superfície, mas nada se compara ao que tem *embaixo*. Você deve descer à cidade soterrada, Annabeth Chase. Encontre o altar do deus estrangeiro. Os fracassos de seus predecessores vão guiá-la. Depois disso... não sei.

A mochila pareceu pesada nos ombros de Annabeth. Fazia dias que ela vinha estudando o mapa de bronze e vasculhando o laptop de Dédalo em busca de informações. Infelizmente, as poucas coisas que descobrira faziam essa busca parecer ainda mais impossível.

— Meus irmãos... nenhum deles conseguiu chegar ao santuário, não é?

Tiberino balançou a cabeça.

— Mas você sabe qual prêmio a aguarda, se conseguir libertá-lo.

— Sim — respondeu Annabeth.

— Pode promover a paz entre os filhos da Grécia e de Roma — frizou Reia Sílvia. — Pode mudar o curso da guerra iminente.

— Se eu sobreviver — observou Annabeth.

Tiberino assentiu, triste.

— Você também sabe quem é a guardiã que precisa enfrentar, não é?

Annabeth lembrou-se das aranhas no Forte Sumter e do sonho de Percy — a voz sibilante no escuro.

— Sim.

Reia Sílvia olhou para o marido.

— Ela é corajosa. Talvez seja mais forte que os outros.

— Espero que sim — disse o deus-rio. — Até logo, Annabeth Chase. E boa sorte.

Reia Sílvia dirigiu-lhe um sorriso radiante.

— Programamos uma tarde deliciosa! Vamos às compras!

Gregory Peck e Audrey Hepburn partiram em sua Vespa azul-bebê. Então Annabeth virou-se e desceu a escada sozinha.

Ela já estivera no subterrâneo muitas vezes.

No entanto, no meio da descida, deu-se conta de quanto tempo fazia desde que se aventurara sozinha pela última vez. Ficou paralisada.

Deuses... ela não fazia nada assim desde que era uma *garotinha*. Após fugir de casa, Annabeth passara algumas semanas sozinha, dormindo em becos e escondendo-se de monstros, até que Thalia e Luke a encontraram. Mais tarde, quando chegou ao Acampamento Meio-Sangue, morara ali até os doze anos. Depois, todas as suas missões foram com Percy ou seus outros amigos.

Na última vez em que se sentira com medo e sozinha, Annabeth tinha sete anos. Lembrou-se do dia em que Thalia, Luke e ela entraram em um covil de ciclopes no Brooklyn. Thalia e Luke haviam sido capturados, e Annabeth precisava libertá-los. Ela ainda lembrava que se escondera, tremendo, em um canto escuro da mansão em ruínas, ouvindo os ciclopes imitarem as vozes de seus amigos, tentando enganá-la e fazê-la sair de seu esconderijo.

E se *isso* também fosse um truque?, ela se perguntou. E se aqueles outros filhos de Atena morreram porque Tiberino e Reia Sílvia os levaram até uma armadilha? Será que Gregory Peck e Audrey Hepburn fariam algo assim?

Ela se obrigou a prosseguir. Não tinha escolha. Se a Atena Partenos estava mesmo ali embaixo, poderia decidir o desfecho da guerra. Mais importante: poderia ajudar sua mãe. Atena *precisava* dela.

Na base da escada havia uma velha porta de madeira com uma aldrava de ferro. Acima da argola havia uma placa de metal com um buraco de fechadura. Annabeth começou a pensar em como forçar o fecho, mas, assim que tocou a aldrava, uma forma ardente queimou no centro da porta: a coruja de Atena. Fumaça saiu pela fechadura. A porta se abriu.

Annabeth olhou para cima uma última vez. O céu era um quadrado azul brilhante. Os mortais estariam aproveitando a tarde quente, casais de mãos dadas nos cafés, turistas percorrendo apressados lojas e museus. Romanos nativos estariam cuidando de seus afazeres diários, provavelmente alheios aos milhares de anos de história sob seus pés e sem dúvida ignorantes quanto aos espíritos, deuses e monstros que ainda moravam aqui ou ao fato de que sua cidade poderia ser destruída naquele mesmo dia, a menos que certo grupo de semideuses conseguisse deter os gigantes.

Annabeth passou pela porta.

Ela se viu em um porão que era um Frankenstein arquitetônico. Paredes de tijolos antigas estavam cobertas por um emaranhado de cabos elétricos e canos.

O teto era sustentado tanto por andaimes de aço quanto por antigas colunas romanas de granito.

A entrada do porão tinha caixotes empilhados. Por curiosidade, Annabeth abriu alguns. Uns estavam cheios de carretéis de linha multicoloridos, para pipas ou projetos de artesanato. Outros encontravam-se cheios de espadas de gladiador de plástico. Talvez, em algum momento, aquele tenha sido o depósito de uma loja de lembranças para turistas.

Nos fundos do porão, o chão fora escavado, revelando outra série de degraus — agora de pedra branca — que levava ainda mais para baixo.

Annabeth aproximou-se com cuidado da extremidade. Mesmo com o brilho lançado por sua faca, era escuro demais para que ela visse lá embaixo. Annabeth colocou a mão na parede e encontrou um interruptor.

Ela o acionou. Lâmpadas fluorescentes iluminaram os degraus. Lá embaixo, ela via um piso de mosaico decorado com cervos e faunos — talvez um quarto de uma antiga *villa* romana, secretamente conservada debaixo desse porão junto a caixotes cheios de linha e espadas de plástico.

Ela desceu as escadas. O cômodo tinha seis metros de comprimento. As paredes já foram de cores brilhantes, mas a maior parte dos afrescos havia descascado ou desbotado. A única saída era um buraco cavado em um dos cantos, onde o mosaico do piso fora levantado. Annabeth acocorou-se perto da abertura, que descia diretamente para uma caverna maior, mas ela não conseguia ver o fundo.

Um ruído de água corrente vinha de uns dez ou doze metros abaixo. O ar não tinha cheiro de esgoto — era só velho, bolorento e ligeiramente doce, como o odor de flores em decomposição. Talvez fosse uma parte dos aquedutos. Não havia como descer.

— Não vou pular — murmurou para si mesma.

Como se em resposta, algo se iluminou na escuridão. A Marca de Atena brilhou no fundo da caverna, revelando a alvenaria ao longo de um canal subterrâneo doze metros abaixo. A coruja de fogo parecia desafiá-la: *Bem, este é o caminho, garota. Então é melhor que você tenha alguma ideia.*

Annabeth considerou suas opções. Era perigoso demais tentar pular. Não havia escada ou corda. Pensou em pegar emprestada alguma viga dos andaimes lá de cima para escorregar como em um poste de bombeiro, mas estavam todas aparafusadas no lugar. Além disso, não queria que o lugar desabasse em cima dela.

A frustração tomou conta de Annabeth como um exército de cupins. Tinha passado a vida inteira vendo outros semideuses descobrirem poderes incríveis. Percy podia controlar a água. Se estivesse aqui, ele poderia elevar o nível da água e simplesmente descer flutuando. Hazel, pelo que tinha contado, era capaz de se orientar no subterrâneo com precisão impecável e até criar ou mudar a direção dos túneis. Ela poderia facilmente criar uma nova passagem. Leo simplesmente puxaria as ferramentas certas de seu cinto e construiria algo que resolveria o problema. Frank poderia se transformar em um pássaro. Jason controlaria as correntes de ar e desceria, flutuando. Até Piper, usando o charme, poderia ter convencido Tiberino e Reia Sílvia a ajudar um pouquinho mais.

O que Annabeth possuía? Uma faca de bronze sem nada de especial e uma moeda de prata amaldiçoada. Na mochila tinha o laptop de Dédalo, uma garrafa d'água, alguns pedaços de ambrosia para emergências e uma caixa de fósforos — provavelmente inúteis, mas o pai tinha enfiado na cabeça dela que sempre deveria ter como fazer fogo.

Ela não possuía poderes impressionantes. Até mesmo seu único item mágico, o boné de invisibilidade dos Yankees, tinha parado de funcionar e estava em sua cabine no *Argo II*.

Você tem sua inteligência, disse uma voz. Annabeth perguntou-se se Atena estaria falando com ela, mas aquilo provavelmente era apenas fruto de sua imaginação.

Inteligência... como o herói favorito de Atena, Odisseu. Ele vencera a Guerra de Troia com esperteza, não força. Havia derrotado todos os tipos de monstros e dificuldades com seu raciocínio rápido. Era aquilo que Atena valorizava.

A filha da sabedoria caminha solitária.

Annabeth se deu conta de que aquilo não significava apenas sem outras pessoas, mas também sem nenhum poder especial.

Muito bem... então como descer em segurança e, se necessário, garantir uma forma de voltar?

Ela subiu de volta ao porão e olhou os caixotes abertos. Linha de pipa e espadas de plástico. A ideia que lhe ocorreu era tão ridícula que ela quase riu, mas era melhor que nada.

Então pôs-se a trabalhar. Suas mãos pareciam saber exatamente o que fazer. Às vezes isso acontecia, como quando ela ajudava Leo com o maquinário do navio ou desenhava plantas arquitetônicas no computador. Nunca tinha construído nada com linha de pipa e espadas de plástico, mas aquilo lhe parecia fácil, natural. Em questão de minutos havia usado uma dúzia de carretéis e um caixote de espadas para criar uma escada improvisada: uma corda feita de linhas trançadas, forte ainda que não muito grossa, intercalada com espadas a cada sessenta centímetros para servir de apoio para as mãos e os pés.

Para testar, ela amarrou uma das extremidades em uma coluna e pôs todo seu peso na escada. As espadas de plástico dobraram-se sob seus pés, mas ofereceram um volume extra aos nós da corda, então pelo menos ela podia se segurar melhor.

A escada não ganharia nenhum prêmio de design, mas talvez a levasse ao fundo da caverna em segurança. Mas antes, Annabeth encheu a mochila com os carretéis que sobraram. Não sabia bem por quê, mas eram um recurso a mais e não pesavam tanto.

Ela voltou ao buraco no piso de mosaico. Prendeu uma ponta de sua escada no andaime mais próximo, baixou-a para a caverna e desceu.

XXXIV

ANNABETH

PENDENDO NO AR, SEGURANDO OS degraus da escada que oscilava violentamente, Annabeth agradeceu a Quíron por todos os anos de treinamento no curso de escalada do Acampamento Meio-Sangue. Ela com frequência havia se queixado em alto e bom som de que ser capaz de subir uma corda nunca a ajudaria a derrotar um monstro. Quíron se limitava a sorrir, como se soubesse que aquele dia chegaria.

Finalmente Annabeth alcançou o chão. Ela errou a borda de tijolos e aterrissou no canal, que no fim tinha apenas alguns centímetros de profundidade. A água gelada encharcou seus tênis de corrida.

Annabeth ergueu a faca que brilhava. O canal raso corria pelo meio de um túnel de tijolos e a cada poucos metros tubos cerâmicos projetavam-se das paredes. Ela deduziu que fossem drenos, parte do sistema hidráulico da Roma Antiga, embora achasse impressionante que um túnel como aquele houvesse sobrevivido no subterrâneo com todos os canos, porões e esgotos construídos depois.

Um súbito pensamento fez com que gelasse mais do que a água fizera. Alguns anos antes, Percy e ela haviam participado de uma missão no labirinto de Dédalo — uma rede secreta de túneis e câmaras, fortemente encantada e cheia de armadilhas, que se estendia sob os Estados Unidos.

Quando Dédalo morreu na Batalha do Labirinto, toda a complexa rede havia desabado — ou pelo menos era nisso que Annabeth acreditara. Mas e se aquilo tivesse acontecido apenas nos Estados Unidos? E se aquela fosse uma versão mais antiga do labirinto? Uma vez Dédalo lhe contara que seu labirinto tinha vida própria. Estava crescendo e se modificando constantemente. Talvez o labirinto pudesse se regenerar, como os monstros. Faria sentido. Tratava-se de uma força arquetípica, como Quíron diria — algo que nunca poderia morrer de verdade.

Se aquilo fizesse parte do labirinto...

Annabeth resolveu não pensar nisso, mas também decidiu não supor que seu senso de direção estivesse certo. O labirinto tornava as distâncias sem sentido. Se não tomasse cuidado, poderia andar cinco metros na direção errada e acabar na Polônia.

Só por segurança, amarrou um carretel de linha na extremidade de sua escada de corda. Poderia desenrolá-lo enquanto explorasse o local. Um truque antigo, mas muito útil.

Ela ponderou que caminho tomar. O túnel parecia igual em ambas as direções. Então, cerca de quinze metros à esquerda, a Marca de Atena brilhou intensamente na parede. Annabeth podia jurar que ela a fuzilava com aqueles grandes olhos de fogo, como se dissesse: *Qual o seu problema? Depressa!*

Ela estava começando a odiar de verdade aquela coruja.

Quando chegou ao lugar, a imagem já sumira e o seu primeiro carretel acabara. Enquanto amarrava uma nova linha, olhou para o outro lado do túnel. Havia um pedaço quebrado nos tijolos, como se uma marreta houvesse aberto um buraco na parede. Ela atravessou para dar uma olhada. Enfiando a faca pela abertura para iluminar o espaço, Annabeth viu uma câmara mais baixa, comprida e estreita, com piso de mosaico, paredes pintadas e bancos que se estendiam de ambos os lados. Parecia um vagão de metrô.

Ela enfiou a cabeça no buraco, torcendo para que nada a arrancasse com uma mordida. Na extremidade mais próxima da câmara havia um vão de porta bloqueado com tijolos. No lado mais distante via-se uma mesa de pedra, talvez um altar.

Hum... O outro túnel prosseguia, mas Annabeth tinha certeza de que era aquele o caminho. Lembrou-se do que Tiberino dissera: *Encontre o altar do deus estrangeiro.* Não parecia haver nenhuma saída na sala do altar, mas o banco não era muito longe do buraco na parede. Ela deveria conseguir subir de volta sem dificuldade.

Ainda segurando o fio, Annabeth desceu.

O teto da sala era abobadado, com arcos de tijolos; Annabeth, porém, não gostou do aspecto das colunas. Bem acima de sua cabeça, no arco mais próximo à passagem bloqueada por tijolos, o bloco central estava rachado no meio e mais rachaduras cortavam o teto. O lugar provavelmente se mantivera intacto por dois mil anos, mas Annabeth concluiu que era melhor não ficar muito tempo ali. Com sua sorte, ele iria desabar nos próximos dois minutos.

No chão havia um mosaico comprido e estreito com sete imagens uma ao lado da outra, como em uma linha do tempo. Aos pés de Annabeth havia um corvo. Em seguida, vinha um leão. Vários outros pareciam guerreiros romanos com armas variadas. O restante estava danificado ou coberto por pó demais para que Annabeth distinguisse detalhes. Os bancos de ambos os lados estavam repletos de cerâmica quebrada. Nas paredes havia pinturas de um banquete: um homem de túnica com um chapéu curvo como uma colher de sorvete, sentado ao lado de um cara maior que irradiava raios solares. De pé ao redor deles havia criados e homens carregando tochas, e vários animais como corvos e leões perambulando no fundo. Annabeth não sabia o que a imagem representava, mas não a fazia pensar em nenhuma das lendas gregas que ela conhecia.

No lado mais distante da sala, o altar exibia um sofisticado friso com entalhes mostrando o homem com o chapéu de colher de sorvete segurando uma faca junto ao pescoço de um touro. No altar erguia-se uma estátua de um homem afundado na pedra até os joelhos, com um punhal e uma tocha nas mãos estendidas. Mais uma vez, Annabeth não tinha ideia do que aquilo significava.

Ela deu um passo na direção do altar. Algo sob seu pé fez CRUNCH. Ela olhou para baixo e percebeu que tinha acabado de pisar em um caixa torácica humana.

Annabeth engoliu um grito. De onde viera *aquilo*? Ela havia olhado para baixo um momento antes e não vira nenhum osso, mas agora o chão estava coberto deles. A caixa torácica era obviamente antiga e esfacelou-se quando Annabeth retirou o pé. Ali perto havia uma faca de bronze corroído muito semelhante à dela. Ou a pessoa que morrera carregava a arma ou fora morta por ela.

Annabeth estendeu a mão que empunhava a lâmina para ver à frente. Um pouco adiante no caminho de mosaico, um esqueleto mais completo esparramava-se entre os restos de um gibão vermelho bordado, no estilo da Renascença. A gola franzida e o crânio haviam sido quase carbonizados, como se o cara tivesse resolvido lavar o cabelo com um maçarico.

Maravilha, pensou Annabeth. Ela ergueu os olhos para a estátua do altar, que empunhava um punhal e uma tocha.

Uma espécie de teste, concluiu Annabeth. Aqueles dois caras haviam fracassado. Correção: não apenas dois caras. Mais ossos e restos de roupas espalhavam-se até o altar. Ela não podia calcular quantos esqueletos havia ali, mas podia apostar que eram todos semideuses do passado, outros filhos de Atena na mesma missão.

— Não vou ser mais um esqueleto nesse chão — disse ela à estátua, esperando parecer cheia de coragem.

Uma menina, disse uma voz chorosa que ecoou pela sala. *Não permitimos meninas aqui.*

Uma semideusa, disse uma segunda voz. *Imperdoável.*

Um estrondo soou na câmara. Uma nuvem de pó caiu do teto rachado. Annabeth correu para o buraco por onde entrara, mas ele havia desaparecido. O fio tinha sido cortado. Ela subiu no banco e bateu na parede onde antes estava a passagem, na esperança de que a ausência da abertura fosse apenas uma ilusão, mas a parede era sólida.

Ela estava presa.

Ao longo dos bancos, uma dezena de fantasmas surgiu tremeluzindo — homens roxo-fosforescente em togas romanas, como os Lares que ela vira no Acampamento Júpiter. Eles a fuzilaram com o olhar, como se Annabeth tivesse interrompido a reunião deles.

Ela fez a única coisa que podia. Desceu do banco e apoiou as costas na passagem bloqueada por tijolos. Tentou parecer confiante, embora os carrancudos fantasmas roxos e os esqueletos de semideuses aos seus pés lhe dessem vontade de esconder o rosto na camiseta e gritar.

— Sou uma filha de Atena — falou ela, com a voz mais corajosa que conseguiu.

— Uma grega — observou um dos fantasmas com desgosto. — Pior ainda.

Na outra extremidade da câmara, um fantasma de aparência envelhecida ergueu-se com alguma dificuldade (fantasmas têm artrite?) e parou junto ao altar, os olhos escuros fixos em Annabeth. O primeiro pensamento dela foi que ele parecia o papa. Usava um manto cintilante, um chapéu pontudo e um cajado de pastor.

— Esta é a caverna de Mitra — disse o velho fantasma. — Você perturbou nossos rituais sagrados. Não pode contemplar nossos mistérios e viver.

— Não quero contemplar seus mistérios — assegurou-lhe Annabeth. — Estou seguindo a Marca de Atena. Mostre-me a saída e seguirei em minha missão.

Sua voz soava calma, o que a surpreendeu. Não fazia a menor ideia de como sair dali, mas sabia que tinha que ser bem-sucedida onde seus irmãos haviam falhado. Seu caminho seguia além daquele lugar — para as camadas mais profundas de Roma.

Os fracassos de seus predecessores vão guiá-la, dissera Tiberino. *Depois disso... não sei.*

Os fantasmas trocaram murmúrios em latim. Annabeth captou algumas palavras indelicadas sobre semideusas e Atena.

Por fim, o fantasma com o chapéu de papa bateu o cajado no chão. Os outros Lares se calaram.

— Sua deusa grega não tem poder aqui. Mitra é o deus dos guerreiros romanos! Ele é o deus da legião, o deus do império!

— Ele nem era romano — protestou Annabeth. — Ele não era, tipo, persa ou algo assim?

— Sacrilégio! — gritou o velho, batendo o cajado no chão mais algumas vezes. — Mitra nos protege! Eu sou o *pater* desta irmandade...

— O pai — traduziu Annabeth.

— Não me interrompa! Como *pater*, tenho o dever de proteger nossos mistérios.

— Que mistérios? — perguntou Annabeth. — Uns caras mortos de toga sentados em uma caverna?

Os fantasmas resmungaram e se queixaram, até que o *pater* os silenciou com um assovio agudo. O velhote tinha bastante fôlego.

— Você é claramente uma incrédula. Como os outros, deve morrer.

Os outros. Annabeth fez um esforço para não olhar os esqueletos.

Sua mente trabalhava furiosamente, à procura de qualquer informação sobre Mitra. Ele tinha um culto secreto para guerreiros. Era popular na legião. Era um dos deuses que havia suplantado Atena como divindade da guerra. Afrodite havia mencionado seu nome durante o chá em Charleston. Fora isso, Annabeth não sabia de nada. Mitra não era um dos deuses sobre os quais se falava no Acampamento Meio-Sangue, e ela duvidava que os fantasmas fossem esperar enquanto fazia uma busca rápida no laptop de Dédalo.

Annabeth examinou o mosaico no chão — uma sequência de sete imagens. Ela estudou os fantasmas e percebeu que todos usavam algum tipo de emblema na toga: um corvo, uma tocha ou um arco.

— Vocês têm ritos de passagem — disse ela subitamente. — Sete níveis de filiação. E o nível máximo é o *pater*.

Os fantasmas deixaram escapar um arquejo coletivo. Então todos começaram a gritar ao mesmo tempo.

— Como ela sabe disso?

— A garota descobriu nossos segredos!

— Silêncio! — ordenou o *pater*.

— Ela pode saber sobre os ordálios!

— Os ordálios! — exclamou Annabeth. — Eu sei sobre eles!

Outra série de arquejos incrédulos.

— Ridículo! — berrou o *pater*. — A garota está mentindo! Filha de Atena, escolha a maneira como vai morrer. Se não escolher, o deus escolherá por você.

— Fogo ou punhal — adivinhou Annabeth.

Até mesmo o *pater* pareceu perplexo. Aparentemente ele não se lembrava de que havia vítimas de punições passadas caídas no chão.

— Como... como você...? — Ele engoliu em seco. — Quem é *você*?

— Uma filha de Atena — repetiu Annabeth. — Mas não uma filha qualquer. Eu sou a... hã, a *mater* em minha irmandade. A *magna mater*, na verdade. Não existem mistérios para mim. Mitra não pode esconder nada de meu conhecimento.

— A *magna mater*! — gemeu um fantasma em desespero. — A grande mãe!

— Matem-na!

Um dos fantasmas lançou-se na direção dela com as mãos estendidas para estrangulá-la, mas ele apenas a atravessou.

— Você está morto — lembrou-lhe Annabeth. — Pode sentar.

O fantasma pareceu constrangido e voltou ao seu lugar.

— Não é necessário que nós mesmos a matemos — grunhiu o *pater*. — Mitra fará isso por nós!

A estátua no altar começou a brilhar.

Annabeth empurrou a passagem bloqueada por tijolos às suas costas com as mãos. Aquela *tinha* que ser a saída. O reboco estava se desfazendo, mas não era frágil o bastante para que ela o rompesse com a força bruta.

Ela correu os olhos desesperadamente pela sala — o teto rachado, o mosaico do piso, as paredes pintadas e o altar esculpido — e começou a falar, deduzindo mil coisas por segundo.

— É inútil — falou. — Eu sei de tudo. Vocês testam seus iniciados com fogo porque a tocha é o símbolo de Mitra. Seu outro símbolo é o punhal, motivo por que vocês também podem ser testados com a lâmina. Vocês querem me matar, exatamente como... hã, como Mitra matou o touro sagrado.

Era apenas um palpite, mas o altar mostrava Mitra matando um touro, então Annabeth deduziu que devia ser algo importante. Os fantasmas gemeram e cobriram os ouvidos. Alguns bateram no próprio rosto, como se para acordar de um sonho ruim.

— A grande mãe sabe! — exclamou um deles. — É impossível!

A menos que se examine a sala, pensou Annabeth, ganhando confiança. Ela lançou um olhar feroz para o fantasma que acabara de falar. Ele tinha um emblema de corvo na toga — o mesmo símbolo que se via no chão aos pés dela.

— Você é só um corvo — repreendeu-o. — A categoria mais baixa. Fique calado e me deixe falar com seu *pater*.

O fantasma encolheu-se.

— Misericórdia! Misericórdia!

Na frente da sala, o *pater* tremia — de fúria ou de medo, Annabeth não sabia dizer. Seu chapéu de papa inclinava-se na cabeça, como um medidor de combustível indicando um tanque cada vez mais vazio.

— É verdade, você sabe muito, grande mãe. Sua sabedoria é imensa, mas essa é uma razão ainda maior por que você não pode partir. A tecelã nos avisou que você viria.

— A tecelã... — Annabeth compreendeu com pesar sobre o que o *pater* estava falando: a coisa no escuro do sonho de Percy, a guardiã do santuário. Daquela vez ela desejou *não* saber a resposta, mas tentou manter a calma. — A tecelã tem medo de mim. Ela não quer que eu siga a Marca de Atena. Mas vocês me deixarão passar.

— Você deve escolher um ordálio! — insistiu o *pater*. — Fogo ou punhal! Sobreviva a um deles, e então, talvez!

Annabeth olhou para os ossos de seus irmãos. *Os fracassos de seus predecessores vão guiá-la.*

Todos haviam escolhido um ou o outro: fogo ou punhal. Talvez tivessem pensado que poderiam vencer o ordálio. Mas todos tinham morrido. Annabeth precisava de uma terceira opção.

Ela olhou com atenção para a estátua no altar, que brilhava mais a cada segundo. Podia sentir o calor de onde estava. O instinto de Annabeth era se concentrar no punhal ou na tocha, mas, em vez disso, ela prestou atenção na base da estátua. Perguntou-se por que as pernas estavam presas na pedra, e então lhe ocorreu: talvez a pequena estátua de Mitra não estivesse *presa* na pedra. Talvez estivesse *emergindo* dela.

— Nem tocha nem punhal — falou Annabeth com firmeza. — Existe um terceiro teste, pelo qual passarei.

— Um terceiro teste? — perguntou o *pater*.

— Mitra nasceu da pedra — disse Annabeth, torcendo para que estivesse certa. — Ele emergiu já adulto da pedra, segurando o punhal e a tocha.

Os gritos e gemidos lhe disseram que ela havia adivinhado corretamente.

— A grande mãe sabe tudo! — gritou um fantasma. — Esse é o nosso segredo mais bem guardado!

Então talvez vocês não devessem colocar uma estátua disso em seu altar, Annabeth pensou. Mas sentia-se grata pelos estúpidos fantasmas homens. Se aceitassem guerreiras em seu culto, talvez tivessem aprendido um pouco de bom senso.

Annabeth gesticulou dramaticamente, indicando a parede pela qual entrara.

— Eu nasci da pedra, exatamente como Mitra! Portanto, já passei por sua provação!

— Bah! — desdenhou o *pater*. — Você entrou por um buraco na parede! Não é a mesma coisa.

Certo. Então o *pater* não era o completo idiota que parecia, mas Annabeth permaneceu confiante. Olhou para o teto, e outra ideia lhe ocorreu, todos os detalhes se encaixando.

— Eu tenho controle sobre as pedras. — Ela ergueu os braços. — Vou provar que meu poder é maior que o de Mitra. Com um único golpe, vou demolir esta câmara.

Os fantasmas uivaram, tremendo, e olharam para o teto, mas Annabeth sabia que eles não viam o mesmo que ela. Os fantasmas eram guerreiros, não engenheiros. Os filhos de Atena possuíam muitas habilidades, e não só em combate. Annabeth havia estudado arquitetura durante anos. Sabia que aquela antiga câmara estava prestes a desabar. Reconhecia o significado daquelas rachaduras no teto, todas irradiando de um único ponto — o topo do arco de pedra bem acima de sua cabeça. A pedra central estava prestes a ruir, e, quando isso acontecesse, supondo-se que ela pudesse calcular o tempo corretamente...

— Impossível! — gritou o *pater*. — A tecelã nos pagou um imenso tributo para destruir qualquer filho de Atena que ousasse entrar em nosso santuário. Nunca a decepcionamos. Não podemos deixar você passar.

— Então você teme o meu poder! — falou Annabeth. — Admite que posso destruir sua câmara secreta!

O *pater* franziu o cenho. Ele endireitou o chapéu, desconfortável. Annabeth sabia que o colocara em uma situação difícil. Ele não podia recuar sem parecer covarde.

— Vá em frente, filha de Atena — decidiu ele. — Ninguém pode derrubar a caverna de Mitra, muito menos com um só golpe. Muito menos uma garota!

Annabeth ergueu a faca. O teto era baixo e ela alcançava a pedra central do arco com facilidade, mas teria que fazer seu único golpe valer.

A passagem atrás dela estava bloqueada, mas, em teoria, se a sala começasse a desmoronar, aqueles tijolos provavelmente iriam enfraquecer e ruir. Ela *deveria* conseguir abrir caminho antes que o teto inteiro desabasse — supondo-se, é claro, que houvesse alguma coisa por trás da parede de tijolos, não apenas terra, e supondo-se que Annabeth fosse rápida e forte o bastante e tivesse muita sorte. Caso contrário, estava prestes a se transformar em panqueca de semideus.

— Bem, rapazes — disse ela. — Parece que vocês escolheram o deus da guerra errado.

Ela golpeou a pedra. A lâmina de bronze celestial atravessou-a como a um cubo de açúcar. Por um momento, nada aconteceu.

— Rá! — regozijou-se o *pater*. — Está vendo? Atena não tem poder aqui!

A sala estremeceu. Uma fissura percorreu toda a extensão do teto e a extremidade oposta da caverna desabou, enterrando o altar e o *pater*. Mais rachaduras surgiram. Os tijolos começaram a cair dos arcos. Fantasmas gritaram e correram, mas pareciam incapazes de atravessar as paredes. Aparentemente estavam presos àquela câmara, mesmo na morte.

Annabeth virou-se e jogou-se de encontro à passagem bloqueada com toda a força, e os tijolos cederam. Enquanto a caverna de Mitra implodia atrás dela, Annabeth atirou-se na escuridão e se viu em plena queda.

XXXV

ANNABETH

Annabeth achava que sabia o que era dor. Ela havia caído da parede de lava no Acampamento Meio-Sangue. Fora apunhalada no braço com uma lâmina envenenada na ponte Williamsburg. Tinha até suportado o peso do céu nos ombros.

Mas isso não era nada se comparado a cair com tudo no tornozelo.

Ela soube imediatamente que o havia quebrado. A dor, como um arame de aço quente, atravessou a perna até o quadril. O mundo reduziu-se a apenas ela, seu tornozelo e a agonia.

Ela quase desmaiou. Sua cabeça girava. A respiração ficou acelerada.

Não, disse a si mesma. *Você não pode entrar em choque.*

Tentou respirar mais devagar. Ficou deitada o mais imóvel possível até a dor diminuir, passando da tortura absoluta a um latejar apenas horrível.

Parte dela queria urrar contra o mundo, por ser tão injusto. Chegar até ali só para ser detida por algo tão banal quanto um tornozelo fraturado?

Ela se forçou a controlar as emoções. No acampamento, fora treinada para sobreviver a todos os tipos de situações desfavoráveis, *inclusive* com ferimentos como aquele.

Olhou à volta. Sua faca havia caído a alguns metros de distância. À luz tênue, começou a examinar a sala. Ela estava deitada em um chão frio de blocos de arenito. O teto ficava a uns dois andares de altura. A porta pela qual caíra estava a três metros do chão, agora completamente bloqueada com escombros que haviam cascateado para o interior da sala por causa do deslizamento. Espalhados em torno dela havia pedaços de madeira velha — alguns rachados e ressecados, outros partidos em lascas.

Idiota, ela se repreendeu. Tinha se atirado por aquela abertura, pressupondo que haveria um corredor ou outro espaço no mesmo nível, mas nunca lhe ocorrera que despencaria no vazio. Aquela madeira provavelmente tinha sido uma escada, que havia muito desabara.

Ela examinou o tornozelo. Seu pé não estava virado em nenhum ângulo estranho. Ela podia sentir os dedos do pé. Não havia sangue. Isso tudo era bom.

Annabeth estendeu a mão para pegar um pedaço de madeira, mas até mesmo aquele pequeno movimento a fez gritar.

A tábua desmanchou-se em sua mão. A madeira devia ter séculos de idade ou até milênios. Ela não tinha como saber se aquela sala era mais antiga que o santuário de Mitra ou se, como no labirinto, as salas eram uma miscelânea de muitas eras reunidas aleatoriamente.

— Muito bem — falou ela em voz alta. — Pense, Annabeth. Estabeleça prioridades.

Ela lembrou-se de um curso muito bobo de sobrevivência em áreas selvagens que Grover havia ministrado no acampamento. Pelo menos tinha lhe parecido bobo na ocasião. Primeiro passo: examine o ambiente, à procura de ameaças imediatas.

A sala não parecia correr risco de desabar. O deslizamento havia cessado. As paredes eram sólidos blocos de pedra, sem grandes rachaduras visíveis. O teto não estava cedendo. Ótimo.

A única saída ficava na parede oposta: um arco e, além dele, a escuridão. Entre ela e a passagem, uma pequena calha de alvenaria atravessava o piso, permitindo que a água fluísse pela sala, da esquerda para a direita. Quem sabe aquilo era encanamento da época dos romanos? Se a água fosse potável, também era bom.

Amontoados em um canto, havia alguns vasos de cerâmica quebrados, derramando caroços marrons e murchos que um dia deviam ter sido frutas. Eca. Em outro canto havia alguns caixotes de madeira que pareciam intactos e umas caixas de vime amarradas com tiras de couro.

— Bem, nenhum perigo imediato — disse a si mesma. — A menos que algo surja de repente saindo daquele túnel escuro.

Ela olhou para a passagem, quase desafiando sua sorte a piorar mais ainda. Nada aconteceu.

— Muito bem. Próximo passo: fazer um inventário.

O que ela poderia usar? Tinha sua garrafa de água, e mais água naquela calha se conseguisse chegar até lá. Tinha sua faca. A mochila estava cheia de linhas coloridas (oba!), o laptop, o mapa de bronze, alguns fósforos e um pouco de ambrosia para emergências.

Ah... sim. Isso se qualificava como uma emergência. Ela procurou a comida divina na mochila e a engoliu. Como sempre, o sabor era o de lembranças reconfortantes. Dessa vez, pipoca com manteiga — noite do filme com o pai na casa dele em São Francisco, sem madrasta, sem os filhos dela, só Annabeth e o pai aconchegados no sofá, assistindo a velhas comédias românticas sentimentais.

A ambrosia aqueceu todo o seu corpo. A dor na perna tornou-se um latejar distante. Annabeth sabia que ainda estava encrencada; nem mesmo ambrosia podia curar ossos quebrados na hora. Acelerava o processo, mas, na melhor das hipóteses, ela não conseguiria apoiar o peso no pé por um dia ou mais.

Tentou alcançar a faca, mas estava muito longe. Arrastou-se naquela direção. A dor espalhou-se de novo, como se houvesse pregos perfurando seu pé. Seu rosto ficou molhado de suor, mas, depois de mais uma tentativa, ela conseguiu alcançar sua arma.

Sentiu-se melhor ao segurá-la — não só pela luz e proteção, mas também porque era tão familiar.

E agora? Na aula de sobrevivência, Grover tinha mencionado algo sobre ficar parado e aguardar o resgate, mas isso não ia acontecer. Mesmo que Percy conseguisse de alguma maneira rastrear seus passos, a caverna de Mitra havia desabado.

Ela poderia tentar contatar alguém com o laptop de Dédalo, mas duvidava que conseguisse sinal ali embaixo. Além disso, quem ela chamaria? Não podia enviar uma mensagem a ninguém que estivesse perto o bastante para ajudar. Semideuses não andavam com celulares, pois o sinal dos aparelhos atraía a atenção de monstros, e nenhum de seus amigos estaria sentado, verificando seus e-mails.

Uma mensagem de Íris? Havia água ali, mas Annabeth duvidava que pudesse produzir luz suficiente para um arco-íris. Além disso, a única moeda que possuía era sua dracma de prata ateniense, o que não era um grande tributo.

Havia outro problema em pedir ajuda: aquela era para ser uma missão solitária. Se fosse resgatada, estaria admitindo a derrota. Alguma coisa lhe dizia que a Marca de Atena não a guiaria mais. Ela poderia perambular ali embaixo para sempre, sem nunca encontrar a Atena Partenos.

Portanto... de nada adiantava ficar parada esperando ajuda. O que significava que precisava encontrar uma forma de prosseguir sozinha.

Abriu a garrafa de água e bebeu. Não tinha percebido que estava com tanta sede. Quando esvaziou a garrafa, arrastou-se até a calha para enchê-la.

A água estava fria e se movia com rapidez — bons indícios de que devia ser potável. Ela encheu a garrafa, então apanhou um pouco de água com as mãos em concha e lavou o rosto. Imediatamente sentiu-se mais alerta. Então lavou e limpou os arranhões o melhor que pôde.

Annabeth sentou-se e olhou com raiva para o tornozelo.

— Você *tinha* que quebrar.

O tornozelo não respondeu. Ela teria que imobilizá-lo de alguma forma. Só assim conseguiria se mover. Humm...

Ergueu o punhal e tornou a inspecionar a sala com a luz do bronze. Agora que estava mais perto da passagem aberta, gostava ainda menos de seu aspecto. Ela levava a um corredor escuro e silencioso. O ar ali tinha um cheiro enjoativo, doce e, de algum modo, sinistro. Infelizmente Annabeth não via nenhum outro caminho que pudesse seguir.

Ofegando muito e piscando para conter as lágrimas, ela rastejou até as ruínas da escada. Ali encontrou duas tábuas de madeira que estavam em condições razoáveis e eram longas o bastante para servir como tala. Então se arrastou até as caixas de vime e usou o punhal para cortar as tiras de couro.

Enquanto se preparava mentalmente para imobilizar o tornozelo, notou algumas palavras desbotadas em um dos caixotes de madeira: SERVIÇO DE ENTREGAS DE HERMES.

Annabeth se arrastou, animada, na direção do caixote. Não tinha a menor ideia do que aquilo fazia ali, mas Hermes entregava todo o tipo de coisas úteis para deuses, espíritos e até semideuses. Talvez ele tivesse deixado aquele pacote ali anos atrás para ajudar semideuses como ela na missão.

Ela forçou a tampa e tirou vários pedaços de plástico bolha, mas o que quer que houvesse ali dentro já havia sido levado.

— Hermes! — protestou ela, olhando tristonha para o plástico bolha. Então sua mente começou a trabalhar, e ela percebeu que aquilo *era* uma dádiva. — Ah... isso é perfeito!

Annabeth cobriu o tornozelo quebrado com várias voltas de plástico bolha, depois posicionou as talas de madeira e amarrou tudo com as tiras de couro.

Uma vez, na prática de primeiros socorros, ela havia imobilizado com uma tala a falsa perna quebrada de outro campista, mas nunca imaginara que precisaria fazer uma tala em si mesma.

Era uma tarefa difícil e dolorosa, mas finalmente acabou. Annabeth vasculhou os escombros da escada até encontrar parte do corrimão — uma tábua estreita com pouco mais de um metro de comprimento que serviria como muleta. Então colou as costas na parede, preparou a perna boa e se ergueu.

— Uau. — Pontos pretos dançaram diante de seus olhos, mas Annabeth continuou de pé. — Da próxima vez — murmurou para a sala escura —, me deixe lutar com um monstro. Muito mais fácil.

Na parede acima da passagem aberta, a Marca de Atena reluziu.

A coruja em chamas parecia observá-la cheia de expectativa, como se dissesse: *Já era tempo. Ah, você quer monstros? É só vir por aqui!*

Annabeth se perguntou se aquela marca flamejante era baseada em uma coruja sagrada de verdade. Se fosse, assim que saísse dali ia procurar aquela coruja e dar um soco na cara dela.

Aquele pensamento a deixou mais animada. Ela atravessou a calha e entrou mancando dolorosamente no corredor.

XXXVI

ANNABETH

O TÚNEL SEGUIA RETO E plano, mas depois da queda Annabeth resolveu não correr mais nenhum risco. Usava a parede como suporte e batia no chão à frente com a muleta para se certificar de que não havia armadilhas.

Enquanto caminhava, o cheiro doce e enjoativo foi ficando mais forte, deixando seus nervos à flor da pele. O som de água corrente foi diminuindo conforme ela avançava. Em seu lugar, surgiu um coro de sussurros secos, como o de um milhão de vozes pequeninas. Elas pareciam vir de dentro das paredes e estavam ficando mais altas.

Annabeth tentou andar depressa, mas não podia ir muito mais rápido sem perder o equilíbrio ou forçar o tornozelo fraturado. Ela prosseguiu mancando, convencida de que alguma coisa a perseguia. As vozinhas estavam se unindo, chegando mais perto.

Ela tocou a parede e sua mão ficou coberta de teias de aranha.

Annabeth gritou e em seguida se amaldiçoou por fazer barulho.

É só uma teia, disse a si mesma. Mas isso não cessou o rugido em seus ouvidos.

Ela estava esperando por aranhas. Sabia o que a aguardava mais adiante: *A tecelã. Sua Senhoria. A voz nas trevas.* Mas as teias a fizeram perceber o quanto estava perto.

Sua mão tremia enquanto a limpava nas pedras. O que ela havia pensado? Não podia realizar essa missão sozinha.

Tarde demais, disse a si mesma. Siga em frente.

Ela percorreu o corredor com um passo doloroso de cada vez. Os sussurros foram ficando mais altos às suas costas até soarem como milhões de folhas secas ao vento. As teias de aranha tornaram-se mais densas, enchendo o túnel. Logo ela teve que afastá-las, rasgando cortinas transparentes que cobriam seus cabelos e grudavam em seu rosto.

Seu coração parecia querer escapar do peito. Ela seguiu aos tropeços de modo imprudente, tentando ignorar a dor no tornozelo.

Finalmente o túnel terminou em uma porta coberta até a altura da cintura com madeira velha. Parecia que alguém havia tentado fazer uma barricada ali. Aquilo não era um bom augúrio, mas Annabeth usou a muleta para empurrar as tábuas o melhor que pôde. Então se arrastou sobre a pilha que restava, ganhando uma dezena de farpas em sua mão livre.

Do outro lado da barricada havia uma câmara do tamanho de uma quadra de basquete. O piso era de mosaicos romanos. Tapeçarias rasgadas pendiam das paredes. Duas tochas cobertas por teias de aranha estavam presas em ambos os lados da porta.

No fundo da sala, a Marca de Atena queimava acima de outra passagem. Infelizmente, entre Annabeth e aquela saída havia um abismo de mais de quinze metros de largura. Duas vigas de madeira paralelas atravessavam o precipício, mas estavam distantes demais para que ela pusesse um pé em cada uma e eram estreitas demais para que andasse nelas, a menos que Annabeth fosse uma acrobata — o que ela não era — e seu tornozelo não estivesse quebrado — e ele estava.

O túnel por onde viera foi tomado por ruídos sibilantes. Teias de aranha tremularam quando as primeiras aranhas surgiram: não eram maiores que jujubas, mas gordas e pretas, correndo pelas paredes e pelo chão.

Que espécie de aranhas? Annabeth não fazia ideia. Só sabia que estavam atrás dela, e que ela tinha apenas alguns segundos para elaborar um plano.

Annabeth queria chorar. Queria alguém, *qualquer um*, ali ao lado dela. Queria Leo com seu poder de invocar fogo ou Jason com seu raio ou Hazel para fazer o túnel desabar. Acima de tudo, queria Percy. Ela sempre se sentia mais corajosa quando ele estava com ela.

Eu não vou morrer aqui, disse a si mesma. Verei Percy outra vez.

As primeiras aranhas estavam quase na entrada. Atrás delas vinha um grande exército — um mar negro de criaturas nojentas.

Annabeth mancou até uma das tochas na parede. A extremidade estava coberta de piche para facilitar o acendimento. Seus dedos pareciam ter se transformado em chumbo, mas ela vasculhou a mochila e encontrou os fósforos. Riscou um e acendeu a tocha.

Então a enfiou na barricada. A madeira velha e seca pegou fogo imediatamente. As chamas destruíram as teias e tomaram o corredor em uma súbita labareda, queimando milhares de aranhas.

Annabeth recuou, afastando-se da fogueira. Tinha ganhado algum tempo, mas duvidava que houvesse matado todas elas. As aranhas se reagrupariam e viriam de novo assim que o fogo apagasse.

Ela aproximou-se da borda do precipício.

Dirigiu a luz para o abismo, mas não conseguiu ver o fundo. Saltar seria suicídio. Ela podia tentar cruzar por uma das vigas pendurada pelas mãos, mas não confiava na força de seus braços e não via como conseguiria içar seu corpo com uma mochila pesada e um tornozelo quebrado quando chegasse ao outro lado.

Abaixou-se e estudou as vigas. Elas possuíam um conjunto de parafusos com argolas de ferro ao longo da parte interna, posicionados a cada trinta centímetros. Talvez as vigas fossem as laterais de uma ponte e as tábuas do meio tivessem sido removidas ou destruídas. Mas parafusos com argolas? Eles não eram feitos para sustentar tábuas. Eram mais para...

Ela olhou para as paredes. O mesmo tipo de parafuso havia sido usado para pendurar a tapeçaria rasgada.

Então ela percebeu que as vigas não eram uma ponte, mas sim um tipo de tear.

Annabeth atirou sua tocha acesa para o outro lado do abismo. Não estava nem um pouco segura de que seu plano funcionaria, mas tirou todos os carretéis da mochila e começou a tecer entre as vigas, formando um padrão de cama de gato que ia e vinha de uma argola a outra, dobrando e triplicando a linha.

Suas mãos moviam-se com uma velocidade impressionante. Ela parou de pensar na tarefa e apenas a executou, laçando e amarrando a linha, fiando lentamente sua trama sobre o precipício.

Ela esqueceu a dor na perna e a barricada incendiada que se extinguia atrás dela. Foi avançando centímetro a centímetro sobre o abismo. A trama sustentava seu peso. Antes que se desse conta, estava na metade do caminho.

Como aprendera a fazer isso?

É Atena, disse a si mesma. A habilidade da deusa com o artesanato. A tecelagem nunca parecera particularmente útil a Annabeth — até aquele momento.

Ela olhou para trás. O fogo da barricada estava quase apagando. Algumas aranhas já apareciam em torno da porta.

Ela continuou tecendo desesperadamente e por fim chegou ao outro lado. Depois apanhou a tocha e ateou fogo em sua ponte tecida. As chamas consumiram a trama. Até as vigas pegaram fogo, como se houvessem sido embebidas em gasolina.

Por um instante, a ponte queimou em um padrão evidente — uma fileira de corujas idênticas. Teria Annabeth de fato tecido aquelas figuras ou seria algum tipo de magia? Ela não sabia, mas, quando as aranhas começaram a atravessar, as vigas se desfizeram e despencaram no abismo.

Annabeth prendeu a respiração. Não via nenhuma razão para que as aranhas não pudessem alcançá-la usando as paredes ou o teto. Se fizessem aquilo, ela teria que correr, e tinha certeza de que não seria rápida o bastante.

Por algum motivo, as aranhas não a seguiram. Elas se agruparam na borda do precipício — um tapete negro fervilhante e assustador. Então dispersaram, voltando ao corredor queimado, como se tivessem perdido o interesse em Annabeth.

— Ou como se eu tivesse passado no teste — falou em voz alta.

Sua tocha havia se apagado, deixando-a apenas com a luz da faca. Ela percebeu que deixara a muleta improvisada do outro lado.

Sentia-se exausta e sem mais nenhuma ideia, mas sua mente estava clara. O pânico parecia ter sido incinerado com a ponte tecida.

A tecelã, ela pensou. Devo estar perto. Pelo menos sei o que me espera.

Ela seguiu pela passagem, pulando para evitar pôr o peso no pé ruim.

Não precisou ir longe.

Depois de uns cinco metros, Annabeth adentrou em uma caverna tão grande quanto uma catedral, tão majestosa que ela tinha dificuldade em processar tudo que via. Ela deduziu que esse era o local do sonho de Percy, mas não estava escuro. Braseiros de bronze de fogo mágico, como os que os deuses usavam no Monte Olimpo, brilhavam por toda a sala, intercalados por tapeçarias magníficas. O piso de pedra era coberto de fissuras, como uma fina camada de gelo. O teto era tão alto que se perdia nas sombras e nas muitas camadas de teias de aranha.

Fios de seda grossos como colunas desciam do teto para vários pontos da câmara, ancorando as paredes e o piso como os cabos de uma ponte suspensa.

Teias também cercavam a peça central do santuário, que era tão intimidadora que Annabeth teve dificuldade em erguer os olhos para encará-la. Acima dela erguia-se a estátua de doze metros de Atena, com uma pele brilhante de marfim e um vestido de ouro. Na mão estendida, Atena segurava a estátua de Nice, a deusa alada da vitória — uma estátua que parecia minúscula de onde Annabeth se encontrava, mas que provavelmente tinha a altura de uma pessoa. A outra mão da deusa descansava sobre um escudo tão grande quanto um outdoor, com uma cobra esculpida na parte de trás, como se Atena a estivesse protegendo.

O rosto dela estava sereno e bondoso... e *parecia* mesmo o de Atena. Annabeth vira muitas estátuas que não lembravam em nada à sua mãe, mas essa versão gigante, feita milhares de anos antes, a fez pensar que o artista havia encontrado Atena pessoalmente. Ele a retratou com perfeição.

— Atena Partenos — murmurou Annabeth. — Está mesmo aqui.

Durante toda a vida ela desejara visitar o Partenon. Agora observava a principal atração que estivera lá no *passado* — e ela era a primeira filha de Atena a vê-la em milênios.

Annabeth percebeu que estava boquiaberta. Forçou-se a engolir em seco. Poderia ter ficado ali o dia inteiro olhando a estátua, mas sua missão ainda estava na metade. Encontrara a Atena Partenos. Agora, como poderia tirá-la da caverna?

Fios de teia enrolavam-se na estátua como um bolo de gaze. Annabeth desconfiava que, sem aquelas teias, ela teria despencado pelo piso enfraquecido havia muito tempo. Ao entrar na sala, Annabeth percebeu que as rachaduras eram tão grandes que ela poderia enfiar o pé pelas aberturas. Abaixo dessas fendas, não conseguia ver nada além da escuridão.

Um calafrio percorreu seu corpo. Onde estava a guardiã? Como Annabeth poderia libertar a estátua sem fazer o piso ruir? Não podia simplesmente empurrar a Atena Partenos por todo o caminho de volta.

Ela examinou a câmara, na esperança de ver algo que pudesse ajudar. Seus olhos percorreram as tapeçarias, tão lindas que chegava a doer. Uma peça mostrava uma cena pastoril tão realística que parecia ser a vista de uma janela. Outra mostrava os deuses lutando contra os gigantes. Annabeth viu uma paisagem do Mundo Inferior. Ao lado dela, um panorama da Roma moderna. E, na peça à sua esquerda...

Ela prendeu a respiração. Era um retrato de dois semideuses se beijando debaixo d'água: Annabeth e Percy, no dia em que os amigos os haviam jogado no lago de canoagem do acampamento. O desenho era tão bem-feito que ela se perguntou se a tecelã estivera lá, espreitando no lago com uma câmera à prova d'água.

— Como isso é possível? — murmurou.

Acima dela, na escuridão, uma voz falou:

— Há séculos eu já sabia que você viria, docinho.

Annabeth estremeceu. De repente tinha sete anos de novo, escondendo-se debaixo das cobertas, esperando que as aranhas a atacassem durante a noite. A voz soava exatamente como Percy a descrevera: um sibilo raivoso em múltiplos tons, feminina, mas não humana.

Nas teias acima da estátua, alguma coisa se moveu — uma coisa grande e escura.

— Vi você em meus sonhos — disse a voz doce, enjoativa e maligna, como o cheiro nos túneis. — Eu tinha que me certificar de que você valia a pena, a *única* filha de Atena inteligente o bastante para passar por meus testes e chegar viva a este lugar. De fato, você é a filha mais talentosa da deusa. Isso tornará sua morte muito mais dolorosa para minha velha inimiga quando você *fracassar*.

A dor no tornozelo de Annabeth não era nada comparada ao ácido gélido que agora tomava conta de suas veias. Ela queria correr. Queria implorar por misericórdia. Mas não podia demonstrar fraqueza — não agora.

— Você é Aracne. A tecelã que foi transformada em aranha.

A criatura desceu mais um pouco, tornando-se mais visível e horripilante.

— Amaldiçoada por sua mãe — disse ela. — Desdenhada por todos e transformada em uma coisa horrenda... porque *eu* era a melhor tecelã.

— Mas você perdeu a competição — rebateu Annabeth.

— Essa é a história que ela contou! — gritou Aracne. — Olhe para o meu trabalho! Veja por si mesma!

Annabeth não precisava. As tapeçarias eram as melhores que ela já vira — melhores que o trabalho da feiticeira Circe, e, sim, melhores até que algumas das tapeçarias que vira no Monte Olimpo. Ela se perguntou se sua mãe havia *de fato* perdido — se tinha aprisionado Aracne e reescrito a história. Mas naquele momento não importava.

— Suponho que você guarde esta estátua desde os tempos antigos — disse Annabeth. — Mas o lugar dela não é aqui. Vou levá-la de volta.

— Há — disse Aracne.

Até mesmo Annabeth precisava admitir que sua ameaça soava ridícula. Como uma garota com uma tala de plástico bolha no tornozelo podia remover aquela estátua imensa de sua caverna subterrânea?

— Receio que você tenha que me derrotar primeiro, docinho — disse Aracne. — E, que pena, isso é impossível.

A criatura apareceu por trás das cortinas de teia, e Annabeth se deu conta de que sua missão estava fadada ao fracasso. Ela iria morrer.

Aracne era uma viúva negra gigante, com uma marca vermelha e peluda em forma de ampulheta na parte inferior do abdome e um par de fiandeiras gosmentas. Suas oito pernas finas eram cobertas por espetos tão grandes quanto a faca de Annabeth. Se a aranha se aproximasse mais, só o seu fedor adocicado seria suficiente para fazê-la desmaiar. Mas a parte mais horrível era seu rosto disforme.

Talvez ela já tivesse sido uma mulher bonita. Agora mandíbulas negras se projetavam de sua boca como presas. Os outros dentes haviam se transformado em finas agulhas brancas. Suíças escuras pontilhavam-lhe as bochechas. Os olhos eram grandes, sem pálpebras e totalmente negros, com dois olhos menores se projetando das têmporas.

A criatura emitia um violento som de *réc-réc-réc* que poderia ser uma gargalhada.

— Agora vou me banquetear com você, doçura — falou Aracne. — Mas não tenha medo. Vou fazer um lindo tapete retratando sua morte.

XXXVII

LEO

LEO QUERIA NÃO SER TÃO bom.

De verdade, às vezes era simplesmente constrangedor. Se ele não tivesse um olho tão bom para as questões mecânicas, talvez nunca tivessem encontrado a passagem secreta, se perdido no subterrâneo e sido atacados por criaturas de metal. Mas ele não podia evitar.

Parte disso era culpa de Hazel. Para uma garota com um GPS subterrâneo embutido, ela não era muito boa em Roma. Ela os fez dar voltas e mais voltas pela cidade, ficando confusa e voltando pelo mesmo caminho várias vezes.

— Desculpem — pediu ela. — É só que... tem tanta coisa aqui embaixo, tantas camadas, que estou até atordoada. É como ficar no meio de uma orquestra e tentar se concentrar em apenas um instrumento. Estou ficando surda.

Como resultado, fizeram um *tour* por Roma. Frank parecia feliz por acompanhá-la como um grande sheepdog (humm, Leo se perguntou se ele poderia se transformar em um daqueles ou em algo ainda melhor: um cavalo que pudesse montar). Mas Leo começou a ficar impaciente. Seus pés doíam, o dia estava ensolarado e quente, e as ruas encontravam-se apinhadas de turistas.

O fórum era legal, mas consistia praticamente em ruínas cobertas com arbustos e árvores. Era preciso muita imaginação para vê-lo como o movimentado centro da Roma Antiga. Leo só conseguia visualizá-lo assim porque vira a Nova Roma na Califórnia.

Eles passaram por grandes igrejas, arcos, lojas de roupas e restaurantes de fast-food. Uma estátua de algum sujeito da Roma Antiga parecia apontar para um McDonald's ali perto.

Nas avenidas, o trânsito era completamente caótico — cara, Leo achava que em *Houston* as pessoas dirigissem feito loucas —, mas eles ficaram a maior parte do tempo ziguezagueando por becos, encontrando fontes e pequenos cafés onde não deixavam Leo descansar.

— Nunca pensei que um dia fosse conhecer Roma — disse Hazel. — Quando estava viva, quer dizer, na primeira vez, Mussolini estava no comando. Estávamos em guerra.

— Mussolini? — Leo franziu a testa. — Ele não era o BFF de Hitler?

Hazel o olhou como se ele fosse um alienígena.

— BFF?

— Deixa para lá.

— Eu adoraria ver a Fontana di Trevi — disse ela.

— Tem uma fonte em cada esquina — resmungou Leo.

— Ou a *Piazza* di Spagna — acrescentou Hazel.

— Por que você viria à Itália para ver uma praça espanhola? — perguntou Leo. — É como ir à China para comer comida mexicana, não é?

— Você é um caso perdido — queixou-se Hazel.

— É o que dizem.

Ela voltou-se para Frank e segurou a mão dele, como se Leo tivesse deixado de existir.

— Venha. Acho que devemos ir por aqui.

Frank dirigiu um sorriso confuso a Leo — como se não conseguisse decidir se devia se vangloriar ou agradecer a Leo por ele ser um idiota —, mas deixou alegremente que Hazel o arrastasse com ela.

Depois de andarem uma eternidade, Hazel parou diante de uma igreja. Pelo menos, Leo supôs que fosse uma. A parte de trás possuía um grande teto abobadado. A entrada tinha um telhado triangular, típicas colunas romanas e uma inscrição ao longo do friso: M. AGRIPPA qualquer coisa.

— Isso significa *pegar uma gripe* em latim? — especulou Leo.

— Esta é nossa melhor opção. — Hazel transmitia mais confiança do que em qualquer outro momento do dia. — Deve haver uma passagem secreta em algum lugar lá dentro.

Grupos de turistas circulavam pelos degraus. Guias seguravam cartazes coloridos com diversos números e falavam em dezenas de línguas diferentes, como se estivessem jogando algum tipo de bingo internacional.

Leo ficou ouvindo o guia espanhol por alguns segundos e então relatou aos amigos.

— Este é o Panteão. Foi originalmente construído por Marcus Agrippa como um templo dedicado aos deuses. Depois de ser destruído pelo fogo, o Imperador Adriano o reconstruiu, e assim ele está há dois mil anos. É uma das construções romanas mais bem conservadas.

Frank e Hazel o encararam.

— Como você sabe disso? — perguntou Hazel.

— Sou brilhante.

— Cocô de centauro — disse Frank. — Ele ficou escutando um dos guias turísticos.

Leo sorriu.

— Talvez. Venham. Vamos procurar essa tal passagem secreta. Espero que este lugar tenha ar-condicionado.

Nada de ar-condicionado, é claro.

A parte boa era que não havia filas nem precisavam pagar para entrar, então bastou abrirem caminho à força em meio aos grupos de turistas.

O interior era bem impressionante, considerando-se que fora construído dois mil anos antes. O piso de mármore era decorado com quadrados e círculos como um jogo da velha romano. O espaço era uma imensa câmara com uma rotunda, parecido com o Capitólio americano. Alinhados ao longo das paredes viam-se diferentes santuários, estátuas, tumbas e coisas do tipo. Mas a verdadeira atração era o domo lá em cima. Toda a luz no interior da construção vinha de uma única abertura circular no topo. Um raio de sol entrava obliquamente na rotunda e iluminava o chão, como se Zeus estivesse lá no alto com uma lente de aumento tentando fritar os humanos insignificantes.

Leo não era um arquiteto como Annabeth, mas sabia apreciar a engenharia. Os romanos haviam construído o domo com grandes painéis de pedra, mas tinham escavado cada painel em um padrão de quadrado dentro de quadrado. O resultado era bem bacana. Leo deduziu que isso também tornava a estrutura mais leve e fácil de sustentar.

Ele não comentou nada com os amigos. Duvidava que dessem importância a isso, mas, se Annabeth estivesse ali, ela teria passado o dia inteiro falando sobre aquilo. Aquele pensamento fez Leo se perguntar como ela estaria se saindo em sua busca pela Marca de Atena. Leo nunca pensou que fosse se sentir assim, mas estava preocupado com aquela garota loura e assustadora.

Hazel parou no meio do salão e deu um giro.

— Isto é incrível. Nos tempos antigos, os filhos de Vulcano vinham aqui em segredo para consagrar as armas de semideuses. Era neste lugar que o ouro imperial era encantado.

Leo se perguntou como aquilo funcionava. Imaginou um bando de semideuses em túnicas escuras tentando se esgueirar com uma balista escorpião pelas portas da frente.

— Mas não estamos aqui por essa razão — concluiu ele.

— Não — disse Hazel. — Há uma entrada aqui, um túnel, que vai nos levar até Nico. Posso senti-lo bem perto. Só não sei onde.

— Se este prédio tem dois mil anos, pode realmente ter restado algum tipo de passagem secreta dos tempos antigos – falou Frank.

Foi aí que Leo cometeu o erro de ser bom demais.

Ele examinou o interior do templo, pensando: *Se eu estivesse projetando uma passagem secreta, onde a colocaria?*

Às vezes ele conseguia compreender o funcionamento de uma máquina simplesmente colocando a mão nela. Aprendera a pilotar um helicóptero assim. Tinha consertado Festus, o dragão, também daquela forma (antes de Festus sofrer uma queda e pegar fogo). Uma vez até reprogramara os painéis eletrônicos da Times Square para exibir: TODAS AS GAROTAS AMAM LEO... sem querer, é claro.

Agora ele tentava sentir como essa construção antiga funcionava. Voltou-se para algo que parecia um altar de mármore vermelho com uma estátua da Virgem Maria.

— Ali — disse.

E marchou confiante na direção do altar. O formato era semelhante ao de uma lareira, com uma reentrância em arco no fundo. A cornija exibia a inscrição de um nome, como uma tumba.

— A passagem é por aqui — afirmou ele. — Mas o lugar do descanso final desse cara está no caminho. Rafael sei-lá-do-quê.

— Acho que era um pintor famoso — disse Hazel.

Leo deu de ombros. Tinha um primo chamado Rafael e não achava o nome grande coisa. Ele se perguntou se poderia pegar uma banana de dinamite em seu cinto de ferramentas e provocar uma discreta demoliçãozinha, mas deduziu que os responsáveis por esse lugar provavelmente não aprovariam.

— Só um minuto... — Leo olhou à sua volta para ter certeza de que não estavam sendo observados.

A maior parte dos grupos de turistas olhava boquiaberta para o domo, mas um trio chamou a atenção de Leo. Cerca de cinco metros de onde estavam, uns sujeitos obesos que pareciam americanos de meia-idade conversavam em voz alta, queixando-se do calor. Pareciam peixes-bois em roupas de banho — sandálias, shorts, camisetas de turista e chapéus de praia. Suas pernas eram grossas, pálidas e cobertas por microvarizes. Eles pareciam extremamente entediados, e Leo se perguntou o que estariam fazendo ali.

Não estavam olhando para ele. Leo não sabia por que o deixavam nervoso. Talvez simplesmente não gostasse de peixes-bois.

Esqueça-os, disse Leo a si mesmo.

Ele foi até a lateral da tumba e correu a mão pela parte de trás de uma coluna romana, até embaixo. Bem na base, havia uma série de linhas entalhadas no mármore — numerais romanos.

— Ah — disse Leo. — Não muito elegante, mas eficaz.

— O que foi? — perguntou Frank.

— A combinação de uma fechadura. — Ele tateou a coluna um pouco mais e descobriu um buraco quadrado mais ou menos do tamanho de uma tomada. — A fechadura em si foi arrancada... provavelmente vandalizada em algum momento dos últimos séculos. Mas acho que consigo controlar o mecanismo aí dentro se eu puder...

Leo pousou a mão no piso de mármore. Era possível sentir antigas engrenagens de bronze sob a pedra. O bronze comum teria sido corroído e se tornado inútil muito tempo atrás, mas o que havia ali era bronze celestial: trabalho de um semideus. Com seus poderes, Leo instou as engrenagens a se moverem, usando os numerais romanos como guia. Os cilindros giraram — *clique, clique, clique*. Depois *clique, clique*.

No piso perto da parede, uma seção de ladrilhos de mármore deslizou para debaixo de outra, revelando uma passagem quadrada e escura por onde eles mal conseguiriam se espremer.

— Os romanos deviam ser pequenos. — Leo olhou para Frank, avaliando-o. — Você vai precisar se transformar em alguma coisa mais magra para passar por aqui.

— Isso não foi legal! — repreendeu Hazel.

— O quê? Só estou dizendo...

— Não se preocupe — murmurou Frank. — É melhor irmos buscar os outros antes de explorarmos. Foi o que Piper disse.

— Eles estão do outro lado da cidade — lembrou Leo. — Além disso, há, não tenho certeza de que consigo fechar esse alçapão outra vez. As engrenagens são muito velhas.

— Ótimo — disse Frank. — Como sabemos que é seguro lá embaixo?

Hazel ajoelhou-se. Ela pôs a mão acima da abertura, como se verificasse a temperatura.

— Não há nada vivo... pelo menos não por algumas centenas de metros. O túnel começa descendo e depois se nivela, seguindo mais ou menos para o sul. Não pressinto nenhuma armadilha...

— Como pode saber disso tudo? — perguntou Leo.

Ela deu de ombros.

— Da mesma maneira que você pode abrir fechaduras em colunas de mármore, acho. Fico feliz que você não se interesse por roubar bancos.

— Ah... cofres de banco — disse Leo. — Nunca tinha pensado nisso.

— Esqueça o que eu disse. — Hazel suspirou. — Olhe, ainda não são três horas. Podemos pelo menos explorar um pouquinho, tentar localizar Nico antes de entrarmos em contato com os outros. Vocês dois ficam aqui até eu chamá-los.

Quero dar uma olhada, me certificar de que o túnel não vai desabar. Vou saber mais assim que estiver no subterrâneo.

Frank franziu o cenho.

— Não podemos deixar você ir sozinha. Pode ser perigoso.

— Frank, posso cuidar de mim mesma. O subterrâneo é meu elemento. É mais seguro para todos nós se eu for primeiro.

— A menos que Frank queira se transformar em uma toupeira — sugeriu Leo. — Ou um cão-da-pradaria. Eles são incríveis.

— Cala a boca — resmungou Frank.

— Ou um texugo.

Frank meteu um dedo na cara de Leo.

— Valdez, juro que...

— Vocês dois, fiquem quietos — repreendeu Hazel. — Volto em dez minutos. Se eu não aparecer até lá... Esquece. Vou estar bem. Só tentem não se matar enquanto eu estiver lá embaixo.

Ela desceu pela passagem. Leo e Frank ocultaram-na o máximo que podiam. Ficaram lado a lado, tentando parecer despreocupados, como se fosse completamente natural para dois adolescentes ficar parados diante do túmulo de Rafael.

Grupos de turistas iam e vinham. A maioria ignorava Leo e Frank. Algumas pessoas olhavam-nos apreensivas e continuavam andando. Talvez os turistas achassem que eles fossem pedir dinheiro. Por alguma razão, Leo conseguia deixar as pessoas nervosas quando sorria.

Os três peixes-bois americanos ainda faziam hora no meio do Panteão. Um deles usava uma camiseta que dizia ROMA, como se pudesse esquecer em que cidade estava se não a usasse. De vez em quando, olhava para Leo e Frank como se a presença deles fosse desagradável.

Alguma coisa naquele cara incomodava Leo. Ele torceu para que Hazel se apressasse.

— Hazel conversou comigo hoje cedo — falou Frank de repente. — Ela disse que você descobriu sobre minha tábua de salvação.

Leo se mexeu. Ele quase havia esquecido que Frank estava parado ao lado dele.

— Sua tábua de salvação... ah, o graveto. Certo.

Leo resistiu ao impulso de incendiar a mão e gritar: *Muá há-há!* A ideia parecia engraçada, mas ele não era tão cruel assim.

— Olhe, cara — começou ele. — Está tudo bem. Eu nunca faria nada que colocasse você em perigo. Estamos no mesmo time.

Frank brincou com a medalha de centurião.

— Eu sempre soube que o fogo podia me matar, mas desde que a mansão da minha avó em Vancouver foi incendiada... isso parece muito mais *real*.

Leo assentiu. Ele se sentia solidário a Frank, mas o cara não facilitava nada quando falava sobre a mansão da família. Era meio como dizer *Bati com meu Lamborghini* e esperar que as pessoas dissessem *Ah, pobrezinho!*

É claro que Leo não lhe disse isso.

— Sua avó... ela morreu nesse incêndio? Você não disse.

— Eu... eu não sei. Ela estava doente e bem velha. Disse que morreria em seu próprio tempo, à sua maneira. Mas acho que ela conseguiu se salvar do fogo. Vi uma ave sair voando do meio das chamas.

Leo ficou pensativo.

— Então toda a sua família tem essa coisa de mudar de forma?

— Acho que sim — falou Frank. — Minha mãe tinha. Minha avó achava que era por isso que ela morreu no Afeganistão, na guerra. Mamãe tentou ajudar alguns companheiros e... Não sei exatamente o que aconteceu. Houve uma bomba incendiária.

Leo encolheu-se, solidário.

— Então nós dois perdemos a mãe para o fogo.

Ele não tivera a intenção de falar, mas acabou contando a Frank toda a história da noite na oficina quando Gaia aparecera para ele e a mãe morrera.

Os olhos de Frank ficaram cheios de lágrimas.

— Eu não gosto quando as pessoas me dizem: *Sinto muito pela sua mãe*.

— Nunca parece sincero — concordou Leo.

— Mas sinto muito pela sua mãe.

— Obrigado.

Nenhum sinal de Hazel. Os turistas americanos ainda perambulavam pelo Panteão. Pareciam estar se aproximando, como se tentassem chegar até a tumba de Rafael sem serem notados.

— No Acampamento Júpiter — disse Frank —, o Lar da nossa coorte, Reticulus, me disse que eu tenho mais poder que a maioria dos semideuses, por ser filho de Marte e ainda ter também a habilidade de transformação da minha mãe. Falou que é por isso que minha vida está ligada a um graveto. Pois é uma fraqueza tão grande que acaba equilibrando as coisas.

Leo lembrou-se de sua conversa com Nêmesis, a deusa da vingança, no Great Salt Lake. Ela dissera algo semelhante sobre querer que os pratos da balança se equilibrassem. *A boa sorte é uma impostura. O verdadeiro sucesso exige sacrifício.*

O biscoito da sorte que ela dera para Leo ainda estava em seu cinto de ferramentas, esperando para ser aberto. *Logo enfrentará um problema que não poderá resolver, embora eu possa ajudá-lo... por um preço.*

Leo gostaria de arrancar essa lembrança da cabeça e enfiá-la no cinto de ferramentas. Ela ocupava espaço demais.

— Todos nós temos fraquezas — falou ele. — Eu, por exemplo, sou tragicamente engraçado e bonito.

Frank bufou.

— Você pode ter fraquezas, mas sua vida não depende de um graveto.

— Não — admitiu Leo. Ele começou a pensar: se o problema de Frank fosse *seu*, como iria resolvê-lo? Quase todas as falhas podiam ser consertadas. — Eu me pergunto...

Ele olhou para o outro lado da construção e hesitou. Os três turistas americanos vinham na direção deles, como se tivessem cansado de tentar ser discretos. Dirigiam-se diretamente para a tumba de Rafael, e todos os três fuzilavam Leo com os olhos.

— Hã, Frank? — chamou Leo. — Já se passaram dez minutos?

Frank seguiu o seu olhar. A expressão dos americanos era de raiva e confusão, como se estivessem andando no meio de um pesadelo muito irritante.

— *Leo Valdez* — chamou o sujeito em cuja camiseta estava escrito ROMA. Sua voz havia mudado. Estava oca e metálica. Ele falava com um sotaque. — *Voltamos a nos encontrar.*

Os três turistas piscaram, e seus olhos se transformaram em ouro puro.

Frank gritou.

— Eidolons!

Os peixes-bois cerraram os punhos robustos. Normalmente, Leo não teria ficado preocupado com a possibilidade de ser assassinado por sujeitos obesos de chapéus de praia, mas suspeitava que os eidolons fossem perigosos mesmo naqueles corpos, principalmente porque os espíritos não ligavam se seus hospedeiros sobreviveriam ou não.

— Eles não passam pelo buraco — disse Leo.

— Certo — concordou Frank. — O subterrâneo está parecendo um lugar bastante convidativo.

Ele se transformou em uma cobra e rastejou pela passagem. Leo saltou atrás dele enquanto os espíritos começavam a gritar lá em cima:

— *Valdez! Matem Valdez!*

XXXVIII

LEO

Um problema resolvido: o alçapão acima deles fechou-se automaticamente, protegendo-os dos inimigos. Também deixou o lugar às escuras, mas Leo e Frank podiam lidar com isso. Leo só esperava que eles não precisassem sair pelo mesmo lugar por onde entraram. Não sabia se conseguiria abrir o alçapão por baixo.

Pelo menos os peixes-bois possuídos estavam do outro lado. Lá em cima, o teto de mármore estremeceu, como se pés gordos de turistas estivessem pisoteando o chão.

Frank devia ter voltado à forma humana. Leo podia ouvi-lo ofegando na escuridão.

— E agora? — Frank perguntou.

— Certo, não surte — avisou Leo. — Vou criar um pouco de fogo, só para a gente conseguir enxergar.

— Obrigado pelo aviso.

O dedo indicador de Leo se iluminou como uma vela de aniversário. Diante deles estendia-se um túnel de pedra com teto baixo. Exatamente como Hazel previra, ele descia e então se nivelava, seguindo para o sul.

— Bem — disse Leo. — Segue apenas em uma direção.

— Vamos procurar Hazel.

Leo não se opunha àquela sugestão. Os dois desceram o corredor, Leo na frente com o fogo. Estava feliz por ter Frank às suas costas, grande, forte e capaz de se transformar em animais assustadores para o caso de turistas possuídos de alguma forma conseguirem abrir o alçapão, se espremerem por ele e perseguirem os garotos. Leo se perguntou se os eidolons não deixariam aqueles corpos para trás, atravessariam o solo e possuiriam um deles.

Ah, aí está meu pensamento feliz do dia!, Leo se repreendeu.

Depois de uns trinta metros, o corredor fez uma curva e eles encontraram Hazel, examinando uma porta à luz de sua espada de cavalaria dourada. Estava tão absorta que não percebeu a presença deles até Leo dizer "oi".

Hazel girou, tentando brandir a espada. Felizmente para o rosto de Leo, a lâmina era longa demais para se manejar no corredor.

— O que estão fazendo aqui? — perguntou Hazel.

Leo engoliu em seco.

— Desculpe. Encontramos alguns turistas zangados.

Ele contou o que acontecera. Ela suspirou, frustrada.

— Odeio eidolons. Pensei que Piper tivesse feito esses espíritos prometerem que ficariam longe.

— Ah... — disse Frank, como se também tivesse acabado de ter seu próprio pensamento feliz do dia. — Piper os fez prometer que ficariam longe do navio e que não possuiriam nenhum de *nós*. Mas, se eles nos seguirem e usarem outros corpos para nos atacar, então tecnicamente não estão quebrando a promessa...

— Ótimo — murmurou Leo. — Eidolons que também são advogados. Agora eu quero *mesmo* matá-los.

— O.k., esqueça-os por enquanto — disse Hazel. — Esta porta está me dando nos nervos. Leo, pode usar seu talento com esta fechadura?

Leo estalou os dedos.

— Abram alas para o mestre, por favor.

A porta era interessante, muito mais complicada que o segredo em numerais romanos da fechadura lá de cima. Ela era toda revestida de ouro imperial. Embutida no centro havia uma esfera mecânica mais ou menos do tamanho de uma bola de boliche. A esfera era construída com cinco anéis concêntricos, cada um com símbolos do zodíaco gravados — o touro, o escorpião etc. — e letras e números aparentemente aleatórios.

— Estas letras são gregas — falou Leo, surpreso.

— Bem, muitos romanos falavam grego — argumentou Hazel.

— Acho que sim — afirmou Leo. — Mas isto... sem querer ofender vocês do Acampamento Júpiter, isto é complicado demais para ser romano.

Frank bufou.

— Enquanto vocês, gregos, simplesmente *adoram* complicar as coisas.

— Ei — protestou Leo. — O que estou dizendo é que este maquinário é delicado e sofisticado. Ele me faz lembrar... — Leo olhou para a esfera, tentando recordar onde lera ou ouvira sobre uma máquina antiga semelhante. — É uma espécie de fechadura mais avançada. Você alinha os símbolos nos diferentes anéis na ordem certa, e isso abre a porta.

— Mas qual é a ordem certa? — perguntou Hazel.

— Boa pergunta. Esferas gregas... astronomia, geometria... — Leo experimentou uma sensação de calor por dentro. — Ah, sem essa. Será que... Qual é o valor de pi?

Frank franziu a testa.

— O quê?

— O número, pi — explicou Hazel. — Aprendi isso em matemática, mas...

— O número é usado para medir círculos — disse Leo. — Esta esfera, se foi feita pelo cara que estou pensando...

Hazel e Frank olharam para ele sem entender.

— Deixa para lá — falou Leo. — Tenho quase certeza de que o valor de pi é, hã, 3,1415, blá-blá-blá. O número continua para sempre, mas a esfera tem apenas cinco anéis, então isso deve ser suficiente se eu estiver certo.

— E se não estiver? — perguntou Frank.

— Bem, então Leo vai se estrepar. Vamos descobrir!

Ele girou os anéis, começando pelos de fora e passando aos internos. Ignorou os símbolos zodiacais e letras, alinhando os números corretos de modo que formassem o valor de pi. Nada aconteceu.

— Sou muito burro — murmurou Leo. — Pi se expandiria de dentro para fora, porque é infinito.

Ele reverteu a ordem dos números, começando pelo centro e seguindo para fora. Quando alinhou o último anel, algo dentro da esfera emitiu um clique. A porta se abriu.

Leo sorriu, radiante.

— É assim, gente boa, que fazemos as coisas no Mundo do Leo. Vamos em frente!

— Eu odeio o Mundo do Leo — murmurou Frank.

Hazel riu. Lá dentro havia coisas interessantes em número suficiente para manter Leo ocupado por anos. A sala tinha aproximadamente o tamanho da forja no Acampamento Meio-Sangue, com mesas de trabalho com tampo de bronze ao longo das paredes e cestas cheias de ferramentas antigas de metalurgia. Havia dezenas de esferas de bronze e ouro semelhantes a bolas de basquete *steampunk* em vários estágios de desmonte. Engrenagens e fios soltos cobriam o chão, e grossos cabos de metal saíam das mesas em direção aos fundos da sala, onde havia um mezanino fechado, como a cabine de som de um teatro. De cada lado do mezanino havia uma escada. Todos os cabos pareciam convergir para aquele lugar. Ao lado da escada à esquerda via-se uma série de escaninhos cheios de cilindros de couro — provavelmente antigos estojos de pergaminhos.

Leo estava prestes a se aproximar das mesas quando olhou para o lado esquerdo e quase deu um pulo. Ao lado da porta, havia dois manequins vestindo armadura — como espantalhos esqueléticos feitos de canos de bronze, equipados com armaduras romanas completas, escudo e espada.

— Cara. — Leo dirigiu-se a um deles. — Eles seriam *incríveis* se funcionassem.

Frank afastou-se dos manequins.

— Essas coisas vão ganhar vida e nos atacar, não vão?

Leo riu.

— Sem chance. Não estão completos. — Ele deu um tapinha no pescoço do manequim mais próximo, onde fios de cobre soltos brotavam de sob o peitoral. — Olhem, a fiação da cabeça foi desconectada. E aqui, no cotovelo, o sistema de polia para a articulação está desalinhada. Meu palpite? Os romanos estavam tentando copiar um projeto grego, mas não tinham a habilidade para isso.

Hazel arqueou as sobrancelhas.

— Os romanos não eram muito bons em coisas *complicadas*, suponho.

— Ou delicadas — acrescentou Frank. — Ou sofisticadas.

— Ei, só estou sendo sincero. — Leo balançou a cabeça do manequim, fazendo-o assentir, como se concordasse com ele. — Ainda assim... uma tentativa bastante impressionante. Ouvi lendas sobre os romanos terem confiscado os escritos de Arquimedes, mas...

— Arquimedes? — Hazel pareceu impressionada. — Ele não foi um matemático da antiguidade ou algo assim?

Leo riu.

— Foi muito mais que isso. Foi apenas o mais famoso filho de Hefesto que já existiu.

Frank coçou a orelha.

— Já ouvi o nome dele antes, mas como você pode ter certeza de que esse manequim é um projeto dele?

— Só pode ser! — respondeu Leo. — Olhe, eu li tudo sobre Arquimedes. Ele é um herói para o chalé 9. O cara era grego, sabe? Vivia em uma das colônias gregas no sul da Itália, antes que Roma ficasse imensa e assumisse o controle. Finalmente os romanos ocuparam e destruíram a cidade dele. O general romano queria poupar Arquimedes, por ele ser tão valioso, uma espécie de Einstein do mundo antigo, mas aí um soldado romano estúpido o matou.

— Lá vem você de novo — murmurou Hazel. — *Estúpido* e *romano* nem sempre andam juntos, Leo.

Frank grunhiu, concordando.

— Aliás, como você sabe disso tudo? — perguntou ele. — Tem algum guia turístico falando em espanhol por aqui?

— Não, cara — disse Leo. — Não dá para ser um semideus que gosta de construir coisas e não conhecer Arquimedes. O cara era o melhor, *de verdade*. Ele calculou o valor de pi. Criou várias teorias matemáticas que são usadas na engenharia ainda hoje. Inventou um parafuso hidráulico que podia mover a água pelos canos.

Hazel franziu a testa.

— Um parafuso hidráulico. Foi mal por não conhecer *essa* incrível conquista.

— Ele também desenvolveu uma arma letal capaz de incendiar navios inimigos com espelhos refletindo a luz do sol — disse Leo. — Isso é incrível o bastante para você?

— Vi alguma coisa sobre isso na tevê — admitiu Frank. — Ficou provado que não funciona.

— Ah, isso é só porque mortais modernos não sabem como usar bronze celestial — rebateu Leo. — *Essa é* a chave. Arquimedes também inventou uma garra imensa que ficava presa em uma grua e podia lançar navios inimigos para fora da água.

— Certo, isso é legal — admitiu Frank. — Adoro aquelas máquinas de brindes com garras mecânicas.

— Bem, é isso aí — falou Leo. — De qualquer forma, todas as invenções dele não bastaram. Os romanos destruíram sua cidade. Arquimedes foi morto. Segundo as lendas, o general romano era um grande admirador de seu trabalho, por isso invadiu a oficina de Arquimedes e levou um monte de lembranças quando voltou para Roma. Teoricamente esses projetos desapareceram da história, mas... — Leo gesticulou, apontando o material nas mesas. — Aqui estão eles.

— Bolas de basquete de metal? — perguntou Hazel.

Leo não podia acreditar que eles não reconhecessem o valor do que estavam vendo, mas tentou conter sua irritação.

— Gente, Arquimedes construía *esferas*. Os romanos não conseguiam compreendê-las. Achavam que elas serviam apenas para ver as horas ou acompanhar as constelações, porque eram cobertas com imagens de estrelas e planetas. Mas isso é o mesmo que encontrar um fuzil e achar que é uma bengala.

— Leo, os romanos eram engenheiros de primeira linha — lembrou-lhe Hazel. — Eles construíram aquedutos, estradas...

— Armas de cerco — acrescentou Frank. — Saneamento público.

— É, eu sei — disse Leo. — Mas Arquimedes era único. Suas esferas podiam fazer todo tipo de coisa, só que ninguém tem certeza...

De repente Leo teve uma ideia tão incrível que seu nariz pegou fogo. Ele o apagou com a mão o mais rápido possível. Cara, era *tão* constrangedor quando isso acontecia.

Ele correu para os escaninhos e examinou as marcas nos estojos de pergaminho.

— Ah, deuses. É isso!

Com todo cuidado, ergueu um dos pergaminhos. Ele não era muito bom em grego antigo, mas dava para ver que a inscrição no estojo dizia: *Sobre a Construção de Esferas*.

— Gente, este é o livro perdido! — Suas mãos tremiam. — Arquimedes escreveu isto descrevendo seus métodos de construção, mas todas as cópias se perderam nos tempos antigos. Se eu conseguir traduzir isto...

As possibilidades eram infinitas. Para Leo, a missão agora havia tomado outra proporção. Ele precisava tirar as esferas e os pergaminhos dali em segurança. Tinha que proteger aquele material até poder levá-lo para o bunker 9 e estudá-lo.

— Os segredos de Arquimedes — murmurou ele. — Gente, isto é maior do que o laptop de Dédalo. Se houver um ataque romano ao Acampamento Meio-Sangue, estes segredos poderiam salvar o acampamento. Eles poderiam até nos dar uma vantagem sobre Gaia e os gigantes!

Hazel e Frank entreolharam-se, céticos.

— Certo — disse Hazel. — Não viemos aqui por causa de um pergaminho, mas creio que podemos levá-lo.

— Supondo-se — acrescentou Frank — que você não se importe em partilhar seus segredos com a gente, dois romanos estúpidos e simplórios.

— O quê? — Leo o observou sem entender. — Não. Olhe, minha intenção não foi ofender... Ah, deixa para lá. O que importa é que essa é uma ótima notícia!

Pela primeira vez em dias, Leo sentia-se de fato esperançoso.

Naturalmente, foi aí que tudo deu errado.

Na mesa próxima a Hazel e Frank, uma das esferas clicou e zumbiu. Várias perninhas surgiram de seu equador. Ela se ergueu e dois cabos de bronze dispararam do polo, atingindo Hazel e Frank como uma arma de eletrochoque. Os dois desabaram no chão.

Leo correu para ajudá-los, mas os dois manequins de armadura, que não podiam se mover, se moveram. Eles sacaram as espadas e foram em direção a Leo.

O da esquerda girou o capacete torto, que tinha o formato da cabeça de um lobo, e, apesar de não ter rosto nem boca, uma voz familiar e cavernosa falou através do visor.

— *Você não pode fugir de nós, Leo Valdez. Não gostamos de possuir máquinas, mas elas são melhores do que turistas. Você não sairá daqui vivo.*

XXXIX

LEO

Leo concordava com Nêmesis em um ponto: a boa sorte era uma impostura. Pelo menos no que dizia respeito à sorte de Leo.

No último inverno ele havia assistido horrorizado a uma família de ciclopes se preparando para assar Jason e Piper com molho de pimenta. Conseguira bolar um plano e salvar os amigos sozinho, mas pelo menos tivera tempo para pensar.

Agora, nem isso. Hazel e Frank haviam sido nocauteados pelos tentáculos de uma bola de basquete *steampunk* possuída. Agora duas armaduras mal-humoradas estavam prestes a matá-lo.

Leo não podia atear fogo nelas. Isso não ia abalar as armaduras. Além disso, Hazel e Frank estavam perto demais. Ele não queria queimá-los ou acidentalmente atingir o graveto do qual dependia a vida de Frank.

À direita de Leo, a armadura com o capacete de cabeça de leão estalou o pescoço rijo e olhou para Hazel e Frank, que ainda estavam caídos e inconscientes.

— *Um semideus e uma semideusa* — disse Cabeça de Leão. — *Estes vão servir se os outros morrerem.* — Sua máscara oca voltou-se novamente para Leo. — *Você não é mais necessário, Leo Valdez.*

— Ei! — Leo tentou abrir um sorriso vitorioso. — Leo Valdez é sempre necessário!

Ele estendeu os braços e esperou parecer confiante e útil, não desesperado e apavorado. Perguntou-se já seria tarde demais para escrever TIME LEO em sua camisa.

Infelizmente, as armaduras não eram tão influenciáveis quanto o fã-clube de Narciso. A que tinha o capacete de cabeça de lobo rosnou:

— *Já estive em sua mente, Leo. Ajudei você a começar a guerra.*

O sorriso de Leo se desfez. Ele deu um passo para trás.

— Era você?

Agora ele compreendia por que os turistas o haviam incomodado de imediato e por que a voz daquela coisa lhe soava tão familiar. Ele a ouvira em sua mente.

— Você me fez disparar a balista? — perguntou Leo. — Chama aquilo de *ajudar*?

— *Sei como você pensa* — disse Cabeça de Lobo. — *Conheço suas limitações. Você é pequeno e solitário. Precisa de amigos para protegê-lo. Sem eles, é incapaz de resistir a mim. Jurei não possuí-lo novamente, mas ainda posso matá-lo.*

Os sujeitos nas armaduras avançaram. As pontas de suas espadas estavam a alguns centímetros do rosto de Leo.

O medo de Leo deu lugar a uma raiva muito grande. Aquele eidolon com o capacete de lobo o havia humilhado, controlado e forçado a atacar Nova Roma. Havia colocado seus amigos em perigo e sabotado a missão deles.

Leo olhou para as esferas desligadas nas mesas. Refletiu sobre o cinto de ferramentas. Pensou no mezanino atrás dele — a área que parecia uma cabine de som. Pronto: nascia a *Operação Monte de Lixo*.

— Primeiro: você não me conhece — disse ele a Cabeça de Lobo. — E segundo: tchau.

Então correu até a escada, subindo aos pulos até o mezanino. As armaduras eram assustadoras, mas não rápidas. Como Leo suspeitava, o cômodo tinha portões de metal dobráveis de ambos os lados. Os operadores pensaram em se proteger caso suas criações fugissem ao controle... como agora. Leo bateu os dois portões, fechando-os, e invocou o fogo para fundir as fechaduras.

As armaduras se aproximaram de ambos os lados e sacudiram os portões, golpeando-os com suas espadas.

— *Isto é tolice* — disse Cabeça de Leão. — *Você só está adiando sua morte.*

— Adiar a morte é um dos meus passatempos favoritos.

Leo examinou seu novo lar. Com vista para a oficina, havia uma única mesa, semelhante a um painel de controle. O tampo estava entulhado de lixo, a maior parte do qual Leo dispensou imediatamente: um diagrama para uma catapulta humana que nunca funcionaria; uma espada negra estranha (Leo não era nada bom com espadas); um amplo espelho de bronze (Leo estava com uma aparência horrível); e um conjunto de ferramentas que alguém havia quebrado, por frustração ou falta de jeito.

Ele voltou a atenção para o projeto principal. No meio da mesa, alguém havia desmontado uma esfera de Arquimedes. Engrenagens, molas, alavancas e hastes amontoavam-se em torno dela. Todos os cabos de bronze da sala abaixo estavam conectados a uma placa de metal sob a esfera. Leo sentia o bronze celestial correndo pela oficina como as artérias de um coração, pronto para conduzir energia mágica a partir daquele ponto.

— Uma bola de basquete para a todos governar — murmurou Leo.

A esfera era um regulador mestre. Leo estava na mesa de controle da missão da Roma Antiga.

— *Leo Valdez!* — uivou o espírito. — *Abra este portão ou eu vou matá-lo!*

— Uma oferta justa e generosa! — respondeu Leo, ainda observando a esfera. — Só me deixe terminar isto aqui. É meu último pedido, está bem?

Isso deve ter confundido os espíritos, porque eles pararam de bater nas barras dos portões por alguns momentos.

As mãos de Leo voavam pela esfera, remontando as partes que faltavam. Por que aqueles romanos estúpidos tiveram que desmontar uma máquina tão bonita? Eles haviam matado Arquimedes, roubado suas coisas e depois bagunçaram um equipamento que nunca conseguiriam compreender. Por outro lado, pelo menos tiveram o bom senso de trancá-lo por dois mil anos, de modo que Leo pudesse recuperá-lo.

Os eidolons voltaram a bater nos portões.

— Quem é? — gritou Leo.

— *Valdez!* — berrou Cabeça de Lobo.

— Que Valdez?

Os eidolons acabariam se dando conta de que não conseguiriam entrar. Então, se Cabeça de Lobo de fato conhecesse a mente de Leo, concluiria que havia outras maneiras de obrigá-lo a cooperar. Leo precisava trabalhar mais rápido.

Ele conectou as engrenagens, errou em uma delas e teve que recomeçar. Pelas granadas de mão de Hefesto, como aquilo era difícil!

Finalmente ele conseguiu colocar a última mola no lugar. Os romanos desajeitados tinham quase arruinado o ajustador de tensão, mas Leo tirou um conjunto de ferramentas de relojoeiro de seu cinto e fez umas últimas calibragens. Arquimedes era um gênio — se é que aquela coisa funcionava de verdade.

Ele girou a bobina de arranque. As engrenagens começaram a girar. Leo fechou o topo da esfera e estudou seus círculos concêntricos — semelhantes àqueles da porta da oficina.

— *Valdez!* — Cabeça de Lobo batia no portão. — *Nosso terceiro camarada vai matar seus amigos!*

Leo xingou baixinho. *Nosso terceiro camarada.* Ele olhou lá para baixo, para a bola de choque elétrico com pernas finas que havia nocauteado Hazel e Frank. Leo tinha deduzido que o eidolon número três estava escondido dentro daquela coisa, mas ainda precisava descobrir a sequência correta para ativar a esfera de controle.

— Sim, tudo bem — disse ele. — Vocês me pegaram. Só... só mais um segundo.

— *Nenhum segundo a mais!* — gritou Cabeça de Lobo. — *Abra este portão agora ou eles morrem.*

A bola de choque elétrico possuída atacou com seus tentáculos e deu outro choque em Hazel e Frank. Seus corpos inconscientes se contraíram. Aquele tipo de eletricidade podia ter parado o coração deles.

Leo reprimiu as lágrimas. Aquilo era difícil demais. Ele não conseguiria.

Ele olhou a esfera — sete anéis, cada um coberto com minúsculas letras gregas, números e símbolos zodiacais. A resposta não seria pi. Arquimedes jamais usaria a mesma resposta. Além disso, só de tocar a esfera, Leo sentia que a sequência fora gerada aleatoriamente. Era algo que apenas Arquimedes saberia.

Supostamente as últimas palavras de Arquimedes tinham sido: *Não perturbe meus círculos.*

Ninguém sabia o que isso significava, mas Leo podia aplicar a frase àquela esfera. A fechadura era complicada demais. Talvez, se Leo tivesse alguns anos, pudesse decifrar as marcas e descobrir a combinação certa, mas não tinha nem mesmo segundos.

Seu tempo tinha acabado. A sorte também. E seus amigos iam morrer.

Um problema que não poderá resolver, disse uma voz em sua mente.

Nêmesis dissera para esperar por aquele momento. Leo apanhou o biscoito da sorte no bolso. A deusa o advertira que haveria um preço alto por sua ajuda — tão alto quanto perder um olho. Mas, se ele não tentasse, seus amigos morreriam.

— Preciso do código de acesso a esta esfera.

E quebrou o biscoito.

XL

LEO

Leo desenrolou a tirinha de papel, que dizia:

É esse o seu pedido? Sério? (vire)

No verso do papel, ele leu:

Seus números da sorte são: doze, júpiter, órion, delta, três, teta, ômega. (vingue-se de Gaia, Leo Valdez.)

Com dedos trêmulos, Leo girou os anéis.

Do outro lado dos portões, Cabeça de Lobo grunhia em frustração.

— Se você não se importa com seus amigos, talvez precise de outro incentivo. Talvez eu devesse destruir estes pergaminhos... obras inestimáveis de Arquimedes!

O último anel encaixou-se. A energia fez a esfera zumbir. Leo correu as mãos pela superfície e percebeu minúsculos botões e alavancas à espera de seus comandos.

Impulsos mágicos e elétricos corriam ao longo dos cabos de bronze celestial e percorriam toda a sala.

Leo nunca havia tocado um instrumento musical, mas imaginava que devia ser algo assim: conhecer cada tecla ou nota tão bem que você não pensava no que suas mãos estavam fazendo. Bastava se concentrar no tipo de som que queria criar.

Ele começou aos poucos. Concentrou-se em uma esfera de ouro razoavelmente intacta na sala principal lá embaixo. A esfera estremeceu. Um tripé de pernas cresceu nela, que se dirigiu ruidosamente para a bola de choque elétrico. Uma pequenina serra circular saltou do topo da esfera de ouro e começou a cortar a caixa cerebral da bola de choque elétrico.

Leo tentou ativar outro globo; esse explodiu, transformando-se em uma pequena nuvem-cogumelo de pó de bronze e fumaça.

— Ops — murmurou ele. — Desculpe, Arquimedes.

— *O que você está fazendo?* — perguntou Cabeça de Lobo. — *Pare com essa bobagem e se renda!*

— Ah, sim, eu me rendo! — disse Leo. — Estou me rendendo totalmente!

Ele tentou assumir o controle de um terceiro globo, que também se quebrou. Leo sentiu-se mal por destruir todas aquelas invenções antigas, mas era uma questão de vida ou morte. Frank o acusara de se importar mais com máquinas do que com pessoas, mas, se precisava escolher entre salvar antigas esferas ou seus amigos, não tinha dúvidas.

A quarta tentativa foi melhor. O topo de um globo incrustado com rubis se abriu e lâminas de helicóptero se desdobraram. Leo ficou feliz por Buford, a mesa, não estar lá: ele teria se apaixonado. O globo dos rubis girou no ar e seguiu direto para os escaninhos. Braços finos de ouro se estenderam a partir do meio da circunferência e arremataram os preciosos estojos de pergaminho.

— *Já chega!* — gritou Cabeça de Lobo. — *Eu vou destruir os...*

Ele virou-se a tempo de ver a esfera dos rubis decolar com os pergaminhos. Ela disparou pela sala e pairou no canto mais distante.

— *O quê?!* — gritou Cabeça de Lobo. — *Mate os prisioneiros!*

Ele devia estar falando com a bola de choque elétrico, que infelizmente não estava em condições de obedecer. A esfera de ouro de Leo estava sentada no alto de sua cabeça serrada e aberta, remexendo suas engrenagens e fiações como se estivesse escavando uma abóbora.

Graças aos deuses, Hazel e Frank começaram a se mexer.

— *Bah!* — Cabeça de Lobo gesticulou para Cabeça de Leão no portão oposto. — *Venha! Nós mesmos vamos destruir os semideuses.*

— Acho que não, rapazes.

Leo voltou-se na direção de Cabeça de Leão. Suas mãos manipularam a esfera de controle, e ele sentiu um choque viajar pelo chão. Cabeça de Leão estremeceu e baixou a espada. Leo sorriu.

— Você está no Mundo do Leo agora.

Cabeça de Leão virou-se e desceu intempestivamente os degraus. No entanto, em vez de avançar na direção de Hazel e Leo, ele subiu marchando a escada oposta e ficou de frente para seu companheiro.

— *O que está fazendo?* — perguntou Cabeça de Lobo. — *Temos que...*

BLONG!

Cabeça de Leão bateu com o escudo no peito de Cabeça de Lobo. Em seguida, golpeou o punho de sua espada no capacete do companheiro, de modo que Cabeça de Lobo se tornou Cabeça Chata, Deformada, Não Muito Feliz de Lobo.

— *Pare com isso!* — exigiu Cabeça de Lobo.

— *Não consigo!* — gritou Cabeça de Leão.

Leo estava pegando o jeito agora. Ele ordenou às duas armaduras que largassem as espadas e os escudos e esbofeteassem um ao outro sem parar.

— *Valdez!* — chamou Cabeça de Lobo em um gorjeio. — *Você vai morrer por isso!*

— É — gritou Leo. — Quem está possuindo quem agora, Gasparzinho?

Os homens-máquina tombaram escada abaixo, e Leo os forçou a dançar como melindrosas da década de 1920. Suas articulações soltaram fumaça. As outras esferas na sala começaram a estalar. Uma sobrecarga de energia fazia o antigo sistema oscilar. A esfera de controle na mão de Leo ficou insuportavelmente quente.

— Frank, Hazel! — gritou Leo. — Protejam-se!

Seus amigos ainda estavam tontos, fitando perplexos os sujeitos de metal saltitantes, mas entenderam o recado. Frank puxou Hazel para debaixo da bancada mais próxima e a protegeu com seu corpo.

Uma última sacudida da esfera, e Leo provocou uma pane no sistema. Os guerreiros de armadura se desmantelaram. Hastes, pistões e fragmentos de bronze voaram para todos os lados. Em todas as bancadas, esferas estouravam como latas de refrigerante quente. A esfera de ouro de Leo parou, e a dos rubis desabou no chão com os pergaminhos.

Subitamente a sala ficou em silêncio, exceto por algumas faíscas e crepitações aleatórias. O ar cheirava a motor de carro queimando. Leo desceu correndo a escada e encontrou Frank e Hazel em segurança debaixo da bancada. Ele nunca ficara tão feliz em ver aqueles dois abraçados.

— Vocês estão vivos! — exclamou ele.

O olho esquerdo de Hazel tremia, talvez por causa do choque elétrico. Fora isso, ela parecia bem.

— Hã, o que aconteceu exatamente?

— Arquimedes conseguiu! — disse Leo. — Restava energia suficiente naquelas máquinas velhas apenas para um último espetáculo. Assim que recebi o código de acesso, foi fácil.

Ele deu um tapinha na esfera de controle, que fumegava bastante. Leo não sabia se teria conserto, mas no momento estava aliviado demais para se importar.

— Os eidolons — disse Frank. — Eles se foram?

Leo sorriu.

— Meu último comando sobrecarregou a chave de segurança... Basicamente bloqueei todos os circuitos e derreti os núcleos.

— Traduzindo... — pediu Frank.

— Prendi os eidolons dentro da fiação — esclareceu Leo. — Então os derreti. Eles não vão importunar mais ninguém.

Leo ajudou os amigos a se levantarem.

— Você nos salvou — disse Frank.

— Não pareça tão surpreso. — Leo olhou a oficina destruída à volta deles. — Que pena que todas essas coisas foram arruinadas, mas pelo menos salvei os pergaminhos. Se levá-los comigo para o Acampamento Meio-Sangue, talvez possa descobrir como recriar as invenções de Arquimedes.

Hazel esfregou a lateral da cabeça.

— Mas eu não entendo. Onde está Nico? Aquele túnel deveria nos levar até ele.

Leo quase havia esquecido o motivo inicial de eles terem ido lá para baixo. Nico obviamente não estava ali. O lugar era um beco sem saída. Então, por quê...?

— Ah. — Ele tinha a sensação de que havia uma serra circular em sua própria cabeça, puxando a fiação e as engrenagens. — Hazel, como exatamente você estava rastreando Nico? Quer dizer, você podia sentir sua proximidade simplesmente porque ele é seu irmão?

Ela franziu a testa, ainda parecendo um pouco vacilante por causa dos choques elétricos.

— Não... não totalmente. Às vezes, sei quando ele está por perto, mas, como eu disse, Roma é tão confusa, há tanta interferência por causa de todos os túneis e cavernas...

— Você o rastreou com seu sentido de detecção de metal — adivinhou Leo. — A espada dele?

Ela piscou.

— Como você sabia?

— É melhor vocês virem aqui.

Ele levou Hazel e Frank até a sala de controle e apontou para a espada negra.

— Ah. Ah, não. — Hazel teria caído se Frank não a houvesse segurado. — Mas isso é impossível! A espada de Nico estava com ele no jarro de bronze. Percy a *viu* no sonho!

— Ou o sonho estava errado — falou Leo — ou os gigantes trouxeram a espada para cá como uma isca.

— Então era uma armadilha — disse Frank. — Fomos atraídos para cá.

— Mas *por quê*? — gritou Hazel. — Onde está meu irmão?

Um som sibilante encheu a cabine de controle. A princípio, Leo pensou que os eidolons tivessem voltado. Então ele percebeu que o espelho de bronze fumegava na mesa.

Ah, meus pobres semideuses. O rosto sonolento de Gaia surgiu no espelho. Como sempre, ela falava sem mexer a boca, o que só poderia ser mais assustador se ela tivesse um boneco de ventriloquismo. Leo odiava aquelas coisas. *Vocês tiveram sua chance.* A voz dela ecoava pela sala, parecendo vir não só do espelho como também das paredes de pedra.

Leo percebeu que ela os cercava por todos os lados. É claro. Eles estavam dentro da terra. Tinham se dado todo aquele trabalho de construir o *Argo II* para que pudessem viajar por mar e pelo ar, e tinham acabado na terra de qualquer jeito.

Ofereci a salvação a todos vocês, continuou Gaia. *Poderiam ter voltado. Agora é tarde demais. Vocês vieram para as terras antigas, onde sou mais forte — onde vou despertar.*

Leo tirou um martelo do cinto de ferramentas e golpeou o espelho. Por ser de metal, ele só estremeceu, como uma bandeja de chá, mas a sensação de esmagar o nariz de Gaia era boa.

— Caso não tenha notado, Cara Suja — disse ele —, sua pequena emboscada fracassou. Seus três eidolons foram derretidos em bronze, e nós estamos bem.

Gaia riu suavemente. *Ah, meu doce Leo. Vocês três foram separados de seus amigos. Era essa a intenção.*

A porta da oficina bateu, fechando-se.

Vocês estão presos em meu abraço, falou Gaia. *Enquanto isso, Annabeth Chase enfrenta a morte sozinha, aterrorizada e incapacitada, nas mãos da maior inimiga de sua mãe.*

A imagem no espelho mudou. Leo viu Annabeth caída no chão de uma caverna escura, empunhando a faca de bronze, como se repelisse um monstro. Seu rosto estava pálido. A perna tinha sido envolta em uma espécie de tala. Leo não conseguia ver o que a amiga olhava, mas obviamente era algo horrível. Ele queria acreditar que a imagem era falsa, mas tinha um mau pressentimento de que era real e que acontecia naquele momento.

Os outros, prosseguiu Gaia, *Jason Grace, Piper McLean e meu querido amigo Percy Jackson — eles vão perecer dentro de minutos.*

A cena tornou a mudar. Percy empunhava Contracorrente, conduzindo Jason e Piper por uma escada em espiral que descia para a escuridão.

Seus poderes vão traí-los, disse Gaia. *Eles morrerão em seus próprios elementos. Eu quase torci para que sobrevivessem. Teriam sido um sacrifício melhor. Mas, infelizmente, Hazel e Frank, terão que ser vocês mesmos. Meus servos vão buscá-los em breve e os trarão para o lugar antigo. Seu sangue vai me despertar, finalmente. Até lá, permitirei que vejam seus amigos perecerem. Por favor... aproveitem este último vislumbre de sua missão fracassada.*

Leo não conseguiu se segurar. Sua mão ficou branca, incandescente. Hazel e Frank recuaram enquanto ele apertava a palma no espelho e o derretia, transformando-o em uma poça de gosma de bronze.

A voz de Gaia se calou. Leo ouvia apenas o rugido do próprio sangue em seus ouvidos. Ele soltou um suspiro trêmulo.

— Desculpe — disse aos amigos. — Ela estava sendo irritante.

— O que faremos agora? — perguntou Frank. — Precisamos sair daqui e ajudar os outros.

Leo correu os olhos pela oficina, agora cheia de partes de esferas quebradas e fumegantes. Seus amigos ainda precisavam dele. Aquele ainda era o seu espetáculo. Enquanto tivesse seu cinto de ferramentas, Leo Valdez não ia ficar sentado, impotente, assistindo ao Canal da Morte de Semideuses.

— Tenho uma ideia — falou ele. — Mas preciso de nós três para colocá-la em prática.

E começou a lhes contar o plano.

XLI

PIPER

Piper tentou tirar o melhor proveito da situação.

Assim que ela e Jason se cansaram de andar de um lado para o outro do convés e de ouvir o treinador Hedge entoar cantigas de roda (com armas em vez de animais), resolveram fazer um piquenique no parque.

Hedge concordou, resmungando:

— Fiquem onde eu possa vê-los.

— O que nós somos? Crianças? — perguntou Jason.

Hedge bufou.

— Crianças são como cabritinhos. São fofas e têm algum valor para a sociedade. Vocês definitivamente não são crianças.

Eles estenderam a toalha debaixo de um salgueiro ao lado de um lago. Piper virou sua cornucópia e derramou uma refeição completa: sanduíches embrulhadinhos, latas de refrigerante, frutas frescas e (por algum motivo) um bolo de aniversário com glacê roxo e as velas já acesas.

Ela franziu a testa.

— Alguém faz aniversário hoje?

Jason se encolheu.

— Eu não ia contar.

— Jason!

— Tem coisas demais acontecendo. Na verdade... até mês passado eu nem sabia *quando* era meu aniversário. Thalia me contou da última vez em que esteve no acampamento.

Piper se perguntou como seria isso — não saber sequer o dia do próprio nascimento. Jason fora entregue a Lupa, a loba, quando tinha apenas dois anos. Ele não se lembrava da sua mãe mortal. E só reencontrara a irmã no último inverno.

— Primeiro de julho — falou Piper. — Calendas de julho.

— É. — Jason sorriu. — Os romanos considerariam isso auspicioso... o primeiro dia do mês que homenageia Júlio César. O dia sagrado de Juno. Iupiii.

Piper não queria forçá-lo a festejar se ele não tinha vontade.

— Dezesseis?

Ele assentiu.

— Caramba. Já posso tirar a carteira de motorista.

Piper riu. Jason havia matado tantos monstros e salvado o mundo tantas vezes que a ideia de ele ficar nervoso por causa de um exame de habilitação parecia ridícula. Ela o imaginou ao volante de um velho Lincoln com uma placa de AUTOESCOLA no teto e um instrutor rabugento no banco do carona com o pé no freio de emergência.

— Então? — instou ela. — Sopre as velas.

Foi o que Jason fez. Piper se perguntou se ele havia feito um pedido — ela queria que ele desejasse que os dois sobrevivessem àquela missão e ficassem juntos para sempre. Resolveu não perguntar. Não queria trazer mau agouro ao pedido ou descobrir que ele desejara outra coisa.

Desde que haviam deixado os Pilares de Hércules na noite anterior, Jason parecia distraído. Piper não o culpava. Hércules fora uma grande decepção como irmão mais velho, e o deus do rio, Aqueloo, dissera algumas coisas nada agradáveis sobre os filhos de Júpiter.

Piper olhou a cornucópia. Imaginou se Aqueloo estava se acostumando a não ter um chifre. Esperava que sim. Certo, ele tentara matá-los, mas Piper ainda se sentia mal pelo velho deus. Ela não compreendia como um espírito tão solitário e triste podia produzir uma cornucópia que despejava abacaxis e bolos de aniversário. Poderia a cornucópia ter drenado toda a bondade dele? Talvez agora, sem o chifre, Aqueloo conseguisse se encher com um pouco de felicidade e guardá-la para si mesmo.

Ela também continuava pensando no conselho do deus: *Se tivesse chegado a Roma, a história da enchente teria lhe servido melhor.* Piper sabia de que história ele estava falando. Só não entendia como ela poderia ajudar.

Jason tirou uma vela apagada do bolo.

— Estive pensando.

Aquilo trouxe Piper de volta a realidade. Vinda de um namorado, a frase "Estive pensando" era meio assustadora.

— Sobre...? — perguntou ela.

— O Acampamento Júpiter. Durante todos os anos em que treinei lá, nós sempre estimulávamos o trabalho em equipe e trabalhávamos como uma unidade. Eu achava que entendia o significado disso. Mas, sinceramente... Eu sempre fui o líder. Mesmo quando era mais novo...

— O filho de Júpiter — disse Piper. — O garoto mais poderoso na legião. Você era a estrela.

Jason pareceu desconfortável, mas não negou.

— Neste grupo de sete... Não sei bem o que fazer. Não estou acostumado a ser apenas mais um entre tantos, humm, iguais. Tenho a sensação de que estou fracassando.

Piper segurou a mão dele.

— Você *não* está fracassando.

— Com certeza foi o que pareceu quando Crisaor nos atacou — falou Jason. — Passei a maior parte da viagem nocauteado e inútil.

— Ah, por favor! Ser um herói não significa que você seja invencível. Significa apenas que você seja corajoso o bastante para fazer o que é necessário.

— E se eu não *souber* o que é necessário?

— É para isso que servem os amigos. Todos temos forças diferentes. Juntos, vamos encontrar uma saída.

Jason a estudou. Piper não tinha certeza de que ele havia acreditado em tudo que ela dissera, mas ficou feliz por ele confiar nela. E gostou do fato de ele ser um pouco inseguro. Ele não era perfeito o tempo todo. Não achava que o universo lhe devia um pedido de desculpas sempre que algo dava errado — diferente de outro filho do deus do céu que ela conhecera recentemente.

— Hércules era um idiota — disse ele, como se lesse seus pensamentos. — Não quero ficar daquele jeito nunca. No entanto, eu não teria tido coragem de enfrentá-lo se você não tomasse a iniciativa. Você foi a heroína naquele momento.

— Podemos nos alternar — sugeriu Piper.

— Eu não mereço você.

— Você não tem permissão para dizer isso.

— Por que não?

— É uma frase de término de namoro. A menos que você esteja terminando comigo...

Ele se inclinou e a beijou. As cores da tarde romana de repente pareceram mais nítidas, como se o mundo tivesse ficado em alta definição.

— Nada de términos — prometeu Jason. — Posso ter batido a cabeça algumas vezes, mas não sou *tão* idiota.

— Ótimo — respondeu Piper. — Agora, quanto ao bolo...

Sua voz falhou. Percy Jackson vinha correndo na direção deles, e Piper podia ver por sua expressão que ele trazia más notícias.

Eles se reuniram no convés para que o treinador Hedge pudesse ouvir a história. Quando Percy terminou, Piper ainda não acreditava.

— Então Annabeth foi sequestrada em uma Vespa — resumiu ela — por Gregory Peck e Audrey Hepburn.

— Não exatamente sequestrada — disse Percy. — Mas estou com um mau pressentimento... — Ele respirou fundo, como se tentasse não entrar em pânico. — De qualquer forma, ela... ela se foi. Talvez eu não devesse ter deixado, mas...

— Você teve que deixar — replicou Piper. — Sabia que ela precisava ir sozinha. Além disso, Annabeth é durona e esperta. Ela vai ficar bem.

Piper pôs um pouco de charme na voz, o que talvez não fosse muito legal, mas Percy precisava se concentrar. Se eles entrassem em uma batalha, Annabeth não ia querer que ele se machucasse por estar distraído pensando nela.

Os ombros dele relaxaram um pouco.

— Talvez você tenha razão. De qualquer forma, Gregory... quer dizer, Tiberino... disse que tínhamos menos tempo para resgatar Nico do que imaginávamos. Hazel e os outros ainda não voltaram?

Piper verificou a hora no controle do leme. Não tinha se dado conta de que o tempo havia passado tão rápido.

— São duas da tarde. Marcamos de nos encontrar às três.

— No máximo — lembrou Jason.

Percy apontou para a adaga de Piper.

— Tiberino disse que você poderia descobrir a localização de Nico... você sabe, usando isso.

Piper mordeu o lábio. A última coisa que queria fazer era consultar Katoptris e ver mais imagens horripilantes.

— Já tentei — disse ela. — A adaga nem sempre mostra o que eu quero ver. Na verdade, ela quase *nunca* mostra.

— Por favor — pediu Percy. — Tente de novo.

Ele implorou com aqueles olhos verde-mar, parecendo um bebê de foca fofinho que precisava de ajuda. Piper se perguntou como Annabeth podia ganhar qualquer discussão com esse cara.

Ela suspirou e sacou a adaga.

— Está bem.

— Aproveitando — disse o treinador Hedge —, veja se consegue descobrir os últimos resultados do beisebol. A cobertura esportiva dos italianos é uma porcaria.

— Shhh.

Piper estudou a lâmina de bronze. A luz tremeluziu. Ela viu um apartamento cheio de semideuses romanos. Uma dúzia deles se reunia em torno de uma mesa enquanto Octavian falava e apontava para um grande mapa. Reyna andava de um lado para o outro perto das janelas, observando o Central Park.

— Isso não é nada bom — murmurou Jason. — Eles já instalaram um posto avançado em Manhattan.

— E aquele mapa mostra Long Island — observou Percy.

— Eles estão estudando o território — supôs Jason. — Discutindo rotas de invasão.

Piper não queria *mesmo* ver aquilo, então se concentrou mais. A lâmina brilhou. Ela viu ruínas — algumas paredes desmoronando, uma coluna solitária, um chão de pedra coberto por musgo e trepadeiras secas — tudo agrupado em uma colina gramada e com alguns poucos pinheiros.

— Eu já estive aí — disse Percy. — Isso fica no fórum.

A imagem se aproximou. Perto do chão de pedra, um lance de escadas levava a um portão de ferro com cadeado. A visão da lâmina atravessou o portão e desceu por uma escada em caracol até chegar a uma câmara cilíndrica e escura, como o interior de um silo.

Piper deixou a adaga cair.

— O que foi? — perguntou Jason. — Ela estava nos mostrando alguma coisa.

Piper teve a sensação de que o barco tinha voltado para o oceano e balançava sob seus pés.

— Não podemos ir lá.

Percy franziu a testa.

— Piper, Nico está morrendo. Precisamos encontrá-lo. Para não mencionar que Roma está prestes a ser destruída.

A voz dela não saía. Ela guardara a visão da sala circular para si por tanto tempo que agora achava impossível falar sobre aquilo. Tinha a horrível sensação de que explicá-la para Percy e Jason não mudaria nada. Não podia impedir o que estava prestes a acontecer.

Piper tornou a pegar a adaga. Seu cabo estava mais frio que o normal.

Ela se obrigou a olhar para a lâmina. Viu dois gigantes em armaduras de gladiador sentados em cadeiras de pretor enormes. Os gigantes faziam um brinde com suas taças douradas, como se tivessem acabado de ganhar uma luta importante. Um grande jarro de bronze estava entre eles.

A imagem se aproximou novamente. Dentro do jarro, Nico di Angelo estava encolhido e havia parado de se mover. Ele havia comido todas as sementes de romã.

— Chegamos tarde demais — disse Jason.

— Não — replicou Percy. — Não, não posso acreditar nisso. Talvez ele tenha entrado em um transe mais profundo para ganhar tempo. Temos que correr.

A lâmina escureceu. Piper a colocou de volta na bainha, tentando evitar que as mãos tremessem. Ela torcia para que Percy tivesse razão e Nico ainda estivesse vivo. Por outro lado, não conseguia entender como aquela imagem estava relacionada à visão da sala onde se afogavam. Talvez os gigantes estivessem brindando porque ela, Percy e Jason estavam mortos.

— É melhor esperarmos os outros — falou Piper. — Hazel, Frank e Leo devem voltar logo.

— Não podemos esperar — insistiu Percy.

O treinador Hedge resmungou.

— São só dois gigantes. Se quiserem, posso dar um jeito neles.

— Hã, treinador — começou Jason —, é uma ótima ideia, mas precisamos que você cuide do navio.

Hedge franziu a testa.

— E deixar vocês três ficarem com toda a diversão?

Percy segurou o braço do sátiro.

— Hazel e os outros precisam de você aqui. Quando voltarem, precisarão de alguém para liderá-los. Você é o porto seguro deles.

— Isso. — Jason conseguiu se manter sério. — Leo sempre diz que você é o porto seguro dele. Você poderá contar a eles aonde fomos e levar o navio ao nosso encontro no fórum.

— E tome. — Piper soltou Katoptris e a entregou ao treinador Hedge.

O sátiro arregalou os olhos. Um semideus nunca devia deixar sua arma para trás, mas Piper estava cansada de visões malignas. Preferia enfrentar a morte sem mais nenhuma prévia.

— Fique de olho na gente com a lâmina — sugeriu ela. — E você pode verificar os resultados do beisebol.

Aquilo selou o acordo. Hedge assentiu sombriamente, preparado para executar sua parte na missão.

— Muito bem — concordou ele. — Mas se algum gigante vier nessa direção...

— Sinta-se à vontade para acabar com ele — disse Jason.
— E quanto a turistas chatos?
— Não — disseram todos em uníssono.
— Bah. Está bem. Mas não demorem muito ou irei atrás de vocês com as balistas a postos.

XLII

PIPER

Encontrar o lugar foi fácil. Percy levou-os direto para lá, em um trecho abandonado da encosta que dava para o fórum em ruínas.

Entrar também foi fácil. Usando a espada de ouro, Jason quebrou o cadeado, e o portão de metal se abriu com um rangido. Nenhum mortal os viu. Nenhum alarme foi disparado. Degraus de pedra desciam em espiral até sumirem na escuridão.

— Eu vou na frente — disse Jason.

— Não! — gritou Piper.

Os dois garotos se voltaram para ela.

— Pipes, qual é o problema? — perguntou Jason. — Aquela imagem na adaga... Você já a tinha visto, não é?

Ela assentiu, com os olhos ardendo.

— Eu não sabia como dizer isso a vocês. Vi aquele lugar lá embaixo se enchendo de água. Vi nós três nos afogando.

Tanto Jason quanto Percy franziram a testa.

— Eu não me afogo — disse Percy, embora sua frase soasse mais como uma pergunta.

— Talvez o futuro tenha mudado — especulou Jason. — Na imagem que você acabou de nos mostrar, não tinha nenhuma água.

Piper desejou que ele estivesse certo, mas desconfiava de que não teriam tanta sorte.

— Então — disse Percy. — Primeiro vou dar uma olhada. Está tudo bem. Volto já.

Antes que Piper pudesse protestar, ele desapareceu escada abaixo.

Ela contou em silêncio enquanto esperavam que Percy voltasse. Por volta do trinta e cinco, ouviu seus passos e ele apareceu no alto dos degraus, parecendo mais intrigado que aliviado.

— Boa notícia: nada de água — disse ele. — Má notícia: não vejo nenhuma saída lá embaixo. E, hã, uma notícia estranha: bem, vocês precisam ver isso...

Eles desceram com cuidado. Percy seguiu na frente, com Contracorrente em punho. Piper vinha depois e Jason seguia atrás dela, protegendo a retaguarda. A escada era uma espiral de alvenaria, com menos de dois metros de diâmetro. Embora Percy houvesse dado o sinal de "tudo limpo", Piper mantinha os olhos abertos à procura de armadilhas. A cada curva da escada, ela antecipava uma emboscada. Não tinha armas, apenas a cornucópia em um cordão de couro que pendia de seu ombro. Se acontecesse o pior, as espadas dos garotos não iam adiantar de nada em um espaço tão reduzido. Talvez Piper pudesse atacar os inimigos com presuntos defumados em alta velocidade.

Enquanto desciam, Piper viu velhas pichações marcadas nas pedras: numerais romanos, nomes e frases em italiano, o que significava que outras pessoas tinham estado ali mais recentemente que na época do Império Romano, mas isso não tranquilizava Piper. Se houvesse monstros lá embaixo, eles ignorariam os mortais, à espera de suculentos semideuses. Por fim, alcançaram a base da escada e Percy virou-se.

— Cuidado com o último degrau.

Ele saltou para o piso da sala circular, que era um metro e meio mais baixa que o fim da escada. Por que alguém projetaria algo daquele jeito? Piper não tinha ideia. Talvez a sala e a escada houvessem sido construídas em períodos diferentes.

Ela queria dar meia-volta e sair dali, mas não podia fazer isso com Jason às suas costas e não podia simplesmente deixar Percy ali embaixo. Então desceu, e Jason a seguiu.

A sala era exatamente como ela vira na lâmina de Katoptris, só que não havia água. No passado havia afrescos nas paredes curvas, que agora haviam desbotado até um branco casca de ovo com pequenos pontos de cor. O teto abobadado ficava uns quinze metros acima.

Do outro lado da sala, oposto à escada, havia nove alcovas esculpidas na parede. Cada nicho ficava a cerca de um metro e meio do chão e era grande o bastante para uma estátua humana em tamanho natural, mas estavam todos vazios. O ar era frio e seco. Como Percy dissera, não havia outras saídas.

— Muito bem. — Percy ergueu as sobrancelhas. — Essa é a parte estranha. Observem.

Ele se dirigiu ao centro da sala.

Na mesma hora, luzes azuis e verdes ondularam nas paredes. Piper ouviu o som de uma fonte, mas não havia água. A luz não parecia vir de nenhum outro lugar exceto das espadas de Percy e Jason.

— Sentem o cheiro do oceano? — perguntou Percy.

Piper não havia percebido de cara. Ela estava parada ao lado de Percy, e ele sempre tinha cheiro de mar, mas era verdade. O cheiro de água salgada e de tempestade ia ficando mais forte, como uma tempestade de verão se aproximando.

— Uma ilusão? — perguntou ela.

De repente, Piper sentiu-se estranhamente com sede.

— Não sei — respondeu Percy. — Tenho a sensação de que devia ter água aqui... muita água. Mas não tem nada. Nunca estive em um lugar assim.

Jason se dirigiu à série de nichos. Tocou o inferior do mais próximo, que ficava bem no nível de seus olhos.

— Esta rocha... está cravejada de conchas. Isto é um ninfeu.

A boca de Piper estava decididamente ficando mais seca.

— Um quê?

— Temos um desses no Acampamento Júpiter, na Colina dos Templos — disse Jason. — É um santuário dedicado às ninfas.

Piper correu a mão ao longo da base de outro nicho. Jason tinha razão. A alcova era cravejada de conchas, que pareciam dançar na luz aquática. Eram geladas ao toque.

Ela sempre pensara nas ninfas como espíritos amistosos: tolas e coquetes, geralmente inofensivas. Elas se davam bem com os filhos de Afrodite. Adoravam compartilhar fofocas e dicas de beleza. Aquele lugar, porém, em nada se assemelhava ao lago de canoagem no Acampamento Meio-Sangue ou os riachos no bosque onde Piper normalmente encontrava ninfas. O lugar parecia antinatural, hostil e *muito* seco.

Jason deu alguns passos atrás e examinou a série de alcovas.

— Havia santuários como este por toda parte na Roma Antiga. As pessoas ricas os erguiam do lado de fora de suas *villas* para homenagear as ninfas e garantir que a água local estivesse sempre boa. Alguns foram criados em torno de fontes naturais, mas a maior parte era construída.

— Então... nenhuma ninfa de verdade viveu aqui? — perguntou Piper, esperançosa.

— Não tenho certeza — disse Jason. — Este lugar deve ter sido um lago com uma fonte. Muitas vezes, se o ninfeu pertencesse a um semideus, ele ou ela convidava ninfas para viver aqui. Se os espíritos se fixassem ali, isso era considerado um sinal de boa sorte.

— Para o proprietário — deduziu Percy. — Mas isso também ligaria as ninfas à nova fonte de água, o que seria ótimo se a fonte se encontrasse em um belo e ensolarado parque com água corrente passando pelos aquedutos...

— Mas este lugar está no subterrâneo há séculos — supôs Piper. — Seco e enterrado. O que aconteceria às ninfas?

O som da água se transformou um coro de sibilos, como cobras fantasmagóricas. A luz ondulante passou de azul-mar e verde para tons doentios de roxo e verde-limão. Acima deles, os nove nichos brilharam. Já não estavam vazios.

De pé em cada um havia uma velha enrugada, tão murcha e frágil que Piper achou que se pareciam com múmias — só que múmias normalmente não se moviam. Os olhos eram de um roxo escuro, como se a água azul e límpida de sua fonte da vida houvesse se condensado e espessado dentro deles. Seus leves vestidos de seda agora estavam esfarrapados e desbotados. Em algum passado distante os cabelos haviam sido penteados em cachos e enfeitados com joias no estilo das mulheres romanas nobres, mas agora os fios estavam desgrenhados e secos como palha. Se canibais aquáticos existissem de verdade, pensou Piper, eles seriam assim.

— *O que aconteceria às ninfas?* — repetiu a criatura no nicho central.

Ela se encontrava em um estado ainda pior que as outras. Suas costas estavam curvadas como a alça de uma jarra. As mãos esqueléticas tinham apenas uma finíssima camada de pele que mais parecia uma folha de papel. Em sua cabeça, uma maltratada coroa de louros dourados cintilava nos cabelos emaranhados.

Ela fixou os olhos roxos em Piper.

— Que pergunta interessante, minha querida. Talvez as ninfas ainda estejam aqui, sofrendo, à espera de vingança.

Piper jurou que derreteria Katoptris e a venderia como sucata assim que tivesse a chance. A adaga estúpida não havia lhe mostrado a história inteira. Certo, ela vira a si mesma se afogando. Mas, se soubesse que nove ninfas zumbis desidratadas estariam esperando por ela, Piper jamais teria descido até ali.

Pensou em correr para a escada, mas, quando se virou, a porta havia desaparecido. Já era de se esperar. Não havia nada ali agora, somente uma parede. Piper suspeitava de que não se tratava apenas de ilusão. Além disso, não conseguiria chegar do outro lado da sala antes que as ninfas zumbis os atacassem.

Jason e Percy postaram-se um de cada lado dela, com as espadas em riste. Piper sentia-se grata por tê-los por perto, mas desconfiava que suas armas não serviriam para nada. Ela vira o que aconteceria nessa sala. De alguma forma, aquelas coisas iam derrotá-los.

— Quem é você? — perguntou Percy.

A ninfa do meio voltou a cabeça.

— Ah... nomes. Já tivemos nomes. Eu era Hagno, a primeira das nove!

— As nove — repetiu Jason. — As ninfas deste santuário. Sempre houve nove nichos.

— Naturalmente. — Hagno mostrou os dentes em um sorriso maléfico. — Mas nós somos as nove *originais*, Jason Grace, as que presenciaram o nascimento de seu pai.

Jason baixou a espada.

— Você se refere a Júpiter? Vocês estavam lá quando ele *nasceu*?

— Zeus, era assim que o chamávamos então — respondeu Hagno. — Que bebê chorão. Ajudamos Reia durante o parto. Quando o bebê veio ao mundo, nós o escondemos para que seu pai, Cronos, não o comesse. Ah, que pulmões tinha aquele bebê! Fizemos de tudo para abafar o barulho, de modo que Cronos não o encontrasse. Quando Zeus cresceu, prometeram-nos honras eternas. Mas isso foi no velho país, na Grécia.

As outras ninfas gemeram e arranharam seus nichos. Pareciam aprisionadas, Piper percebeu, como se seus pés estivessem colados nas conchas decorativas.

— Quando Roma assumiu o poder, fomos convidadas a vir para cá — contou Hagno. — Um filho de Júpiter nos tentou com benefícios. *Um novo lar*, prometeu. *Maior e melhor! Não é preciso pagar entrada, é uma excelente vizinhança. Roma vai durar para sempre.*

— Para sempre — sibilaram as outras.

— Cedemos à tentação — continuou Hagno. — Saímos de nossos poços e fontes simples no Monte Liceu e nos mudamos para cá. Durante séculos, nossa vida foi maravilhosa! Festas, sacrifícios em nossa homenagem, vestidos e joias novos toda semana. Todos os semideuses de Roma flertavam conosco e nos reverenciavam.

As ninfas choramingaram e suspiraram.

— Mas Roma não durou para sempre — rosnou Hagno. — Os aquedutos foram desviados. A *villa* de nosso mestre foi abandonada e destruída. Fomos esquecidas debaixo da terra, sepultadas aqui, impedidas de partir. A fonte da nossa vida estava presa a este lugar. Nosso antigo mestre não achou conveniente nos libertar. Há séculos murchamos aqui na escuridão, com sede... tanta sede.

As outras levaram as mãos à boca com desespero. Piper sentiu a própria garganta se fechando.

— Lamento por vocês — falou, tentando usar seu charme. — Deve ter sido terrível. Mas não somos seus inimigos. Se pudermos ajudá-las...

— Ah, que voz mais doce! — gritou Hagno. — Que lindo rosto. Já fui jovem como você. Minha voz era tão suave quanto um riacho na montanha. Mas sabe o que acontece com a mente de uma ninfa quando ela é aprisionada na escuridão, sem nada com que se alimentar a não ser o ódio, nada para beber a não ser pensamentos de dor? Sim, minha querida. Vocês podem nos ajudar.

Percy ergueu a mão.

— Hum... sou filho de Poseidon. Talvez possa invocar uma nova fonte de água.

— Rá! — gritou Hagno, e as outras oito ecoaram: "Rá! Rá!" — É verdade, filho de Poseidon. Conheço bem seu pai. Efialtes e Oto prometeram que você viria.

Piper se apoiou no braço de Jason para não cair.

— Os gigantes — falou ela. — Vocês trabalham para eles?

— Eles são nossos vizinhos. — Hagno sorriu. — Seus aposentos ficam além deste local, para onde a água do aqueduto foi desviada por causa dos jogos. Assim que dermos um jeito em vocês, uma vez que vocês tiverem nos *ajudado*, os gêmeos prometeram que nunca mais sofreremos.

Hagno voltou-se para Jason.

— Você, filho de Júpiter... pela traição horrível de seu antecessor que nos trouxe aqui, você vai pagar. Conheço os poderes do deus do céu. Cuidei dele quando era bebê! Nós, ninfas, antes controlávamos a chuva sobre nossos poços e fontes. Quando eu tiver acabado com você, teremos esse poder novamente. E Percy Jackson, filho do deus do mar... de você, tiraremos a água, um suprimento infinito de água.

— Infinito? — Os olhos de Percy foram de uma ninfa a outra. — Hum... Olha, eu não sei nada sobre *infinito*, mas talvez eu possa arranjar alguns litros.

— E você, Piper McLean. — Os olhos roxos de Hagno reluziram. — Tão jovem, tão linda, tão talentosa com sua voz doce. De você, vamos recuperar nossa beleza. Guardamos nossa última força vital para este dia. Estamos com muita sede. De vocês três, beberemos!

Os nove nichos brilharam. As ninfas desapareceram, e a água começou a jorrar de suas alcovas — água asquerosa e escura como petróleo.

XLIII

PIPER

Piper precisava de um milagre, não de uma história para dormir. Mas naquele momento, parada ali, em choque, enquanto a água negra jorrava em torno de suas pernas, ela pensou na lenda que Aqueloo mencionara: a história da enchente.

Não o conto de Noé, mas a versão cherokee que o pai costumava lhe contar, com os fantasmas que dançavam e o cão-esqueleto.

Quando era pequena, ela se aninhava ao lado do pai na grande poltrona reclinável dele. Olhava pelas janelas o litoral de Malibu enquanto o pai lhe contava as histórias que ouvira do avô Tom na reserva em Oklahoma.

— Um homem tinha um cachorro — começava ele sempre.

— Você não pode começar uma história assim! — protestou Piper. — Precisa dizer *Era uma vez*.

O pai riu.

— Mas esta é uma história cherokee. E eles vão sempre direto ao assunto. Bem, seja como for, um homem tinha um cachorro. Todos os dias esse homem levava o cachorro até um lago para buscar água, e o cão latia furiosamente para o lago, como se estivesse com raiva dele.

— E estava?

— Tenha paciência, querida. Por fim, o homem ficou muito aborrecido com o cão por latir tanto e ralhou com ele: "Cachorro mau! Pare de latir para a água. É apenas água!" Para a surpresa dele, o cachorro o encarou e começou a falar.

— Nossa cadela sabe dizer *Obrigada* — disse Piper. — E sabe latir *Pão*.

— Mais ou menos isso — concordou o pai. — Mas aquele cachorro conseguia formar frases inteiras. E disse: "Em breve, a tempestade virá. O nível das águas se elevará e todos se afogarão. Você pode salvar sua família construindo uma jangada, mas primeiro terá que me sacrificar. Você precisa me jogar na água."

— Que horrível! — falou Piper. — Eu nunca afogaria meu cachorro!

— O homem provavelmente disse a mesma coisa. Ele achava que o cão estivesse mentindo... quer dizer, assim que se recuperou do choque de ouvir seu cachorro falando. Quando protestou, o cão disse: "Se não acredita em mim, olhe minha nuca. Já estou morto".

— Que coisa triste! Por que está me contando isso?

— Porque você me pediu — lembrou-lhe o pai. E, de fato, algo naquela história fascinava Piper. Ela já a ouvira dezenas de vezes, mas continuava a pensar nela. — Bem, o homem agarrou o cachorro pela nuca e viu que a pele e o pelo já estavam se soltando. Debaixo deles, só havia ossos. O cachorro era um cão-esqueleto.

— Que nojento.

— Concordo. Assim, com lágrimas nos olhos, o homem se despediu de seu irritante cão-esqueleto e o atirou na água, e o animal afundou na mesma hora. O homem construiu uma jangada e, quando veio a enchente, ele e a família sobreviveram.

— Sem o cachorro.

— Sim. Sem o cachorro. Quando a tempestade passou e a jangada atracou, o homem e sua família eram os únicos sobreviventes. Ele podia ouvir sons vindos do outro lado de uma colina, como se milhares de pessoas rissem e dançassem, mas, quando chegou ao topo, não viu nada além de ossos cobrindo o solo... os esqueletos de todas as milhões de pessoas que haviam morrido afogadas. Ele se deu conta de que os fantasmas dos mortos dançavam. Aquele fora o som que ouvira.

Piper esperou.

— E...?

— E mais nada. Fim.

— Você não pode terminar a história assim! Por que os fantasmas dançavam?

— Não sei — respondeu o pai. — Seu avô nunca sentiu a necessidade de explicar. Talvez estivessem felizes por uma família ter sobrevivido. Talvez estivessem desfrutando a vida após a morte. São fantasmas. Quem pode saber?

Piper não ficou satisfeita com aquele fim. Havia tantas perguntas sem resposta. Será que a família encontrara outro cachorro? Obviamente, nem todos os cães haviam se afogado, pois a própria Piper tinha um.

Ela não conseguia esquecer aquela história. Nunca mais olhou para os cães da mesma maneira, perguntando-se se um deles poderia ser um cão-esqueleto. E não compreendia por que a família precisara sacrificar o cão para sobreviver. Morrer para salvar a família parecia algo muito nobre — uma coisa muito própria dos cães.

Agora, no ninfeu em Roma, com a água na altura da cintura, Piper se perguntava por que o deus do Rio Aqueloo havia mencionado aquela história.

Ela desejou ter uma jangada, mas na verdade acreditava que parecia mais o cão-esqueleto. Já estava morta.

XLIV

PIPER

A CÂMARA SE ENCHIA DE água em uma velocidade alarmante. Piper, Jason e Percy bateram nas paredes, procurando uma saída, mas não encontraram nada. Subiram nas alcovas para ganhar alguma altura, mas, com a água jorrando delas, era como tentar se equilibrar na beira de uma cachoeira. Mesmo de pé, a água logo alcançou os joelhos de Piper. A partir do chão, provavelmente já chegava a altura de dois metros e meio e subia rapidamente.

— Eu poderia tentar um relâmpago — disse Jason. — Quem sabe abrir um buraco no teto...

— Isso poderia fazer a câmara inteira desmoronar e nos esmagar — falou Piper.

— Ou nos eletrocutar — acrescentou Percy.

— Não temos muitas opções — disse Jason.

— Vou investigar o chão — sugeriu Percy. — Se este lugar foi construído como uma fonte, *tem* que haver uma forma de drenar a água. Verifiquem os nichos em busca de saídas secretas. Talvez as conchas sejam maçanetas ou algo assim.

Era uma ideia desesperada, mas Piper ficou feliz por ter alguma coisa para fazer. Percy pulou na água enquanto Jason e Piper subiam de nicho em nicho, chutando, socando e balançando conchas engastadas na pedra, mas não tiveram sorte.

Mais rápido do que Piper esperava, Percy surgiu na superfície, arfando e debatendo-se. Ela ofereceu a mão, e ele quase a puxou para a água antes de conseguir subir.

— Não consegui respirar. — Ele engasgou. — A água... não é normal. Quase não consegui voltar.

A força vital das ninfas, pensou Piper. Era tão venenosa e maligna que nem mesmo um filho do deus do mar conseguia controlá-la.

À medida que a água subia à volta, Piper sentiu que também estava sendo afetada. Os músculos de suas pernas tremiam como se ela tivesse corrido por quilômetros. Suas mãos ficaram enrugadas e secas, apesar de ela estar no meio de uma fonte.

Os garotos se moviam com lentidão. O rosto de Jason estava pálido, e ele parecia ter dificuldade em segurar a espada. Percy estava encharcado e trêmulo. Seu cabelo não parecia tão escuro, como se a cor estivesse desbotando.

— Elas estão tirando nossos poderes — falou Piper. — Estão nos esgotando.

— Jason. — Percy tossiu. — Invoque o relâmpago.

Jason ergueu a espada. A sala rugiu, mas nenhum raio apareceu. O teto não se quebrou. Em vez disso, uma miniatura de tempestade formou-se no alto da câmara. A chuva desabou, enchendo a fonte ainda mais rapidamente, mas não era uma chuva normal. A água era quase tão escura quanto a do poço. As gotas caíam como ferroadas na pele de Piper.

— Não era o que eu queria — disse Jason.

A água agora chegava até o pescoço. Piper podia sentir suas forças desvanecendo. A história do avô Tom sobre canibais aquáticos era verdadeira. Ninfas do mal roubariam sua vida.

— Nós vamos sobreviver — murmurou ela para si mesma, mas só com o charme em sua voz não conseguiria sair dali. Logo a água venenosa cobriria a cabeça deles. Eles teriam que nadar, e aquela coisa já os estava paralisando.

Eles se afogariam, exatamente como nas visões que ela tivera.

Percy começou a afastar a água com a mão, como se estivesse espantando um cachorro mau.

— Não consigo... não consigo controlá-la!

Primeiro terá que me sacrificar, dissera o cão-esqueleto da história. *Você precisa me jogar na água.*

Piper teve a sensação de que alguém a agarrava pela nuca e expunha os ossos. Ela segurou a cornucópia com força.

— Não podemos lutar contra isso — disse ela. — Resistir só nos deixa mais fracos.

— O que quer dizer? — Jason gritou acima do barulho da chuva.

A água chegou até o queixo. Mais alguns centímetros, e eles precisariam nadar. Porém a água ainda não havia alcançado a metade das paredes. Piper esperava que isso significasse que eles ainda tinham tempo.

— A cornucópia — falou ela. — Temos que sobrecarregar as ninfas com água *fresca*, dar-lhes mais do que podem usar. Se conseguirmos diluir essa coisa venenosa...

— Esse seu chifre pode fazer isso?

Percy mantinha a cabeça acima da água com dificuldade, o que era obviamente uma experiência nova para ele, que parecia apavorado.

— Só com sua ajuda.

Piper começava a compreender como o chifre funcionava. As coisas boas que ele produzia não vinham de lugar nenhum. Ela só conseguira soterrar Hércules em alimentos quando havia se concentrado em todas as suas experiências positivas com Jason.

Para criar água fresca e limpa suficiente para encher essa câmara ela precisava ir ainda mais fundo, explorar ainda mais suas emoções. Infelizmente, não estava mais conseguindo se concentrar.

— Preciso que vocês dois canalizem tudo que puderem para a cornucópia — disse ela. — Percy, pense no mar.

— Água salgada?

— Não importa! Desde que esteja limpa. Jason, pense em tempestades... *muito* mais chuvas. Segurem a cornucópia também.

Eles se aproximaram enquanto a água os erguia das saliências de pedra. Piper tentou lembrar-se das aulas que o pai lhe dera quando começaram a surfar. Para ajudar alguém que esteja se afogando, você passa o braço em torno da pessoa por trás e bate as pernas para a frente, movendo-se para trás, como se estivesse nadando de costas. Ela não tinha muita certeza de que a mesma estratégia pudesse funcionar com mais *duas* pessoas, mas passou o braço em torno dos amigos e tentou mantê-los flutuando enquanto seguravam a cornucópia entre eles.

Nada aconteceu. A chuva desabava torrencialmente, ainda escura e ácida.

As pernas de Piper pareciam de chumbo. A água subia e redemoinhava, ameaçando puxá-la para baixo. Ela sentia suas forças se esvaindo.

— Não adianta! — gritou Jason, cuspindo água.

— Não estamos conseguindo nada — concordou Percy.

— Vocês precisam trabalhar juntos — gritou Piper, torcendo para que estivesse certa. — Os dois pensem em água limpa... uma tempestade de água. Não reprimam nada. Visualizem todo o seu poder, toda a sua força deixando-os.

— Isso não é difícil! — disse Percy.

— Mas *forcem-na* a sair! — insistiu ela. — Ofereçam tudo, como... como se já estivessem mortos, e seu único objetivo fosse ajudar as ninfas. Tem que ser uma oferenda... um sacrifício.

Eles fizeram silêncio diante dessa palavra.

— Vamos tentar de novo — disse Jason. — Juntos.

Dessa vez Piper também voltou toda a sua concentração para a cornucópia. As ninfas queriam sua juventude, sua vida, sua voz? Ótimo. Ela abriu mão de tudo de boa vontade e imaginou todo seu poder deixando-a.

Já estou morta, disse a si mesma, tão calma quanto o cão-esqueleto. *Essa é a única maneira.*

A água límpida jorrou do chifre com tamanha força que os empurrou contra a parede. A chuva transformou-se em uma torrente branca, tão limpa e fria que fez Piper perder o ar.

— Está funcionando! — gritou Jason.

— Até bem demais — disse Percy. — Estamos enchendo a câmara ainda mais rápido!

Ele tinha razão. A água subia tão rápido que o teto agora estava a poucos centímetros de distância. Piper poderia ter esticado o braço e tocado as miniaturas de nuvens de chuva.

— Não parem! — pediu ela. — Temos que diluir o veneno até que as ninfas estejam limpas.

— E se elas *não* puderem ser limpas? — perguntou Jason. — Estão aqui embaixo se envenenando há milhares de anos.

— Não reprimam — disse Piper. — Deem tudo. Mesmo que fiquemos debaixo...

Sua cabeça bateu no teto. As nuvens de chuva se dissiparam e misturaram-se à água. A cornucópia continuava a jorrar uma torrente límpida.

Piper puxou Jason para mais perto e o beijou.

— Eu amo você.

As palavras simplesmente jorraram de sua boca, como a água da cornucópia. Ela não soube dizer qual foi a reação dele, porque naquele momento submergiram.

Ela prendeu a respiração. A corrente rugia em seus ouvidos e bolhas giravam ao redor. A luz ainda atravessava a câmara, e Piper estava surpresa por ainda conseguir vê-la. A água estava ficando mais clara?

Seus pulmões estavam prestes a explodir, mas Piper dirigiu suas últimas energias à cornucópia. A água continuava a fluir, embora não houvesse espaço para mais. Será que as paredes ruiriam sob a pressão?

A visão de Piper escureceu.

Ela pensou que o rugido em seus ouvidos fosse seu próprio batimento cardíaco morrendo, mas então percebeu que o poço estava tremendo. A água rodopiava mais rápido. Piper sentiu que afundava.

Com suas últimas forças, ela tomou impulso para cima. Sua cabeça rompeu a superfície e ela arquejou em busca de ar. A cornucópia parou. A água escoava quase tão rápido quanto enchera a câmara antes.

Com um grito assustado, Piper se deu conta de que Percy e Jason ainda estavam debaixo da água. Ela os puxou para cima e na mesma hora Percy inspirou e começou a se mover, mas Jason mantinha-se tão inerte quanto um boneco de pano.

Piper agarrou-se a ele. Gritou o seu nome, sacudiu-o e bateu em seu rosto. Ela mal percebeu quando toda a água escoou, deixando-os no chão molhado.

— Jason!

Ela tentava desesperadamente pensar. Deveria virá-lo de lado? Bater em suas costas?

— Piper — disse Percy —, eu posso ajudar.

Ele ajoelhou-se ao lado dela e tocou a testa de Jason. A água saiu aos borbotões da boca do garoto. Seus olhos se abriram, e um trovão lançou Percy e Piper para trás.

Quando Piper conseguiu abrir os olhos, viu Jason sentado, ainda arfando, mas com a cor ia voltando ao rosto.

— Desculpe... — Ele tossiu. — Não era minha intenção...

Piper o calou com um abraço. Ela o teria beijado, mas não quis sufocá-lo. Percy sorriu.

— Caso esteja se perguntando, era água limpa que estava em seus pulmões. Pude controlá-la sem problemas.

— Obrigado, cara. — Jason deu-lhe um fraco aperto de mão. — Mas acho que Piper é a verdadeira heroína. Ela salvou a gente.

Sim, ela salvou, uma voz ecoou pela câmara.

Os nichos brilharam. Nove figuras apareceram, porém não eram mais criaturas decrépitas. Eram ninfas jovens e bonitas, em vestidos azuis cintilantes, os sedosos cachos negros presos com fivelas de prata e ouro. Seus olhos tinham tons suaves de azul e verde.

Enquanto Piper observava, oito das ninfas se transformaram em vapor e sumiram. Somente a ninfa do centro permaneceu.

— Hagno? — perguntou Piper.

A ninfa sorriu.

— Sim, minha querida. Eu não acreditava que tamanho desprendimento existisse em mortais... especialmente em semideuses. Sem ofensa.

Percy se pôs de pé.

— Como poderíamos nos ofender? Vocês só tentaram nos afogar e sugar nossa vida.

Hagno estremeceu.

— Sinto muito por isso. Eu estava fora de mim. Mas vocês fizeram eu me lembrar do sol e da chuva e dos riachos nas campinas. Percy e Jason, graças a vocês, eu me lembrei do mar e do céu. Estou limpa. Mas, principalmente, agradeço a Piper. Ela partilhou algo ainda melhor do que água corrente e limpa. — Hagno voltou-se para ela. — Você tem uma natureza boa, Piper. E eu sou um espírito da natureza, sei do que estou falando.

Hagno apontou para o outro lado da sala. A escada que levava à superfície reapareceu. Logo abaixo dela, uma abertura circular surgiu, como um cano de esgoto, grande o bastante apenas para passassem rastejando. Piper suspeitava de que a água havia escoado por ali.

— Vocês podem voltar para a superfície — disse Hagno. — Ou, se insistirem, podem seguir o canal até os gigantes. Mas decidam logo, pois ambas as portas desaparecerão assim que eu me for. Aquele cano se conecta ao antigo aqueduto, que alimenta tanto o ninfeu quanto o hipogeu que os gigantes chamam de lar.

— Argh. — Percy apertou as próprias têmporas. — Por favor, chega de palavras complicadas.

— Ah, *lar* não é uma palavra complicada. — Hagno parecia completamente sincera. — Eu pensava que fosse, mas agora vocês nos libertaram deste lugar. Minhas irmãs foram em busca de novos lares... um riacho em uma montanha, talvez, ou um lago em uma campina. Eu vou com elas. Mal posso esperar para rever as florestas, pradarias e a água limpa e corrente.

— Hã — disse Percy, nervoso —, as coisas mudaram lá em cima nos últimos milhares de anos.

— Bobagem — falou Hagno. — Que mal poderia haver nisso? Pã não permitiria que a natureza fosse contaminada. Na verdade, mal posso esperar para vê-lo.

Percy fez menção de dizer algo, mas pareceu mudar de ideia.

— Boa sorte, Hagno — desejou Piper. — E obrigada.

A ninfa sorriu uma última vez e sumiu.

Por um breve instante, o ninfeu reluziu com uma luz mais suave, como a de uma lua cheia. Piper sentiu o aroma de temperos exóticos e rosas desabrochando. Ouviu música e vozes felizes conversando e rindo a distância. Deduziu que estivesse ouvindo centenas de anos de festas e celebrações contidas naquele santuário ancestral, como se as lembranças houvessem sido libertadas junto com os espíritos.

— O que é isso? — perguntou Jason, nervoso.

Piper segurou a mão dele.

— Os fantasmas estão dançando. Venham. É melhor irmos encontrar os gigantes.

XLV

PERCY

Percy já estava cansado de água.

Se dissesse isso em voz alta, provavelmente seria expulso dos Escoteiros Marítimos de Poseidon, mas não estava nem aí.

Depois de sobreviver por pouco ao ninfeu, queria voltar à terra firme. Queria estar seco e sentar-se ao sol por um bom tempo — de preferência com Annabeth.

Infelizmente, não sabia onde ela estava. Frank, Hazel e Leo tinham desaparecido. Ele ainda precisava salvar Nico di Angelo, supondo-se que o garoto ainda não estivesse morto. E havia também aquela pequena questão de os gigantes destruírem Roma e de Gaia estar prestes a despertar e dominar o mundo.

Falando a sério, aqueles monstros e deuses tinham milhares de anos. Será que eles não podiam tirar algumas décadas de folga e deixar Percy viver a sua vida? Aparentemente, não.

Percy assumiu a liderança enquanto se arrastavam pelo cano de drenagem que, quase dez metros depois, abria-se em um túnel mais amplo. À esquerda, em algum ponto a distância, Percy ouvia estrondos e rangidos como os de uma imensa máquina precisando de lubrificação. Ele não tinha a menor vontade de descobrir qual era a origem daquele som, então deduziu que aquele só podia ser o caminho a seguir.

Depois de algumas centenas de metros, o túnel fez uma curva. Percy ergueu a mão, pedindo que Jason e Piper esperassem. Ele espiou pela esquina.

O corredor se abria em uma sala ampla, com pé-direito de seis metros e colunas de sustentação. Era a mesma área parecida com um estacionamento que Percy vira em sonho, mas agora estava muito mais abarrotada.

Os rangidos e estrondos vinham de imensas engrenagens e polias que erguiam e baixavam seções do piso sem razão aparente. Água fluía por calhas abertas (ah, que ótimo, mais água) alimentando rodas que faziam alguns motores funcionar. Outras máquinas estavam conectadas a imensas rodas de hamster dentro das quais estavam cães infernais. Percy não pôde deixar de pensar na sra. O'Leary e no quanto ela odiaria ficar aprisionada ali dentro.

Gaiolas pendiam do teto com animais vivos: um leão, várias zebras, um bando inteiro de hienas e até mesmo uma hidra de oito cabeças. Correias transportadoras antiquadas de couro e bronze levavam pilhas de armas e armaduras, mais ou menos como no armazém das amazonas em Seattle, exceto pelo fato de que aquele lugar era obviamente muito mais antigo e não tão bem organizado.

Leo teria adorado aquilo aqui, pensou Percy. O lugar inteiro era como uma imensa e apavorante máquina de funcionamento duvidoso.

— O que é isso? — sussurrou Piper.

Percy não sabia como responder. Ele não estava vendo os gigantes, então acenou para que os amigos avançassem.

Uns cinco metros além da porta, uma silhueta de madeira de um gladiador em tamanho natural saltou do chão. Estalando e zumbindo, ele seguiu por uma correia transportadora, foi preso por uma corda e subiu por uma fenda no teto.

— Que diabos...? — murmurou Jason.

Eles entraram e Percy examinou o espaço. Havia milhares de coisas para olhar e a maioria delas se movia, mas uma vantagem de ser um semideus com TDAH era que Percy se sentia à vontade no meio do caos. A uns cem metros de onde estava, avistou um estrado com duas enormes cadeiras de pretores. Entre elas, via-se um jarro de bronze grande o bastante para conter uma pessoa.

— Olhem.

Ele o apontou para os amigos. Piper franziu a testa.

— Está fácil demais.

— É claro — disse Percy.
— Mas não temos escolha — observou Jason. — Precisamos salvar Nico.
— É.

Percy começou a atravessar a sala, desviando-se de correias transportadoras e plataformas móveis. Os cães infernais não deram nenhuma atenção a eles, ocupados demais correndo e arfando, os olhos vermelhos brilhando como faróis. Os animais nas outras jaulas lançaram olhares entediados para eles, como se dissessem: *Eu mataria vocês se não fosse gastar tanta energia.*

Percy tentou ficar atento, mas *tudo* ali parecia uma armadilha. Ele lembrou-se de todas as vezes alguns anos antes que quase morrera no labirinto. Desejou que Hazel estivesse ali no subterrâneo para ajudar (e, naturalmente, para que pudesse reencontrar o irmão).

Eles saltaram sobre uma calha de água, inclinaram-se e passaram por baixo de uma série de jaulas com lobos. Haviam percorrido quase a metade do caminho até o jarro de bronze quando o teto se abriu acima deles. Uma plataforma baixou e, de pé sobre ela, como um ator, com uma das mãos e a cabeça erguidas, estava o gigante de cabelos roxos, Efialtes.

Exatamente como Percy vira em seus sonhos, o Grande F era pequeno pelos padrões dos gigantes — tinha cerca de três metros e meio de altura —, mas tentava compensar a baixa estatura com o traje chamativo. Havia tirado a armadura de gladiador e usava agora uma camisa havaiana que até mesmo Dioniso teria considerado exagerada. A estampa era espalhafatosa, mostrando heróis moribundos, torturas horríveis e leões devorando escravos no Coliseu. O cabelo do gigante estava trançado com moedas de ouro e prata. Às costas, ele carregava uma lança de três metros que não combinava nem um pouco com a camisa. O traje se completava com um jeans branco e sandálias de couro nos... bem, não eram exatamente pés, e sim cabeças de serpentes encurvadas. As cobras agitavam a língua e se contorciam como se não gostassem nem um pouco de sustentar o peso de um gigante.

Efialtes sorriu para os semideuses como se estivesse muito, muito satisfeito em vê-los.

— Finalmente! — gritou. — Estou tão feliz! Francamente, não achei que fossem conseguir passar pelas ninfas, mas é muito bom que tenham conseguido. Muito mais divertido. Chegaram bem a tempo da principal atração!

Jason e Piper postaram-se ao lado de Percy. Tê-los ali o fez sentir-se um pouco melhor. O gigante era menor do que muitos dos monstros que ele enfrentara, mas algo nele lhe dava calafrios. Nos olhos de Efialtes havia claramente um brilho de loucura.

— Estamos aqui — disse Percy, o que soou um tanto óbvio assim que ele falou. — Liberte nosso amigo.

— É claro! — respondeu Efialtes. — Embora eu tema que ele já tenha passado um pouquinho da data de validade. Oto, cadê você?

Não muito longe deles, o chão se abriu, e o outro gigante surgiu em uma plataforma.

— Oto, finalmente! — gritou o irmão com alegria. — Você não está usando a mesma roupa que eu! Você está... — A expressão de Efialtes transformou-se em horror. — *Que roupa é essa?*

Oto parecia o maior e mais mal-humorado bailarino do mundo. Usava malha azul-bebê que Percy gostaria *muitíssimo* que não fosse tão apertada. A ponta de suas imensas sapatilhas de balé estavam cortadas para que as serpentes pudessem ficar à vontade. Uma tiara de diamantes (Percy resolveu ser generoso e vê-la como uma coroa de rei) estava aninhada nos cabelos verdes trançados com fogos de artifício. Ele parecia triste e extremamente desconfortável, mas conseguiu fazer uma mesura, o que não deveria ser fácil com os pés de serpente e a lança nas costas.

— Deuses e titãs! — gritou Efialtes. — Está na hora do espetáculo! O que você está *pensando*?

— Eu não queria usar a roupa de gladiador — queixou-se Oto. — Ainda acho que um balé seria perfeito, sabe, na hora do fim do mundo. — Ele levantou as sobrancelhas, esperançoso, olhando para os semideuses. — Tenho alguns trajes extras...

— Não! — cortou Efialtes, e dessa vez Percy estava de acordo com ele.

O gigante de cabelos roxos encarou Percy. Ele sorriu tão dolorosamente que parecia estar sendo eletrocutado.

— Por favor, perdoem meu irmão — disse ele. — Sua presença de palco é horrível, e ele não tem *nenhum* senso de estilo.

— Tudo bem. — Percy resolveu não comentar sobre a camisa havaiana. — Agora, em relação ao nosso amigo...

— Ah, sim — zombou Efialtes. — Íamos deixá-lo terminar de morrer em público, mas ele não é nem um pouco divertido. Há *dias* está enroscado, dormindo. Que tipo de espetáculo é esse? Oto, vire o jarro.

O gigante marchou até o estrado, parando ocasionalmente para fazer um *plié*. Ele derrubou o jarro, a tampa se abriu e Nico di Angelo rolou para fora. Ver seu rosto mortalmente pálido e o corpo esquelético fez o coração de Percy parar. Ele não sabia dizer se Nico estava vivo ou morto. Queria correr até lá e verificar, mas Efialtes estava no caminho.

— Agora temos que nos apressar — disse o Grande F. — Vamos repassar suas instruções de palco. O hipogeu está pronto!

Percy estava preparado para cortar aquele gigante ao meio e dar o fora dali, mas Oto estava caído ao lado de Nico. Se uma batalha começasse, Nico não estava em condições de se defender. Percy precisava ganhar algum tempo até que ele se recuperasse.

Jason ergueu seu gládio de ouro.

— Não vamos fazer parte de nenhum espetáculo. O que é um hipo... sei-lá--o-quê?

— Hipogeu! — respondeu Efialtes. — Você é um semideus romano, não é? Deveria saber! Ah, mas suponho que, se fizemos bem nosso trabalho aqui nos bastidores, vocês realmente não saberiam que o hipogeu existe.

— Eu já ouvi falar disso — disse Piper. — Era a área debaixo do coliseu. Um lugar que guardava todas as peças de cenário e maquinário usado para criar efeitos especiais.

Efialtes bateu palmas, entusiasmado.

— Exatamente! Você estuda teatro, mocinha?

— Hã... meu pai é ator.

— Maravilha! — Efialtes virou-se para o irmão. — Ouviu isso, Oto?

— Ator — murmurou o outro gigante. — Todo mundo é ator. Ninguém dança.

— Seja educado! — censurou-o Efialtes. — De qualquer modo, mocinha, você está absolutamente certa, mas *este* hipogeu é muito mais que as coxias do coliseu. Já ouviram falar que nos tempos antigos alguns gigantes foram aprisionados debaixo da terra e que, de tempos em tempos, provocavam terremotos ao tentar se libertar? Bem, nós fizemos muito melhor! Oto e eu estamos presos debaixo de Roma há éons, mas nos mantivemos ocupados construindo nosso próprio hipogeu. Agora estamos prontos para criar o maior espetáculo que Roma já viu... e o último!

Aos pés de Oto, Nico estremeceu. Percy teve a sensação de que, em algum lugar de seu peito, um cão infernal havia recomeçado a correr em uma roda de hamster. Pelo menos ele estava vivo. Agora só precisavam derrotar os gigantes, de preferência sem destruir a cidade de Roma, e dar o fora dali para encontrar os amigos.

— Então! — falou Percy, esperando manter a atenção dos gigantes voltada para ele. — Instruções de palco, você disse?

— Sim! — confirmou Efialtes. — Bem, *sei* que era para você e a garota Annabeth serem entregues vivos, se isso for possível, mas, sinceramente, a garota já está condenada, então espero que você não se importe se nos desviarmos do plano.

Percy sentiu o gosto da água envenenada das ninfas.

— Já está condenada. Você não quer dizer que ela já está...

— Morta? — completou o gigante. — Não. Ainda não. Mas não se preocupe! Prendemos os seus outros amigos, sabe?

Piper deixou escapar um gemido.

— Leo? Hazel e Frank?

— Esses mesmos — concordou Efialtes. — Então podemos usar *aqueles dois* para o sacrifício. Podemos deixar a filha de Atena morrer, o que vai agradar Sua Senhoria. E podemos usar vocês três para o espetáculo! Gaia ficará um pouco desapontada, mas, sinceramente, todos saem ganhando. A morte de vocês será *muito* mais divertida.

Jason rosnou.

— Vocês querem diversão? Pois eu vou lhes dar diversão.

Piper deu um passo à frente. De alguma forma, ela conseguiu forçar um sorriso doce.

— Tenho uma ideia melhor — disse ela aos gigantes. — Por que não nos deixam ir? Essa seria uma reviravolta incrível no roteiro. Isso é que seria entretenimento de qualidade, e provaria ao mundo o quanto vocês são maneiros.

Nico se mexeu, fazendo Oto olhar para ele. Seus pés de serpente lançaram as línguas em direção à cabeça de Nico.

— Além disso! — continuou Piper rapidamente. — Além disso, podemos fazer alguns passos de dança enquanto escapamos. Quem sabe um número de balé?

Oto esqueceu-se de Nico. Ele arrastou-se até Efialtes, sacudindo o dedo em sua direção.

— Está vendo? É disso que estou falando! Seria incrível!

Por um segundo, Percy pensou que Piper ia conseguir. Oto olhou para o irmão, implorando. Efialtes coçou o queixo, como se considerasse a ideia, mas, por fim, balançou a cabeça.

— Não... não, receio que não. Sabe, mocinha, eu sou o antiDioniso. Tenho uma reputação a manter. Dioniso acha que entende de diversão? Está enganado! Suas festas não são nada se comparadas ao que posso fazer. Aquele nosso velho truque, por exemplo, de empilhar montanhas para alcançar o Olimpo...

— Eu disse que aquilo nunca ia funcionar — murmurou Oto.

— E aquela vez em que meu irmão se cobriu de carne e fez uma corrida de obstáculos com drakons...

— Você falou que a tevê de Hefesto ia exibir aquilo no horário nobre — disse Oto. — Ninguém nem me *viu*.

— Bem, este espetáculo será *ainda melhor* — prometeu Efialtes. — Os romanos sempre quiseram pão e circo: comida e diversão! Vou oferecer os dois quando destruirmos a cidade. Vejam! Uma amostra!

Alguma coisa caiu do teto e aterrissou aos pés de Percy: um pacote de pão de fôrma, em uma embalagem de plástico branco com bolinhas vermelhas e amarelas. Percy o apanhou.

— Pão de fôrma?

— Magnífico, não é? — Os olhos de Efialtes dançavam, loucos e animados. — Pode ficar com esse pacote. Meu plano é distribuir milhões deles para o povo de Roma enquanto eu os destruo.

— Pão é bom — admitiu Oto. — Embora os romanos só devessem ganhar se dançassem.

Percy olhou para Nico, que começava a se mexer. Percy queria que ele estivesse pelo menos consciente o bastante de modo a se arrastar para fora do caminho quando a luta começasse. E Percy precisava arrancar mais informações dos gigantes sobre Annabeth e sobre onde seus amigos estavam presos.

— Talvez — arriscou Percy — vocês devessem trazer nossos outros amigos para cá. Sabe, mortes espetaculares... quanto mais melhor, certo?

— Humm... — Efialtes mexeu em um botão de sua camisa havaiana. — Não. É tarde demais para mudar a coreografia. Mas não tema: o circo será maravilhoso! Ah... não o tipo *moderno* de circo, entenda bem. Seria preciso palhaços, e eu odeio palhaços.

— Todo mundo odeia palhaços — disse Oto. — Até palhaços odeiam outros palhaços.

— Exatamente — concordou o irmão. — Mas temos coisas muito melhores programadas! Vocês três morrerão agonizando, lá em cima, onde todos os deuses e mortais poderão ver. Mas isso é apenas a cerimônia de abertura! Nos velhos tempos, os jogos duravam dias ou semanas. Nosso espetáculo, a destruição de Roma, vai durar um mês inteiro, até Gaia despertar.

— Espere — disse Jason. — Um mês, e aí Gaia acorda?

Efialtes abanou a mão em um gesto de indiferença, dispensando a pergunta.

— Sim, sim. Há algo sobre o primeiro dia de agosto ser a melhor data para destruir toda a humanidade. Nada importante! Em sua infinita sabedoria, a Mãe Terra concordou que Roma pode ser destruída primeiro, de forma lenta e espetacular. É muito justo!

— Então... — Percy não podia acreditar que estava falando sobre o fim do mundo com um pão de fôrma na mão. — Vocês são o show de abertura de Gaia.

A expressão de Efialtes fechou-se.

— Isto não é nenhum show de abertura, semideus! Vamos soltar animais selvagens e monstros nas ruas. Nosso departamento de efeitos especiais vai produzir incêndios e terremotos. Crateras e vulcões vão surgir do nada, aleatoriamente! Fantasmas andarão à solta.

— Essa história de fantasma não vai funcionar — observou Oto. — Nossos grupos de pesquisa dizem que não vai dar ibope.

— Incrédulos! — disse Efialtes. — Este hipogeu pode fazer qualquer coisa funcionar!

Efialtes marchou até uma grande mesa coberta com um lençol. Puxou o lençol, revelando várias alavancas e botões de aspecto quase tão complexo quanto o painel de controle criado por Leo para o *Argo II*.

— Este botão? — falou Efialtes. — Ele vai soltar uma dúzia de lobos raivosos no fórum. E este aqui vai fazer com que gladiadores autômatos lutem contra turistas na Fontana di Trevi. Este outro fará com que o Tibre transborde, para podermos reencenar uma batalha naval bem na *Piazza* Navona! Percy Jackson, você deve gostar dessa, já que é filho de Poseidon!

— Hã... ainda acho que a ideia de *nos libertar* é melhor — comentou Percy.

— Ele tem razão — tentou Piper novamente. — Se não, a gente vai acabar tendo que fazer essa história de confronto, sabe? Lutamos contra vocês. Vocês lutam contra a gente. Destruímos os seus planos. Sabe, andamos derrotando muitos gigantes ultimamente. Eu detestaria que as coisas fugissem ao controle.

Efialtes assentiu, pensativo.

— Você tem razão.

Piper piscou, confusa.

— Tenho?

— Não podemos deixar as coisas fugirem ao controle — concordou o gigante. — Tudo tem que ser cronometrado com perfeição. Mas não se preocupem. Coreografei a morte de vocês. Vão *amar*.

Nico começou a se arrastar, gemendo. Percy queria que ele se movesse mais rápido e gemesse menos. Pensou em jogar o pão nele.

Jason mudou a espada de mão.

— E se nos recusarmos a cooperar com o espetáculo?

— Bem, vocês não podem nos matar. — Efialtes riu, como se a ideia fosse ridícula. — Vocês não têm nenhum deus ao seu lado, o que seria a única maneira de talvez triunfarem. Então, de verdade, seria muito mais sensato sofrer uma morte bem dolorosa. Lamento, mas o show tem que continuar.

Aquele gigante era ainda pior que Fórcis, o deus do mar em Atlanta, Percy percebeu. Efialtes não era exatamente o antiDioniso; era um Dioniso maluco usando esteroides. Claro, Dioniso era o deus da folia e das festas descontroladas. Mas Efialtes só queria saber de criar tumulto e destruir as coisas por puro prazer.

Percy olhou para os amigos.

— Estou ficando cansado da camisa desse cara.
— Hora da luta?
Piper agarrou sua cornucópia.
— Detesto pão de fôrma — disse Jason.
Juntos, atacaram.

XLVI

PERCY

As coisas deram errado imediatamente. Os gigantes desapareceram em nuvens de fumaça idênticas e, em seguida, reapareceram em lugares diferentes no meio da sala. Percy disparou na direção de Efialtes, mas fendas se abriram sob seus pés e paredes de metal ergueram-se de ambos os lados, separando-o dos amigos.

As paredes começaram a fechar-se ao redor dele como um alicate de pressão. Percy saltou e agarrou a base da jaula da hidra. Viu de relance Piper pulando uma amarelinha de labaredas de fogo, saltando em direção a Nico, que estava tonto, desarmado e rodeado por uma dupla de leopardos.

Enquanto isso, Jason atacava Oto, que sacou a lança e deixou escapar um grande suspiro, como se preferisse dançar *O Lago dos Cisnes* a matar outro semideus.

Percy registrou tudo isso em uma fração de segundo, mas não havia muito que pudesse fazer. A hidra tentou atacar suas mãos. Ele balançou-se e saltou, caindo em um bosque de árvores pintadas em compensado de madeira que surgiu do nada. As árvores mudavam de posição enquanto ele tentava correr entre elas, então ele retalhou a floresta inteira com Contracorrente.

— Maravilhoso! — gritou Efialtes, que estava diante do painel de controle uns vinte metros à esquerda de Percy. — Vamos considerar isto um ensaio geral. Devo soltar a hidra na *Piazza* di Spagna agora?

Ele puxou uma alavanca, e Percy olhou para trás. A jaula na qual estivera pendurado havia pouco agora subia em direção a um alçapão no teto. Em três segundos ela desapareceria. Se Percy atacasse o gigante, a hidra iria devastar a cidade.

Praguejando, ele lançou Contracorrente como um bumerangue. A espada não fora projetada para aquilo, mas a lâmina de bronze celestial cortou as correntes que suspendiam a hidra. A jaula tombou de lado, a porta se abriu e o monstro foi lançado para fora — bem diante de Percy.

— Ah, você *é* mesmo um desmancha-prazeres, Jackson! — gritou Efialtes. — Muito bem. Lute contra ela aqui, se preferir, mas sua morte não será nem de perto tão boa sem o aplauso das multidões.

Percy deu um passo à frente para confrontar o monstro e então se deu conta de que havia acabado de atirar sua arma longe. Uma pequena falha de planejamento de sua parte.

Ele rolou para o lado no momento em que as oito cabeças da hidra cuspiram ácido, transformando o chão onde ele estivera poucos segundos antes em uma fumegante cratera de pedra derretida. Percy detestava muito as hidras. Era quase uma sorte que tivesse perdido a espada, pois seu instinto teria sido decepar as cabeças, e uma hidra ganhava duas novas para cada uma que perdia.

A última vez em que enfrentara uma hidra fora salvo por um navio de guerra com balas de canhões de bronze que explodiram o monstro, fazendo-o em pedaços. Essa estratégia não podia ajudá-lo agora... ou podia?

A hidra atacou. Percy escondeu-se atrás de uma roda de hamster gigante e examinou a câmara, procurando as caixas que vira em seu sonho. Lembrava-se de algo em relação a lançadores de foguetes.

No estrado, Piper montava guarda ao lado de Nico enquanto os leopardos avançavam. Ela apontou a cornucópia e lançou uma peça de carne assada por cima da cabeça dos felinos. Devia estar com o cheiro muito bom, pois os leopardos saíram correndo atrás da carne.

Mais de vinte metros à direita de Piper, Jason enfrentava Oto, espada contra lança. Oto havia perdido sua tiara de diamantes e isso parecia tê-lo deixado zangado. Provavelmente teve diversas chances de empalar Jason, mas o gigante insistia em dar uma pirueta a cada ataque, o que o tornava mais lento.

Enquanto isso, Efialtes ria ao apertar botões em seu painel de controle, acelerando as correias transportadoras e abrindo as jaulas dos animais aleatoriamente.

A hidra atacou, contornando a roda de hamster. Percy atirou-se atrás de uma coluna, agarrou um saco de lixo cheio de pão e o lançou contra o monstro. A hidra cuspiu ácido, o que se mostrou um erro. O saco e os invólucros se dissolveram em pleno ar, o pão absorveu o ácido como espuma de extintor de incêndio e espirrou na hidra, cobrindo-a com uma camada pegajosa e fumegante de carboidratos venenosos.

Enquanto o monstro se debatia, sacudindo a cabeça e piscando para se livrar do pão com ácido, Percy olhou desesperadamente ao redor. Não viu as caixas de lançadores de foguete, mas, encostada à parede nos fundos, havia uma engenhoca estranha, parecida com um cavalete de pintor, equipada com vários lançadores de mísseis. Percy avistou uma bazuca, um lançador de granadas, fogos de artifício enormes e uma dúzia de outras armas de aspecto maligno. Pareciam estar todos conectados, apontando na mesma direção e ligados a uma única alavanca de bronze na lateral. No alto do cavalete, escritas com cravos, liam-se as palavras: FELIZ DESTRUIÇÃO, ROMA!

Percy correu para o equipamento. A hidra sibilou e seguiu atrás dele.

— Eu sei! — gritou Efialtes, feliz. — Podemos começar com explosões ao longo da *Via* Labicana! Não podemos deixar nossa plateia esperando para sempre.

Percy lançou-se para trás do cavalete e virou-o na direção de Efialtes. Ele não tinha a habilidade de Leo com máquinas, mas sabia como apontar uma arma.

A hidra lançou-se na direção dele, bloqueando sua visão do gigante. Percy torceu para que a engenhoca tivesse poder de fogo suficiente para abater dois alvos de uma só vez. Ele puxou a alavanca, mas ela não se moveu.

As oito cabeças da hidra elevaram-se acima dele, prontas para derretê-lo. Ele tornou a puxar a alavanca. Dessa vez o cavalete tremeu e as armas começaram a sibilar.

— Abaixem-se e se protejam! — gritou Percy, na esperança de que os amigos compreendessem a mensagem.

Ele saltou para o lado no momento em que o cavalete disparava. Parecia a comemoração do ano-novo no meio de uma fábrica de pólvora. A hidra foi pulverizada no mesmo instante. Infelizmente, o coice derrubou o cavalete enquanto mais projéteis eram disparados, atirando para todos os lados. Um pedaço do teto desabou e esmagou uma roda de água. Outras gaiolas se soltaram das correntes, libertando duas zebras e um bando de hienas. Uma granada explodiu sobre a cabeça de Efialtes, mas só o derrubou. O painel de controle não parecia ter sofrido nenhum dano.

Do outro lado da câmara, sacos de areia choveram em torno de Piper e Nico. Piper tentou puxar Nico para um local seguro, mas um dos sacos a atingiu no ombro, derrubando-a.

— Piper! — gritou Jason, e correu na direção dela, esquecendo-se completamente de Oto, que mirou a lança nas suas costas.

— Cuidado! — gritou Percy.

Jason tinha reflexos rápidos. No momento em que Oto atirou a lança, o garoto rolou para o lado. A lança passou por cima dele, que fez um movimento com a mão, invocando uma rajada de vento que mudou a direção da arma. Ela cruzou a câmara e atravessou Efialtes pelo lado quando ele se levantava.

— Oto! — Efialtes cambaleou, afastando-se do painel de controle, agarrando a lança enquanto começava a se desfazer em poeira de monstro. — Você pode, *por favor*, parar de me matar?

— Não foi culpa minha!

Oto mal tinha acabado de falar quando a engenhoca lança-mísseis de Percy disparou os últimos fogos de artifício. A incandescente bola da morte cor-de-rosa (é claro que era cor-de-rosa) atingiu o teto acima de Oto e explodiu em uma linda chuva iluminada. Centelhas coloridas rodopiaram graciosamente em torno do gigante. Então um pedaço de três metros do telhado desabou e o esmagou.

Jason correu para Piper, que gritou de dor quando o namorado tocou seu braço. O ombro parecia curvar-se em um ângulo estranho, mas assim mesmo ela murmurou:

— Bem. Eu estou bem.

Ao lado dela, Nico se sentou, olhando ao redor, confuso, como se percebesse naquele momento que tinha acabado de perder a chance de participar de uma batalha.

Infelizmente, os gigantes não estavam liquidados. Efialtes já estava se refazendo, a cabeça e os ombros erguendo-se do monte de pó. Ele libertou os braços e fuzilou Percy com os olhos.

Do outro lado da câmara, a pilha de escombros se moveu e Oto irrompeu com a cabeça ligeiramente amassada. Todos os fogos de artifício em seu cabelo haviam estourado, e as tranças fumegavam. A malha de balé estava em farrapos, o que fazia com que ficasse ainda pior nele.

— Percy! — gritou Jason. — Os controles!

Percy despertou. Encontrou Contracorrente de volta no bolso, destampou-a e saiu correndo na direção do painel de controle. Ao chegar, deslizou a lâmina pelo tampo do console, decepando os controles e gerando uma chuva de faíscas de bronze.

— Não! — uivou Efialtes. — Você arruinou o espetáculo!

Percy virou-se, mas foi devagar demais. Efialtes brandiu a lança como um bastão e o atingiu com força no peito. Percy caiu de joelhos, a dor parecia queimar sua barriga.

Jason correu até ele, mas Oto já se arrastava atrás dele. Percy conseguiu se levantar e se viu lado a lado com Jason. Piper ainda estava caída no estrado, incapaz de se erguer. Nico mal tinha consciência do que acontecia.

Os gigantes estavam se recuperando, ficando mais fortes a cada minuto. Percy, não. Efialtes sorriu, como que se desculpando.

— Cansado, Percy Jackson? Como eu disse, você não pode nos matar. Então creio que estamos em um impasse. Ah, espere... não, não estamos! Porque nós podemos matar vocês!

— Esta — grunhiu Oto, apanhando a lança caída — é a primeira coisa sensata que você diz o dia todo, irmão.

Os gigantes apontaram suas armas, prontos para transformar Percy e Jason em espetinhos de semideus.

— Não vamos desistir — rosnou Jason. — Vamos fazer picadinho de vocês, como Júpiter fez com Saturno.

— Isso mesmo — afirmou Percy. — Vocês dois estão mortos. Não importa se temos ou não um deus do nosso lado.

— Bem, isso é uma pena — disse outra voz.

À direita de Percy, uma segunda plataforma baixou do teto. Apoiado casualmente em um cajado com uma pinha na ponta, estava um homem de camisa roxa de acampamento, bermuda cáqui e sandálias com meias brancas. Ele ergueu o chapéu de abas largas, e um fogo arroxeado cintilou nos olhos.

— Eu detestaria pensar que fiz essa viagem especial à toa.

XLVII

PERCY

Percy nunca havia pensado na presença do sr. D como tranquilizadora, mas de repente tudo ficou silencioso. O funcionamento das máquinas cessou bruscamente. Os animais selvagens pararam de rosnar.

Os dois leopardos foram até ele — ainda lambendo os beiços por causa da carne assada de Piper — e esfregaram a cabeça afetuosamente nas pernas do deus. O sr. D coçou-lhes as orelhas.

— Francamente, Efialtes — censurou ele. — Matar semideuses é uma coisa. Mas usar leopardos em seu espetáculo? Isso já é demais.

O gigante emitiu um guincho.

— Isto... isto é impossível. D-D...

— É Baco, na verdade, meu velho camarada — disse o deus. — E é claro que é possível. Alguém me disse que estava rolando uma festa aqui.

Ele parecia o mesmo do Kansas, mas Percy ainda não conseguia superar as diferenças entre Baco e seu velho não tão amigo assim sr. D.

Baco era mais cruel e mais magro, com uma barriga menor. Tinha cabelos mais compridos, muito mais fúria nos olhos e andava com mais vigor. Ele conseguia até fazer com que uma pinha presa a um cajado parecesse intimidadora.

A lança de Efialtes tremeu.

— Vocês... vocês, deuses, estão condenados! Vão embora, em nome de Gaia!

— Humm.

Baco não parecia impressionado. Ele passeou em meio às ruínas de adereços, plataformas e efeitos especiais.

— Cafona. — Ele acenou com a mão na direção de um gladiador de madeira pintada e então se virou para uma máquina que parecia um rolo de macarrão gigante cravejado de facas. — Malfeito. Entediante. E isto... — Inspecionou uma engenhoca para lançamento de foguetes, que ainda fumegava. — Cafona, malfeito *e* sem graça. Francamente, Efialtes. Você não tem o menor estilo.

— ESTILO? — O rosto do gigante ficou vermelho. — Tenho *muito* estilo. Eu *sou* o próprio estilo. Eu... eu...

— Meu irmão *transpira* estilo — sugeriu Oto.

— Obrigado! — gritou Efialtes.

Baco deu um passo à frente, e os gigantes recuaram aos tropeços.

— Vocês dois encolheram? — perguntou o deus.

— Ah, isso é golpe baixo — resmungou Efialtes. — Sou alto o suficiente para destruir você, Baco! Vocês, deuses, sempre se escondendo atrás de seus heróis mortais, confiando o destino do Olimpo a criaturas como *estas*.

Ele olhou com desprezo para Percy.

Jason ergueu a espada.

— Lorde Baco, vamos matar estes gigantes ou não?

— Bem, eu certamente espero que sim — respondeu Baco. — Por favor, prossigam.

Percy o encarou.

— Você não veio aqui ajudar?

Baco deu de ombros.

— Ah, obrigado pela oferenda no mar. Um navio inteiro cheio de Coca-cola diet. Muito simpático. Embora eu prefira Pepsi Diet.

— E seis milhões em ouro e joias — murmurou Percy.

— Sim — confirmou Baco —, embora grupos com mais de cinco semideuses tenham gratuidade, portanto não era necessário.

— O quê?

— Deixe para lá — disse Baco. — De qualquer modo, vocês conseguiram a minha atenção. Aqui estou. Agora preciso ver se são dignos de minha ajuda. Vão em frente. Combatam. Se me impressionarem, participo do *grand finale*.

— Acertamos um deles com a lança — falou Percy. — Derrubamos o teto no outro. O que você considera impressionante?

— Ah, boa pergunta... — Baco deu um tapinha em seu tirso. Então sorriu de um jeito que fez Percy pensar: *Ops*. — Talvez vocês precisem de inspiração! O palco não foi devidamente arrumado. Chama isso de espetáculo, Efialtes? Vou lhe mostrar como se faz.

O deus se dissolveu em névoa roxa. Piper e Nico desapareceram.

— Pipes! — gritou Jason. — Baco, onde você...?

Todo o chão tremeu com violência e começou a se elevar. O teto se abriu em uma série de painéis. A luz do sol entrou. O ar tremeluzia como uma miragem, e Percy ouviu o rugido de uma multidão acima dele.

O hipogeu brotou por entre uma floresta de colunas de pedra desgastadas, no meio de um coliseu em ruínas.

O coração de Percy deu uma cambalhota. Aquele não era um coliseu qualquer. Era *o* Coliseu. As máquinas de efeitos especiais dos gigantes tinham feito hora extra, assentando pranchas sobre vigas de apoio em ruínas de modo que a arena tivesse novamente um piso adequado. A arquibancada se refez até ficar reluzindo de tão branca. Um gigantesco dossel vermelho e dourado estendeu-se acima das cabeças, proporcionando proteção contra o sol da tarde. O camarote do imperador era forrado de seda, ladeado por flâmulas e águias douradas. O rugido de aplausos vinha de milhares de fantasmas de um roxo bruxuleante, os Lares de Roma, trazidos de volta para uma apresentação extra.

Respiradouros se abriram no chão e lançaram areia na arena. Adereços imensos surgiram: montanhas de gesso do tamanho de garagens, colunas de pedra e (por alguma razão) animais de fazenda feitos de plástico e em tamanho natural. Um pequeno lago surgiu em um dos lados. Valas cruzavam o chão da arena para o caso de alguém estar disposto a uma guerra de trincheiras. Percy e Jason permaneceram juntos, de frente para os gigantes gêmeos.

— Isto sim é um espetáculo adequado! — ecoou a voz de Baco.

Ele estava sentado no camarote do imperador, usando túnica roxa e louros dourados na cabeça. À sua esquerda estavam Nico e Piper, cujo ombro era tratado naquele momento por uma ninfa com uniforme de enfermeira. À direita de Baco, acocorava-se um sátiro, oferecendo Doritos e uvas. O deus ergueu uma lata de Pepsi diet e a multidão calou-se, respeitosamente.

Percy o fuzilou com os olhos.

— Você vai ficar simplesmente *sentado* aí?

— O semideus tem razão! — berrou Efialtes. — Lute você com a gente, covarde! Hã, sem os semideuses.

Baco sorriu, indolente.

— Juno diz que reuniu uma valorosa tripulação de semideuses. Provem. Divirtam-me, heróis do Olimpo. Deem-me uma razão para fazer mais. Ser um deus tem seus privilégios.

Ele abriu a lata de refrigerante, e a multidão aplaudiu.

XLVIII

PERCY

Percy lutara em muitas batalhas. Tinha até combatido em algumas arenas, mas nada era como aquilo. No imenso Coliseu, com milhares de fantasmas torcendo, o deus Baco assistindo lá do alto, e os dois gigantes de três metros e meio diante dele, Percy se sentia tão pequeno e insignificante quanto um inseto. Também sentia *muita* raiva.

Enfrentar gigantes era uma coisa. Baco fazer disso um jogo era outra bem diferente.

Percy lembrou-se do que Luke Castellan lhe dissera anos antes, quando Percy retornara de sua primeira missão: *Não percebeu como tudo é inútil? Todos os feitos heroicos... Nós não passamos de peões dos deuses.*

Percy tinha agora quase a mesma idade de Luke na época. Podia entender como o rapaz se tornara tão rancoroso. Nos últimos cinco anos, Percy fora um peão muitas e muitas vezes. Os deuses do Olimpo pareciam se revezar usando-o em seus planos.

Talvez os deuses fossem melhores que os titãs, os gigantes ou Gaia, mas isso não os tornava nem bons nem sábios. Não fazia Percy gostar daquela estúpida batalha de arena.

Infelizmente ele não tinha muita escolha. Se quisesse salvar seus amigos, tinha que vencer os gigantes. Tinha que sobreviver e encontrar Annabeth.

Efialtes e Oto atacaram, facilitando a decisão de Percy. Juntos, os gigantes pegaram uma montanha falsa do tamanho do apartamento de Percy em Nova York e a lançaram contra os semideuses.

Percy e Jason saltaram. Mergulharam juntos na trincheira mais próxima, e a montanha despedaçou-se acima deles, lançando nos dois uma chuva de estilhaços de gesso. Não era mortal, mas espetava muito.

A multidão vaiou e gritou pedindo sangue:

— *Luta! Luta!*

— Fico com Oto de novo? — perguntou Jason mais alto que a gritaria. — Ou quer ficar com ele desta vez?

Percy tentava pensar. Dividir era o esperado a se fazer: combater os gigantes mano a mano, mas isso não funcionara muito bem da última vez. Ele chegou à conclusão de que precisavam de uma estratégia diferente.

Durante toda a viagem, Percy sentira-se responsável por liderar e proteger os amigos. Tinha certeza de que Jason também se sentia assim. Eles haviam trabalhado em grupos pequenos, na esperança de que dessa forma fosse mais seguro. Tinham lutado como indivíduos, cada semideus ocupando-se do que fazia de melhor. No entanto, Hera reunira os sete em um grupo por uma razão. Nas poucas ocasiões em que Percy e Jason haviam trabalhado juntos — invocando a tempestade no Forte Sumter, ajudando o *Argo II* a escapar dos Pilares de Hércules, até mesmo enchendo o ninfeu —, Percy sentira-se mais confiante, mais capaz de resolver os problemas, como se a vida inteira tivesse sido um ciclope e de repente acordasse com dois olhos.

— Atacamos juntos — falou ele. — Oto primeiro, porque é mais fraco. Acabamos com ele rapidamente e passamos para Efialtes. Bronze e ouro juntos... talvez isso os impeça de se refazerem tão rápido.

Jason abriu um sorriso seco, como se tivesse acabado de descobrir que morreria de uma forma constrangedora.

— Por que não? — concordou ele. — Mas Efialtes não vai ficar ali parado esperando que matemos seu irmão. A menos...

— O vento hoje está bom — sugeriu Percy. — E há alguns canos de água passando por baixo da arena.

Jason compreendeu imediatamente. Ele riu, e Percy sentiu uma centelha de amizade. Aquele cara pensava como ele em relação a muitos assuntos.

— No três? — disse Jason.

— Para que esperar?

Então saíram rapidamente da trincheira e partiram para o ataque. Como Percy suspeitava, os gêmeos haviam erguido outra montanha de gesso e esperavam a oportunidade de acertá-los. Os gigantes a ergueram acima da cabeça, preparando-se para atirá-la, quando Percy fez um cano de água estourar aos pés deles, sacudindo o chão. Jason lançou uma rajada de vento contra o peito de Efialtes. O gigante de cabelo roxo tombou para trás e Oto largou a montanha, que desabou em cima do irmão. Somente os pés de cobra de Efialtes ficaram livres, mexendo as cabeças para os lados, como se se perguntassem onde o restante do corpo tinha ido parar.

A multidão soltou um rugido de aprovação, mas Percy suspeitava que Efialtes estivesse apenas atordoado. Tinham alguns segundos, na melhor das hipóteses.

— Ei, Oto! — gritou ele. — *O Quebra-Nozes* é uma droga!

— Ahhhhh!

Oto apanhou sua lança e a atirou, mas estava furioso demais para acertar o alvo. Jason a desviou por cima da cabeça de Percy, e ela caiu no lago.

Os semideuses recuaram na direção da água, gritando insultos ao balé, o que era um desafio e tanto, pois Percy não sabia muito a respeito.

Oto lançou-se contra eles de mãos vazias, aparentemente sem se dar conta de que a) estava de mãos vazias e b) lançar-se na direção da água para lutar contra um filho de Poseidon talvez não fosse uma boa ideia.

Quando ele tentou parar era tarde demais. Os semideuses rolaram um para cada lado, e Jason invocou o vento, usando o impulso do próprio gigante para jogá-lo na água. Quando Oto tentou se levantar, Percy e Jason atacaram ao mesmo tempo. Eles se lançaram sobre o gigante e desceram suas lâminas na cabeça dele.

O pobre coitado não teve chance nem mesmo de dar uma pirueta. Explodiu e transformou-se em poeira na superfície do lago, como se fosse um imenso pacote de refresco em pó.

Percy agitou o lago e criou um redemoinho. A essência de Oto tentou se refazer, mas, quando sua cabeça surgiu na água, Jason invocou um relâmpago e o pulverizou de novo.

Até ali tudo bem, mas não podiam manter Oto assim para sempre. Percy já estava cansado por causa da luta no subterrâneo. Seu abdome ainda doía por causa do golpe com a haste da lança. Ele sentia sua força se esvaindo, e ainda tinham outro gigante para enfrentar.

Como se esperasse a deixa, a montanha de gesso explodiu atrás deles. Efialtes se ergueu, berrando, furioso.

Percy e Jason ficaram parados vendo-o se aproximar com passos pesados, empunhando a lança. Aparentemente, ser achatado por uma montanha de gesso só tinha servido para fortalecê-lo. Seus olhos dançavam com uma luz assassina. O sol da tarde cintilava em seu cabelo trançado com moedas. Até mesmo os pés de cobra pareciam furiosos, expondo as presas e sibilando.

Jason invocou outro relâmpago, mas Efialtes o aparou em sua lança e desviou a explosão, derretendo uma vaca de plástico. Ele tirou uma coluna de pedra do caminho com um golpe, como de fosse uma pilha de blocos de construção.

Percy tentou manter o lago se revolvendo. Ele não queria que Oto se erguesse para participar da luta, mas, quando Efialtes chegou a poucos metros deles, Percy precisou mudar de foco.

Jason e ele defenderam-se do ataque do gigante. Eles correram em torno de Efialtes, apunhalaram-no e o cortaram em uma confusão de ouro e bronze, mas o gigante aparava todos os golpes.

— Eu não vou me render! — rugiu Efialtes. — Vocês podem ter arruinado meu espetáculo, mas Gaia ainda vai destruir seu mundo!

Percy atacou e cortou a lança do gigante ao meio. Efialtes nem se perturbou; brandiu a extremidade oposta à ponta e derrubou Percy, que caiu com todo o peso em cima do braço que empunhava a espada. Contracorrente caiu com um estrondo e deslizou para longe de seu alcance.

Jason tentou levar vantagem: aproveitou a guarda aberta do gigante e tentou cravar-lhe a espada no peito, mas de alguma forma Efialtes aparou o golpe e deslizou a ponta de sua lança pelo peito de Jason, rasgando a camisa roxa e transformando-a em um colete. Jason cambaleou, olhando o fio de sangue que escorria de si. Efialtes chutou-o, lançando-o para trás.

No camarote do imperador, Piper gritou, mas sua voz foi abafada pelo rugido da multidão. Baco assistia a tudo com um sorriso divertido enquanto comia Doritos.

Efialtes saltou em Percy e Jason, as metades de sua lança quebrada pairando acima da cabeça dos semideuses. O braço direito de Percy estava entorpecido. O gládio de Jason tinha escorregado pelo chão da arena. O plano deles havia falhado.

Percy ergueu os olhos para Baco, decidindo que maldição final lançaria no imprestável deus do vinho, quando viu uma forma acima do Coliseu, no céu — uma forma oval, escura e grande, descendo rapidamente.

Do lago, Oto gritou, tentando avisar o irmão, mas seu rosto semidissolvido só conseguiu emitir:

— Hã-ahn-muuuu!

— Não se preocupe, irmão! — disse Efialtes, os olhos ainda fixos nos semideuses. — Vou fazê-los sofrer!

O *Argo II* apareceu no céu, apresentando-se de bombordo, e a balista cuspiu um fogo verde.

— Na verdade — falou Percy —, olhe para trás.

Ele e Jason rolaram para longe quando Efialtes virou-se e gritou, incrédulo.

Percy jogou-se em uma trincheira no momento em que a explosão sacudiu o Coliseu.

Quando ele começou a se levantar, o *Argo II* preparava-se para pousar. Jason ergueu a cabeça de trás de um cavalo de plástico, seu abrigo improvisado contra bombas. Efialtes estava caído, carbonizado e gemendo no chão da arena, e a areia em torno dele era um halo de vidro devido ao calor do fogo grego. Oto debatia-se no lago, tentando se refazer, mas dos braços para baixo parecia uma poça de mingau de aveia queimado.

Percy cambaleou até Jason e lhe deu um tapinha no ombro. A multidão fantasmagórica aplaudia de pé os dois enquanto o *Argo II* liberava o trem de pouso e aterrissava na arena. Leo estava no leme, Hazel e Frank ao lado dele, sorridentes. O treinador Hedge dançava em torno da plataforma de disparo, socando o ar e gritando:

— É disso que estou falando!

Percy voltou-se para o camarote do imperador e gritou para Baco:

— Então? Você se divertiu o suficiente, seu bafo de vinho e...

— Não há necessidade disso. — De repente o deus surgiu de pé ao lado dele na arena, limpando farelos de Doritos da túnica roxa. — Cheguei à conclusão de que vocês são parceiros dignos para esse combate.

— Parceiros? — grunhiu Jason. — Você não fez nada!

Baco caminhou até a borda do lago. A água foi instantaneamente drenada, deixando uma pilha de lama com cabeça de Oto. Baco caminhou até a base e ergueu o olhar para a multidão. Em seguida levantou o tirso.

A multidão vaiou e berrou e apontou os polegares para baixo. Percy nunca tinha certeza de se aquilo significava *viva* ou *morra*. Já vira as duas situações.

Baco ficou com a opção mais divertida. Acertou a cabeça de Oto com o bastão coroado pela pinha, e a pilha gigante de mingau de aveia desintegrou-se por completo.

A multidão enlouqueceu. Baco saiu do lago e desfilou até Efialtes, ainda caído de braços e pernas abertos, passado do ponto e fumegando.

Baco ergueu o tirso outra vez.

— SIM! — rugiu a multidão.

— NÃO! — uivou Efialtes.

Baco bateu de leve no nariz do gigante, e Efialtes desfez-se em cinzas.

Os fantasmas aplaudiram e jogaram confetes espectrais enquanto Baco percorria o estádio com os braços erguidos em triunfo, exultando em sua adoração. Ele sorriu para os semideuses.

— *Isso*, meus amigos, é um espetáculo! E *é claro* que fiz alguma coisa. Eu matei dois gigantes!

Enquanto os amigos de Percy desembarcavam, a multidão de fantasmas tremeluziu e desapareceu. Piper e Nico desceram do camarote do imperador, e a reforma mágica no Coliseu começou a se transformar em névoa. Exceto pelo piso da arena, que continuou sólido, o estádio parecia não ver uma boa matança de gigantes havia éons.

— Bem — disse Baco. — Isso foi divertido. Vocês têm minha permissão para prosseguir viagem.

— Sua *permissão*? — rosnou Percy.

— Sim. — Baco ergueu uma sobrancelha. — Embora a *sua* viagem talvez seja um pouco mais difícil do que você espera, filho de Netuno.

— Poseidon — corrigiu-o Percy automaticamente. — O que você está dizendo em relação à *minha* viagem?

— Você pode tentar o estacionamento atrás do Edifício Emmanuel — aconselhou Baco. — É o melhor lugar para arrombar. Bem, até logo, meus amigos. E, ah, boa sorte com a outra questãozinha.

O deus vaporizou-se numa nuvem de névoa que cheirava levemente a suco de uva. Jason correu ao encontro de Piper e Nico.

O treinador Hedge trotou até Percy, seguido de perto por Hazel, Frank e Leo.

— Aquele era Dioniso? — perguntou Hedge. — Adoro aquele cara!

— Vocês estão vivos! — exclamou Percy para os outros. — Os gigantes disseram que vocês tinham sido capturados. O que aconteceu?

Leo deu de ombros.

— Ah, só mais um plano brilhante de Leo Valdez. Vocês ficariam impressionados com o que se pode fazer com uma esfera de Arquimedes, uma garota com poder sobre a terra e uma doninha.

— Eu era a doninha — falou Frank, com tristeza.

— Basicamente — explicou Leo —, eu ativei um parafuso hidráulico com o dispositivo de Arquimedes... que, aliás, vai ficar *incrível* assim que eu o instalar no navio. Hazel pressentiu o caminho mais fácil para furar até a superfície. Fizemos um túnel grande o bastante para uma doninha, e Frank subiu com um transmissor simples que eu tinha montado rapidinho. Em seguida, foi só hackear os canais de tevê favoritos do treinador Hedge e lhe dizer que nos resgatasse com o navio. Depois que ele nos pegou, achar vocês foi fácil, graças àquele espetáculo de luz divina no Coliseu.

Percy entendeu uns dez por cento da história de Leo, mas concluiu que era o suficiente, já que tinha uma questão mais premente.

— Onde está Annabeth?

Leo encolheu-se.

— É, em relação a isso... achamos que ela ainda está em apuros. Machucada, com a perna quebrada, talvez... pelo menos segundo a visão que Gaia nos mostrou. Vamos resgatá-la em nossa próxima parada.

Dois segundos antes, Percy estava prestes a desabar. Então uma nova onda de adrenalina percorreu seu corpo. Ele queria estrangular Leo e perguntar por que o *Argo II* não havia seguido para resgatar Annabeth primeiro, mas pensou que isso poderia parecer um pouco ingrato de sua parte.

— Me fale sobre a visão — pediu ele. — Conte tudo.

O chão sacudiu. As tábuas de madeira começaram a desaparecer, lançando areia nos poços do hipogeu abaixo.

— Vamos conversar a bordo — sugeriu Hazel. — É melhor decolarmos enquanto ainda é possível.

Eles voaram para longe do Coliseu e seguiram para o sul, sobrevoando os telhados de Roma.

Em toda a volta da *Piazza* del Colosseo, o trânsito estava parado. Uma multidão de mortais havia se reunido, provavelmente sem entender as estranhas luzes e sons que tinham vindo das ruínas. Até onde Percy podia ver, nenhum dos planos espetaculares de destruição de Roma havia sido bem-sucedido. A cidade parecia a mesma. Aparentemente, ninguém notava a imensa trirreme grega no céu.

Os semideuses reuniram-se em torno do leme. Jason enrolou ataduras no ombro machucado de Piper enquanto Hazel, sentada na popa, dava ambrosia a Nico. O filho de Hades mal conseguia levantar a cabeça. Sua voz era tão baixa que Hazel precisava se inclinar para a frente sempre que ele falava algo.

Frank e Leo contaram o que havia acontecido na sala com as esferas de Arquimedes e falaram sobre as visões que Gaia mostrara no espelho de bronze. Rapidamente decidiram que a melhor pista para encontrar Annabeth era a enigmática advertência que Baco lhes dera: o Edifício Emmanuel, o que quer que fosse isso. Frank começou a digitar no computador de bordo enquanto Leo acionava furiosamente seus controles, murmurando:

— Edifício Emmanuel. Edifício Emmanuel.

Tentando ajudar, o treinador Hedge lutava para ler, de cabeça para baixo, um mapa das ruas de Roma. Percy ajoelhou-se ao lado de Jason e Piper.

— Como está o ombro?

Piper sorriu.

— Vai ficar bom. Vocês dois foram ótimos.

Jason deu uma cotovelada em Percy.

— Não somos uma dupla ruim, você e eu.

— Melhor do que duelar em uma plantação de milho no Kansas — concordou Percy.

— Lá está! — gritou Leo, apontando para o monitor. — Frank, você é incrível! Estou estabelecendo a rota.

Frank deu de ombros, modesto.

— Eu só li o nome na tela. Algum turista chinês marcou o lugar no Google Maps.

Leo abriu um grande sorriso para os outros.

— Ele lê chinês.

— Só um pouquinho — disse Frank.

— Não é o máximo?

— Meninos — interveio Hazel —, detesto interromper esse momento tão bonito, mas vocês deviam ouvir isso.

Ela ajudou Nico a se levantar. Ele sempre fora pálido, mas agora sua pele parecia leite em pó. Os olhos escuros e fundos faziam Percy se lembrar de fotos que ele vira de prisioneiros de guerra recém-liberados, o que, concluiu, era basicamente o que Nico era.

— Obrigado — A voz de Nico estava áspera. Seus olhos nervosos percorreram o grupo. — Eu já tinha perdido as esperanças.

Na última semana, Percy havia imaginado muitas coisas sarcásticas que poderia dizer a Nico quando se reencontrassem, mas o garoto parecia tão frágil e triste que Percy não teve coragem.

— Você sempre soube dos dois acampamentos — falou Percy. — Poderia ter me dito quem eu era no dia em que cheguei ao Acampamento Júpiter, mas não disse.

Nico apoiou-se no leme.

— Percy, me desculpe. Descobri o Acampamento Júpiter no ano passado. Meu pai me levou até lá, embora eu não soubesse por quê. Ele me disse que os deuses haviam mantido os acampamentos separados por séculos e que eu não podia contar a ninguém. Ainda não estava na hora. Mas ele afirmou que era importante que eu soubesse...

Nico curvou o corpo em um acesso de tosse. Hazel sustentou os ombros do irmão até que ele conseguisse se firmar de novo.

— Eu... eu achei que papai estivesse falando de Hazel — prosseguiu Nico. — Eu precisaria de um lugar seguro para onde levá-la. Mas agora... acho que ele queria que eu soubesse sobre os dois acampamentos para que compreendesse o quanto a missão de vocês é importante. Assim eu procuraria as Portas da Morte.

O ar ficou carregado — literalmente, pois Jason começou a soltar centelhas de eletricidade.

— Você encontrou as portas? — perguntou Percy.

Nico assentiu.

— Fui um idiota. Pensei que pudesse ir a qualquer lugar no Mundo Inferior, mas caí direto na armadilha de Gaia. Foi quase como tentar sair de um buraco negro.

— Hã... — Frank mordeu o lábio. — A que tipo de buraco negro você está se referindo?

Nico começou a falar, mas o que quer que precisasse dizer devia ser muito apavorante. Ele voltou-se para Hazel, que pôs a mão no braço do irmão.

— Nico me disse que as Portas da Morte têm dois lados: um para o mundo mortal, outro para o Mundo Inferior. O lado *mortal* do portal fica na Grécia e é fortemente guardado pelas forças de Gaia. Foi dali que trouxeram Nico de volta e depois o levaram para Roma.

Piper devia estar nervosa, pois sua cornucópia cuspiu um cheeseburger.

— Onde exatamente fica esse portal na Grécia?

Nico soltou um suspiro trêmulo.

— Na Casa de Hades. É um templo subterrâneo em Épiro. Posso mostrar onde fica em um mapa, mas... mas o lado mortal do portal não é o problema. No Mundo Inferior, as Portas da Morte ficam no... no...

Um par de mãos frias percorreu a espinha de Percy como uma aranha.

Um buraco negro. Uma parte inescapável do Mundo Inferior, onde nem mesmo Nico di Angelo podia ir. Por que Percy não havia pensado nisso antes? Ele estivera na entrada daquele lugar. Ainda tinha pesadelos com ele.

— Tártaro — adivinhou. — A parte mais profunda do Mundo Inferior.

Nico fez que sim com a cabeça.

— Eles me puxaram para o poço, Percy. As coisas que vi lá embaixo... —

Sua voz falhou. Hazel apertou os lábios.

— Nenhum mortal jamais esteve no Tártaro — explicou ela. — Pelo menos, ninguém jamais entrou lá e voltou vivo. É a prisão de segurança máxima de Hades, onde os velhos titãs e os outros inimigos dos deuses ficam presos. É para onde todos os monstros vão quando morrem na terra. É... bem, ninguém sabe exatamente como é lá.

Seus olhos pousaram no irmão. O restante de seu pensamento não precisava ser verbalizado. *Ninguém, exceto Nico.* Hazel entregou-lhe a espada negra e Nico apoiou-se nela como se fosse uma bengala de um velho.

— Agora entendo por que Hades não conseguiu fechar as portas — falou ele. — Nem mesmo os deuses entram no Tártaro. Nem o deus da morte, o próprio Tânatos, chegaria perto daquele lugar.

Leo ergueu os olhos do leme.

— Então me deixem adivinhar. É para lá que temos que ir.

Nico balançou a cabeça negativamente.

— É impossível. Sou o filho de Hades e mesmo eu quase não sobrevivi. As forças de Gaia me dominaram na hora. São muito poderosas lá embaixo... Nenhum semideus teria chance. Quase enlouqueci.

Os olhos de Nico pareciam muito tristes. Percy perguntou-se com tristeza se alguma coisa dentro dele teria se partido para sempre.

— Então vamos para Épiro — falou Percy. — Fecharemos os portões apenas deste lado.

— Quem dera fosse tão fácil assim — disse Nico. — As portas têm que ser controladas de ambos os lados para serem fechadas. É como uma dupla vedação. Talvez, apenas talvez, vocês sete trabalhando juntos possam derrotar as forças de Gaia do lado mortal, na Casa de Hades. Mas a menos que tivessem uma equipe lutando ao mesmo tempo no lado do Tártaro, uma equipe poderosa o bastante para derrotar uma legião de monstros no território deles...

— Tem que haver uma maneira — falou Jason.

Ninguém teve nenhuma ideia brilhante. Percy pensou que seu estômago estivesse afundando, então se deu conta de que o navio inteiro descia na direção de um grande edifício, que mais parecia um palácio.

Annabeth. As notícias de Nico eram tão horríveis que Percy por um momento havia esquecido que ela ainda corria perigo, o que o fez se sentir extremamente culpado.

— Vamos encontrar uma solução para o problema do Tártaro mais tarde — afirmou. — Aquele é o Edifício Emmanuel?

Leo assentiu.

— Baco falou algo sobre o estacionamento nos fundos? Bem, lá está ele. E agora?

Percy lembrou-se do sonho na câmara escura, a voz vibrante e maligna do monstro chamado Sua Senhoria. Lembrou-se do quanto Annabeth parecera abalada depois de seu encontro com as aranhas no Forte Sumter. Percy havia começado a suspeitar o que poderia haver naquele santuário lá embaixo... literalmente, a mãe de todas as aranhas. Se estivesse certo, e Annabeth estivesse aprisionada lá embaixo durante horas, sozinha com aquela criatura e com a perna quebrada... Àquela altura ele não se importava mais se a missão deveria ser solitária ou não.

— Temos que tirá-la de lá — afirmou.

— Bem, sim — concordou Leo. — Mas, hã... — Ele parecia querer dizer: *E se tivermos chegado tarde demais?* Sabiamente, mudou de ideia. — Há um estacionamento no caminho.

Percy olhou para o treinador Hedge.

— Baco disse alguma coisa sobre *arrombar*. Treinador, ainda tem munição para aquelas balistas?

O sátiro sorriu como uma cabra selvagem.

— Pensei que nunca fosse perguntar.

XLIX

ANNABETH

Annabeth já chegara ao limite de seu terror.

Fora atacada por fantasmas chauvinistas. Quebrara o tornozelo. Fora perseguida por um exército de aranhas em um abismo. Agora, sentindo uma dor intensa, com uma tala de plástico bolha no tornozelo e apenas sua faca como arma, ela enfrentava Aracne — uma criatura aracnídea monstruosa que desejava matá-la e tecer uma tapeçaria comemorativa do evento.

Nas últimas horas, Annabeth havia tremido, suado, choramingado e reprimido tantas lágrimas que seu corpo simplesmente desistiu de ficar assustado. Sua mente concluiu algo como: *O.k., sinto muito. Não dá para ficar mais apavorada do que já estou.*

A partir daí, Annabeth começou a pensar.

A criatura desceu do alto da estátua coberta de teias. Ela ia de fio em fio, sibilando de prazer, os quatro olhos brilhando na escuridão. Ou não estava com pressa, ou era lenta.

Annabeth torcia para que fosse lenta.

Não que aquilo importasse. Ela não podia correr nem estava muito otimista com suas chances em um combate. Aracne devia pesar centenas de quilos. Suas pernas cheias de espetos eram perfeitas para capturar e prender as presas. Além disso, ela provavelmente tinha outros poderes horríveis: uma picada venenosa ou a capacidade de soltar teias, como um Homem-Aranha da Grécia Antiga.

Não. O combate não era a solução.

Restavam-lhe a astúcia e a inteligência.

Segundo as lendas, Aracne se metera em apuros devido ao orgulho. Ela espalhara aos quatro ventos que suas tapeçarias eram melhores que as de Atena, o que levou ao primeiro *reality show* de punição no Monte Olimpo: *Então Você Acha que Tece Melhor que uma Deusa?* Aracne perdera feio.

Annabeth sabia o que era ser orgulhosa. Aquele também era *seu* defeito mortal. Com frequência precisava lembrar a si mesma que não podia fazer tudo sozinha. Nem *sempre* era a melhor pessoa indicada para realizar todas as tarefas. Às vezes tinha uma visão limitada das coisas e se esquecia das necessidades de outras pessoas, até mesmo Percy. E ela podia facilmente se distrair falando sobre seus projetos favoritos.

Mas poderia usar aquela fraqueza contra a aranha? Talvez, se conseguisse ganhar tempo... Embora não soubesse como aquilo poderia ajudar. Seus amigos não conseguiriam chegar até ali mesmo se soubessem aonde ir. A ajuda não viria. Ainda assim, ganhar tempo era melhor que morrer.

Ela tentou manter uma expressão neutra, o que não era fácil com um tornozelo quebrado. Dirigiu-se mancando até a tapeçaria mais próxima, um panorama da Roma Antiga.

— Maravilhoso — elogiou ela. — Me fale sobre essa tapeçaria.

Os lábios de Aracne se franziram sobre as mandíbulas.

— Por que se importa? Está prestes a morrer.

— Bem, sim — replicou Annabeth. — Mas a maneira como você captou a luz é incrível. Usou ouro de verdade para fazer os raios de sol?

O trabalho era verdadeiramente assombroso. Annabeth nem precisava fingir que estava impressionada.

Aracne se permitiu um sorriso orgulhoso.

— Não, criança. Ouro não. Misturei as cores, contrastando o amarelo-brilhante com tonalidades mais escuras. É isso que as deixa tão realistas.

— Lindo. — A mente de Annabeth se dividiu em dois processos: um que sustentava a conversa e outro que tentava loucamente formar um plano. Nada lhe ocorria. Aracne só fora derrotada uma vez, pela própria Atena, e para isso fora necessário magia divina e uma incrível habilidade de tecelagem. — Então... Você viu esta cena com os próprios olhos?

Aracne sibilou, a boca espumando de uma forma não muito atraente.

— Você está tentando retardar sua morte. Não vai funcionar.

— Não, não — garantiu Annabeth. — Só é uma pena que essas lindas tapeçarias não possam ser vistas por todos. O lugar delas é em um museu ou...

— Ou o quê? — perguntou Aracne.

Uma ideia maluca surgiu inteira na mente de Annabeth, como sua mãe da cabeça de Zeus. Mas poderia fazê-la funcionar?

— Nada. — Ela suspirou, melancólica. — Foi uma ideia boba. Que pena.

Aracne desceu pela estátua e ficou empoleirada no alto do escudo da deusa. Mesmo àquela distância, Annabeth podia sentir o fedor da aranha, como uma confeitaria inteira cheia de doces apodrecidos.

— O quê? — insistiu a aranha. — Que ideia boba?

Annabeth precisou se forçar a não recuar. Com o tornozelo quebrado ou não, cada nervo em seu corpo pulsava de medo, dizendo-lhe que fugisse da imensa aranha que pairava acima dela.

— Ah... é só que fui encarregada de redesenhar o Monte Olimpo — disse ela. — Você sabe, depois da Guerra dos Titãs. Já fiz a maior parte do trabalho, mas precisamos de um bocado de obras de arte de qualidade. A sala dos tronos dos deuses, por exemplo... Eu estava pensando que seu trabalho seria perfeito para expor ali. Os olimpianos poderiam finalmente ver o quanto você é talentosa. Mas, como eu disse, foi só uma ideia boba.

Os pelos do abdome de Aracne estremeceram. Seus quatro olhos brilharam, como se ela tivesse um pensamento após o outro e tentasse tecê-los em uma teia coerente.

— Você está redesenhando o Monte Olimpo — falou ela. — Meu trabalho... na sala dos tronos.

— Bem, e em outros lugares também — afirmou Annabeth. — O pavilhão principal poderia expor várias destas peças. Aquela ali, com a paisagem grega... as Nove Musas a adorariam. E tenho certeza de que os outros deuses também iriam amar seu trabalho. Eles disputariam para ter suas tapeçarias em seus palácios. Creio que nenhum outro deus além de Atena viu o que você pode fazer, não é?

Aracne estalou as mandíbulas.

— Dificilmente. Nos velhos tempos, Atena rasgou todos os meus melhores trabalhos. Minhas tapeçarias mostravam os deuses de maneiras pouco lisonjeiras, entende? Sua mãe não gostava disso.

— Bastante hipócrita — observou Annabeth —, visto que os deuses zombam uns dos outros o tempo todo. Acho que o truque seria jogar um deus contra o outro. Ares, por exemplo, *adoraria* uma tapeçaria ridicularizando minha mãe. Ele sempre guardou rancor de Atena.

A cabeça de Aracne inclinou-se em um ângulo estranho.

— Você agiria contra sua própria mãe?

— Só estou lhe dizendo do que Ares gostaria — falou Annabeth. — E Zeus amaria algo que zombasse de Poseidon. Ah, tenho certeza de que, quando os olimpianos virem seu trabalho, saberão o quanto você é incrível, e eu terei que mediar uma guerra de ofertas. Quanto a agir contra minha mãe, por que não? Ela me mandou aqui para morrer, não foi? A última vez que a vi, em Nova York, ela basicamente me deserdou.

Annabeth lhe contou a história. Revelou sua amargura e seu pesar, e isso deve ter soado genuíno. A aranha não deu o bote.

— Essa é a natureza de Atena — sibilou Aracne. — Ela põe de lado até a própria filha. Jamais permitiria que minhas tapeçarias fossem expostas nos palácios dos deuses. Ela sempre teve inveja de mim.

— Mas imagine se você pudesse finalmente se vingar.

— Matando você!

— Suponho que sim. — Annabeth coçou a cabeça. — Ou... me deixando trabalhar como sua agente. Eu poderia levar seu trabalho para o Monte Olimpo. Poderia arranjar uma exposição para os deuses. Quando minha mãe descobrisse, seria tarde demais. Os olimpianos finalmente *veriam* que seu trabalho é melhor.

— Então você admite! — gritou Aracne. — Uma filha de Atena admite que sou melhor. Ah, isso é uma doce música para meus ouvidos.

— Mas de que adianta? — observou Annabeth. — Se eu morrer aqui embaixo, você continuará vivendo na escuridão. Gaia destruirá os deuses, e eles nunca se darão conta de que você é a melhor tecelã.

A aranha sibilou.

Annabeth temia que sua mãe aparecesse de repente e a amaldiçoasse com alguma terrível aflição. A primeira lição que todo filho de Atena aprendia: Mamãe era a melhor em tudo e nunca, *jamais*, se deveria sugerir o contrário.

Mas nada de ruim aconteceu. Talvez Atena compreendesse que Annabeth estava dizendo aquelas coisas apenas para se salvar. Ou talvez a deusa estivesse tão mal, dividida entre suas personalidades grega e romana, que nem estivesse prestando atenção.

— Isso não pode acontecer — grunhiu Aracne. — Não posso permitir.

— Bem...

Annabeth mudou de posição, tentando não apoiar o peso no tornozelo machucado. Uma nova rachadura surgiu no chão, e ela recuou, mancando.

— Cuidado! — disse Aracne bruscamente. — As fundações deste santuário vêm sendo corroídas ao longo dos séculos!

O coração de Annabeth parou.

— Corroídas?

— Você não faz ideia de quanto ódio fervilha sob nós — falou a aranha. — Os pensamentos malignos de *dezenas* de monstros que tentam alcançar a Atena Partenos para destruí-la. Minha teia é a única coisa que segura este lugar, garota! Um passo em falso, e você despencará no Tártaro... e, acredite em mim, diferentemente das Portas da Morte, essa seria uma viagem só de ida, uma queda muito alta! E eu *não* quero que você morra antes de me contar seus planos para as minhas obras.

Annabeth sentiu um gosto de ferrugem na boca. *No Tártaro?* Ela tentou manter a concentração, mas não era uma tarefa fácil enquanto ouvia o chão estalar e rachar, derrubando entulho no vazio lá embaixo.

— Certo, o plano — disse Annabeth. — Hã... Como disse, eu *adoraria* levar suas tapeçarias para o Olimpo e pendurá-las por toda parte. Você poderia esfregar seu talento na cara de Atena por toda a eternidade. Mas a única maneira de fazer isso é... Não. É muito complicado. Pode ir em frente e me matar.

— Não! — gritou Aracne. — Isso é inaceitável. Já não tenho mais nenhum prazer com essa ideia. Quero o meu trabalho exposto no Monte Olimpo! O que preciso fazer?

Annabeth balançou a cabeça.

— Sinto muito, não deveria ter dito nada. Simplesmente me empurre para o Tártaro ou algo assim.

— Eu me recuso!

— Não seja ridícula. Mate-me.

— Não recebo ordens de você! Diga o que eu tenho que fazer! Ou... ou...

— Ou você me mata?

— Sim! Não! — A aranha pressionou as patas dianteiras na cabeça. — Eu *preciso* mostrar meu trabalho no Monte Olimpo.

Annabeth tentou conter o entusiasmo. Seu plano talvez funcionasse... mas ainda precisava convencer Aracne a fazer algo impossível. Nesse momento lembrou-se de um bom conselho que Frank Zhang lhe dera: *Não complique as coisas.*

— Acho que eu poderia rasgar seda por você.

— Sou ótima com seda! — disse Aracne. — Sou uma aranha!

— Sim, mas para ter seu trabalho exposto no Monte Olimpo, precisaríamos de uma audição. Eu teria que lançar a ideia, submeter uma proposta, montar um portfólio. Humm... você tem alguma fotografia de rosto?

— Fotografia de rosto?

— Foto preto e branco... Ah, deixe para lá. A peça para a audição é a coisa mais importante. Esses tapetes são excelentes. Mas os deuses exigiriam alguma coisa *muito* especial... algo que mostre todo o seu talento.

Aracne rosnou.

— Está sugerindo que estes não são meus melhores trabalhos? Você está me desafiando para uma competição?

— Ah, não! — Annabeth riu. — Contra mim? Caramba, não. Você é boa *demais*. O que proponho é uma competição contra *você mesma*, para ver se tem de verdade o que é necessário para mostrar seu trabalho no Monte Olimpo.

— É claro que tenho!

— Bem, eu certamente acho que sim. Mas a audição, você sabe... é uma formalidade. Receio que seja muito difícil. Tem certeza de que não quer apenas me matar?

— Pare de dizer isso! — guinchou Aracne. — O que preciso fazer?

— Vou lhe mostrar.

Annabeth tirou a mochila do ombro, pegou o laptop e o abriu. O delta da logomarca brilhou no escuro.

— O que é isso? — perguntou Aracne. — Algum tipo de tear?

— De certa forma — respondeu Annabeth. — É para tecer ideias. Aqui tem um diagrama do trabalho que você teceria.

Seus dedos tremiam no teclado. Aracne desceu ainda mais para espiar por cima do ombro de Annabeth, que não pôde deixar de pensar com que facilidade aqueles dentes afiados como agulhas poderiam se enterrar em seu pescoço.

Ela abriu o programa de edição de imagens em 3-D. Seu último desenho ainda estava ali — a chave para o plano de Annabeth, inspirado pela pessoa mais improvável de todas: Frank Zhang.

Annabeth fez alguns cálculos rápidos. Aumentou as dimensões do modelo, então mostrou a Aracne como ele poderia ser criado: fios tecidos em tiras e em seguida trançados em um longo cilindro.

A luz da tela iluminou o rosto da aranha.

— Você quer que eu faça isso? Mas isso não é nada! Tão pequeno e simples!

— O tamanho real seria muito maior — disse Annabeth. — Está vendo essas medidas? Naturalmente, precisa ser grande o bastante para impressionar os deuses. Pode parecer simples, mas a estrutura tem propriedades incríveis. Sua seda de aranha seria o material perfeito... macia e flexível, e ao mesmo tempo resistente como aço.

— Entendo... — Aracne franziu a testa. — Mas isso nem é uma tapeçaria.

— É por isso que é um desafio. Sai de sua zona de conforto. Uma peça como esta, uma escultura abstrata, é o que os deuses estão procurando. Ela ficaria na entrada da sala dos tronos no Olimpo para que todos os visitantes pudessem apreciá-la. Você ficaria famosa para sempre!

Aracne produziu um resmungo de descontentamento na garganta. Annabeth podia ver que ela não estava comprando a ideia. As mãos de Annabeth ficaram frias e pegajosas.

— Isso demandaria uma grande quantidade de teia — queixou-se a aranha. — Mais do que eu poderia fabricar em um ano.

Annabeth contava com isso. Ela havia calculado a massa e o volume levando esse detalhe em consideração.

— Você precisaria desenrolar a estátua — disse ela. — Reutilizar a seda.

Aracne pareceu prestes a objetar, mas Annabeth fez um gesto para a Atena Partenos como se não ela não fosse nada.

— O que é mais importante: cobrir essa estátua velha ou provar que sua arte é a melhor? É claro que você teria que ser incrivelmente cuidadosa. Precisaria deixar teia suficiente para sustentar a sala. Mas se você acha que é difícil demais...

— Eu não disse isso!

— O.k. É só que... Atena disse que criar essa estrutura trançada seria impossível para qualquer tecelã, até mesmo para ela. Portanto, se acha que não consegue...

— Atena disse isso?

— Bem, sim.

— Ridículo! Eu consigo fazer!

— Ótimo! Mas você precisaria começar imediatamente, antes que os olimpianos escolham outro artista para suas instalações.

Aracne grunhiu.

— Se estiver me enganando, garota...

— Você me terá bem aqui como refém — lembrou-a Annabeth. — Não posso ir embora. Quando a escultura estiver completa, você concordará que é a peça mais impressionante que já fez. Se não concordar, morrerei feliz.

Aracne hesitou. As pernas com espetos estavam tão perto que ela poderia ter empalado Annabeth com um movimento rápido.

— Muito bem — concordou a aranha. — Um último desafio... contra mim mesma!

Aracne subiu pela teia e começou a desenrolar a Atena Partenos.

L

ANNABETH

Annabeth perdeu a noção do tempo.

Ela sentia que a ambrosia que comera mais cedo começava a curar sua perna, mas ainda doía tanto que a dor latejava por todo seu corpo até o pescoço. Pelas paredes, pequenas aranhas moviam-se inquietas na escuridão, como se esperassem as ordens de sua senhora. Milhares delas passavam atrás das tapeçarias, fazendo as cenas tecidas tremularem como se sopradas pelo vento.

Annabeth sentou-se no chão destruído e tentou preservar suas forças. Quando Aracne não estava olhando, ela tentava conseguir algum tipo de sinal no laptop de Dédalo e entrar em contato com os amigos, mas, como já esperava, não teve sorte. Tudo que ela tinha para fazer era observar Aracne com admiração e horror enquanto suas oito pernas moviam-se em uma velocidade hipnótica, desenrolando aos poucos os fios de seda em torno da estátua.

Com seu vestido dourado e o luminoso rosto de marfim, a Atena Partenos era ainda mais assustadora que Aracne. Ela olhava para baixo com severidade, como se para dizer: *Traga-me petiscos saborosos ou vai se arrepender*. Annabeth podia imaginar-se como um cidadão da Grécia Antiga, entrando no Partenon e vendo essa imensa deusa com seu escudo, lança e cobra, a mão livre estendendo Nice, a deusa alada da vitória. Teria bastado para assustar qualquer mortal.

Mais do que isso, a estátua irradiava poder. À medida que Atena era desenrolada, o ar em torno dela ficava mais quente. Sua pele de marfim exibia um brilho de vida. Por toda a câmara, as aranhas menores se agitaram e começaram a recuar para o corredor.

Annabeth deduziu que as teias de Aracne haviam de alguma forma mascarado e enfraquecido a magia da estátua. Agora que estava livre, a Atena Partenos enchia a câmara com sua energia. Séculos de preces e oferendas haviam sido dedicadas à estátua. Ela estava infundida com o poder de Atena.

Aracne não pareceu perceber. Continuou resmungando baixinho, contando os metros de seda e calculando o número de fios que o projeto exigiria. Sempre que ela hesitava, Annabeth gritava um incentivo e lembrava-a do quanto suas tapeçarias ficariam maravilhosas no Monte Olimpo.

A estátua ficou tão quente e luminosa que Annabeth pôde ver mais detalhes do santuário: a alvenaria romana que provavelmente fora branco reluzente, os ossos envelhecidos das vítimas e refeições passadas de Aracne pendendo das teias e os grossos cabos de seda que conectavam o chão ao teto. Annabeth percebeu o quanto as placas de mármore sob seus pés eram frágeis. Estavam cobertas por uma fina camada de teia, como uma rede que mantendo um espelho quebrado unido. Todas as vezes que a Atena Partenos se deslocava, mesmo que ligeiramente, mais rachaduras se expandiam e alargavam ao longo do piso. Em alguns lugares, havia buracos do tamanho de tampas de bueiros. Annabeth quase desejou que ficasse escuro de novo. Mesmo que seu plano desse certo e ela derrotasse Aracne, não sabia como poderia sair viva daquela câmara.

— Tanta seda — murmurou Aracne. — Poderia tecer vinte tapeçarias...

— Continue! — gritou Annabeth. — Você está fazendo um ótimo trabalho.

A aranha continuou. Depois do que pareceu uma eternidade, uma montanha de seda cintilante estava empilhada aos pés da estátua. As paredes ainda estavam cobertas por teias. Os cabos que sustentavam a câmara no lugar não haviam sido perturbados. E a Atena Partenos estava livre.

Por favor, acorde, implorou Annabeth à estátua. *Mãe, me ajude.*

Nada aconteceu, mas as rachaduras pareciam estar se alastrando pelo chão com mais rapidez. Segundo Aracne, os pensamentos malignos dos monstros haviam corroído as fundações do santuário por séculos. Se fosse verdade, agora que estava livre, a Atena Partenos poderia estar atraindo ainda mais atenção dos monstros no Tártaro.

— O projeto — falou Annabeth. — Você precisa se apressar.

Ela ergueu a tela do computador para que Aracne visse, mas a aranha rebateu:

— Eu já o memorizei, criança. Tenho olho de artista para os detalhes.

— Claro que tem. Mas precisamos nos apressar.

— Por quê?

— Bem... para que possamos mostrar suas obras ao mundo!

— Humm. Muito bem.

Aracne começou a tecer. Transformar fios de seda em longas faixas de tecido era um trabalho demorado. A câmara ribombou. As rachaduras aos pés de Annabeth ficaram maiores.

Se Aracne percebia, não parecia se importar. Annabeth pensou em empurrar a aranha para o abismo, mas desistiu da ideia. Não havia um buraco grande o bastante e, além disso, se o piso cedesse, Aracne provavelmente se penduraria em sua teia enquanto Annabeth e a antiga estátua despencariam no Tártaro.

Lentamente, a aranha terminou as longas faixas de seda e as trançou. Sua técnica era impecável. Não tinha como Annabeth não ficar impressionada. Sentiu outra centelha de dúvida em relação à mãe. E se Aracne *fosse* melhor tecelã que Atena?

No entanto, a questão não era a habilidade de Aracne. Ela fora punida por ser orgulhosa e rude. Independentemente do quanto se é bom, não se pode sair por aí insultando os deuses. Os olimpianos eram um lembrete de que *sempre* havia alguém melhor que você, portanto não se devia ser presunçoso. Ainda assim... ser transformado em uma aranha monstruosa e imortal parecia uma punição bastante severa para o ato de se gabar.

Aracne passou a trabalhar com mais rapidez, juntando os fios. Logo, a estrutura ficou pronta. Aos pés da estátua estava um cilindro trançado de faixas de seda, com quase dois metros de diâmetro e três de comprimento. A superfície era reluzente como uma concha, mas aos olhos de Annabeth não parecia bonito. Era apenas funcional: uma armadilha. Só seria bonito se desse certo.

Aracne voltou-se para ela com um sorriso faminto.

— Pronto! Agora, minha recompensa! Prove que você pode cumprir suas promessas.

Annabeth estudou a armadilha. Franziu a testa e deu uma volta em torno dela, inspecionando a peça por todos os ângulos. Então, tomando cuidado com o tornozelo machucado, ela se agachou e entrou no tubo. Havia calculado as medidas de cabeça. Se tivesse errado os cálculos, seu plano falharia. Mas atravessou o túnel de seda sem encostar nas laterais. A peça era grudenta, mas não muito. Ela saiu do outro lado e balançou a cabeça.

— Encontrei um defeito — anunciou.

— O quê?! — gritou Aracne. — Impossível! Segui suas instruções...

— Por dentro — falou Annabeth. — Entre aí e veja por si mesma. Está bem no meio... uma falha na trama.

Aracne espumava pela boca. Annabeth temia ter ido longe demais; talvez a aranha fosse matá-la. Ela seria apenas mais alguns ossos nas teias.

Em vez disso, Aracne bateu as oito patas com petulância no chão.

— Eu *não* cometo erros.

— Ah, é bem pequeno — disse Annabeth. — Provavelmente você mesma pode consertar. Mas eu não quero mostrar aos deuses nada que não seja o seu melhor trabalho. Olhe, entre aí e verifique. Se puder consertar, então vamos mostrar essa peça aos olimpianos. Você será a artista mais famosa de todos os tempos. É bastante provável que eles dispensem as Nove Musas e contratem você para supervisionar todas as artes. A deusa Aracne... sim, eu não ficaria surpresa.

— A deusa... — A respiração de Aracne ficou acelerada. — Sim, sim. Vou consertar o defeito.

Ela enfiou a cabeça no túnel.

— Onde está?

— Bem no meio. Vá em frente. Talvez seja um pouco apertado para você.

— Está tudo bem! — rebateu a aranha e espremeu-se pela abertura.

Como Annabeth esperava, o abdome da aranha entrou, mas por muito pouco. À medida que ela avançava, as faixas de seda expandiam-se para acomodá-la. Aracne enfiou todo o corpo no túnel.

— Não estou vendo nenhum defeito! — anunciou ela.

— É mesmo? — perguntou Annabeth. — Bem, que estranho. Então saia que vou dar outra olhada.

A hora da verdade. Aracne contorceu-se, tentando recuar. O tecido contraiu-se em torno dela e segurou-a com firmeza. Ela tentou ir para a frente, mas a armadilha já se prendera a seu abdome. Também não conseguia sair assim. Annabeth receara que os espetos nas pernas da aranha pudessem rasgar a seda, mas elas estavam tão apertadas contra o corpo que Aracne mal podia movê-las.

— O que... o que é isto? — gritou ela. — Estou presa!

— Ah — replicou Annabeth. — Eu me esqueci de contar. Essa obra de arte se chama algemas chinesas. Ou pelo menos uma versão maior da original. Eu a chamo de algemas chinesas para aranhas.

— Traidora!

Aracne debateu-se, rolou e se contorceu, mas a armadilha ainda a manteve bem presa.

— Era uma questão de sobrevivência — corrigiu Annabeth. — Você ia me matar de qualquer forma, quer eu a ajudasse ou não, certo?

— Mas é claro! Você é filha de Atena. — A armadilha ficou imóvel. — Quer dizer... não, é claro que não! Eu honro minhas promessas.

— Arrã. — Annabeth deu um passo para trás quando o cilindro trançado começou a se mexer de novo. — Normalmente essas armadilhas são feitas de bambu entretecido, mas seda de aranha é ainda melhor. Vai segurá-la com mais firmeza e é muito mais difícil de romper... até mesmo para você.

— Ahhhh!

Aracne continuou a rolar e se contorcer, mas Annabeth saiu do caminho. Mesmo com o tornozelo quebrado, ela era capaz de evitar uma algema chinesa de seda gigante.

— Eu vou destruí-la! — prometeu Aracne. — Quer dizer... não, serei muito boazinha com você se me soltar.

— Eu pouparia minhas energias se fosse você. — Annabeth respirou fundo, relaxando pela primeira vez em horas. — Vou chamar meus amigos.

— Você... você vai chamá-los para falar do meu trabalho? — perguntou Aracne, esperançosa.

Annabeth examinou o lugar. Tinha que haver uma maneira de enviar uma mensagem de Íris para o *Argo II*. Ainda restava um pouco de água em sua garrafa, mas como criar luz e névoa suficientes para fazer um arco-íris em uma caverna escura?

Aracne recomeçou a rolar de um lado para o outro.

— Você vai chamar seus amigos para me matar! — gritou ela. — Eu *não* vou morrer! Não assim!

— Acalme-se — disse Annabeth. — Vamos deixá-la viver. Só queremos a estátua.

— A estátua?

— Sim. — Annabeth devia ter parado por aí, mas o medo ia se transformando em raiva e ressentimento. — A obra de arte que vou exibir com destaque no Monte Olimpo? Não será sua. Aquele é o lugar da Atena Partenos... bem no parque central dos deuses.

— Não! Não, isso é terrível!

— Ah, mas não vai ser de imediato — explicou Annabeth. — Primeiro levaremos a estátua até a Grécia. Uma profecia nos disse que ela pode nos ajudar a derrotar os gigantes. Depois disso... bem, não podemos simplesmente devolvê-la ao Partenon. Isso geraria perguntas demais. Ela ficará segura no Monte Olimpo. Vai unir os filhos de Atena e trazer paz aos romanos e gregos. Obrigada por mantê-la em segurança por todos esses anos. Você prestou um grande serviço a Atena.

Aracne gritou e se agitou. Ela disparou um fio de seda das fiandeiras, e ele se prendeu a uma tapeçaria na parede oposta. Aracne contraiu o abdome e cegamente arrancou a peça dos suportes. Ela continuou a rolar, lançando fios de seda em todas as direções, puxando braseiros de fogo mágico e arrancando ladrilhos do chão. A câmara começou a sacudir. Tapeçarias pegaram fogo.

— Pare com isso! — Annabeth mancava para sair do caminho dos disparos de teia. — Você vai derrubar a caverna inteira e nos matar!

— Melhor do que ver você vencer! — gritou Aracne. — Minhas filhas! Me ajudem!

Ah, ótimo. Annabeth torcera para que a aura mágica da estátua mantivesse as aranhas longe, mas Aracne continuou berrando e implorando por ajuda. Annabeth pensou em matar a mulher-aranha para fazê-la se calar. Seria fácil usar a faca agora. Mas ela hesitava em matar qualquer monstro que estivesse tão indefeso, até mesmo Aracne. Além disso, se a esfaqueasse por cima da seda trançada, a armadilha poderia se desfazer. Era possível que Aracne conseguisse se libertar antes que Annabeth pudesse eliminá-la.

Todos aqueles pensamentos vieram tarde demais. As aranhas começaram a chegar à câmara aos montes. A estátua de Atena brilhou com mais força. As aranhas claramente não queriam se aproximar, mas avançavam pelas laterais, como se estivessem tomando coragem. Sua mãe gritava por socorro. No fim iriam tomar o lugar, submergindo Annabeth.

— Aracne, pare! — gritou ela. — Eu vou...

De alguma forma Aracne conseguiu se virar em sua prisão, apontando o abdome na direção da voz de Annabeth. Um fio de seda atingiu-a no peito, como uma luva de boxe.

Annabeth caiu, a perna latejando de dor. Ela tentava cortar a teia com a faca enquanto Aracne a puxava para as fiandeiras, que estalavam.

Ela conseguiu cortar o fio e se arrastar para longe, mas as aranhas fechavam o cerco em torno dela.

Ela percebeu que todos os seus esforços tinham sido inúteis. Não ia conseguir sair dali. Os filhos de Aracne iam matá-la aos pés da estátua de sua mãe.

Percy, pensou ela, *sinto muito*.

Naquele momento, o santuário gemeu, e o teto rompeu-se em uma explosão de luz e fogo.

LI

ANNABETH

Annabeth vira algumas coisas estranhas antes, mas nunca uma chuva de carros.

Quando o teto da caverna desabou, a luz do sol a cegou. Ela teve um brevíssimo vislumbre do *Argo II* pairando lá em cima. A tripulação devia ter usado a balista para abrir um buraco no chão.

Pedaços de asfalto do tamanho de portas de garagem despencaram junto com seis ou sete carros italianos. Um deles teria esmagado a Atena Partenos, mas a aura reluzente da estátua agia como um campo de força, e o automóvel ricocheteou. Infelizmente, continuou a cair na direção de Annabeth.

Ela saltou para o lado, torcendo o pé machucado. Uma onda de dor quase a fez desmaiar, mas Annabeth virou-se a tempo de ver um Fiat 500 vermelho atingir a armadilha de seda de Aracne, atravessar o piso da caverna e desaparecer com as algemas chinesas para aranhas.

Ao cair, os gritos de Aracne pareciam os freios de um trem de carga prestes a colidir, mas seus lamentos rapidamente desapareceram. Ao redor de Annabeth, mais escombros batiam com violência no piso, crivando-o de buracos.

A Atena Partenos permaneceu intacta, embora o mármore debaixo de seu pedestal estivesse todo recortado por fissuras. Annabeth estava coberta de teias de aranha. Fios de seda pendiam de seus braços e pernas como os cordões de uma marionete, mas, de alguma forma, por mais incrível que parecesse, nenhum dos destroços a atingira. Ela queria acreditar que a estátua a havia protegido, embora suspeitasse que não devia ter sido nada além de sorte.

O exército de aranhas havia desaparecido; ou fugiram correndo de volta à escuridão, ou caíram no abismo. Quando a luz do sol encheu a caverna, as tapeçarias de Aracne ao longo das paredes desintegraram-se, o que Annabeth mal suportava ver — principalmente o tapete retratando-a com Percy. Mas nada daquilo teve importância quando ela ouviu a voz de Percy vinda do alto.

— Annabeth!

— Aqui!

Ela soluçou, e todo o terror pareceu deixá-la em um único grito. Enquanto o *Argo II* descia, ela viu Percy debruçado na amurada. O sorriso dele era melhor do que qualquer trabalho de tapeçaria que ela já tivesse visto.

A câmara continuava a sacudir, mas Annabeth conseguiu se levantar. O chão aos seus pés parecia estável no momento. Sua mochila havia sumido junto com o laptop de Dédalo e a faca de bronze, que estava com ela desde os sete anos — provavelmente tinham caído no poço. Mas Annabeth não se importava. Estava viva.

Aproximou-se com cuidado do imenso buraco aberto pelo Fiat 500. Ela vislumbrou paredes de pedras irregulares mergulhando na escuridão. Umas pequenas saliências projetavam-se aqui e ali, mas Annabeth não viu nada preso nelas — apenas fios de seda de aranha escorrendo pelas laterais como festões de Natal.

Annabeth perguntou-se se Aracne falara a verdade sobre o abismo. A aranha tinha despencado no Tártaro? Ela tentou ficar satisfeita com a ideia, mas aquilo a entristecia. Aracne *tinha* feito algumas coisas bonitas. Já havia sofrido por éons e agora suas últimas peças de tapeçaria tinham se transformado em pó. Depois de tudo isso, cair no Tártaro parecia um fim muito cruel.

Annabeth estava vagamente ciente do *Argo II* pairando a pouco mais de dez metros do chão. Uma escada de corda baixou, mas Annabeth continuava em transe, fitando a escuridão. Então, de repente, Percy estava ao seu lado, segurando sua mão.

Ele virou-a delicadamente, afastando-a do abismo, e a abraçou. Annabeth enterrou o rosto em seu peito e as lágrimas irromperam.

— Está tudo bem — falou ele. — Estamos juntos.

Percy não disse *você está bem* ou *nós estamos vivos*. Depois de tudo por que passaram ao longo do ano anterior, ele sabia que a coisa mais importante era estarem juntos. Ela o amou ainda mais por dizer aquilo.

Seus amigos reuniram-se em torno deles. Nico di Angelo estava lá, mas a mente de Annabeth estava tão confusa que aquilo não a surpreendeu. Apenas parecia certo que Nico estivesse com eles.

— Sua perna. — Piper ajoelhou-se ao lado dela e examinou a tala de plástico bolha. — Ah, Annabeth, o que aconteceu?

Ela começou a explicar. Falar era difícil, mas, quanto mais contava, mais facilmente as palavras saíam. Percy não soltou a mão dela, o que também lhe deu mais força. Quando terminou, a expressão no rosto de seus amigos era a de espanto.

— Deuses do Olimpo! — exclamou Jason. — Você fez tudo isso sozinha. Com um tornozelo quebrado.

— Bem... fiz *parte* disso com um tornozelo quebrado.

Percy sorriu.

— Você fez Aracne tecer a própria armadilha? Eu sabia que você era boa, mas por Hera... Annabeth, você *conseguiu*. Gerações de filhos de Atena tentaram e falharam. Você encontrou a Atena Partenos!

Todos olharam para a estátua.

— O que a gente vai fazer com ela? — perguntou Frank. — É imensa.

— Vamos ter que levá-la com a gente para a Grécia — falou Annabeth. — A estátua é poderosa. Algo nela vai nos ajudar a deter os gigantes.

— *"A ruína dos gigantes se apresenta dourada e pálida"* — citou Hazel. — *"Conquistada por meio da dor de uma prisão tecida."* — Ela olhou para Annabeth com admiração. — Era a prisão de Aracne. Você a enganou e a fez tecê-la.

Por meio de *muita* dor, pensou Annabeth.

Leo ergueu as mãos. Fez uma moldura com os dedos, enquadrando a Atena Partenos, como se tirasse medidas.

— Bem, talvez seja preciso fazer algum ajuste, mas acho que podemos passá-la pelo alçapão do compartimento de carga e encaixá-la nos estábulos. Se uma parte ficar de fora, talvez eu tenha que envolver os pés dela em uma bandeira ou algo assim.

Annabeth estremeceu. Imaginou a Atena Partenos projetando-se da trirreme com uma placa no pedestal onde se lia: CARGA LONGA.

Então pensou nos outros versos da profecia: *Gêmeos ceifaram do anjo a vida, que detém a chave para a morte infinita.*

— E quanto a vocês, pessoal? — perguntou ela. — O que aconteceu com os gigantes?

Percy contou sobre o resgate de Nico, a aparição de Baco e a luta contra os gêmeos no Coliseu. Nico mesmo não falou muito. O pobre garoto parecia ter perambulado pelo deserto durante seis semanas. Percy explicou o que Nico descobrira sobre as Portas da Morte e como tinham que ser fechadas de ambos os lados. Mesmo com a luz do sol entrando pelo buraco no teto, as notícias de Percy faziam a caverna parecer escura de novo.

— Então o lado mortal é em Épiro — falou ela. — Pelo menos esse é um lugar a que temos acesso.

Nico fez uma careta.

— Mas o outro lado é o problema. Tártaro.

A palavra pareceu ecoar pela câmara. O poço atrás deles soltou uma rajada de ar frio. Foi quando Annabeth soube com certeza. O abismo levava *mesmo* ao Mundo Inferior.

Percy também deve ter sentido. Ele a afastou um pouco mais da borda. As teias de aranha presas em seus braços e pernas se arrastavam como uma cauda de noiva. Annabeth desejou ter sua faca para se livrar daquilo. Quase pediu a Percy que fizesse as honras com Contracorrente, mas, antes que tivesse oportunidade de falar, ele disse:

— Baco mencionou algo sobre a *minha* viagem ser mais árdua do que eu esperava. Não entendi por quê...

Um gemido tomou a câmara. A Atena Partenos inclinou-se para um lado, sua cabeça prendeu-se em uma das teias de Aracne, mas o mármore da base sob o pedestal estava se desintegrando.

A náusea atingiu Annabeth com toda a força. Se a estátua caísse no abismo, todo o seu trabalho teria sido em vão. A missão teria falhado.

— Segurem a estátua! — gritou Annabeth.

Seus amigos compreenderam imediatamente.

— Zhang! — exclamou Leo. — Me leve para o leme, rápido! O treinador está lá em cima sozinho.

Frank transformou-se em uma águia gigante, e os dois alçaram voo na direção do navio. Jason envolveu Piper com os braços e voltou-se para Percy:

— Volto para buscar vocês em um segundo.

Ele invocou o vento e disparou para cima.

— O piso não vai aguentar! — advertiu Hazel. — Seria melhor se a gente fosse para a escada.

Nuvens de poeira e teias de aranha eram soprados em jatos dos buracos no chão. As teias que sustentavam o lugar tremeram como gigantescas cordas de violão e começaram a se romper. Hazel disparou para a base da escada de corda e gesticulou para que Nico a seguisse, mas ele não estava em condições de correr.

Percy apertou mais a mão de Annabeth.

— Vai ficar tudo bem — murmurou ele.

Ao olhar para cima, ela viu cabos com ganchos nas pontas sendo disparadas do *Argo II* e se enroscando na estátua. Um deles envolveu o pescoço de Atena como um laço. Leo gritava ordens do leme enquanto Jason e Frank voavam freneticamente de cabo em cabo, tentando firmá-los.

Nico tinha acabado de chegar à escada quando uma dor aguda atravessou a perna machucada de Annabeth. Ela arquejou e tropeçou.

— O que foi? — perguntou Percy.

Ela tentou cambalear na direção da escada, mas então por que estava indo para trás? Suas pernas foram puxadas e ela caiu de cara no chão.

— O tornozelo dela! — gritou Hazel da escada. — Corta! Corta!

A mente de Annabeth estava confusa por causa da dor. Cortar seu tornozelo? Aparentemente, Percy também não tinha compreendido o que Hazel queria dizer. Então alguma coisa puxou Annabeth bruscamente para trás e a arrastou na direção do poço. Percy saltou e agarrou o braço dela, mas foi arrastado também.

— Ajudem os dois! — gritou Hazel.

Annabeth vislumbrou Nico mancando na direção deles e Hazel tentando desvencilhar sua espada da escada de corda. Os outros ainda estavam concentrados na estátua, e o grito de Hazel se perdeu no meio de tantos gritos e estrondos da caverna.

Annabeth soluçou quando chegou à beira do poço. Suas pernas passaram da borda. Ela percebeu tarde demais o que acontecia: estava emaranhada na seda da aranha. Devia ter cortado aquilo imediatamente. Pensara que eram apenas fios soltos, mas, com o piso inteiro coberto de teias, ela não havia notado que um deles estava enrolado em seu pé — e que a outra ponta dele seguia direto para o poço. Estava preso a alguma coisa pesada lá embaixo na escuridão, algo que a estava puxando.

— Não — murmurou Percy, a luz surgindo em seus olhos. — Minha espada...

Mas ele não conseguiria pegar Contracorrente sem soltar o braço dela, e Annabeth estava sem forças. Ela escorregou pela borda e Percy caiu com ela.

O corpo de Annabeth bateu em alguma coisa. Ela provavelmente desmaiara por um breve momento por causa da dor e, quando recobrou a consciência, percebeu que já estava dentro do poço, pendurada no vazio. Percy conseguira agarrar uma saliência a cerca de cinco metros do topo e segurava-se ali com uma das mãos, enquanto a outra envolvia o pulso de Annabeth. No entanto, a força que a puxava para baixo era forte demais.

Não tem saída, disse uma voz na escuridão abaixo. *Eu vou para o Tártaro, mas vocês também virão.*

Annabeth não tinha certeza de se de fato ouvira a voz de Aracne ou se aquilo surgira apenas em sua mente.

O poço tremeu. Era só Percy que a impedia de cair, e ele mal conseguia se segurar em uma saliência do tamanho de uma prateleira.

Nico se debruçou na borda do abismo, estendendo a mão, mas estava longe demais para poder ajudar. Hazel gritava, chamando os outros, mas, mesmo que a ouvissem acima de todo aquele caos, não conseguiriam chegar a tempo.

Annabeth tinha a sensação de que sua perna estava sendo arrancada. A dor tingia tudo de vermelho. A força do Mundo Inferior a puxava como uma gravidade terrível. Ela não tinha forças para lutar e sabia que já estava muito longe para ser salva.

— Percy, me solte. — Ela soltou um gemido. — Você não pode me levantar.

O rosto dele estava branco com o esforço. Annabeth podia ver em seus olhos que ele sabia ser impossível.

— Nunca — disse ele. Ergueu os olhos para Nico, cinco metros acima deles. — No outro lado, Nico! Encontramos vocês lá. Entendeu?

Os olhos de Nico se arregalaram.

— Mas...

— Leve-os para lá! — gritou Percy. — Prometa!

— Eu... eu prometo.

Abaixo deles, a voz riu na escuridão. *Sacrifícios. Belos sacrifícios para despertar a deusa.*

Percy apertou ainda mais o pulso de Annabeth. Seu rosto estava macilento, arranhado e ensanguentado, o cabelo cheio de teias, mas, quando seus olhos encontraram os dela, ela pensou que ele nunca fora tão bonito.

— Vamos ficar juntos — prometeu ele. — Você não vai escapar de mim. Nunca mais.

Só então ela compreendeu o que iria acontecer. *Uma viagem só de ida. Uma queda muito alta!*

— Desde que a gente fique junto — disse Annabeth.

Ouviu Nico e Hazel ainda gritando, pedindo socorro. Viu a luz do sol muito, muito longe, lá em cima — talvez fosse a última vez que a veria.

Então Percy se soltou, e juntos, de mãos dadas, ele e Annabeth caíram para a escuridão sem fim.

LII

LEO

Leo ainda estava em choque.

Tudo acontecera tão rápido. Quando eles acabaram de amarrar as cordas do navio na Atena Partenos, o piso cedeu e a teia se rompeu. Jason e Frank mergulharam para salvar os outros, mas só encontraram Nico e Hazel, que estavam pendurados na escada de corda. Percy e Annabeth tinham caído. O poço do Tártaro estava soterrado em muitas toneladas de escombros. Leo tirou o *Argo II* da caverna segundos antes de o lugar inteiro implodir e tragar também o restante do estacionamento.

O *Argo II* ficou ancorado em uma colina com vista para a cidade. Jason, Hazel e Frank retornaram à cena da catástrofe, na esperança de vasculhar os escombros e encontrar um modo de salvar Percy e Annabeth, mas voltaram desanimados. A caverna simplesmente desaparecera. O local fervilhava com a polícia e equipes de resgate. Nenhum mortal tinha se ferido, mas os italianos passariam meses coçando a cabeça, perguntando-se como um imenso sumidouro havia sido aberto bem no meio de um estacionamento e engolido uma dúzia de carros em perfeito estado.

Atordoados de tristeza, Leo e os outros carregaram cuidadosamente a Atena Partenos para o porão, usando os guindastes hidráulicos do navio com a ajuda de Frank Zhang, elefante em meio expediente. A estátua coube certinho, embora Leo não tivesse a menor ideia do que iriam fazer com ela.

O treinador Hedge estava arrasado demais para ajudar. Andava de um lado para o outro no convés, com lágrimas nos olhos, puxando a barbicha, batendo na lateral da cabeça e murmurando:

— Eu tinha que ter salvado os dois! Devia ter explodido mais coisas!

Por fim, Leo lhe pediu para descer e preparar tudo para irem embora. Não estava ajudando em nada ele ficar se agredindo ali em cima.

Os seis semideuses se reuniram no tombadilho superior e fitaram a distância a coluna de poeira que ainda subia no local da implosão.

Leo descansou a mão na esfera de Arquimedes sobre o leme, pronta para ser instalada. Ele devia estar entusiasmado. Era a maior descoberta de sua vida — maior ainda que o bunker 9. Se decifrasse os pergaminhos de Arquimedes, poderia fazer coisas incríveis. Ele mal ousava ter esperanças, mas talvez até conseguisse construir um novo disco de controle para certo amigo dragão.

Ainda assim, o preço fora alto demais.

Ele quase ouvia Nêmesis rindo. *Eu lhe disse que poderíamos negociar, Leo Valdez.*

Ele havia quebrado o biscoito da sorte. Conseguira o código para acessar a esfera e salvara Frank e Hazel. Mas o sacrifício fora Percy e Annabeth. Leo tinha certeza disso.

— É minha culpa — disse ele, infeliz.

Os outros olharam para ele. Somente Hazel parecia compreender. Ela estivera com ele no Great Salt Lake.

— Não — insistiu ela. — Não, a culpa é de *Gaia*. Não teve nada a ver com você.

Leo queria acreditar naquilo, mas não podia. Logo no início da viagem ele estragou tudo ao disparar contra Nova Roma. No fim, na Roma antiga, quebrou um biscoito e pagou um preço muito maior que um olho.

— Leo, me escute. — Hazel segurou sua mão. — Não vou permitir que você leve a culpa. Eu não poderia suportar isso depois que... depois que Sammy...

A voz dela falhou, mas Leo sabia o que ela queria dizer. Seu *bisabuelo* havia se culpado pelo desaparecimento de Hazel. Sammy tivera uma vida boa, mas fora para o túmulo acreditando que havia vendido um diamante amaldiçoado e condenado a garota que ele amava.

Leo não queria fazer Hazel passar por todo aquele sofrimento de novo, mas aquilo era diferente. *O verdadeiro sucesso exige sacrifício.* Leo tinha escolhido quebrar o biscoito. Percy e Annabeth haviam caído no Tártaro. Não podia ser coincidência.

Nico di Angelo aproximou-se, se arrastando, apoiado em sua espada negra.

— Leo, eles não estão mortos. Se estivessem, eu sentiria.

— Como pode ter certeza? — perguntou Leo. — Se aquele poço de fato leva ao... você sabe... como poderia senti-los mesmo tão longe?

Nico e Hazel trocaram um olhar, talvez comparando notas no radar da morte de Hades/Plutão que ambos tinham. Leo estremeceu. Hazel nunca lhe parecera uma filha do Mundo Inferior, mas Nico di Angelo... aquele cara era sinistro.

— Não podemos ter cem por cento de certeza — admitiu Hazel. — Mas acho que Nico tem razão. Percy e Annabeth ainda estão vivos... pelo menos até agora.

Jason esmurrou a amurada.

— Eu devia estar *prestando atenção*. Poderia ter descido voando e salvado os dois.

— Eu também — gemeu Frank.

O grandão parecia à beira das lágrimas. Piper pôs a mão nas costas de Jason.

— Não é culpa de nenhum dos dois. Vocês estavam tentando salvar a estátua.

— Ela tem razão — concordou Nico. — Mesmo que o poço não tivesse sido soterrado, vocês não poderiam entrar ali voando sem serem tragados para baixo. Sou o único que de fato já esteve no Tártaro. É impossível descrever o poder daquele lugar. Quando se chega perto, ele suga você. Eu não tive a menor chance.

Frank fungou.

— Então Percy e Annabeth também não têm a menor chance?

Nico girou o anel de prata de caveira no dedo.

— Percy é o semideus mais poderoso que já conheci. Sem nenhuma ofensa a vocês, pessoal, mas é a verdade. Se alguém pode sobreviver, é ele, principalmente tendo Annabeth ao lado. Eles vão descobrir um modo de atravessar o Tártaro.

Jason virou-se:

— Até as Portas da Morte, você quer dizer. Mas você nos disse que elas são guardadas pelas forças mais poderosas de Gaia. Como dois semideuses poderiam...?

— Não sei — admitiu Nico. — Mas Percy me disse para levar vocês até Épiro, do lado mortal do portal. O plano dele é nos encontrar lá. Se sobrevivermos à

Casa de Hades, abrir caminho lutando contra as forças de Gaia, então talvez possamos trabalhar com Percy e Annabeth e lacrar as Portas da Morte de ambos os lados.

— E trazer de volta Percy e Annabeth em segurança? — perguntou Leo.

— Talvez.

Leo não gostou da maneira como Nico disse aquilo, como se não estivesse revelando todas as suas incertezas. Além disso, Leo conhecia um pouco de fechaduras e portas. Se as Portas da Morte precisavam ser fechadas por ambos os lados, como seria possível fazer isso a menos que alguém permanecesse preso no Mundo Inferior?

Nico respirou fundo.

— Não sei como, mas Percy e Annabeth vão dar um jeito. Eles vão atravessar o Tártaro e encontrar as Portas da Morte. Quando chegarem lá, precisamos estar prontos.

— Não vai ser fácil — falou Hazel. — Gaia vai usar todos os seus recursos para nos impedir de chegar a Épiro.

— Qual é a novidade?

Jason suspirou. Piper assentiu.

— Não temos escolha. Precisamos fechar as Portas da Morte antes de impedirmos que os gigantes despertem Gaia. Caso contrário, seus exércitos jamais morrerão. E temos que nos apressar. Os romanos estão em Nova York. Logo marcharão sobre o Acampamento Meio-Sangue.

— Temos no máximo um mês — acrescentou Jason. — Efialtes disse que Gaia acordaria daqui a exatamente um mês.

Leo se endireitou.

— A gente consegue fazer isso.

Todos o olharam.

— A esfera de Arquimedes pode dar um *upgrade* no navio — disse ele, torcendo para estar certo. — Vou estudar aqueles pergaminhos antigos. Deve haver inúmeros tipos novos de armas que eu possa fazer. Vamos atacar os exércitos de Gaia com toda uma inovação de arsenal para causar dor.

Na proa do navio, Festus estalou a mandíbula e cuspiu fogo, desafiador.

Jason sorriu e deu um tapinha no ombro de Leo.

— Parece que temos um plano, almirante. Quer estabelecer a rota?

Eles brincavam com ele, chamando-o de almirante, e dessa vez Leo aceitou o título. Aquele era o seu navio. Ele não fora até ali para ser detido.

Eles encontrariam essa Casa de Hades. Tomariam as Portas da Morte. E, pelos deuses, se Leo tivesse que projetar um braço mecânico longo o suficiente para tirar Percy e Annabeth do Tártaro, então era isso que faria.

Nêmesis queria que ele se vingasse de Gaia? Leo ficaria feliz em satisfazê-la. Faria Gaia se arrepender de um dia ter se metido com Leo Valdez.

— Sim. — Ele deu uma última olhada na silhueta de Roma desenhada no horizonte, tingindo-se de vermelho-sangue ao pôr do sol. — Festus, içar as velas. Temos que salvar uns amigos.

GLOSSÁRIO

Acampamento Júpiter campo de treinamento para semideuses romanos, localizado entre as Oakland Hills e as Berkeley Hills, na Califórnia

Acampamento Meio-Sangue campo de treinamento para semideuses gregos, localizado em Long Island, Nova York

Adriano imperador romano que governou de 117 a 138 EC. É mais conhecido por ter construído a Muralha de Adriano, que demarcava o limite norte da Grã-Bretanha romana. Em Roma, ele reconstruiu o Panteão e construiu o templo de Vênus e Roma

Afrodite a deusa grega do amor e da beleza. Era casada com Hefesto, mas amava Ares, o deus da guerra. Forma romana: Vênus

Alcioneu o mais velho dos gigantes nascidos de Gaia, destinado a combater Plutão

amazonas mulheres que viviam em uma nação exclusivamente de guerreiras

Aqueloo um *potamus*, ou deus-rio

Aracne tecelã que alegava ter habilidades superiores às de Atena. Isso enfureceu a deusa, que destruiu as tapeçarias e o tear de Aracne. A tecelã se enforcou, e Atena a trouxe de volta à vida como aranha

Ares o deus grego da guerra; filho de Zeus e Hera e meio-irmão de Atena. Forma romana: Marte

argentum prata

Argo II o fantástico navio construído por Leo, que pode tanto navegar quanto voar e tem a cabeça do dragão de bronze Festus como sua figura de proa. O navio foi batizado em homenagem a *Argo*, a embarcação usada pelo grupo de heróis gregos que acompanhou Jasão em sua busca ao Velocino de Ouro

Arquimedes matemático, físico, engenheiro, inventor e astrônomo grego que viveu entre 287 e 212 AEC e é considerado como um dos principais cientistas da antiguidade clássica

Atena a deusa grega da sabedoria. Forma romana: Minerva

Atena Partenos uma estátua gigantesca de Atena; a estátua grega mais famosa de todos os tempos

augúrio sinal de algum porvir, presságio; prática de adivinhar o futuro

aurum ouro

ΑΘΕ alfa, teta e épsilon. Em grego, representa *dos atenienses*, ou *os filhos de Atena*

Baco o deus romano do vinho e da orgia. Forma grega: Dioniso

balista escorpião arma de cerco romana de longo alcance, que arremessava grandes projéteis em um alvo distante

Belona deusa romana da guerra

bronze celestial metal raro letal para monstros

Calendas de Julho o primeiro dia de julho, que era consagrado a Juno

Casa de Hades templo subterrâneo em Épiro, na Grécia, dedicado a Hades e Perséfone, às vezes chamado de Necromanteion, ou "oráculo da morte". Os gregos antigos acreditavam que ele marcava uma entrada para o Mundo Inferior, e peregrinos iam até lá para comungar com os mortos

Casa dos Lobos mansão em ruínas, originalmente encomendada por Jack London perto de Sonoma, na Califórnia, onde Percy Jackson foi treinado como semideus romano por Lupa

centauro raça de criaturas metade homem, metade cavalo

centurião oficial do exército romano

Ceres deusa romana da agricultura. Forma grega: Deméter

Ceto deusa grega dos monstros e das criaturas marinhas de grande porte, tais como baleias e tubarões; filha de Gaia e irmã-esposa de Fórcis, deus dos perigos do mar

charme (na fala) bênção concedida por Afrodite a seus filhos, que os capacita a persuadir outras pessoas com a voz

ciclope membro de uma raça primordial de gigantes, que tem um único olho no meio da testa

Circe feiticeira grega. Nos tempos antigos, transformou a tripulação de Odisseu em porcos

Coliseu anfiteatro elíptico no centro de Roma, Itália. Com capacidade para cinquenta mil espectadores sentados, o Coliseu era usado para competições entre gladiadores e para espetáculos públicos, como simulações de batalhas navais, caçadas animais, execuções, reencenações de batalhas e dramas famosos

Contracorrente espada de Percy Jackson (*Anaklusmos*, em grego)

cornucópia um grande recipiente em formato de chifre de onde transbordam comestíveis ou algum tipo de riqueza. A cornucópia foi criada quando Héracles (Hércules, para os romanos) lutou com o deus-rio Aqueloo e arrancou um de seus chifres

Crisaor irmão de Pégaso, filho de Poseidon e Medusa; conhecido como "o Espada de Ouro"

Cronos deus grego da agricultura; filho de Urano e Gaia e pai de Zeus. Forma romana: Saturno

Dédalo na mitologia grega, um hábil artesão que criou o Labirinto em Creta, no qual o Minotauro (parte homem, parte touro) era mantido

Dejanira segunda esposa de Héracles. Sua beleza era tão extraordinária que tanto Héracles quanto Aqueloo quiseram se casar com ela, e houve uma competição por sua mão. O centauro Nesso enganou-a, levando-a a matar Héracles ao mergulhar sua túnica no que ela pensou tratar-se de uma poção do amor, mas que na verdade era o sangue venenoso do centauro

Deméter a deusa grega da agricultura; filha dos titãs Reia e Cronos. Forma romana: Ceres

denário a moeda mais comum no sistema monetário romano

Dioniso deus grego do vinho e da orgia; filho de Zeus. Forma romana: Baco

dracma moeda de prata da Grécia Antiga

drakon serpente gigantesca

Efialtes e Oto gigantes gêmeos; filhos de Gaia

eidolon espírito possessor

Épiro região atualmente no noroeste da Grécia e sul da Albânia

escolopendra monstro marinho grego gigantesco com narinas peludas, cauda semelhante à da lagosta e fileiras de patas palmípedes ao longo dos flancos

Euristeu neto de Perseu que, por meio dos favores de Hera, herdou o reinado de Micenas, o qual Zeus pretendia para Héracles

fauno deus romano da floresta, parte bode e parte homem. Forma grega: sátiro

fogo grego arma incendiária usada em batalhas navais porque continua a queimar mesmo na água

Fontana di Trevi fonte no bairro romano de Trevi, em Roma. Com vinte e cinco metros de altura e vinte de largura, é a maior fonte barroca na cidade e uma das fontes mais famosas do mundo

Fórcis na mitologia grega, deus primordial dos perigos do mar; filho de Gaia e irmão-marido de Ceto

Fortuna deusa romana da fortuna e da sorte. Forma grega: Tique

fórum o fórum romano era o centro da Roma Antiga, uma praça onde os romanos faziam negócios, julgamentos e atividades religiosas

Gaia deusa grega da terra; mãe dos titãs, gigantes, ciclopes e outros monstros. Forma romana: Terra

gládio espada curta

górgonas três irmãs monstruosas (Esteno, Euríale e Medusa), cujos cabelos eram serpentes vivas venenosas. A mais famosa delas, Medusa, podia transformar em pedra aqueles que a encaravam

greva peça da armadura para a canela

Hades deus grego da morte e das riquezas. Forma romana: Plutão

Hagno ninfa que teria criado Zeus. No Monte Liceu, na Arcádia, havia um poço consagrado a ela e batizado em sua homenagem

harpia criatura fêmea alada que rouba objetos

Hebe deusa da juventude; filha de Zeus e Hera, casada com Héracles. Forma romana: Juventa

Hefesto deus grego do fogo, do artesanato e dos ferreiros; filho de Zeus e Hera, casado com Afrodite. Forma romana: Vulcano

Hera deusa grega do casamento; esposa e irmã de Zeus. Forma romana: Juno

Héracles forma grega de Hércules; filho de Zeus e Alcmena; o mais forte dos mortais

Hércules forma romana de Héracles; filho de Júpiter e Alcmena, nasceu com grande força

hipocampos criaturas que da cintura para cima têm corpo de cavalo e o restante do corpo de peixe prateado, com escamas reluzentes e nadadeiras de arco-íris. Eram usados para puxar a carruagem de Poseidon, e a espuma do mar era criada pelo movimento deles

Hipódromo estádio grego para corridas de cavalos e carruagens

hipogeu a área debaixo de um coliseu que abrigava peças de cenário e maquinário usado para efeitos especiais

ictiocentauro peixe-centauro descrito como tendo as patas dianteiras de um cavalo, torso e cabeça humanos e cauda de peixe. Às vezes é retratado com um par de chifres semelhantes a garras de lagosta

Invídia deusa romana da vingança. Forma grega: Nêmesis

Íris deusa grega do arco-íris e mensageira dos deuses; filha de Taumante e Electra. A forma romana tem o mesmo nome

Juno deusa romana das mulheres, do casamento e da fertilidade; irmã e esposa de Júpiter; mãe de Marte. Forma grega: Hera

Júpiter rei romano dos deuses; também chamado de Júpiter Optimus Maximus (o melhor e o maior). Forma grega: Zeus

Juventa deusa romana da juventude. Forma grega: Hebe

karpoi espíritos dos grãos

Katoptris adaga de Piper, que já pertenceu a Helena de Troia. A palavra significa "espelho"

Lar deus da casa, espírito ancestral romano

Linha Pomeriana limite em torno de Nova Roma e, nos tempos antigos, os limites da cidade de Roma

livros sibilinos conjunto de profecias em versos rimados escritos em grego. Tarquínio Soberbo, um rei de Roma, comprou-os de uma profetisa chamada Sibila e os consultava em épocas de grande perigo

Lupa loba romana sagrada que amamentou os gêmeos abandonados Rômulo e Remo

Marcus Agrippa estadista e general romano, ministro da defesa de Otaviano e responsável pela maioria de suas vitórias militares. Ele encomendou o Panteão como templo de todos os deuses da Roma Antiga

Mare Nostrum Nosso Mar, em latim; nome romano do Mar Mediterrâneo

Marte deus romano da guerra; também chamado de Marte Ultor. Patrono do império; pai divino de Rômulo e Remo. Forma grega: Ares

Minerva deusa romana da sabedoria. Forma grega: Atena

Minotauro monstro com cabeça de touro e corpo de homem

Mitra originalmente deus persa do sol; Mitra era venerado pelos guerreiros romanos como guardião das armas e patrono dos soldados

muskeg pântano

Narciso caçador grego célebre por sua beleza. Era excepcionalmente orgulhoso e desdenhava aqueles que o amavam. Nêmesis, ao perceber isso, atraiu Narciso até um lago, onde ele viu sua imagem refletida na água e por ela se apaixonou. Incapaz de se afastar da beleza de seu reflexo, Narciso morreu

Nêmesis deusa grega da vingança. Forma romana: Invídia

nereidas cinquenta espíritos femininos do mar; protetoras dos marinheiros e pescadores e zeladoras das riquezas do mar

Nesso centauro astuto que enganou Dejanira e a levou a matar Héracles

Netuno deus romano dos mares. Forma grega: Poseidon

Névoa força mágica que disfarça coisas aos olhos dos mortais

Nice deusa grega da força, velocidade e vitória. Forma romana: Vitória

ninfa deidade feminina da natureza, que anima a natureza

ninfeu santuário dedicado às ninfas

Nova Roma comunidade perto do Acampamento Júpiter onde os semideuses podem viver juntos e em paz, sem a interferência dos mortais ou de monstros

ombreira peça de armadura para o ombro e a parte superior do braço

ouro imperial metal raro letal para monstros, consagrado no Panteão; sua existência era um segredo muito bem-guardado dos imperadores

Panteão construção em Roma, Itália, encomendada por Marcus Agrippa como um templo dedicado a todos os deuses da Roma Antiga e reconstruída pelo Imperador Adriano por volta de 126 EC.

pássaros da Estinfália na mitologia grega, aves devoradoras de homens com bico de bronze e penas metálicas afiadas que podiam ser lançados contra suas vítimas; consagradas a Ares, o deus da guerra

pater pai em latim; também é o nome de um antigo deus romano do Mundo Inferior, mais tarde incorporado por Plutão

Pégaso na mitologia grega, cavalo divino alado; gerado por Poseidon, em seu papel de deus-cavalo, e nascido da górgona Medusa; irmão de Crisaor

Perséfone rainha grega do Mundo Inferior; esposa de Hades; filha de Zeus e Deméter. Forma romana: Proserpina

Piazza **Navona** praça em Roma, construída no local do Estádio de Domiciano, onde os cidadãos da Roma Antiga assistiam a jogos competitivos

Plutão deus romano da morte e das riquezas. Forma grega: Hades

Polibotes gigante filho de Gaia, a Mãe Terra

Porfírion rei dos gigantes nas mitologias grega e romana

Portas da Morte portas de uma passagem oculta que, quando abertas, permitem que as almas passem do Mundo Inferior para o mundo dos mortais

Poseidon deus grego do mar; filho dos titãs Cronos e Reia, irmão de Zeus e Hades. Forma romana: Netuno

pretor pessoa eleita para magistrado e comandante do exército romano

Proserpina rainha romana do Mundo Inferior. Forma grega: Perséfone

Quione deusa grega da neve; filha de Bóreas

Reia Sílvia sacerdotisa e mãe dos gêmeos Rômulo e Remo, que fundaram Roma

Rio Tibre o terceiro maior rio em extensão da Itália. Roma foi fundada às suas margens. Na Roma Antiga, criminosos executados eram atirados no rio

Rômulo e Remo filhos gêmeos de Marte e da sacerdotisa Reia Sílvia que foram atirados no Rio Tibre por seu pai humano, Amúlio. Resgatados e criados por uma loba, quando alcançaram a idade adulta, fundaram Roma

sátiros deuses gregos da floresta, parte bode e parte humano. Forma romana: faunos

Saturno deus romano da agricultura; filho de Urano e Gaia, pai de Júpiter. Forma grega: Cronos

Senatus Populusque Romanus (SPQR) "O Senado e o Povo de Roma"; refere-se ao governo da República Romana e é usado como emblema oficial de Roma

Tânatos deus grego da morte. Forma romana: Letus

Tártaro marido de Gaia; espírito do abismo; pai dos gigantes; também a região mais profunda do mundo

telquines demônios marinhos misteriosos e ferreiros nativos das ilhas de Chios e Rhodes; filhos de Tálassa e Pontos; tinham cabeça de cachorro e nadadeiras no lugar das mãos, e eram conhecidos como crianças-peixes

Término deus romano das fronteiras e dos marcos

Terra deusa romana do planeta Terra. Forma grega: Gaia

Tibério imperador romano de 14 EC a 37 EC. Foi um dos maiores generais de Roma, mas veio a ser lembrado como governante recluso e sombrio, que nunca quis ser imperador

Tique deusa grega da boa sorte; filha de Hermes e Afrodite. Forma romana: Fortuna

tirso arma de Baco, um cajado encimado por uma pinha e envolto com hera

titãs raça de deidades gregas poderosas, descendentes de Gaia e Urano, que governaram durante a Era de Ouro e foram derrubados por uma raça de deuses mais jovens, os olimpianos

trirreme antigo navio de guerra grego ou romano com três fileiras de remo de cada lado

Vênus deusa romana do amor e da beleza. Era casada com Vulcano, mas amava Marte, o deus da guerra. Forma grega: Afrodite

Via **Labicana** antiga estrada da Itália, que levava na direção leste-sudeste, partindo de Roma

Via Principalis principal rua em um acampamento ou forte romano

Virgens Vestais sacerdotisas romanas de Vesta, deusa do lar e da lareira. As Vestais eram livres das habituais obrigações sociais de se casar e ter filhos e faziam voto de castidade a fim de se devotar ao estudo e observância do ritual

Vitória deusa romana da força, velocidade e vitória. Forma grega: Nice

Vulcano deus romano do fogo, do artesanato e dos ferreiros; filho de Júpiter e Juno, casado com Vênus. Forma grega: Hefesto

Zeus deus grego do céu e rei dos deuses. Forma romana: Júpiter

- intrinseca.com.br
- @intrinseca
- editoraintrinseca
- @intrinseca
- @editoraintrinseca
- intrinsecaeditora

1ª edição	DEZEMBRO DE 2013
reimpressão	JUNHO DE 2025
impressão	LIS GRÁFICA
papel de miolo	POLÉN NATURAL 70 G/M²
papel de capa	CARTÃO SUPREMO ALTA ALVURA 250 G/M²
tipografia	ADOBE CASLON PRO